Curso de Física Básica 1

Mecânica

Blucher

H. Moysés Nussenzveig

Professor Emérito do Instituto de Física
da Universidade Federal do Rio de Janeiro
(UFRJ)

Curso de Física Básica 1

Mecânica

5ª edição, revista e atualizada

Curso de Física básica 1

5ª edição - 2013
6ª reimpressão - 2021
Editora Edgard Blücher Ltda.

Blucher

Rua Pedroso Alvarenga, 1245, 4º andar
04531-934 - São Paulo - SP - Brasil
Tel.: 55 11 3078-5366
contato@blucher.com.br
www.blucher.com.br

Segundo o Novo Acordo Ortográfico, conforme 5. ed. do *Vocabulário Ortográfico da Língua Portuguesa*, Academia Brasileira de Letras, março de 2009.

FICHA CATALOGRÁFICA

Nussenzveig, Herch Moysés
Curso de física básica, 1: mecânica / H. Moysés Nussenzveig. - 5. ed. - São Paulo: Blucher, 2013.

Bibliografia
ISBN 978-85-212-0745-0

1. Física 2. Mecânica I. Título

13-0194 CD 531

Índice para catálogo sistemático:
1. Física - mecânica

Dedicado a meus filhos

Helena, Roberto e Paulo
e aos estudantes

"Meu objetivo é expor uma ciência muito nova que trata de um tema muito antigo.
Talvez nada na natureza seja mais antigo que o movimento..."

Galileu Galilei

"Ofereço este trabalho como os princípios matemáticos
da filosofia, pois toda a tarefa da filosofia parece consistir nisto –
a partir dos fenômenos de movimento, investigar as forças da natureza,
e depois, a partir dessas forças, demonstrar os demais fenômenos..."

Isaac Newton

"Partindo desses princípios... Newton conseguiu explicar
os movimentos dos planetas, luas e cometas, até os mínimos detalhes,
assim, como as marés e o movimento de precessão da Terra –
uma realização dedutiva de magnificência única"

Albert Einstein

Apresentação

A 1ª edição deste livro foi publicada em 1981. De regresso à USP desde 1975, após doze anos de permanência nos Estados Unidos, logo percebi que a reorganização das universidades em institutos havia afetado profundamente o ensino. Além de formar bacharéis e licenciados, o Instituto de Física passara a ser responsável por ministrar a disciplina nos cursos básicos de outras unidades, tais como na engenharia, uma brusca mudança de escala.

Assumi o ensino da física básica, de longe o serviço mais importante prestado pelo instituto à universidade. Examinando todos os livros-texto então disponíveis em língua portuguesa, quase todos traduzidos, fiquei profundamente insatisfeito com eles. Achei-os enfadonhos e desestimulantes, mais preocupados com a memorização de fórmulas para a resolução de problemas do que com a compreensão dos conceitos básicos.

Passei a redigir e distribuir minhas próprias notas de aula, manuscritas, ao longo do curso. Em 1978, porém, fui nomeado, contra a vontade, diretor do Instituto de Física da USP, o que me impediu de continuar lecionando. Como compensação, resolvi persistir na redação e aprimoramento das notas de aula, a fim de publicá-las. Não teria tido tempo de rever provas tipográficas, mas Edgard Blücher ofereceu publicá-las mesmo em formato manuscrito. Minha caligrafia, formatada pelos cadernos pautados do grupo escolar, continuou sempre a mesma, infantil e bastante legível.

O livro manuscrito, única opção viável, oferecia diversas vantagens. Na época, barateava os custos, tornando o livro mais acessível para os estudantes. Como eu também desenhava as figuras, permitia inseri-las onde eu bem entendesse. Eu também seria o único responsável pelas incorreções.

Assim mesmo, os dois primeiros volumes foram preparados durante noites, fins de semana e feriados, graças não só ao sacrifício consentido de minha esposa e meus filhos, mas também contando com seu apoio e estímulo. Essas versões manuscritas estão hoje na categoria de livros raros, para grande satisfação minha, pois acredito que revela a opção de seus proprietários por conservá-los, em lugar de vendê-los a sebos.

A 1ª edição (manuscrita) do volume 2 foi publicada em 1983. A partir de 1996, a elevação dos custos do papel inverteu a planilha dos custos, tornando mais barata a formatação tipográfica, mais compacta, reduzindo o número de páginas, embora me impondo a ingrata e interminável tarefa da revisão de provas.

Uma década e meia decorreu entre a publicação dos dois primeiros volumes e a preparação dos dois últimos. Demais atarefado para alocar o tempo necessário a esse esforço altamente não trivial, acabei empreendendo-o por pressões crescentes dos estudantes, aos quais a obra é dedicada.

Essa dedicatória revela minha principal motivação: introduzi-los aos conceitos e ideias fundamentais da física, como um dos instrumentos centrais para a compreensão da natureza, bem como para o desenvolvimento da tecnologia. A ênfase é no entendimento e domínio dos conceitos e princípios básicos.

Atingir esse objetivo é essencial para a formação tanto do futuro cientista ou professor, como também de um engenheiro criativo, capaz não só de acompanhar a evolução cada vez mais rápida da tecnologia, como, sobretudo, de contribuir para a inovação.

A física deve ser percebida não como um edifício acabado, mas como algo em permanente construção, inclusive em seus alicerces. Entretanto, procurei também esboçar a evolução histórica das ideias, que ajuda a compreendê-las, e incluir a dimensão humana, retratando alguns dos "heróis", como Galileu e Newton, além de transcrever trechos de seus escritos originais.

Os quatro volumes do curso foram concebidos como um todo coerente, no qual os conceitos são apresentados de início no contexto mais simples e intuitivo, com vistas a aplicações imediatas e/ou futuras. As noções e ferramentas matemáticas são introduzidas no momento em que se tornam necessárias, sempre motivadas pela física, geralmente sem pressupor conhecimentos prévios.

O conteúdo de cada volume foi ministrado em um semestre, com seis horas semanais de aulas, incluindo listas de exercícios. Assim, o livro foi planejado para ser enxuto: objetiva contar "a verdade, somente a verdade, mas certamente não toda a verdade". Esforcei-me para não ceder às tentações de incluir tópicos menos essenciais ou argumentos simplistas, mas enganosos.

Considerei importante incluir a gravitação no primeiro volume, pelo papel crucial que teve na formulação da mecânica, por se tratar de uma interação aparentemente fundamental e pelo alcance dos resultados a que levou, ilustrando o poder preditivo da mecânica newtoniana.

A física é uma ciência experimental, e um curso teórico deve necessariamente ser acompanhado por um curso intensivo de laboratório. Sempre que possível, deve haver demonstrações em sala de aula. Listas de exercícios também são essenciais.

O presente volume é o primeiro de uma versão integralmente revista de toda a obra, que já estava precisando ser atualizada. Em termos de composição, é o extremo oposto do livro manuscrito: foi digitalizado, o que me permite revê-lo no meu computador, recuperando o domínio (e a responsabilidade) total pelo resultado. O novo formato me faculta reproduzir fotos, em particular ilustrações originais de clássicos da história da física.

Também permite postar material suplementar, tal como vídeos e arquivos em formatos especiais. Para acessá-los, basta entrar no portal www.blucher.com.br. e clicar em 'material de apoio'.

O esforço despendido, na preparação inicial desta obra e nas edições revistas anteriores, tem sido amplamente recompensado pelas repercussões no ensino universitário de física básica. Ao longo dos anos, tenho recebido numerosas manifestações de jovens cuja formação e eventual escolha de carreira ela influenciou. Resta-me reiterar meus agradecimentos a minha esposa Micheline, às equipes docentes da USP, da PUC-Rio e da UFRJ, que colaboraram nos cursos que ministrei, ao amigo Edgard Blücher e ao estímulo que tenho recebido dos jovens aos quais esta obra é dedicada.

Rio de Janeiro, fevereiro de 2013

H. M. Nussenzveig

Conteúdo

1

Introdução

1.1 PARA QUE SERVE A FÍSICA?

A ciência desempenha um papel muito importante no mundo contemporâneo. Não era assim há poucas gerações: o desenvolvimento científico tem-se acelerado enormemente. Tornou-se lugar comum dizer que vivemos numa sociedade tecnológica e medir o progresso pelo grau de desenvolvimento tecnológico. A tecnologia depende crucialmente da ciência para renovar-se, e também contribui para ela, mas não devem ser confundidas.

Sem dúvida, nossas vidas são profundamente afetadas pela tecnologia, e de forma que, muitas vezes, está longe de ser benéfica. Basta lembrar os problemas da poluição e do aquecimento global. Os cientistas são frequentemente responsabilizados pelos aspectos negativos decorrentes de suas descobertas, embora o uso que delas se faz dependa de fatores políticos e econômicos alheios a sua vontade. Por mais benéfica que seja a intenção original, ela é frequentemente deturpada. Por isso mesmo, os cientistas devem ter consciência de sua responsabilidade.

Vários problemas cruciais de nossa época dependem para sua solução de avanços científicos e tecnológicos, inclusive aqueles que se originam direta ou indiretamente desses avanços. Os problemas da energia e do meio ambiente adquiriram uma importância vital.

A reação anticientífica existiu desde os primórdios da história da física. Basta lembrar o exemplo de Galileu. Goethe atacou Newton por sua teoria das cores, dizendo que a essência das cores se percebe num pôr do sol, e não fazendo experimentos com um prisma. É preciso reconhecer que a visão científica do mundo não exclui nem invalida outras variedades da experiência. Podemos aplicar a acústica, a neurofisiologia e a psicologia ao estudo das sensações provocadas pela audição de uma sonata de Mozart, mas ainda estaríamos omitindo provavelmente o aspecto mais importante.

A consciência das limitações do método científico não nos deve impedir de apreciar sua imensa contribuição ao conhecimento da natureza. A motivação básica da ciência sempre tem sido a de entender o mundo. É a mesma curiosidade que leva um menino a desmontar um relógio para saber como funciona. De que são feitas as coisas?

Como e por que se movem os corpos celestes? Qual é a natureza da eletricidade e do magnetismo? O que é a luz? Qual a origem do universo? Estas são algumas das grandes questões que têm sido abordadas pelos físicos.

A experiência tem demonstrado que o trabalho de pesquisa básica, motivado exclusivamente pela curiosidade, leva com frequência a aplicações inesperadas de grande importância prática. Conta-se que o grande experimentador Michael Faraday, questionado pelo primeiro-ministro da Inglaterra sobre para que serviria sua recente descoberta do fenômeno da indução eletromagnética, teria respondido: "Quem sabe um dia será taxado pelo governo". Quase todas as aplicações que fazemos hoje em dia da energia elétrica decorrem do efeito descoberto por Faraday. O transistor, o laser, os computadores resultaram de pesquisas básicas em física.

O trabalho de muitas gerações demonstrou a existência de ordem e regularidade nos fenômenos naturais, daquilo que chamamos de leis da natureza. O estudo que ora iniciamos pode ser empreendido pelos mais diversos motivos, mas uma de suas maiores recompensas é uma melhor apreciação da simplicidade, beleza e harmonia dessas leis. É uma espécie de milagre, como disse Einstein: "O que a natureza tem de mais incompreensível é o fato de ser compreensível".

1.2 RELAÇÕES ENTRE FÍSICA E OUTRAS CIÊNCIAS

A física é, em muitos sentidos, a mais fundamental das ciências naturais, e é também aquela cuja formulação atingiu o maior grau de refinamento.

Com a explicação da estrutura atômica fornecida pela mecânica quântica, a química pode ser considerada até certo ponto como um ramo da física. A física forneceu a explicação da ligação química, e a estrutura e as propriedades das moléculas podem ser calculadas "em princípio" resolvendo problemas de física. Isso não significa que o sejam na prática, exceto em alguns casos extremamente simples. De fato, na imensa maioria dos casos, os sistemas químicos são demasiado complexos para serem tratáveis fisicamente, mesmo com auxílio dos computadores mais poderosos disponíveis, o que significa que os métodos específicos extremamente engenhosos elaborados pelos químicos para tratar esses problemas continuam sendo indispensáveis. Entretanto, não temos razões para duvidar de que as interações básicas responsáveis pelos processos químicos sejam já conhecidas e reduzidas a termos físicos.

A situação com respeito à biologia é até certo ponto análoga, se bem que a compreensão em termos de leis físicas se encontre ainda num estágio menos desenvolvido. Muitas das peculiaridades dos sistemas biológicos resultam de ser fruto de uma evolução histórica – a teoria de Darwin da evolução é fundamental na biologia. Esse fator não é usualmente considerado para sistemas físicos. É certo que na cosmologia a evolução do universo a partir de sua origem é um tema central, mas não no sentido de evolução darwiniana. Os avanços recentes da biologia molecular vêm atuando no sentido de estabelecer uma aproximação cada vez maior entre a biologia e a física.

A física deve grande parte de seu sucesso como modelo de ciência natural ao fato de que sua formulação utiliza uma linguagem que é, ao mesmo tempo, uma ferramenta muito poderosa: a matemática. Na expressão de Galileu, "A ciência está escrita neste grande livro colocado sempre diante de nossos olhos – o universo – mas não podemos lê-lo sem apreender a linguagem e entender os símbolos em termos dos quais está escrito. Este livro está escrito na linguagem matemática".

É importante compreender bem as relações entre física e matemática. Bertrand Russell definiu a matemática como: "A ciência onde nunca se sabe de que se está falando nem se o que se está dizendo é verdade" para caracterizar o método axiomático: tudo é deduzido de um conjunto de axiomas, mas a questão da "validade" desses axiomas no mundo real não se coloca. Hilbert, ao axiomatizar a geometria, disse que nada deveria se alterar se as palavras "ponto, reta, plano" fossem substituídas por "mesa, cadeira, copo". Conforme o conjunto de axiomas adotado, obtém-se a geometria euclidiana ou uma das geometrias não euclidianas, mas não tem sentido perguntar, do ponto de vista da matemática, qual delas é "verdadeira".

Na física, como ciência natural, essa pergunta faz sentido: qual é a geometria do mundo real? A experiência mostra que, na escala astronômica, aparecem desvios da geometria euclidiana.

A física é muitas vezes classificada como "ciência exata", para ressaltar seus aspectos quantitativos. Já no século VI a. C., a descoberta pela Escola Pitagórica de algumas das leis das cordas vibrantes, estabelecendo uma relação entre sons musicais harmoniosos e números inteiros (proporção entre comprimentos de cordas que emitem tons musicais), levou à convicção de que: "Todas as coisas são números".

Embora a formulação em termos quantitativos seja muito importante, a física também lida com muitos problemas interessantes de natureza qualitativa. Isso não significa que não requerem tratamento matemático: algumas das teorias mais difíceis e elaboradas da matemática moderna dizem respeito a métodos qualitativos.

Neste curso, a ênfase não será no tratamento matemático, e sim nos conceitos físicos. Alguns dos conceitos matemáticos básicos que vamos empregar serão introduzidos à medida que se tornarem necessários. Também exemplificaremos algumas aplicações à biologia.

A natureza ignora as distinções que estabelecemos entre diferentes disciplinas. A pesquisa científica de fronteira requer cada vez mais uma abordagem interdisciplinar.

1.3 O MÉTODO CIENTÍFICO

Não se pode codificar um conjunto de regras absolutas para a pesquisa. Cabem apenas algumas observações sobre esse tema.

1. *Observação e experimentação*: são o ponto de partida e, ao mesmo tempo, o teste crucial na formulação das leis naturais. A física, como as demais ciências naturais, é uma ciência experimental. Assim, o bom acordo com a experiência é o juiz supremo da validade de qualquer teoria científica. O diálogo Hegeliano, "Só pode haver sete planetas. Mas isso contradiz os fatos! Tanto pior para os fatos!", representa o oposto da atitude científica. A única autoridade reconhecida como árbitro decisivo da validade de uma teoria é a verificação experimental de suas consequências. Se não está de acordo com a experiência, tem de ser descartada.

Entretanto, "embora a ciência se construa com dados experimentais, da mesma forma que uma casa se constrói com tijolos, uma coleção de dados experimentais ainda não é ciência, da mesma forma que uma coleção de tijolos não é uma casa" (Poincaré).

2. *Abstração, indução:* Já se disse que a primeira lei da ecologia é: "Tudo depende de tudo"; é por isso que problemas ecológicos são tão complexos. Em certa medida, o mesmo vale para a física ou qualquer outra ciência natural. Quando uma maçã cai da árvore, o movimento da Terra sofre uma (pequeníssima!) perturbação, e ele também é afetado pelo que acontece em galáxias extremamente distantes. Entretanto, seria impossível chegar à formulação de leis naturais se procurássemos levar em conta desde o início, no estudo de cada fenômeno, todos os fatores que possam influenciá-lo, por menor que seja essa influência.

O primeiro passo no estudo de um fenômeno natural consiste em fazer abstração de um grande número de fatores considerados inessenciais, concentrando a atenção apenas nos aspectos mais importantes. O julgamento sobre o que é ou não importante já envolve a formulação de modelos e conceitos teóricos, que representam, segundo Einstein, uma "livre criação da mente humana".

Um bom exemplo é o conceito de "partícula" na mecânica. Na geografia, em que o globo terrestre é o principal objeto de estudo, é preciso, para muitos fins, levar em conta as irregularidades da crosta terrestre. Ao estudar o movimento de rotação da Terra em torno de seu eixo, podemos considerá-la, em primeira aproximação, como uma esfera rígida uniforme. Já quando estudamos o movimento de translação da Terra em torno do Sol, considerando que o diâmetro da Terra é menor que um décimo-milésimo de sua distância ao Sol, podemos desprezar suas dimensões, tratando-a como uma partícula ou "ponto material". Temos assim estágios sucessivos de abstração (Figura 1.1) na representação de nosso planeta.

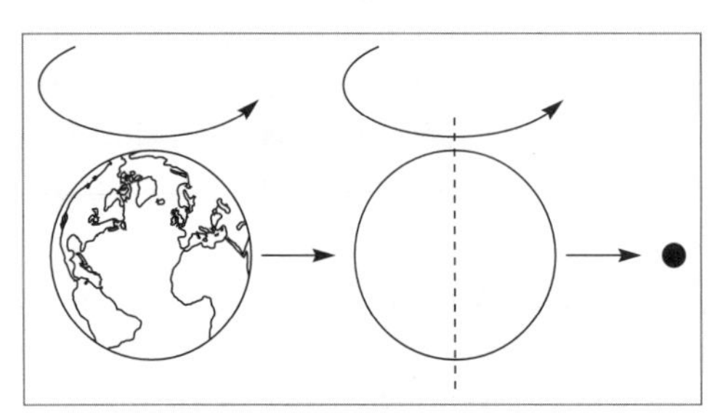
Figura 1.1 Estágios sucessivos de abstração na representação da Terra.

A arte do teórico está em julgar o que e como abstrair, o que é essencial e o que é acessório. O experimentador enfrenta problemas análogos: eliminar "efeitos espúrios" e medir apenas o efeito desejado é extremamente difícil. Só recentemente se descobriu que o universo inteiro é atravessado por radiação eletromagnética, proveniente da Grande Explosão da qual se teria originado, e que pode produzir efeitos importantes na escala quântica.

Uma vez atingido certo estágio no desenvolvimento de conceitos e modelos, pode-se procurar, por meio de um processo indutivo, formular leis fenomenológicas, ou seja, obtidas diretamente a partir dos fenômenos observados, como forma sintética e mais econômica de descrevê-los. Convém frisar que esse é apenas um de muitos processos possíveis que têm sido empregados na formulação de leis físicas.

3. *Leis e teorias físicas*: Um exemplo clássico desse processo, que será discutido no Capítulo 10, foi a formulação das leis de Kepler do movimento planetário

a partir das observações feitas por Tycho Brahe. Neste caso, a etapa ulterior, que culminou na obra de Newton, foi a formulação das leis gerais do movimento e da lei da gravitação universal. O resultado foi a elaboração de uma nova teoria física, a teoria da gravitação, situada dentro de uma teoria mais ampla, a mecânica clássica.

Esse exemplo ilustra algumas das características importantes de uma boa teoria: a) Deve ser capaz de reduzir grande número de fenômenos diversos a um pequeno número de leis simples, mostrando que podem ser deduzidos matematicamente a partir dessas leis básicas; b) Deve ter poder preditivo: a partir das leis básicas, deve ser possível predizer fenômenos novos que possam ser comparados com a experiência. Uma teoria deve sempre ser explorada em todas as direções possíveis, no sentido de verificação de suas previsões. Um dos maiores triunfos da teoria da gravitação universal foi a predição da existência de Netuno, feita por Adams e Leverrier em 1846.

4. *Domínio de validade*: Todas as teorias físicas conhecidas sempre têm representado aproximações aplicáveis num certo domínio da experiência. Assim, por exemplo, as leis da mecânica clássica são aplicáveis aos movimentos usuais de objetos macroscópicos, mas deixam de valer: (i) para velocidades comparáveis com a velocidade da luz, quando aparecem efeitos relativísticos; (ii) para objetos na escala atômica, quando temos de empregar a mecânica quântica.

Entretanto, uma "revolução científica" raramente inutiliza por completo as teorias precedentes. A validade aproximada dessas teorias no domínio em que já haviam sido testadas experimentalmente garante, em geral, sua sobrevivência nesse domínio. Assim, a mecânica clássica continua sendo aplicável a uma grande variedade de movimentos macroscópicos.

Uma nova teoria representa em regra uma generalização da antiga, estendendo-a a um domínio mais amplo, mas contendo-a muitas vezes como caso particular ou caso-limite, válido aproximadamente no domínio anterior. Isso não impede que os conceitos básicos da nova teoria possam diferir radicalmente dos anteriores.

O processo de "seleção natural" pelo qual passam as teorias científicas exige que sejam sempre submetidas a uma ampla crítica pela comunidade científica internacional e ao maior número possível de testes experimentais. Por isso, o segredo e o dogma são inimigos da ciência e a liberdade de comunicação e de pesquisa são vitais para o seu florescimento.

Poderia parecer conveniente iniciar desde logo o estudo da física pelas leis mais exatas conhecidas, uma vez que contêm as formulações anteriores como caso-limite ou caso particular. Entretanto, isso não seria recomendável, e nem mesmo possível, por muitas razões. Do ponto de vista pedagógico, é importante começarmos pelo domínio de fenômenos que nos são mais familiares. A física clássica, que compreende a maior parte do nosso curso, tem um extenso domínio de aplicabilidade, na escala de nossa experiência cotidiana, e uma boa compreensão da mesma tem importância fundamental para a própria formulação da mecânica quântica. Entretanto, convém não perder de vista os limites de aplicabilidade das teorias que vamos estudar. Sempre que possível, chamaremos a atenção sobre esses limites.

1.4 ORDENS DE GRANDEZA. ALGARISMOS SIGNIFICATIVOS

Conta-se que o astrônomo inglês Arthur Eddington iniciou uma de suas aulas, em certa ocasião dizendo: "Acredito que o número total de elétrons no universo (igual ao número de prótons) é dado por 15. 747. 724. 136. 275. 002. 577. 605. 653. 961. 181. 555. 468. 044. 717. 914. 527. 116. 709. 366. 231. 425. 076. 185. 631. 031. 296". Na opinião dele, esse número representaria uma constante fundamental da natureza, dedutível teoricamente.

Embora as ideias numerológicas de Eddington não tenham encontrado receptividade, esse exemplo serve pelo menos para ilustrar o fato de que na física é frequente termos de lidar com números muito grandes ou muito pequenos, uma vez que ela abrange o estudo de fenômenos que vão desde a escala subatômica até a escala do universo. Torna-se necessário assim o uso de uma notação conveniente.

O número de Eddington é igual a $2 \times 136 \times 2^{256}$, o que ilustra a vantagem da notação exponencial. Convém lembrar algumas regras simples da potenciação:

$$a^p \cdot a^q = a^{p+q}$$

$$a^{-p} = 1 / a^p$$

$$\left(a^p\right)^q = a^{pq}$$

Usualmente trabalhamos com potências de 10. A tabela abaixo dá as abreviações usadas junto aos nomes das unidades para potências decrescentes e crescentes de 10.

10^1	deca	da	10^{-1}	deci	d
10^2	hecto	h	10^{-2}	centi	c
10^3	kilo	k	10^{-3}	mili	m
10^6	mega	M	10^{-6}	micro	μ
10^9	giga	G	10^{-9}	nano	n
10^{12}	tera	T	10^{-12}	pico	p
10^{15}	peta	P	10^{-15}	femto	f
10^{18}	exa	E	10^{-18}	atto	a
10^{21}	zetta	Z	10^{-21}	zepto	z
10^{24}	yotta	Y	10^{-24}	yocto	y

Exemplo: A velocidade da luz no vácuo é aproximadamente

$$c \approx 300.000 \text{ km / s} = 3 \times 10^5 \text{ km / s}$$

onde " $\approx$ " significa: "aproximadamente igual a".

$$1 \text{ km} = 10^3 \text{ m} = 10^5 \text{ cm} \Rightarrow c \approx 3 \times 10^{10} \text{ cm / s}$$

O número de Eddington, nesta notação, é $\approx 1{,}6 \times 10^{79}$. Embora não levemos a sério seus argumentos numerológicos, a ordem de grandeza concorda bastante bem com as estimativas atuais sobre o número total de átomos (dominado pelos de hidrogênio) no universo.

Algarismos significativos: Na estação ferroviária de Campos do Jordão (SP), uma tabuleta com o nome da cidade continha aproximadamente a seguinte informação: Altitude: 1.698,73567 m. Mesmo sem levar em conta o problema da precisão da medida, é óbvio que não tem sentido definir a altitude de uma cidade com precisão de 10^{-2} mm! Também não teria sentido dizer que o peso de uma pessoa é de 75,342846 kg!

Embora o absurdo seja patente nesses exemplos, é um erro muito comum, especialmente para principiantes, manipular dados numéricos preservando um número excessivo de algarismos. Além de sobrecarregar inutilmente as operações com estes números, acarretando grande perda de tempo, e aumentando a probabilidade de erro, isso leva muitas vezes a resultados tão absurdos como os acima citados.

Toda medida é feita com certa margem de precisão, e o resultado só deve ser indicado até o último algarismo significativo. Assim, se o resultado da medida de comprimento de uma sala for indicado como sendo 7 m, deve-se subentender uma precisão na medida de ± 0,5 m, ou seja, o resultado obtido foi 7, mas, devido à incerteza, só podemos dizer que está entre 6,5 m e 7,5 m. Se indicarmos o resultado como 7,00 m, subentende-se uma medida muito mais precisa, com precisão de ± 0,005 m, ou seja, o resultado deve estar entre 6,995 m e 7,005 m.

Note que 0,0001 só tem um algarismo significativo, ao passo que 0,1000 tem quatro. É mais conveniente escrevermos 1×10^{-4} no primeiro caso, e $1{,}000 \times 10^{-1}$ no segundo, empregando sempre números compreendidos entre 1 e 10 seguidos de uma potência apropriada de 10. Com essa notação, o número de algarismos do coeficiente da potência de 10 será o número de algarismos significativos.

Em operação com dados de precisões diversas, não tem sentido manter mais algarismos significativos do que os de número conhecido com menor precisão.

Assim, se as dimensões de uma sala são dadas como comprimento = 7 m; largura = 5,23 m, não tem sentido calcular o perímetro como $2 \times 7 + 2 \times 5{,}23 = 24{,}46$ m: os dois algarismos decimais não são significativos, uma vez que o comprimento só é conhecido com precisão de ± 0,5 m. Devemos usar para o cálculo $2 \times 7 + 2 \times 5 = 24$ m.

A precisão de uma medida também pode ser indicada explicitamente: por exemplo, 26,2 ± 0,3 m significa que o resultado obtido foi 26,2, mas levando em conta a precisão da medida, poderia estar compreendido entre 25,9 m e 26,5 m.

Um conceito mais importante que o de precisão é o de acurácia de uma medida, que mede quanto o resultado se aproxima do valor real da grandeza medida. Por exemplo, uma pesagem feita com uma balança de precisão pode fornecer um valor incluindo até décimos de grama, mas, caso a balança não esteja bem calibrada, o resultado não terá uma acurácia correspondente, podendo ser bastante diverso do valor verdadeiro.

É de grande importância para um físico saber fazer rapidamente estimativas de ordens de grandeza, onde em geral não se mantém mais do que um único algarismo significativo: o importante é obter a potência de 10 correta.

Exemplos:

1) De que ordem de grandeza é o número de segundos em 1 ano?

$$1 \text{ ano} \sim 12 \times 30 = 3{,}6 \times 10^2 \text{ dias}$$

onde "~" significa: da ordem de

$$1 \text{ dia} = 24 \times 60 \times 60 \sim 8{,}6 \times 10^4 \text{ s}$$

$$\therefore 1 \text{ ano} \sim 8{,}6 \times 3{,}6 \times 10^6 \text{ s} \sim 3 \times 10^7 \text{ s}$$

2) Em astronomia, emprega-se frequentemente como unidade de distância o ano--luz, a distância percorrida pela luz em 1 ano.

$$1 \text{ ano} - \text{luz} \sim 3 \times 10^5 \text{ km / s} \times 3 \times 10^7 \text{s} \sim 9 \times 10^{12} \text{ km} \sim 9 \times 10^{15} \text{ m}$$

3) De que ordem de grandeza é o número de células contidas no corpo humano?

Podemos estimar o diâmetro médio de uma célula lembrando que os menores objetos visíveis num bom microscópio ótico têm dimensões da ordem de 1 μm (= 1 micrometro, ou micron = 10^{-6} m) – daí o nome do aparelho (um físico se lembraria disso por ser a ordem de grandeza dos comprimentos de onda da luz visível; a relação entre estes dois fatos será discutida no curso de ótica). Sabemos que o diâmetro médio de uma célula é algumas vezes maior, digamos, da ordem de 10 μm = 10^{-5} m. O volume médio de uma célula será então da ordem de $(10^{-5} \text{ m})^3 = 10^{-15} \text{ m}^3$. A ordem de grandeza do volume do corpo humano pode ser estimada como um cilindro de diâmetro ~ 40 cm e altura ~ 1,70 m, o que dá um volume da ordem de $\pi\ (0{,}2)^2 \times 1{,}70 \sim 10^{-1} \text{ m}^3$ (note que não tem sentido preocupar-se com um fator ~ 2 numa estimativa como essa). Concluímos então que o número total de células do corpo humano deve ser da ordem de $10^{-1}/10^{-15} = 10^{14}$. Esse resultado pode estar errado por um fator da ordem de 10 ou 10^2 para mais ou para menos, de modo que não faria sentido dar uma resposta como $3{,}7 \times 10^{14}$, conservando fatores numéricos que não merecem nenhuma confiança, dada a imprecisão dos dados de que partimos. O que deve ser estimado com o máximo cuidado neste caso (e em qualquer problema de física) é a potência de 10.

1.5 MEDIDAS DE COMPRIMENTO

(a) Unidades

O método mais simples de medir uma grandeza física é por meio da comparação direta com um padrão de medida adotado como unidade. Entretanto, isso geralmente só é possível em casos muito especiais e dentro de um domínio de valores bastante limitado. Fora deste domínio, é preciso recorrer a métodos indiretos de medição.

O primeiro padrão relativamente preciso de medida de comprimento só foi introduzido após a Revolução Francesa, para atender às necessidades da navegação e da cartografia. O *metro* foi então definido como sendo 10^{-7} da distância do Polo Norte ao Equador, ao longo do meridiano de Paris. Após um século, para aumentar a precisão, introduziu-se o *metro-padrão*, distância entre dois traços numa barra mantida de forma a minimizar efeitos de dilatação térmica, no Ofício Internacional de Pesos e Medidas em Paris. Réplicas deste protótipo eram utilizadas para calibração.

Em 1960, foi adotada uma definição muito mais satisfatória e precisa, em termos de um padrão associado a uma grandeza física fundamental: o comprimento de onda de uma radiação luminosa característica emitida por átomos de criptônio 86 (^{86}Kr), um gás raro existente na atmosfera. Quando a luz emitida numa descarga gasosa é analisada num espectroscópio, observa-se um espectro de raias, característico da substância. Uma raia espectral representa luz monocromática, de comprimento de onda bem definido. Foi escolhida uma raia alaranjada do ^{86}Kr; em termos de seu comprimento de onda λ_{Kr}, definiu-se o metro por 1 m = 1.650.763,73 λ_{Kr}. Note que essa definição implica na possibilidade de medir comprimentos com precisão de 1 parte em 10^9! Isto se faz através de métodos interferométricos, que serão discutidos no curso de ótica.

Em 1983, decidiu-se adotar um novo esquema, mantendo o protótipo da unidade de tempo baseado no relógio atômico (Seç. 1.7), mas substituindo o padrão de comprimento por um padrão de velocidade, baseado em outra constante universal, a *velocidade da luz no vácuo*, *c*. *Por definição*, o valor *exato* de *c* é

$$c = 299.792.458 \text{ m/s}$$

o que, indiretamente, fixa a definição do metro em termos da definição do segundo: é a distância percorrida pela luz em $1/c$ segundos.

Na prática, para reproduzir o metro com alta precisão, continuam sendo empregados métodos baseados em comprimentos de onda de raias espectrais, utilizando radiação laser.

Informações atualizadas sobre o Sistema Internacional (SI) de unidades de medida e os valores das constantes fundamentais da física estão disponíveis na Internet, no portal do National Institute of Standards and Technology: http:// physics.nist.gov.

(b) Medição de distâncias muito pequenas ou muito grandes

A Tabela 1.1 dá uma ideia da escala de distâncias abrangidas pela física, com alguns exemplos típicos ilustrativos de ordens de grandeza.

Métodos de medição realmente diretos só são aplicáveis dentro de uma faixa de quatro ou cinco ordens de grandeza em torno de nossa escala de tamanho (1 m). Como se medem distâncias menores ou maiores?

Distâncias pequenas

Distâncias menores, até valores da ordem dos comprimentos de onda da luz visível (alguns décimos de μm), podem ser medidas por métodos visuais mais ou menos diretos, com o auxílio de um microscópio ótico de aumento conhecido.

Distâncias ainda menores, até valores da ordem de 10^{-8} m, que correspondem ao tamanho de cadeias moleculares grandes, como os vírus, podem ser medidas por microscopia eletrônica.

Conforme será visto mais tarde, o microscópio eletrônico é análogo ao microscópio ótico, mas permite atingir aumentos maiores porque emprega, em lugar de um feixe de luz, um feixe de elétrons rápidos, que, segundo a mecânica quântica, também têm propriedades ondulatórias, mas de comprimento de onda bem menor que o da luz visível.

TABELA 1.1 Escala de Distâncias (em metros).

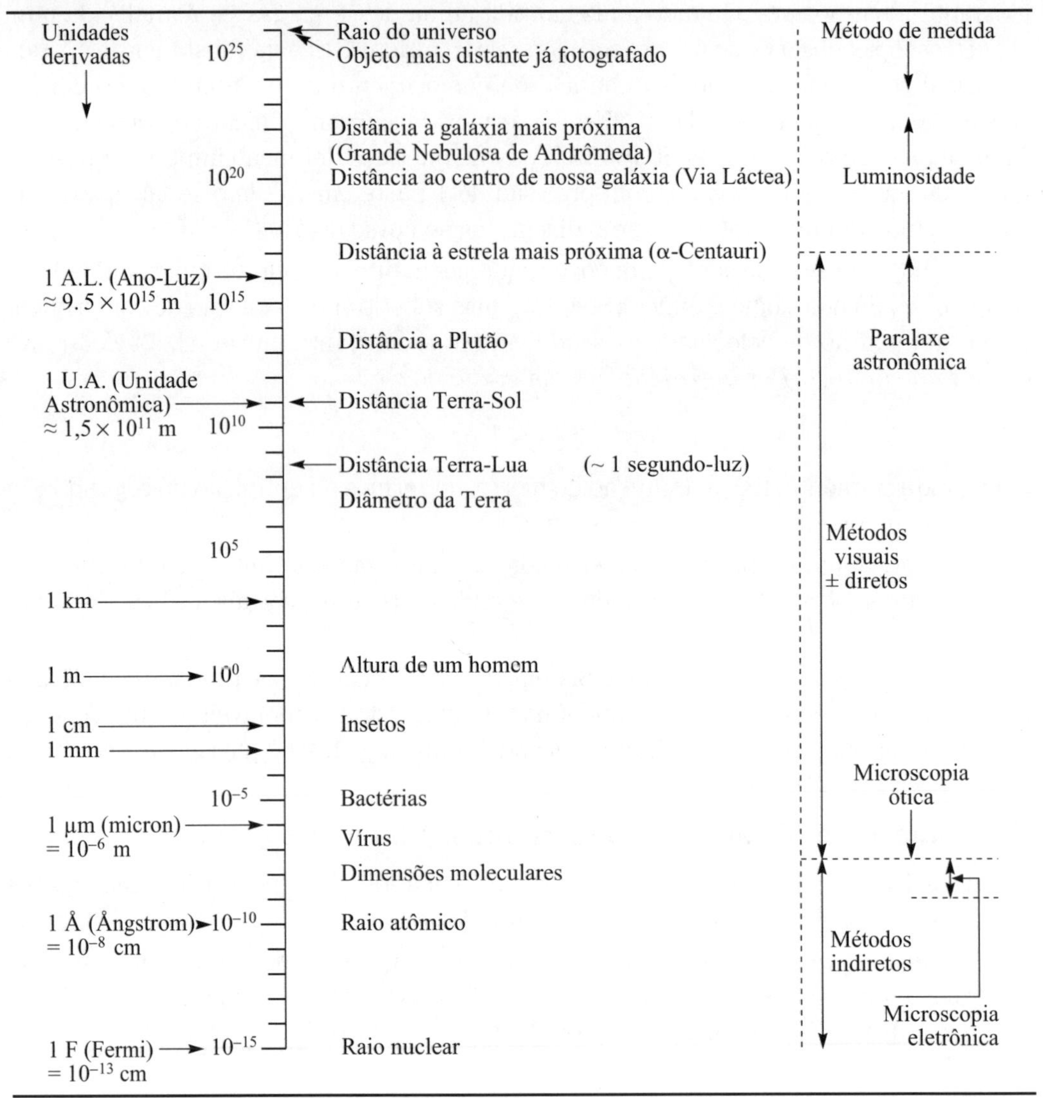

Abaixo desses valores, entramos na região das dimensões típicas moleculares e atômicas. Os métodos de medida aqui são inteiramente indiretos, baseados na análise teórica dos fenômenos observados. Um deles emprega radiação eletromagnética, ou seja, de mesma natureza que a luz visível, mas de comprimentos de onda da ordem das distâncias interatômicas: são os raios X. Instrumentos inventados recentemente, o microscópio de varredura por tunelamento e o microscópio de força atômica, permitem observar a superfície de materiais na escala atômica. Os fenômenos que ocorrem neste domínio de distâncias só podem ser analisados com o auxílio da mecânica quântica.

Em particular, a natureza ondulatória dos objetos atômicos introduz limitações no próprio conceito de "tamanho de um objeto" e na precisão com que o tamanho pode ser definido, ligadas ao chamado "princípio de incerteza" de Heisenberg.

As dimensões nucleares são "medidas" de forma totalmente indireta. Um método importante de obter informações neste domínio é o bombardeio de núcleos com partículas nucleares aceleradas a energias elevadas; a eficácia de difusão dessas partículas pelos núcleos depende do seu "tamanho".

Recentemente, a região de tamanhos da ordem de nanômetros (1 nm = 10^{-9} m) adquiriu grande importância, gerando a nova área da *nanociência e nanotecnologia*. Isto se deve à possibilidade de construir e manipular objetos dessas dimensões, com o auxílio de instrumentos como o microscópio de força atômica.

Distâncias grandes

Distâncias maiores que algumas dezenas de metros não se medem usualmente por comparação direta com um metro. Um método usado com frequência é a *triangulação*, que requer uma distância conhecida para servir de *base* e um instrumento que permita mirar objetos distantes e medir o ângulo entre a direção da mira e a linha da base, como o teodolito.

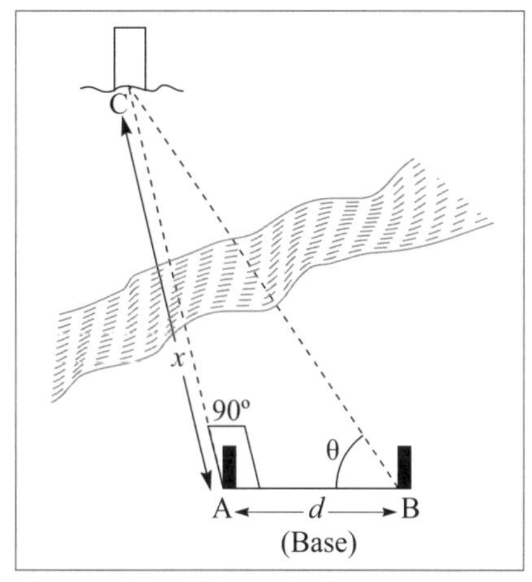

Figura 1.2 Triangulação.

A Figura 1.2 mostra como se poderia usar este método para medir a distância de um ponto A de um terreno a um objeto C inacessível (por exemplo, do outro lado de um rio). A base AB seria a distância d entre duas estacas fincadas no terreno e o teodolito seria usado para medir os ângulos dos vértices A e B do triângulo ABC. Tomando AB de forma que $B\hat{A}C = 90°$ e medindo o ângulo $\theta = A\hat{B}C$, a distância incógnita $x = \overline{AC}$ é dada por

$$x = d \text{ tg } \theta \tag{1.5.1}$$

É fácil estender o método ao caso em que $B\hat{A}C$ é um ângulo qualquer, medido pelo teodolito (verifique!). Para objetos distantes, estaremos lidando sempre com a medida de ângulos próximos de 90°, e pequenos erros na medida dos ângulos podem levar a erros grandes na distância, o que limita o alcance do método (é fácil ver isto no caso da (1.5.1)).

Uma variante deste método foi usada por Eratóstenes no século III a.C. para medir o raio da Terra. A ideia de que a Terra tem a forma esférica já era corrente nessa época: Aristóteles havia citado como argumento a sombra circular projetada pela Terra sobre a Lua sempre que se interpõe entre o Sol e esse satélite.

O método de Eratóstenes está ilustrado na Figura 1.3. No dia do solstício de verão (o dia mais longo do ano), na cidade de Siene (atual Aswan), ao meio-dia, os raios solares eram exatamente verticais, o que se verificava pela ausência de sombra de uma estaca vertical (direção de um fio de prumo).

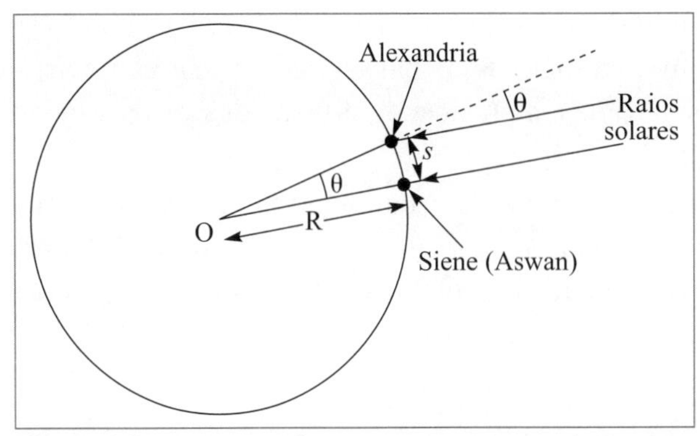

Figura 1.3 Como Eratóstenes estimou o raio da Terra.

No mesmo dia, e na hora em que a sombra de uma estaca vertical era a mais curta, em Alexandria, que fica ao norte de Siene sobre o mesmo meridiano, os raios solares faziam um ângulo $\theta \approx 7{,}2°$ com a vertical. Conhecendo a distância s entre Alexandria e Siene, Eratóstenes determinou a circunferência $C = 2\pi R$ da Terra pela expressão

$$\frac{s}{2\pi R} = \frac{\theta}{360°} = \frac{7.2}{360} = \frac{1}{50}$$

o que dá $C = 2\pi R = 50\,s$. O valor de s usado por Eratóstenes foi 5.000 "stadia", levando a

$$C = 250.000 \text{ "stadia".}$$

Uma estimativa moderna do "stadium" (unidade de comprimento grega) é que equivalia a 157 metros, o que daria

$$C - 39.250 \text{ km}$$

em lugar de 40.000 km, um erro < 2%!

Aproximadamente na mesma época, o grande astrônomo grego Aristarco de Samos determinou a distância Terra-Lua, com precisão comparável. Para isto, baseou-se também na sombra circular projetada pela Terra sobre a Lua por ocasião de um eclipse da Lua. Comparando o raio aparente da sombra com o raio aparente da Lua, e conhecendo pelo resultado de Eratóstenes o raio da Terra, determina-se o raio verdadeiro da Lua R_L. Medindo o diâmetro angular aparente θ_L da Lua (ângulo subtendido pelo disco lunar visto da Terra), obtém-se então a distância D da Terra à Lua pela relação: $2R_L = \theta_L\, D$ (θ_L em radianos). O valor atualmente aceito para a distância média da Terra à Lua é de ≈ 384.400 km.

Como a velocidade da luz no vácuo é de ≈ 300.000 km/s, vemos que D corresponde a pouco mais de 1 segundo-luz. Nas comunicações com os astronautas na Lua, havia um intervalo de um pouco mais de 2 s entre a emissão de um sinal e a recepção da resposta. Os astronautas montaram na Lua um refletor que foi utilizado para refletir pulsos de luz emitidos da Terra por um laser. O intervalo de tempo entre um pulso emitido e o recebimento do "eco" pode ser medido com grande precisão, o que permitiu determinar a distância instantânea Terra-Lua com precisão de ≈ 15 cm, ou seja, menor que 1 parte em 1 bilhão! É um método análogo ao radar.

A determinação razoavelmente precisa da escala do Sistema Solar (distâncias entre Terra, Sol e outros planetas) só foi alcançada no século XVIII, empregando um método proposto por Halley, em que a passagem da órbita de Vênus projetada sobre o disco solar era acompanhada por observadores em latitudes diferentes. Pareceria mais simples usar o método de triangulação, com a observação simultânea de um planeta como Marte por dois observadores em pontos diferentes da Terra, separados por uma distância (base) conhecida. A grande dificuldade deste método estava em garantir a simultaneidade das observações, ou seja, na sincronização dos relógios dos dois observadores, que, conforme veremos adiante, só se tornou possível na 2ª metade do século XVIII. Depois disso, o método da triangulação permitiu determinações bastante precisas da escala do Sistema Solar. Recentemente, o método do radar foi aplicado para determinar com grande precisão a distância Terra-Vênus.

O raio *médio* da órbita (elíptica) da Terra em torno do Sol é tomado como definindo 1 Unidade Astronômica (U.A.): 1 U.A. $\approx 149{,}60 \times 10^6$ km $\approx 1{,}5 \times 10^{11}$ m.

A primeira determinação de distância fora do Sistema Solar foi feita pelo astrônomo alemão Bessel em 1838, pelo método da "paralaxe estelar", que nada mais é do que o método de triangulação, tomando como base o diâmetro da órbita terrestre. A paralaxe mede a variação da direção em que é vista uma estrela a partir de diferentes pontos da órbita da Terra. Um intervalo de 6 meses entre as observações corresponde a tomar como base o diâmetro d da órbita, conforme mostra a Figura 1.4 (o ângulo de paralaxe φ é definido como a metade do ângulo subtendido entre essas duas posições da Terra). Mesmo para a estrela mais próxima da Terra, α – Centauri, que está a 4,3 A.L. (Anos-Luz) de distância, φ já é extremamente pequeno, da ordem de 0,76″ (segundos de arco). Como é muito difícil medir ângulos tão pequenos com precisão, este método só é aplicável às estrelas mais próximas, no máximo até distâncias de algumas dezenas de A.L. Para uma estrela a 30 A.L. da Terra, a paralaxe seria da ordem de 0,1″, o ângulo subtendido por uma moeda de 1 cm de raio situada a ~ 40 km de distância! Há apenas da ordem de 10^4 estrelas fora do sistema solar (dentro de ~ 10^2 A.L.) cujas distâncias são conhecidas com erro inferior a 10%, medidas pelo método da paralaxe.

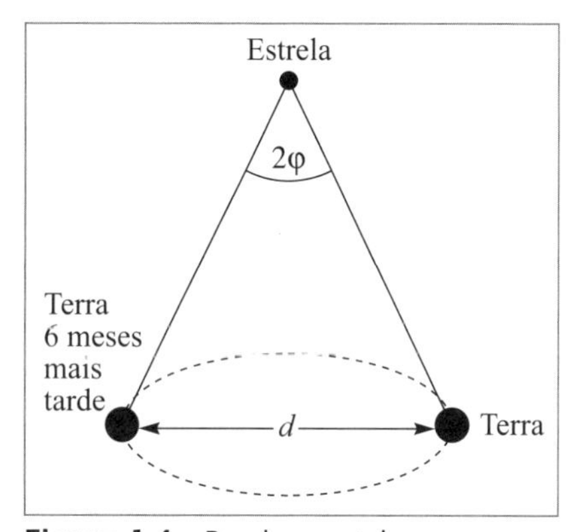

Figura 1.4 Paralaxe estelar.

Distâncias maiores são medidas por métodos bem mais indiretos, baseados na relação entre a luminosidade aparente da estrela (que podemos medir), sua luminosidade intrínseca (que temos de inferir) e a distância. Para uma dada luminosidade intrínseca, a luminosidade aparente cai com o inverso do quadrado da distância, de modo que o problema se reduz ao de determinar a luminosidade intrínseca. É como se medíssemos a distância a uma lâmpada de 100 W (luminosidade conhecida) pela sua luminosidade aparente a essa distância. A luminosidade intrínseca corresponde aos "100 W" da lâmpada. Para muitas estrelas, podemos determiná-la por meio de uma relação que se descobriu existir entre a luminosidade intrínseca e a cor (espectro da radiação da estrela, que pode ser determinado).

Um método adicional faz uso de estrelas conhecidas como "Cefeidas variáveis", cuja luminosidade tem oscilações periódicas mensuráveis, de período diretamente relacionado com a luminosidade absoluta. Este método permite determinar as distâncias a muitas galáxias fora da Via Láctea. Finalmente, pode-se inferir dessa maneira a relação entre luminosidade intrínseca e tipo de toda uma galáxia (somente a nossa galáxia, a Via Láctea, contém ~ 10^{11} estrelas), e usá-las para determinar distâncias às galáxias mais longínquas conhecidas, situadas a mais de 10^9 A.L. de distância. Apenas uma ordem de grandeza acima se situa o assim chamando "raio do universo", cujo significado será discutido mais tarde. Progressos recentes em cosmologia decorreram do emprego de um novo método, utilizando a luminosidade máxima das explosões de uma classe de estrelas chamadas "supernovas do tipo Ia".

É importante em todos estes métodos que a passagem de um método a outro faz uso, para calibração, de distâncias já determinadas por um método anterior.

O caráter extremamente indireto na medição de distâncias muito grandes é responsável pela incerteza na determinação de um parâmetro fundamental em cosmologia, a constante de Hubble, relacionada com a idade do universo.

1.6 SISTEMAS DE COORDENADAS

Distâncias e ângulos são utilizados para fixar a posição de um ponto no espaço, em relação a um dado referencial.

O caso mais simples é o de um ponto sobre uma superfície plana. Supomos familiaridade com o sistema de *coordenadas cartesianas* (Figura 1.5), definido por uma origem O e dois eixos ortogonais, em relação ao qual a posição de um ponto P é definida por suas coordenadas x (abscissa) e y (ordenada): P(x,y). Um sistema deste tipo é empregado correntemente para localizar uma rua na planta de uma cidade, ou uma cidade num atlas geográfico.

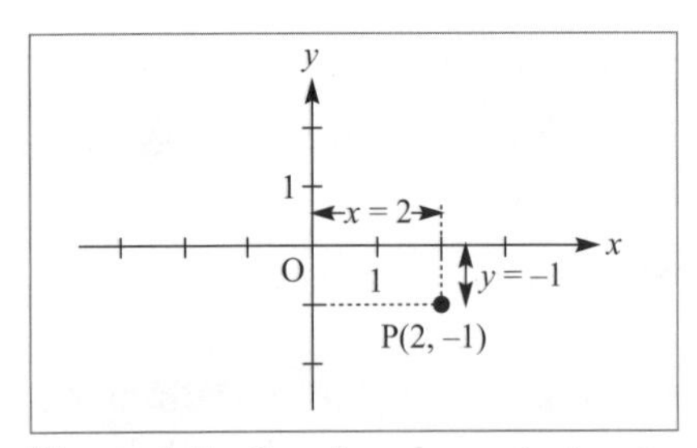

Figura 1.5 Coordenadas cartesianas.

No sistema de *coordenadas polares* (Figura 1.6), definido por uma origem O e uma direção de referência Ox, a posição de um ponto P é fixada pela sua distância r à origem e pelo ângulo θ que a direção OP faz com Ox: P(r, θ). Assim, quando dizemos que Bragança Paulista fica a 60 km ao norte de São Paulo, temos r = 60 km e θ = 90° em relação à direção de referência Oeste → Leste.

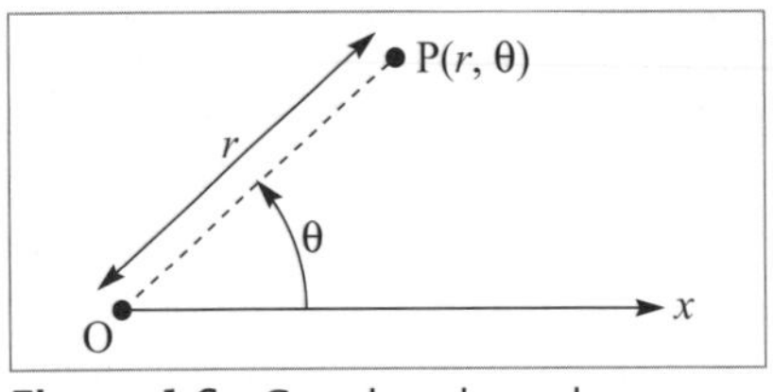

Figura 1.6 Coordenadas polares.

Para fixar a posição de um ponto no espaço, precisamos de 3 coordenadas, que podem ser, por exemplo, suas coordenadas cartesianas (x, y, z) em relação a um sistema de 3 eixos ortogonais. Podemos empregar também em 3 dimensões um sistema análogo às coordenadas polares (que discutiremos em detalhe mais tarde). Conhecida a distância r do ponto P a uma origem O, sabemos que ele está sobre uma esfera de centro O e raio r, e podemos fixar a posição de P sobre a superfície curva da esfera através de dois ângulos. Um sistema deste tipo bem conhecido é empregado sobre a superfície da Terra, fixando-se a posição de um ponto através de sua *latitude* e *longitude*.

O ângulo de *latitude* λ varia entre 0° e 90° ao N ou ao S do equador, e o ângulo de longitude φ varia entre 0° e 180° a L ou O do meridiano de Greenwich. Para a cidade de São Paulo, por exemplo, $\lambda = 23°33'$ S e $\varphi = 46°39'$ O (Figura 1.7). A latitude e longitude de um ponto sobre a superfície da Terra são dados fundamentais para a navegação. Como se determinam?

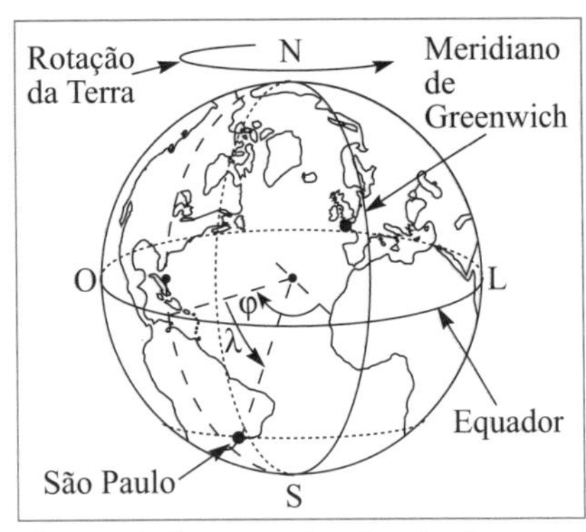

Figura 1.7 Latitude e longitude.

O problema fundamental, devido à rotação da Terra, é o de encontrar direções de referência fixas no espaço. A direção do eixo de rotação da Terra é (aproximadamente, conforme veremos depois) uma tal direção, e podemos determiná-la por observações astronômicas.

Se tirarmos uma fotografia de longa exposição (algumas horas) do céu noturno, com a câmera apontada para o Norte (no Hemisfério Norte) ou para o Sul (no Hemisfério Sul), o aspecto será semelhante ao da Figura 1.8. Cada estrela parece descrever um arco de círculo (de comprimento proporcional ao tempo de exposição), com os círculos tendo todos um centro comum, o ponto em que a direção do eixo de rotação da Terra atravessa a "esfera celeste". No Hemisfério Norte, há uma estrela bem visível próxima deste ponto: Poláris, a "Estrela Polar" ou "Estrela do Norte", que já era conhecida pelos navegadores desde a mais remota antiguidade, e era por eles empregada para determinar a latitude.

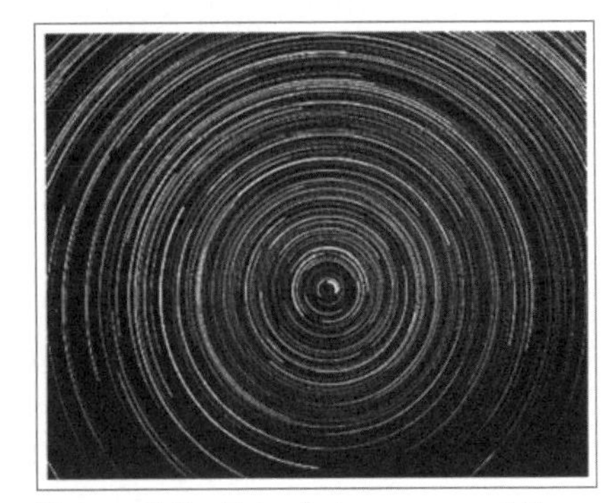

Figura 1.8 Foto de longa exposição do céu noturno (hemisfério norte).

Assim, para medir a latitude no Hemisfério Norte, basta medir o ângulo θ entre a direção em que Poláris é observada e a vertical local (Figura 1.9); a latitude λ é dada por

$$\lambda = 90^\circ - \theta \quad \textbf{(1.6.1)}$$

O ângulo θ é chamado de *colatitude*.

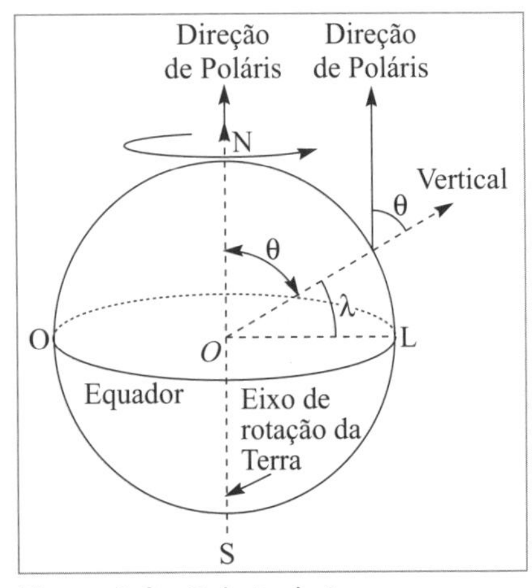

Figura 1.9 Colatitude θ.

Para a longitude, o problema era bem mais difícil, porque não se dispunha de nenhum objeto celeste fixo sobre o meridiano de Greenwich, ou seja, que acompanhe a rotação da Terra (hoje em dia, existem satélites geoestacionários). A relação bem conhecida entre longitude e fusos horários mostra que o problema se reduz à comparação entre a "hora local" e a "hora de Greenwich", ou seja, a um problema de sincronização de relógios. Veremos na próxima seção como este problema foi resolvido.

1.7 MEDIDA DO TEMPO

Da mesma forma que uma régua permite medir distâncias marcando intervalos iguais de comprimento, um *relógio* é qualquer instrumento que permita medir o tempo, marcando intervalos de tempo iguais.

Qualquer fenômeno *periódico*, ou seja, que se repete sem alteração cada vez que transcorre um intervalo de tempo determinado (*período*), pode em princípio ser associado com um relógio. Assim um dos "relógios" mais antigos foi provavelmente associado com o nascer do sol, definindo o intervalo de um dia. Galileu utilizou como relógio as suas pulsações (batimentos cardíacos).

Como sabemos que os intervalos de tempo marcados por um relógio são efetivamente iguais? A resposta é que *não* sabemos. Não adianta invocarmos a sensação subjetiva da passagem do tempo (tempo psicológico), que está associado a um "relógio biológico", definido pelo ritmo de nosso metabolismo. Sentimos o tempo passar bem mais depressa em companhia de uma pessoa atraente do sexo oposto do que numa sala de aula, por exemplo! Sabemos também que os dias medidos pelo método do nascer do sol têm duração variável conforme as estações.

Tudo que podemos fazer é *comparar* relógios diferentes e decidir, através de tais comparações e de argumentos teóricos sobre as leis que governam o fenômeno periódico qual relógio merece maior grau de confiança. Assim, ao definir a duração do dia pelo período de rotação da Terra, temos a possibilidade de comparar este movimento periódico com outros "relógios" astronômicos: os períodos de rotação da Terra em torno do Sol, da Lua em torno da Terra, de Mercúrio e Vênus em torno do Sol, dos satélites de Júpiter em torno do planeta. Observações muito precisas mostraram concordância destes outros "relógios" entre si e pequenas discrepâncias com a rotação da Terra, levando à conclusão de que esta rotação é sujeita a pequenas irregularidades, da ordem de 1 parte em 10^8. Um dos fatores responsáveis por elas é o efeito de atrito associado com as marés.

Atribuindo agora à palavra "relógio" o sentido específico de um instrumento construído para medida do tempo, os relógios mais antigos conhecidos são os *relógios de sol*, que ainda são encontrados em nossos dias ornamentando jardins. Os mais simples deles baseiam-se no comprimento da projeção da sombra de uma estaca sobre uma escala graduada. O quadrante solar, um pouco mais elaborado, projeta a sombra de um ponteiro sobre um quadrante graduado. Os relógios solares apresentam o inconveniente de só poderem funcionar durante o dia e de marcarem horas não muito iguais.

No antigo Egito e Babilônia já eram empregados "relógios de água" (clepsidras), baseados no escoamento de um filete de água, através de um pequeno orifício no fundo de um recipiente, para outro recipiente contendo uma escala graduada (Figura 1.10). Um dispositivo semelhante foi utilizado por Galileu em experiências básicas de mecânica. Os "relógios de areia" (ampulhetas), baseados num princípio análogo, também são empregados até hoje.

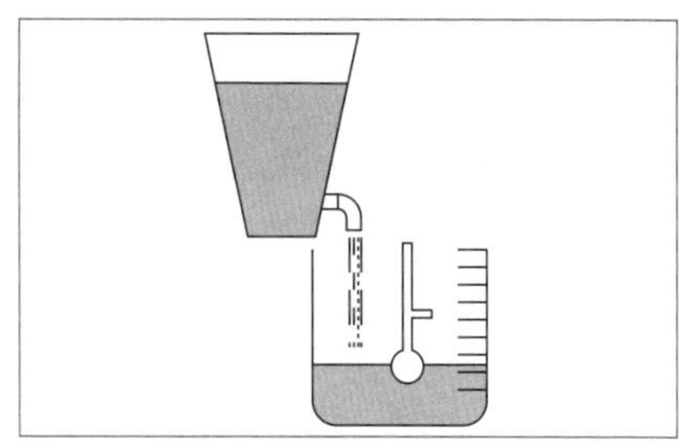

Figura 1.10 Relógio de água.

Nenhum método mais preciso de medir pequenos intervalos de tempo era conhecido até 1581, quando Galileu, comparando as oscilações de um candelabro da Catedral de Pisa com o ritmo de seu pulso, descobriu o isocronismo das oscilações do pêndulo, ou seja, que o período das oscilações permanecia o mesmo, embora a sua amplitude fosse diminuindo (Galileu, que naquela época tinha 17 anos e era estudante de medicina, aplicou logo esse resultado em sentido inverso, construindo um "pulsômetro", pêndulo de comprimento-padrão destinado a tomar o pulso do paciente em hospitais). A partir dessa época, começaram a ser construídos relógios de pêndulo, acionados por pesos, e também relógios acionados por uma mola espiral, antecessores dos atuais.

O estímulo principal para a construção de relógios mais precisos veio do problema da determinação da longitude. Conforme já foi mencionado, este problema se reduz diretamente ao de comparar a "hora local" com a "hora de Greenwich". Como a Terra gira em torno de seu eixo de 360° em 24 h, uma variação de 1h da hora local corresponde a um deslocamento de 15° de longitude (= 360°/24), ou seja, cada grau de longitude equivale a uma variação de 4 minutos da hora local. Levando em conta o sentido de rotação da Terra (Figura 1.7), vemos, por exemplo, que, quando é meio-dia em Greenwich, a hora local verdadeira em São Paulo (longitude 46° 39'O) é alguns minutos antes das nove horas da manhã (para fins práticos, toma-se a mesma hora local convencional em todos os pontos de um mesmo fuso horário; no caso, a diferença de hora local convencional seria de 3 horas).

Para determinar a longitude na navegação, bastaria portanto transportar a bordo do navio um relógio acertado pela hora de Greenwich, e compará-lo, por exemplo, com o meio-dia local (sol a pino). Mas isto requer um relógio de grande precisão, pois um erro de 1 minuto no tempo equivale a $(1/4)° = 10^4$ km/360 ≈ 28 km. Logo, se um navegador quisesse determinar a longitude com erro menor que 0,5° (≈ 56 km) depois de uma viagem de 6 semanas, o relógio não poderia adiantar ou atrasar mais do que 2 min em 42 dias, ou seja, 3 segundos por dia!

A importância prática do problema pode ser ilustrada pelo fato de que um Tratado como o de Tordesilhas (1493), dividindo as terras do globo entre Portugal e Espanha, tinha efeitos meramente acadêmicos enquanto não se pudesse determinar que terras estavam situadas a leste ou a oeste de um dado meridiano. Em 1714,o Parlamento inglês ofereceu o maior prêmio jamais oferecido até àquela época (£ 20.000) a quem inventasse um método prático de determinação da longitude com erro < 0,5°. Newton, Huygens, Leibnitz e outros cientistas ilustres não haviam conseguido resolver o problema.

Finalmente, ele foi resolvido por um carpinteiro inglês chamado John Harrison, com a construção de seu "cronômetro marítimo". O problema mais difícil era o de compensar os efeitos da dilatação da mola espiral devido a variações de temperatura. Após mais de 30 anos de trabalho, Harrison chegou a seu "Modelo 4", que foi testado em 1761, numa viagem de Portsmouth à Jamaica. Decorridos mais de 5 meses de viagem, o relógio só se tinha desviado de 1 min 53 1/2 s, satisfazendo amplamente às condições exigidas. Assim mesmo, o prêmio não foi pago! Harrison só recebeu a metade em 1765, após um segundo teste, em que o erro foi < 0,1 segundo por dia em 156 dias. Acabou recebendo a segunda metade em 1777, por intervenção direta do rei George III.

A precisão do cronômetro marítimo de Harrison era da ordem de 1 parte em 10^5, comparável à precisão de um moderno relógio "elétrico", baseado nas vibrações de um diapasão e nas oscilações elétricas de um circuito. Um relógio de pulso de quartzo, baseado em oscilações de um cristal de quartzo submetido a um campo elétrico, tem usualmente uma precisão da ordem de 1s por mês, ou seja, ~ 3 partes em 10^7, mas relógios mais sofisticados baseados em osciladores de quartzo atingem uma precisão da ordem de 1 parte em 10^8.

Num "relógio atômico", utiliza-se como padrão de frequência uma frequência característica associada a uma radiação (na região de micro-ondas) emitida por átomos de césio 133, que por sua vez controla oscilações eletromagnéticas na região de micro-ondas e um oscilador de quartzo. A precisão do atual padrão primário de tempo (NIST – F1) é de 2 partes em 10^{15} (1s em 20 milhões de anos!).

Com o relógio atômico, tornou-se fácil detectar as irregularidades da rotação da Terra já mencionadas (da ordem de 1 parte em 10^8). Até 1956, a definição da unidade de tempo (1s) se fazia em termos do *dia solar médio*, a média sobre um ano da duração do dia (de meio-dia a meio-dia), com 1s = 1/86.400 do dia solar médio. Em 1956, tendo em vista as irregularidades na rotação da Terra, adotou-se uma definição baseada na duração do ano (período de revolução da Terra em torno do Sol), mas, levando em conta que esta é também variável (de forma conhecida com grande precisão), relativa à duração do "ano tropical" 1900 (1 ano tropical é o intervalo entre duas passagens consecutivas do Sol pelo equinócio de primavera). Assim, 1 "segundo das efemérides" foi definido como a fração 1/31.556.925,9747 do ano trópico 1900. Finalmente, em 1967, foi decidido definir também o segundo (como o metro) em termos de uma radiação atômica característica. A definição atual do segundo é: 1 s é a duração de 9.162.631.770 períodos da radiação característica do césio 133 que é empregada no relógio atômico.

A Tabela 1.2. dá uma ideia da escala de tempos abrangidos pela física. Como se medem tempos extremamente pequenos e extremamente longos, como os indicados nessa tabela?

Medida de tempos muito curtos

Os métodos diretos de medida de tempos muito curtos são *métodos eletrônicos*. Um dos instrumentos mais importantes para este fim é o *osciloscópio*.

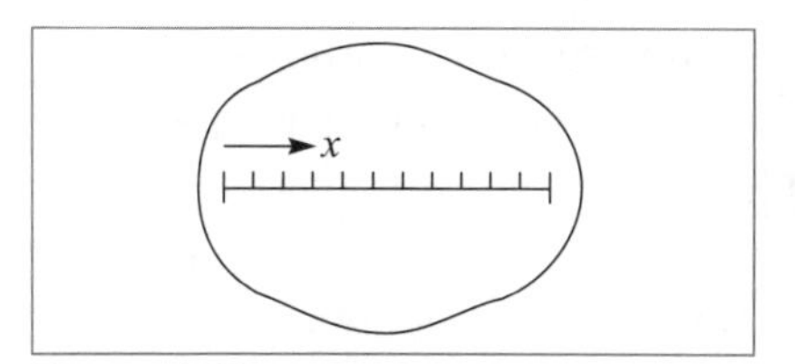

Figura 1.11 Varredura.

O "relógio" do osciloscópio é um circuito eletrônico oscilante que aplica um sinal oscilatório a um feixe de elétrons, fazendo-o varrer a tela do osciloscópio de um lado para outro Figura 1.11) com velocidade uniforme conhecida (é um princípio semelhante ao empregado num aparelho de televisão).

TABELA 1.2 Escala de Tempo (em segundos).

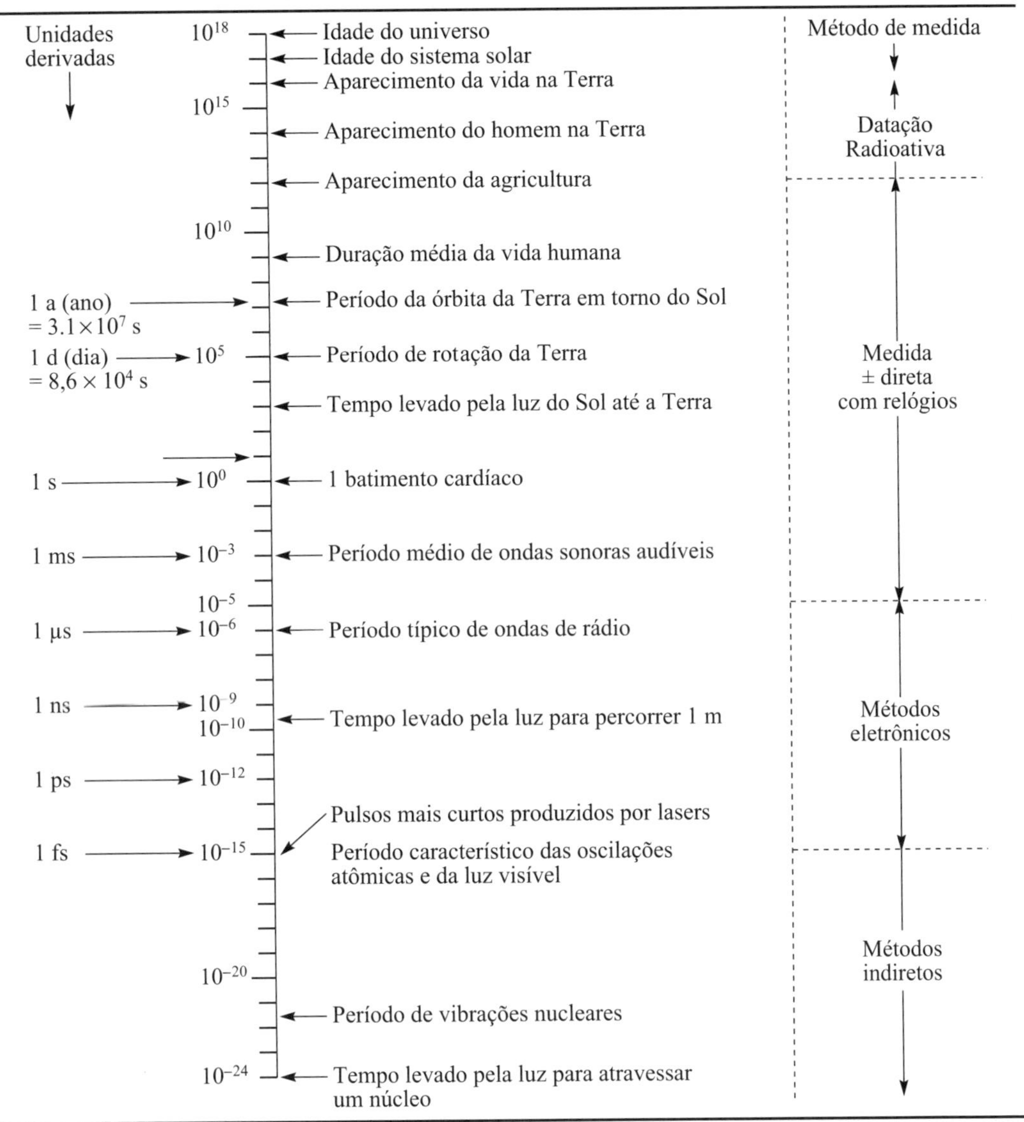

Podemos calibrar o aparelho diretamente em termos do tempo levado pelo feixe para percorrer cada graduação. Para alguns dos osciloscópios mais rápidos atuais, este tempo é da ordem de 10^{-9} s por cm.

Se aplicarmos um impulso elétrico às placas defletoras verticais do osciloscópio, desviando o feixe de elétrons de sua trajetória horizontal, o pulso aparecerá na tela (Figura 1.12), e sua duração poderá ser medida diretamente em termos do número de graduações e da calibração.

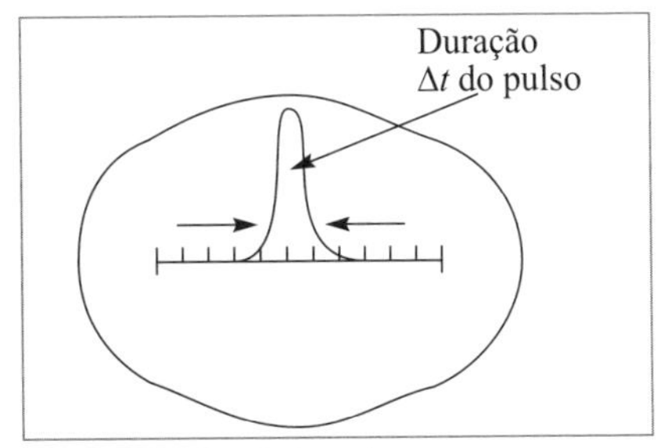

Figura 1.12 Pulso visto num osciloscópio.

A duração de pulsos luminosos de picossegundos pode ser medida fotografando o pulso e medindo o seu comprimento, uma vez que a velocidade da luz é conhecida. Diversas das assim chamadas "partículas elementares" têm vidas médias da ordem de 10^{-24} s, que são medidas por métodos indiretos, baseados na interpretação teórica das interações observadas dessas partículas.

Medida de tempos muito longos

Que sentido tem falarmos em medir tempos da ordem de milhões de anos? Tem um sentido *histórico* referente ao passado, ou seja, podemos tentar determinar a idade de objetos ou materiais (época em que foram formados), ou a época no passado em que ocorreram eventos de interesse.

O principal método empregado para este fim é o da *datação radioativa*. A ideia básica do método é muito simples, e pode ser compreendida pela seguinte analogia. Se tivermos sobre uma chama uma chaleira com água, e conhecermos a quantidade de água na chaleira no instante em que se inicia a ebulição, bem como a quantidade vaporizada por unidade de tempo, podemos determinar o tempo transcorrido desde o início da ebulição medindo a quantidade de água que resta na chaleira.

Um "relógio natural" deste tipo são as substâncias radioativas. A radioatividade foi descoberta por acaso por Henri Becquerel em 1896, pela sensibilização de chapas fotográficas que haviam sido guardadas numa gaveta onde havia sais de urânio. Foi descoberto posteriormente que o urânio emite radiações que o fazem passar por uma série de transmutações radioativas (em elementos diferentes), até chegar a um elemento estável, o chumbo. Descobriu-se também a existência de um grande número de outros elementos radioativos.

O decréscimo com o tempo da quantidade restante de um elemento radioativo não é proporcional ao tempo transcorrido, como no exemplo da chaleira, mas obedece à assim chamada "lei exponencial" da desintegração radioativa. Para entendê-la, vamos de novo recorrer a uma analogia. Consideremos um país hipotético onde a taxa de inflação seja 100% ao ano (o Brasil ultrapassou essa taxa na década de 80). O gráfico da Figura 1.13 mostra como evoluiria em função do tempo o valor aquisitivo de uma soma fixa dessa moeda, equivalente a 800 unidades no ano de 1970. Ao fim de cada ano, o valor se terá reduzido à metade do valor no ano anterior. O valor após x anos será uma fração do valor inicial dada por

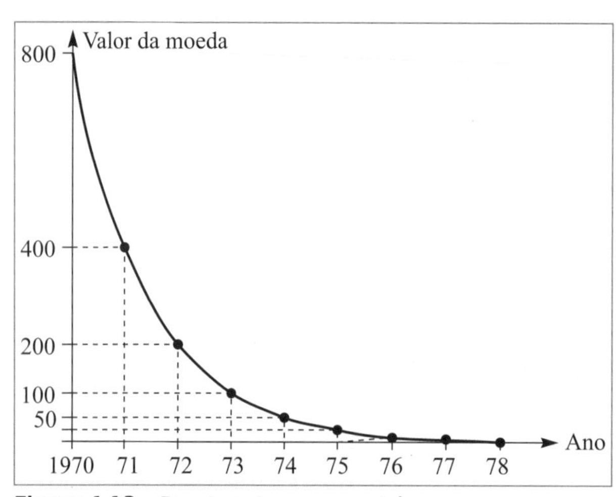

Figura 1.13 Decaimento exponencial.

$$\frac{1}{\alpha}=\frac{\text{valor após } x \text{ anos}}{\text{valor inicial}}=\left(\frac{1}{2}\right)^{x}=\frac{1}{2^{x}} \qquad \textbf{(1.7.1)}$$

Se conhecermos α, podemos então determinar o tempo decorrido x, em anos, por:

$$(x)_{\text{anos}}=\log_2 \alpha \qquad \textbf{(1.7.2)}$$

O tempo que leva para se passar de um dado valor à metade desse valor chama-se *meia-vida*. No exemplo acima, a "meia-vida" do poder aquisitivo da moeda é de um ano.

O número N de átomos numa amostra de uma substância radioativa também obedece à lei exponencial de desintegração, com meias-vidas que podem variar desde frações de segundo até bilhões de anos, conforme a substância. Costuma-se designar por $T_{1/2}$ a meia-vida; por exemplo, para U^{238} (urânio 238), $T_{1/2} \approx 4{,}5 \times 10^9$ anos. Se N_0 é a população inicial de átomos radioativos (número inicial na amostra), após decorrido um tempo t, que corresponde a

$$x=t\,/\,T_{1/2} \quad \text{meias-vidas} \qquad \textbf{(1.7.3)}$$

a população terá se reduzido a uma fração

$$\frac{1}{\alpha}=\frac{N(t)}{N_0} \qquad \textbf{(1.7.4)}$$

do valor inicial, onde $N(t)$ é o número de átomos radioativos no instante t. Combinando as equações acima, obtemos o valor do tempo decorrido t:

$$t=T_{1/2}\log_2\left[N_0\,/\,N(t)\right] \qquad \textbf{(1.7.5)}$$

Na aplicação do método de datação radioativa à medida de tempos muito remotos no passado, tem importância fundamental o fato de que os átomos radioativos são relógios de muita confiança, "à prova de choques", porque as amostras analisadas terão sido submetidas a tremendas variações de pressão, temperatura e outras condições ambientais. A meia-vida da desintegração radioativa não é afetada por esses fatores, porque depende apenas de processos envolvendo forças de interação e energias nucleares, muito maiores do que as que estão associadas às flutuações do ambiente.

Datação geológica pelo K^{40}

Um dos métodos mais empregados de datação geológica baseia-se nas propriedades de um isótopo radioativo do potássio, o K^{40}. O isótopo de ocorrência mais comum, que é estável, é o K^{39}, e a abundância relativa atual numa amostra de potássio é de 1 átomo de K^{40} para cada 8.400 átomos de K^{39}.

A meia-vida de K^{40} é: $T_{1/2} = 1{,}3 \times 10^9$ anos. Como sabemos disto? Não é esperando um bilhão de anos para ver uma população inicial reduzir-se a cerca da metade! A meia-vida de uma substância radioativa pode ser medida detectando as radiações por ela emitidas; o número de contagens do detector permite medir a fração dos átomos que se desintegram por segundo, determinando assim $T_{1/2}$. Para uma amostra macroscópica, em que a população de átomos radioativos pode ser da ordem de 10^{20} átomos, isto leva a um número de contagens por segundo facilmente detectável, mesmo para meias-vidas tão longas como a do K^{40}.

O K^{40} se desintegra de duas maneiras diferentes, que mantêm proporções fixas entre si: 12% dos átomos de K^{40} se desintegram em argônio 40 (A^{40}), e os 88% restantes em cálcio 40 (Ca^{40}). O argônio é um gás nobre, ou seja, quimicamente inerte (não se combina com outras substâncias), e fica preso nos interstícios do material que continha o K^{40}, de modo que é preservado após a sua formação. Isto já não acontece com o cálcio, que forma vários compostos químicos.

Suponhamos, por exemplo, que a análise química de uma amostra de rocha de 1g revele a presença de $4{,}21 \times 10^{-2}$ g de potássio (39 + 40) e $9{,}02 \times 10^{-7}$ g de argônio (40). O cálcio não precisa ser analisado. Qual é a idade da amostra?

Podemos obter o número de átomos atual de cada elemento na amostra a partir das quantidades em gramas lembrando que o n° de átomos em 1 mol de K ou A é o *número de Avogadro*,

$$6{,}02 \times 10^{23} \quad \text{átomos / mol},$$

e que as massas atômicas são: $K^{39} \rightarrow 39{,}10$; $A^{40} \rightarrow 39{,}95$. Assim, 39,1g de K^{39} equivalem a $6{,}02 \times 10^{23}$ átomos de K^{39}, e 39,95 g de A^{40} a $6{,}02 \times 10^{23}$ átomos de A^{40}. Os dados acima revelam então que há atualmente na amostra $6{,}48 \times 10^{20}$ átomos de potássio e $1{,}36 \times 10^{16}$ átomos de argônio. Dada a abundância relativa de K^{40}, o número de átomos de K^{40} atual é:

$$N(t) = \frac{6{,}48 \times 10^{20}}{8.400} = 7{,}71 \times 10^{16} \quad \text{átomos}$$

Por outro lado, todos os átomos de A^{40} na amostra provêm de desintegração do K^{40}, mas só se formam 12 átomos de A^{40} para cada 100 desintegrações de K^{40} (as restantes levam ao Ca^{40}). Logo, o número total de átomos de K^{40} que se desintegraram deve ser

$$\frac{100}{12} \times 1{,}36 \times 10^{16} = 1{,}133 \times 10^{17}$$

e a população inicial de K^{40} na amostra era

$$N_0 = 11{,}33 \times 10^{16} + 7{,}71 \times 10^{16} = 1{,}90 \times 10^{17}$$

Levando estes resultados na (1.7.5), obtemos a idade da amostra:

$$t = 1{,}3 \times 10^9 \underbrace{\log_2\left(\frac{1{,}90}{0{,}771}\right)}_{\log_{10}(2{,}46)/\log_{10}2=1{,}3} \quad \text{anos},$$

ou seja, a idade da rocha é $t \approx 1{,}7 \times 10^9$ anos. Que significa esta idade? O instante 0 deve ser interpretado como aquele em que a rocha se formou, ou seja, se solidificou pela última vez a partir de material derretido. A maior parte das rochas da crosta terrestre passaram por este processo mais de uma vez.

Além do K^{40}, outros isótopos radioativos de vida longa são também empregados na datação geológica, por exemplo, o U^{238}, com $T_{1/2} = 4{,}5 \times 10^9$ anos, e o Rb^{87}, com $T_{1/2} = 5{,}0 \times 10^{10}$ anos. Quando podemos datar a mesma amostra com base em vários isótopos diferentes, os resultados concordam muito bem entre si, justificando a confiança no método e nas hipóteses em que se baseia.

As rochas mais antigas encontradas na Terra têm idades da ordem de $3{,}5 \times 10^9$ anos; fósseis nelas encontrados indicam que as formas mais primitivas de vida já tinham aparecido cerca de 10^8 anos após a solidificação da crosta terrestre.

A idade da Terra, que podemos identificar com a idade do sistema solar, pode ser estimada aplicando o método de datação radioativa a amostras que não tenham passado pelos processos de transformação a que foi sujeita a crosta terrestre. Os meteoritos mais antigos já encontrados têm $\sim 4{,}7 \times 10^9$ anos. As rochas lunares mais antigas trazidas pelos astronautas têm $\sim 4{,}6 \times 10^9$ anos. O acordo e a consistência entre dados de fontes diferentes permitem interpretarmos estes números como definindo aproximadamente a idade do sistema solar, e portanto também da Terra.

Datação com carbono radioativo

Não é por coincidência que os radioisótopos que ocorrem naturalmente nas rochas são aqueles com $T_{1/2} \geq 10^9$ anos. É simplesmente porque radioisótopos de vidas mais curtas já se desintegram praticamente em sua totalidade desde a época em que as rochas se formaram.

Entretanto, existem processos naturais que levam à formação contínua de radioisótopos. Conforme foi descoberto por Hess em 1911, a Terra é continuamente submetida ao bombardeio de partículas de energias extremamente elevadas, os raios cósmicos. A interação dessas partículas com a atmosfera dá origem à formação contínua de diversos radioisótopos. Um deles, o carbono 14 (C^{14}), desempenha um papel importante na datação de eventos ocorridos até $\sim$ 20.000 anos atrás, ou seja, na História da Civilização. A meia-vida do C^{14} é

$$T_{1/2} = 5.730 \text{ anos}$$

O C^{14} é formado na atmosfera a partir do nitrogênio (N^{14}) submetido ao bombardeio dos raios cósmicos. Por sua vez, a desintegração do C^{14} leva a formação de N^{14}, de modo que se estabelece um equilíbrio dinâmico entre formação e desintegração,

$$N^{14} \rightleftharpoons C^{14}$$

levando a uma abundância relativa fixa e bem definida do C^{14} na atmosfera em relação ao isótopo estável de carbono, C^{12} (a proporção é de 1 átomo de C^{14} para $\sim 7{,}8 \times 10^{11}$ átomos de C^{12}). O carbono formado entra rapidamente em combinação com oxigênio na atmosfera, para formar CO_2 radioativo.

Se considerarmos agora o efeito sobre a biosfera, vemos que as plantas assimilam CO_2 da atmosfera na fotossíntese e exalam CO_2 na respiração; as plantas, por sua vez, são assimiladas por animais e o CO_2 também é trocado com a atmosfera no metabolismo animal. Logo, todos os seres vivos estão em equilíbrio com a atmosfera e contêm CO_2 radioativo (com C^{14}) na mesma proporção que a atmosfera enquanto permanecem vivos.

Isto deixa de valer, porém, quando o ser vivo morre, deixando de trocar CO_2 com a atmosfera. A população N_0 de C^{14} que ele contém ao morrer desintegra-se a partir de então sem que haja novo C^{14} introduzido, de modo que a população $N(t)$ cai com o tempo t decorrido após a morte segundo a (1.7.5). Comparando a abundância relativa C^{14} / C^{12} numa amostra (fóssil de planta ou animal) com o valor de equilíbrio na biosfera (ou comparando as radioatividades correspondentes), pode-se então determinar o valor de t.

As hipóteses necessárias para a validade do método (por exemplo, que a abundância relativa C^{14} / C^{12} na biosfera não se alterou significativamente desde a época correspondente ao tempo t) podem ser testadas aplicando-o a amostras de idade conhecida (por exemplo, fragmentos de árvores cuja idade pode ser determinada pela contagem de anéis no tronco). Os resultados mostram que o método é de confiança desde que se tome um certo número de precauções.

Entre os resultados de grande valor para os historiadores obtidos por este método podemos citar: amostras de carvão das cavernas de Lascaux (onde foram encontradas pinturas pré-históricas) datam de 15.500 ± 900 anos atrás; os pergaminhos do Mar Morto datam de 1.917 ± 200 anos atrás; há indícios de civilização no México datando de ~ 1.500 a. C., o que constituiu uma grande surpresa para os historiadores, recuando de 1.000 anos a época das primeiras civilizações conhecidas no México.

O "tempo absoluto" de Newton

Em seu grande tratado "Os Princípios Matemáticos da Filosofia Natural", publicado em 1.687, Newton introduziu o conceito de "tempo absoluto", definindo-o da seguinte maneira: "O tempo absoluto, verdadeiro e matemático, por si só e por sua própria natureza, flui uniformemente, sem relação com nenhuma coisa externa, e é também chamado de duração."

Um dos objetivos da discussão detalhada feita acima sobre a medida do tempo foi tornar patente o fato de que o tempo físico é definido em termos de *relógios*, que são objetos concretos, sujeitos às leis físicas, como qualquer outro objeto. A atitude expressa por Newton ignorando este fato foi em parte responsável, dada a autoridade de que se revestia, pelo preconceito de que o tempo não poderia ser afetado por qualquer condição física.

Não podemos saber, a priori, como o andamento de um relógio é afetado por condições físicas extremas, muito remotas de nossa experiência quotidiana, por exemplo, pelo transporte do relógio a velocidades extremamente elevadas (comparáveis à velocidade da luz), ou pela presença de campos gravitacionais extremamente intensos. A experiência mostra que tais condições de fato afetam a marcha do relógio (efeitos da relatividade restrita e da relatividade geral, respectivamente), de forma que hipóteses não físicas sobre o tempo, como a de Newton, têm de ser revistas nessas condições.

■ PROBLEMAS

Nos problemas abaixo sobre estimativas, trata-se de estimar *ordens de grandeza típicas*. Consulte fontes externas (biblioteca, Internet) para obter dados auxiliares. Explique sempre o raciocínio empregado para justificar cada estimativa.

1.1 Estime o número de fios de cabelo que você tem na sua cabeça.

1.2 Estime o número de folhas de uma árvore.

1.3 Estime o volume ocupado pelo número de notas de R$ 1,00, correspondente à dívida externa do Brasil. Se pudessem ser empilhadas, que altura atingiria a pilha?

1.4 Estime o número médio de gotas de chuva que caem sobre uma área de 1 Km^2 para uma precipitação de 1 cm de chuva.

1.5 (a) Estime o número de grãos de areia da praia de Copacabana (ou de outra que você conheça melhor). (b) Estime o número de átomos contido num grão de areia. Compare as duas estimativas.

1.6 Em cada inspiração, absorvemos cerca de 15% do oxigênio que penetra em nossos pulmões. Num típico elevador lotado de um prédio de apartamentos, preso entre dois andares, quanto tempo levaria para que 10% do oxigênio contido na cabine fosse consumido?

1.7 Quanto tempo leva a luz do Sol para chegar até a Terra? E até Plutão?

1.8 Estima-se que a densidade média de matéria no universo corresponde a da ordem de 0,2 átomos de hidrogênio por m^3. (a) Estime a massa total contida dentro do raio do universo; (b) Estime o número total de núcleons (neutrons e prótons) contido nesse volume; (c) Compare a densidade média de matéria no universo com a densidade típica no interior do núcleo atômico.

1.9 A população atual (2012) da Terra é da ordem de 7 bilhões de pessoas, e duplicou em menos de 50 anos. Se a população continuar duplicando a cada 50 anos, qual será a ordem de grandeza da população da Terra no ano 3.000? Qual seria a área da superfície da Terra disponível por habitante nessa época, com as mesmas hipóteses?

1.10 Segundo o físico inglês James Jeans, em cada inspiração, há uma probabilidade apreciável de que penetre em nossos pulmões uma molécula de ar remanescente do último suspiro exalado por Júlio César. Verifique essa estimativa.

1.11 Quando o Sol se põe, decorrem aproximadamente 2 minutos entre o instante em que o disco solar encosta no horizonte e sua ocultação completa. A partir deste dado, estime o diâmetro angular aparente do Sol visto da Terra, em graus e em radianos.

1.12 Um *parsec* é definido como a distância a partir da qual uma unidade astronômica (distância média Terra-Sol) seria vista subtendendo um ângulo (paralaxe) de 1 segundo. Calcule 1 parsec em m e em anos-luz.

1.13 Admitindo que a idade do universo é da ordem de 10 bilhões de anos, que fração do U^{238} inicialmente formado já se desintegrou?

1.14 Analisando uma amostra de rocha, verifica-se que ela contém 1,58 mg de U^{238} e 0,342 mg de Pb^{206}, que é o produto final estável da desintegração do U^{238}. Admitindo que todo o Pb^{206} encontrado provém da desintegração do U^{238} originalmente contido na amostra, qual é a idade da rocha?

1.15 No século III a. C., o astrônomo grego Aristarco de Samos estimou a razão d_S/d_L entre a distância d_S da Terra ao Sol e a distância d_L da Terra à Lua medindo o ângulo θ entre as direções em que a Lua e o Sol são vistos da Terra quando a Lua está exatamente "meio cheia" (metade do disco lunar iluminado: veja a Figura). O valor que obteve foi $\theta = 87°$. (a) encontre a estimativa de Aristarco para d_S/d_L. (b) Com base nos valores atualmente conhecidos, $d_S/d_L \approx 389$. Ache o valor real de θ e critique o método de Aristarco.

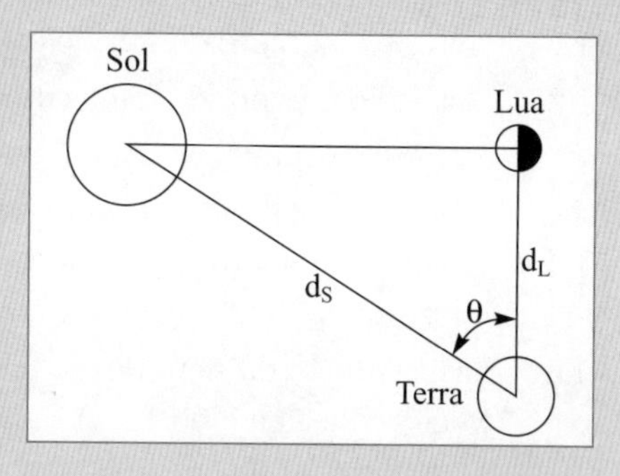

1.16 Em seu tratado "Cálculos com Areia", Arquimedes inventou uma notação para exprimir números muito grandes e usou-a para estimar o número de grãos de areia que caberiam no "universo" da sua época, cujo raio era identificado com a distância da Terra ao Sol. O número que encontrou, em notação moderna, seria inferior a 10^{51}. Verifique a estimativa de Arquimedes.

2

Movimento unidimensional

2.1 VELOCIDADE MÉDIA

A análise do movimento é um problema fundamental em física, e a forma mais simples de abordá-la é considerar primeiro os conceitos que intervêm na *descrição* do movimento (*cinemática*), sem considerar ainda o problema de como determinar o movimento que se produz numa dada situação física (*dinâmica*). No presente capítulo, para simplificar ainda mais a discussão, vamo-nos limitar ao movimento em uma só dimensão – por exemplo, o movimento de um automóvel em linha reta ao longo de uma estrada. Como muitos aspectos da cinemática são discutidos no curso secundário, vamos restringir o tratamento a apenas alguns tópicos centrais.

Para descrever o movimento, precisamos em primeiro lugar de um *referencial*, que, no caso unidimensional, é simplesmente uma reta orientada em que se escolhe a origem O; a posição de uma partícula em movimento no instante t é descrita pela abscissa correspondente $x(t)$.

Concretamente, podemos pensar no seguinte exemplo: $x(t)$ é a posição na estrada, no instante t, ocupada pelo parachoque dianteiro de um carro em movimento ao longo da estrada (em linha reta). Poderíamos determinar $x(t)$, por exemplo, filmando o movimento do carro e depois analisando uma a uma as imagens do filme. Sabendo quantas imagens por segundo são tiradas pelo filmador, saberíamos o intervalo de tempo Δt (uma fração de segundo) entre duas imagens consecutivas do filme, e poderíamos assim obter o valor de x nos instantes: 0, Δt, $2\,\Delta t$, ..., bastante próximos entre si (poderíamos também estar filmando simultaneamente um cronômetro fixo em primeiro plano para definir o instante correspondente a cada imagem).

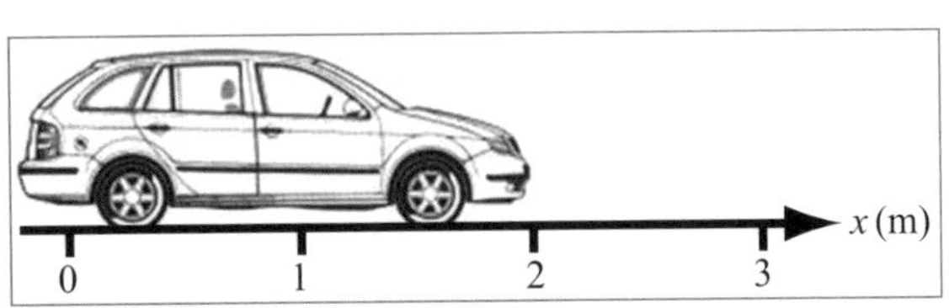

Figura 2.1 Exemplo de movimento unidimensional.

Outro método de "congelar" a posição instantânea de um objeto em movimento é tirar uma fotografia de exposição múltipla em que o objeto é iluminado a intervalos de tempo Δt regulares por um "flash" ultrarrápido (estroboscopia). O aspecto de uma fotografia deste tipo para uma bolinha em queda livre ao longo de uma régua graduada está representado na Figura 2.2.

Por qualquer um destes métodos, podemos construir uma "tabela horária" do movimento, do tipo

Tabela 2.1

t(s)	0	1	2	3	4	5	6
x(m)	0	2	3,5	4	3,5	2	0

ou um gráfico, do tipo

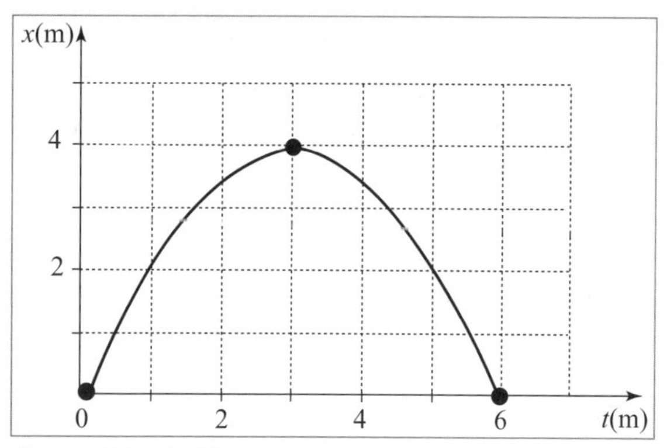

Figura 2.3 Gráfico de movimento.

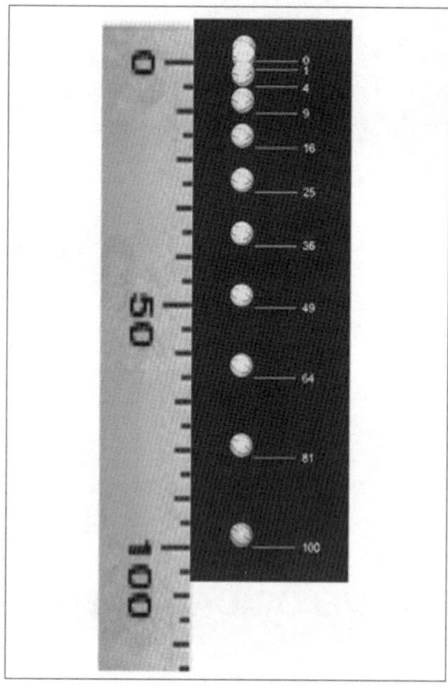

Figura 2.2 Queda livre (observação estroboscópica).

O movimento mais simples é *o movimento uniforme*, em que este gráfico é uma reta:

$$x(t) = at + b \qquad \textbf{(2.1.1)}$$

Este movimento se caracteriza pelo fato de que percursos iguais $\Delta x = x_4 - x_3 = x_2 - x_1$ (Figura 2.4) são descritos em intervalos de tempo iguais $\Delta t = t_4 - t_3 = t_2 - t_1$

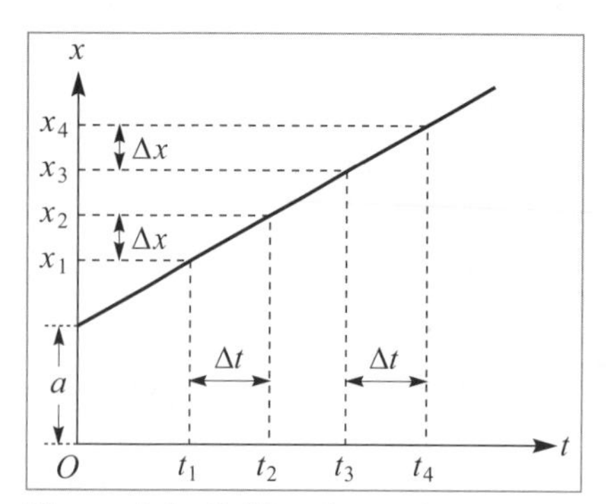

Figura 2.4 Gráfico do movimento retilíneo uniforme.

A *velocidade* v do movimento é definida por

$$v = \frac{\Delta x}{\Delta t} = \frac{x(t_2) - x(t_1)}{t_2 - t_1} \qquad \textbf{(2.1.2)}$$

ou seja, é a razão do deslocamento ao intervalo de tempo que ele leva para se produzir. Graficamente, v representa o *coeficiente angular* da reta no gráfico $x \times t$ ($v = a$ para a (2.1.1)).

A velocidade se mede em m/s (= m · s^{-1}), ou cm/s, ou km/h, ..., conforme as unidades adotadas. Note que v pode tomar tanto valores positivos como negativos; pela (2.1.2), $v < 0$ quando $\Delta x < 0$ para $\Delta t > 0$, ou seja, quando o movimento se dá no sentido dos x decrescentes (marcha à ré, no exemplo do carro!). Poderíamos chamar de "rapidez" o valor absoluto da velocidade, $|v|$.

Se aplicamos a (2.1.2) tomando para t_2 um instante t qualquer e para t_1 o instante inicial t_0, com

$$x(t_0) = x_0 \quad \text{(posição inicial)} \tag{2.1.3}$$

obtemos a "lei horária" do movimento retilíneo uniforme:

$$\boxed{x(t) = x_0 + v(t - t_0)} \tag{2.1.4}$$

Qualquer movimento retilíneo não uniforme chama-se "acelerado". Podemos estender a (2.1.2) a um movimento acelerado definindo $\overline{v}_{t_1 \to t_2}$, a *velocidade média entre os instantes* t_1 e t_2, com $x(t_1) = x_1$, $x(t_2) = x_2$, $\Delta x = x_2 - x_1$, $\Delta t = t_2 - t_1$, por

$$\overline{v}_{t_1 \to t_2} = \frac{x(t_2) - x(t_1)}{t_2 - t_1} = \frac{\Delta x}{\Delta t} \tag{2.1.5}$$

que representa geometricamente, conforme vemos na Figura 2.5, o coeficiente angular (= tg θ) da corda que liga os extremos 1 e 2 do arco de curva correspondente no gráfico $x \times t$. A velocidade média entre t_1 e t_2 corresponde portanto à velocidade de um movimento uniforme que, partindo de $x(t_1)$ em t_1, chegasse a $x(t_2)$ em t_2.

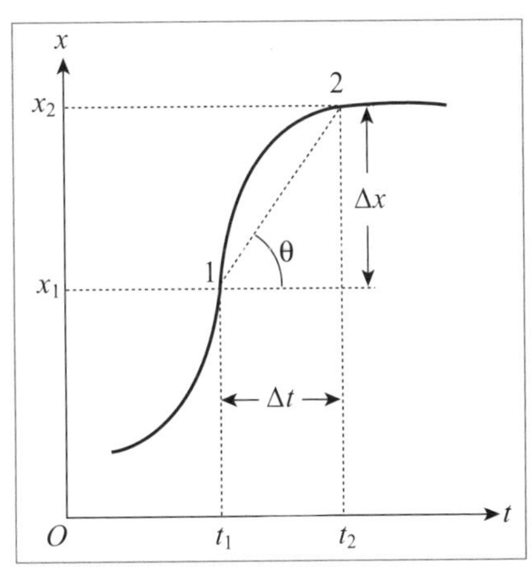

Figura 2.5 Velocidade média.

Assim, para um carro que percorresse a estrada São Paulo-Rio (suposta retilínea) em dez horas, a velocidade média entre partida e chegada seria de 400 km/10 h = 40 km/h. Mas isto informa muito pouco sobre o movimento durante o percurso. O carro poderia ter parado durante algumas horas em algum ponto intermediário, e poderia ter desenvolvido velocidades médias bem maiores em algumas etapas do percurso. Seria bem mais informativo dar o valor de $\overline{v}$ em diferentes etapas do percurso, e isto descreveria tanto melhor o movimento quanto mais curtas as etapas, pois o erro cometido ao aproximar trechos curtos do percurso por movimentos uniformes vai diminuindo à medida que encurtamos esses trechos.

2.2 VELOCIDADE INSTANTÂNEA

Que significa "velocidade num dado instante t"?

Para ilustrar este conceito, vamos parafrasear uma anedota utilizada por Feynman em seu curso (veja a Bibliografia no final do livro). Ela tem a forma de um diálogo entre um estudante (E.) que estava dirigindo seu carro de forma a não chegar atrasado na aula de física e o guarda (G.) que o fez parar, acusando-o de excesso de velocidade:

G.: O seu carro estava a 120 km/h, quando o limite de velocidade aqui é de 60 km/h!

E.: Como é que eu podia estar a 120 km por hora se só estava dirigindo aqui há cerca de 1 minuto, e não durante uma hora?

G.: O que quero dizer é que, se continuasse em frente do jeito que estava, teria percorrido 120 km em uma hora.

E.: Se tivesse continuado sempre em frente, eu teria ido bater no prédio da Física!

G.: Bem, isso seria verdade se tivesse seguido em frente por uma hora. Mas, se tivesse continuado em frente por 1 minuto, teria percorrido 120 km/60 = 2 km, e em 1s teria percorrido 2 km/60 = 33,3 m, e em 0,1 s teria percorrido 3,33 m, e teria dado perfeitamente para prosseguir durante 0,1 s.

E.: Mas o limite de velocidade é de 60 km/h, e não de 1,66 m em 0,1s!

G.: É a mesma coisa: o que conta é a velocidade instantânea.

[Fizemos apelo a um grau considerável de licença poética nos dotes de **G**. em matéria de conhecimentos de física e de paciência, mas é preciso reconhecer que **E**. também tem um pouco de razão: é permitido exceder o limite de velocidade em intervalos de tempo extremamente curtos, como nas ultrapassagens].

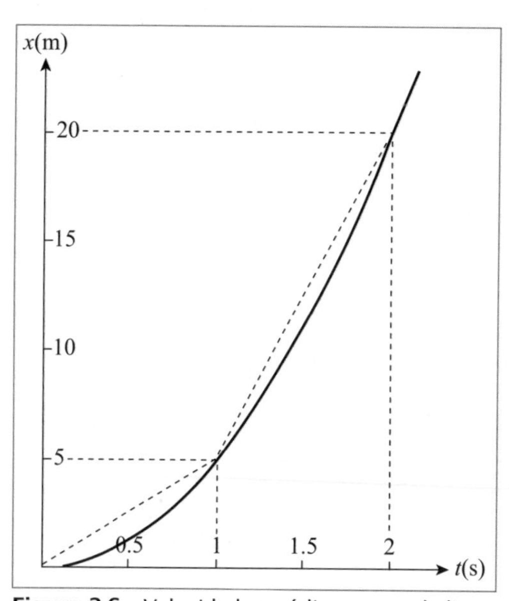

Figura 2.6 Velocidades médias na queda livre.

A velocidade de um carro usualmente não sofre nenhuma alteração apreciável em intervalos de tempo < 0,1 s, de modo que não é preciso, neste exemplo, tomar intervalos menores. Se necessário, para calcular a velocidade instantânea com precisão cada vez maior, poderíamos considerar o espaço percorrido em 10^{-2} s, 10^{-3} s, ... Quanto menor Δt (e em consequência também o Δx correspondente), mais o valor de $\Delta x/\Delta t$ se aproxima da velocidade instantânea.

Exemplo: Na experiência de queda livre da bolinha (Figura 2.2), o gráfico $x \times t$ tem a forma de uma parábola (Figura 2.6), $x = \alpha t^2$, onde, para x em m e t em s, o valor de α seria ≈ 5 m/s²; tomemos

$$x(t) = 5t^2 \quad \textbf{(2.2.1)}$$

Qual é a velocidade instantânea para $t = 1$ s? Com centro no instante $t = 1$ s, calculemos a velocidade média (2.1.5) a partir de instantes anteriores e para instantes posteriores, tomando $\Delta t = 1$ s, 0,1 s, 0,01 s, ...

$$\left.\begin{aligned}\bar{v}_{0\to 1} &= \frac{x(1)-x(0)}{1-0} = \frac{5-0}{1-0} = 5 \text{ m / s}\\ \bar{v}_{1\to 2} &= \frac{x(2)-x(1)}{2-1} = \frac{20-5}{2-1} = 15 \text{ m / s}\end{aligned}\right\} \Delta t = 1 \text{ s}$$

$$\left.\begin{aligned}\bar{v}_{0,9\to 1} &= \frac{x(1)-x(0{,}9)}{1-0{,}9} = \frac{5{,}00-4{,}05}{1-0{,}9} = 9{,}5 \text{ m / s}\\ \bar{v}_{1\to 1,1} &= \frac{x(1{,}1)-x(1)}{1{,}1-1} = \frac{6{,}05-5{,}00}{1{,}1-1} = 10{,}5 \text{ m / s}\end{aligned}\right\} \Delta t = 0{,}1 \text{ s}$$

$$\left.\begin{aligned}\bar{v}_{0,99\to 1} &= \frac{x(1)-x(0{,}99)}{1-0{,}99} = \frac{5{,}0000-4{,}9005}{1{,}00-0{,}99} = 9{,}95 \text{ m / s}\\ \bar{v}_{1\to 1,01} &= \frac{x(1{,}01)-x(1)}{1{,}01-1{,}00} = \frac{5{,}1005-5{,}0000}{1{,}01-1{,}00} = 10{,}05 \text{ m / s}\end{aligned}\right\} \Delta t = 0{,}01 \text{ s}$$

Como a parábola é uma curva côncava para cima, o coeficiente angular da corda que liga dois pontos da curva vai aumentando à medida que subimos na curva, de forma que a sequência acima deve representar aproximações alternadamente por falta e por excesso da velocidade instantânea v para t = 1s: 5 m/s < v < 15 m/s; 9,5 m/s < v < 10,5 m/s; 9,95 m/s < v < 10,05 m/s, ... o que sugere qual deve ser o valor de v:

$$v = 10 \text{ m / s para } t = 1 \text{ s}$$

Este valor deveria ser obtido como caso limite da sequência quando $\Delta t \to 0$. Com efeito,

$$\Delta x = x(1+\Delta t) - x(1) = 5(1+\Delta t)^2 - 5 = 5\left[1 + 2\Delta t + (\Delta t)^2\right] - 5 = 10\Delta t + 5(\Delta t)^2,$$

$$\bar{v}_{1\to 1} = \frac{x(1+\Delta t)-x(1)}{1+\Delta t-1} = \frac{\Delta x}{\Delta t} = \frac{10\Delta t + 5(\Delta t)^2}{\Delta t} = 10 + 5\Delta t \to 10 \text{ quando } \Delta t \to 0$$

Note que, quando $\Delta t \to 0$, também $\Delta x \to 0$, mas o quociente $\Delta x/\Delta t$ tende a um valor finito, = 10 m/s no exemplo acima.

Para uma função $x(t)$, o limite

$$\boxed{\lim_{\Delta t\to 0}\left[\frac{x(t_0+\Delta t)-x(t_0)}{\Delta t}\right] = \lim_{\Delta t\to 0}\left(\frac{\Delta x}{\Delta t}\right)\Bigg|_{t=t_0} = \left(\frac{dx}{dt}\right)_{t=t_0}} \qquad \textbf{(2.2.2)}$$

chama-se *derivada de x em relação a t no ponto t_0*. Note que dx e dt são notações.

No exemplo acima da função (2.2.1), obtivemos:

$$\left(\frac{dx}{dt}\right)\Bigg|_{t=1} = 10.$$

A notação "lim"(limite) para $\Delta t \to 0$ significa que podemos nos aproximar tanto quanto quisermos do resultado exato tomando Δt suficientemente pequeno, como fizemos nos cálculos numéricos acima. O limite nem sempre existe para qualquer função de t;

quando existe, a função chama-se *diferenciável* no ponto t_0. Geralmente, estaremos lidando com funções diferenciáveis.

Exemplo: Calcular a derivada de

$$x(t) = at^2 + bt + c \tag{2.2.3}$$

onde a, b e c são constantes, num ponto t qualquer.

Temos

$$x(t+\Delta t) = a(t+\Delta t)^2 + b(t+\Delta t) + c = a\left[t^2 + 2t\,\Delta t + (\Delta t)^2\right] + b(t+\Delta t) + c$$

$$\Delta x = x(t+\Delta t) - x(t) = 2\,at\,\Delta t + a(\Delta t)^2 + b\Delta t$$

$$\frac{\Delta x}{\Delta t} = 2\,at + a\Delta t + b; \qquad \lim_{\Delta t \to 0}\left(\frac{\Delta x}{\Delta t}\right) = 2\,at + b$$

ou seja

$$\frac{dx}{dt} = 2\,at + b \tag{2.2.4}$$

Este exemplo também ilustra os seguintes resultados imediatos: a derivada de uma constante é nula; a derivada de uma soma é a soma das derivadas;

$$\frac{d}{dt}\left[ax(t)\right] = a\frac{dx}{dt} \quad (a = \text{constante}) \tag{2.2.5}$$

O resultado anterior para a (2.2.1) é um caso particular, com $b = c = 0$; $a = 5$; $t = 1$.

A velocidade instantânea $v(t)$ num instante t qualquer num movimento descrito por $x = x(t)$ é dada por

$$\boxed{v(t) = \frac{dx}{dt}} \tag{2.2.6}$$

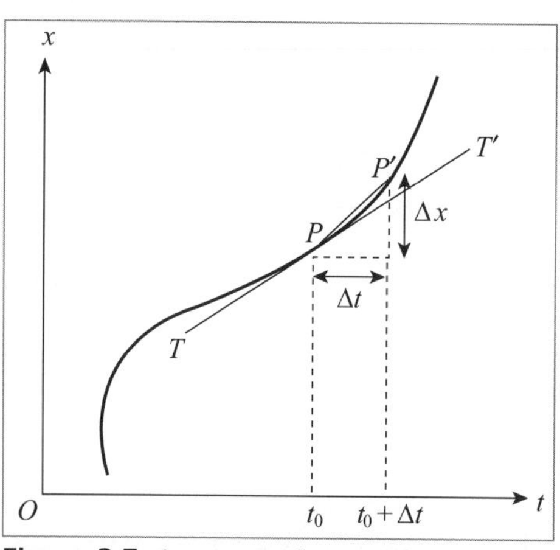

Figura 2.7 Interpretação geométrica da derivada.

Da mesma forma que a velocidade média, a velocidade instantânea também tem uma interpretação geométrica simples no gráfico $x \times t$. Vimos que $\overline{v}_{t_0 \to t_0+\Delta t}$ é o coeficiente angular da corda $\overline{PP'}$ que liga os pontos P e P′ do gráfico associados aos instantes t_0 e $t_0 + \Delta t$ (Figura 2.7). À medida que $\Delta t \to 0$, P′ se aproxima de P e $\Delta x/\Delta t$ tende ao coeficiente angular da *tangente* $\overline{TT'}$ à curva no ponto P. Logo, *a velocidade instantânea* $v(t_0)$ representa o coeficiente angular da tangente ao gráfico $x \times t$ no ponto t_0; é o que se chama de "declive" da curva neste ponto. Esta é também, de forma mais geral, a interpretação geométrica da derivada dx/dt; ela mede a "taxa de variação" de x com t.

A interpretação geométrica da derivada mostra imediatamente (Figura 2.8) que $dx/dt > 0$ num ponto onde x está crescendo com t, $dx/dt < 0$ num ponto onde x está decrescendo com t (marcha à ré, no exemplo do carro), e $dx/dt = 0$ quando a curva tem tangente horizontal no ponto considerado (pode ser um máximo ou um mínimo ou um ponto de inflexão)

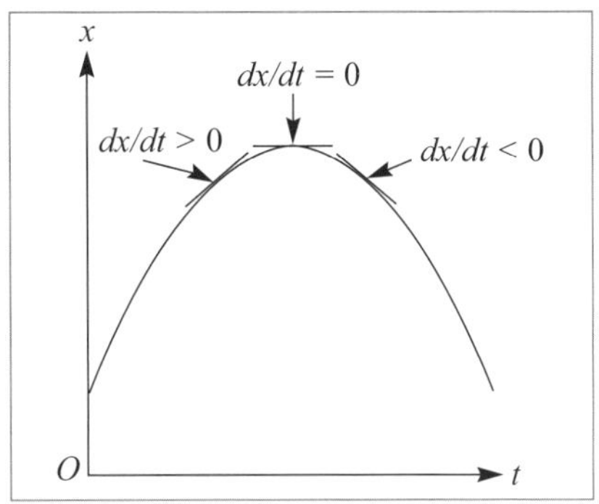

Figura 2.8 Sinal da derivada.

Quanto mais rapidamente x está crescendo com t, mais abrupta é a curva, e maior é portanto a velocidade instantânea, o que concorda com a ideia intuitiva.

2.3 O PROBLEMA INVERSO

Vimos como, conhecendo a "lei horária" de um movimento, ou seja, a função $x = x(t)$, é possível calcular a velocidade instantânea $v(t)$ no decurso do movimento: basta tomar dx/dt. Assim, por exemplo, para a lei horária (2.2.3), a velocidade é dada pela (2.2.4).

Frequentemente temos de resolver o problema inverso: conhecendo a velocidade instantânea $v(t)$ entre um dado instante inicial t_1, e um instante final t_2, calcular o espaço percorrido entre estes dois instantes, ou seja, $x(t_2) - x(t_1)$. Poderíamos pensar num filme do painel de instrumentos de um automóvel que mostrasse simultaneamente o velocímetro e um relógio, permitindo traçar o gráfico de $v \times t$ entre t_1 e t_2 (tomamos sempre $t_2 > t_1$).

Se o movimento for uniforme, como na (2.1.4), velocidade instantânea e velocidade média se confundem, $v = \bar{v}$ = constante, e o gráfico é uma reta paralela ao eixo das abscissas (Figura 2.9). Pela definição de velocidade média, o espaço percorrido entre t_1 e t_2 é:

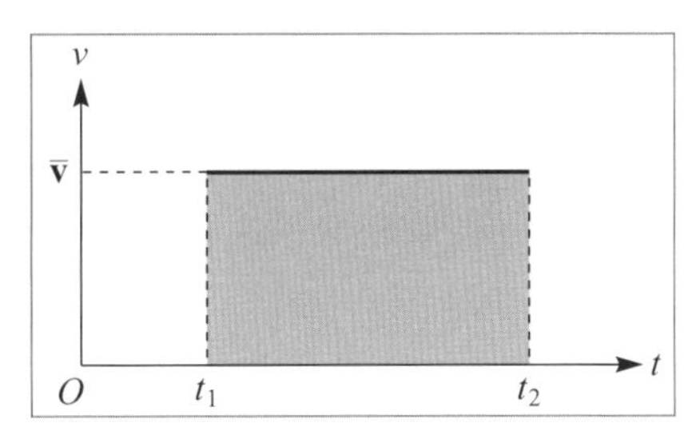

Figura 2.9 Interpretação geométrica do espaço percorrido.

$$(\Delta x)_{t_1 \to t_2} \equiv x(t_2) - x(t_1) = \bar{v}_{t_1 \to t_2} \Delta t = \bar{v} \Delta t = v(t_2 - t_1) \qquad \textbf{(2.3.1)}$$

que, conforme mostra a Figura 2.9, tem uma interpretação geométrica simples: é a *área* da porção do gráfico $v \times t$ situada entre o gráfico e o eixo das abscissas e limitada pelas ordenadas em t_1 e t_2.

Note-se que a "área" assim definida pode ser positiva ou negativa, conforme seja $\bar{v} > 0$ ou $\bar{v} < 0$ (Figura 2.10), ou seja, *uma área situada abaixo do eixo Ot tem de ser tomada como negativa* (o que significa simplesmente $x(t_2) < x(t_1)$, ou seja, movimento para trás).

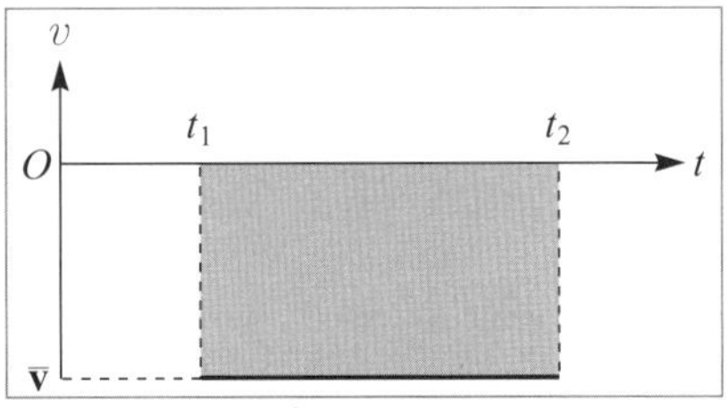

Figura 2.10 Área negativa.

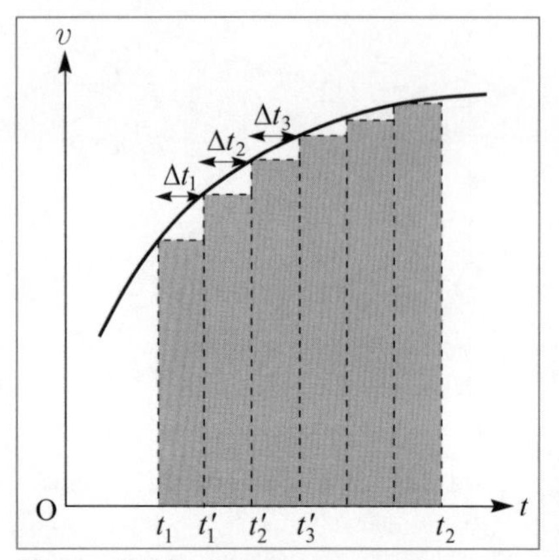

Figura 2.11 Espaço percorrido num movimento qualquer.

Consideremos agora um movimento não uniforme, em que v é uma função qualquer de t (Figura 2.11). Imaginemos o intervalo $[t_1, t_2]$ subdividido em um grande número de pequenos intervalos de larguras Δt_1, Δt_2, Δt_3, ... por pontos de subdivisão t_1', t_2', t_3',...(Figura), onde $t_1' = t_1 + \Delta t_1$; $t_2' = t_1' + \Delta t_2$; $t_3' = t_2' + \Delta t_3$; ... Se os intervalos Δt_i (i = 1, 2, 3, ...) forem suficientemente pequenos, a velocidade variará muito pouco em cada um desses intervalos, e podemos calcular a distância percorrida em cada um aproximando a velocidade média nele pela velocidade num de seus pontos, por exemplo, o extremo esquerdo de cada intervalo:

$$\Delta x_{t_1 \to t_1'} = x(t_1') - x(t_1) = \bar{v}_{t_1 \to t_1'} \Delta t_1 \approx v(t_1) \Delta t_1$$
$$\Delta x_{t_1' \to t_2'} = x(t_2') - x(t_1') = \bar{v}_{t_1' \to t_2'} \Delta t_2 \approx v(t_1') \Delta t_2$$
$$\Delta x_{t_2' \to t_3'} = x(t_3') - x(t_2') = \bar{v}_{t_2' \to t_3'} \Delta t_3 \approx v(t_2') \Delta t_3$$

Somando membro a membro estas 3 relações, obtemos o deslocamento total entre t_1 e t_3':

$$x(t_3') - x(t_1) \approx v(t_1)\Delta t_1 + v(t_1')\Delta t_2 + v(t_2')\Delta t_3$$

e é claro que, se prosseguirmos até t_2, obteremos a soma das contribuições de todos os subintervalos em que $[t_1, t_2]$ foi dividido:

$$x(t_2) - x(t_1) \approx \sum_i v(t_i')\Delta t_i' \qquad \textbf{(2.3.2)}$$

Graficamente, conforme mostra a Figura 2.11, cada termo da soma é a área de um retângulo, e a soma (2.3.2) é a área compreendida entre o eixo Ot e uma linha poligonal "em escada" inscrita na curva $v \times t$ entre t_1 e t_2.

A soma (2.3.2) se aproxima tanto mais do resultado exato quanto menores forem as subdivisões Δt_i. Logo, no limite em que os $\Delta t_i'$ tendem a zero, devemos obter:

$$x(t_2) - x(t_1) = \lim_{\Delta t_1' \to 0} \sum v(t_i')\Delta t_i' = \text{Área entre a curva } v \times t \text{ e o eixo } Ot\text{, de } t_1 \text{ a } t_2 \qquad \textbf{(2.3.3)}$$

O limite (2.3.3) é chamado de *integral definida* de *v(t) entre os extremos* t_1 e t_2, e representado pela notação

$$\lim_{\Delta t_1' \to 0} \sum_i v(t_i')\Delta t_i' \equiv \int_{t_1}^{t_2} v(t)\,dt \qquad \textbf{(2.3.4)}$$

O símbolo ∫ de "integral" é uma deformação do S de "Soma"; t_1 e t_2 são, respectivamente, o *extremo inferior* e o *extremo superior* da integral. A função $v(t)$ sob o sinal de ∫ chama-se o *integrando*. Note que t tem no integrando um papel análogo ao do índice i na soma (2.3.4): é a *variável de integração*, e pode ser representada por qualquer outra letra (t', u, v), da mesma forma que podemos chamar o índice de soma de j, k, ..., em lugar de i.

Métodos de cálculo de integrais serão vistos no curso de Cálculo Diferencial e Integral; do ponto de vista do cálculo aproximado, a (2.3.3) mostra que o problema se reduz a calcular a área compreendida entre uma curva e o eixo das abscissas (levando em conta que áreas situadas abaixo do eixo devem ser contadas como negativas), o que pode ser feito aproximadamente traçando a curva em papel quadriculado e contando quadrículas.

Como aplicação, consideremos um movimento cuja velocidade $v(t)$ é dada pela (2.2.4):

$$v(t) = 2at + b \tag{2.3.5}$$

A área a calcular neste caso é a do trapézio sombreado na Figura 2.12.

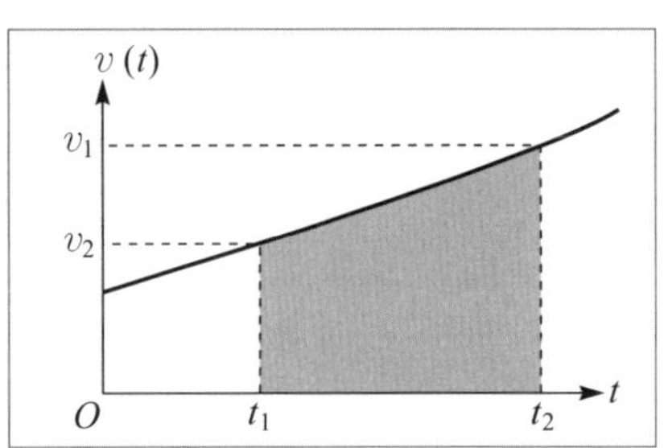

Figura 2.12 Área do trapézio limitado pela reta (2.3.5).

Sejam

$$v(t_1) = 2\,at_1 + b \equiv v_1$$
$$v(t_2) = 2\,at_2 + b \equiv v_2$$

Temos então, pela (2.3.3), $x(t_2) - x(t_1)$ = Área do trapézio = (Semissoma das bases) × Altura = $\frac{1}{2}(v_1 + v_2)(t_2 - t_1)$ o que, comparando com a (2.1.5), implica que, neste movimento,

$$\overline{v}_{t_1 \to t_2} = \frac{1}{2}\left[v(t_1) + v(t_2)\right] \tag{2.3.6}$$

ou seja, que a velocidade média num intervalo é a média aritmética das velocidades nos extremos do intervalo. Substituindo na (2.3.6) os valores de $v(t_1)$ e $v(t_2)$, vem

$$\overline{v}_{t_1 \to t_2} = a(t_2 + t_1) + b$$

o que dá, pela (2.3.1),

$$x(t_2) - x(t_1) = a\left(t_2^2 - t_1^2\right) + b(t_2 - t_1) \tag{2.3.7}$$

que coincide com o resultado obtido a partir da lei horária (2.2.3) (e dá o valor da integral definida (2.3.4) quando $v(t)$ é dado pela (2.3.5)).

A (2.3.7) pode ser aplicada, em particular, tomando para t_1 o instante inicial $t_1 = 0$, e para t_2 um instante genérico t. Chamando $x(0) = c$ (valor inicial de x), a (2.3.7) dá então

$$x(t) = x(0) + at^2 + bt = at^2 + bt + c \tag{2.3.8}$$

ou seja, este processo de "integração" nos permitiu recuperar a lei horária (2.2.3) a partir da expressão (2.2.4) da velocidade e do valor inicial de x.

Matematicamente, a (2.2.4) se chama uma *equação diferencial* para a função incógnita $x(t)$ (porque a derivada da função incógnita aparece na equação). Passamos da (2.2.4) à (2.3.8) *integrando a equação diferencial* com a *condição inicial* $x(0) = c$.

2.4 ACELERAÇÃO

Temos todos uma noção intuitiva do conceito de "aceleração" (por exemplo, o efeito do acelerador num automóvel), como medida da rapidez de variação da velocidade com o tempo. Assim, dizemos que um carro tem "boa aceleração" se é capaz de acelerar de 0 a 120 km/h em 10 s. Conforme vemos neste exemplo, a aceleração mede a "velocidade de variação da velocidade". Por analogia com a (2.1.5), podemos definir primeiro a *aceleração média* no intervalo $[t_1, t_2]$ por

$$\bar{a}_{t_1 \to t_2} \equiv \frac{v(t_2) - v(t_1)}{t_2 - t_1} = \frac{\Delta v}{\Delta t} \tag{2.4.1}$$

Assim, no exemplo acima do carro, a aceleração média no intervalo de 0 s a 10 s seria de

$$\frac{33{,}3 \text{ m/s}}{10 \text{ s}} = 3{,}33 \text{ m/s}^2$$

ilustrando o fato de que, se tomarmos o metro como unidade de comprimento e o segundo como unidade de tempo, a unidade de aceleração é $1 \text{ m} \cdot \text{s}^{-2}$.

Tomando sempre $t_2 > t_1$, vemos que a aceleração média é *positiva* quando v cresce de t_1 para t_2, e *negativa* quando decresce; se $v > 0$, v cresce ou decresce conforme $|v|$ cresça ou decresça, mas se $v < 0$ é o contrário: v cresce quando $|v|$ decresce. Assim, no exemplo do carro, em marcha à frente, a aceleração é negativa quando o carro está freiando, mas em marcha à ré é o contrário: freiar em marcha à ré corresponde a uma aceleração positiva.

A aceleração média pode geralmente ser variável durante o movimento, e considerações análogas às da Seção 2.2 levam-nos a definir a *aceleração instantânea* $a(t)$ num instante t por (cf. (2.2.2) e (2.2.5))

$$\boxed{a(t) = \lim_{\Delta t \to 0} \left[\frac{v(t + \Delta t) - v(t)}{\Delta t} \right] = \lim_{\Delta t \to 0} \frac{\Delta v}{\Delta t} = \frac{dv}{dt}} \tag{2.4.2}$$

ou seja, *a aceleração instantânea é a derivada em relação ao tempo da velocidade instantânea.*

Substituindo $v(t)$ na (2.4.2) pela (2.2.5), obtemos

$$\boxed{a(t) = \frac{d}{dt}\left(\frac{dx}{dt}\right) = \frac{d^2x}{dt^2}} \tag{2.4.3}$$

onde introduzimos a definição de *derivada segunda de x em relação a t*, indicada pela notação d^2x/dt^2.

A interpretação geométrica da derivada (Seção 2.2) se aplica à (2.4.2): num gráfico $v \times t$, $a\ (t)$ é o coeficiente angular da tangente à curva no ponto correspondente ao instante t.

Consideremos por exemplo o seguinte gráfico $x \times t$, que poderia representar o movimento do automóvel no exemplo da Seção 2.1:

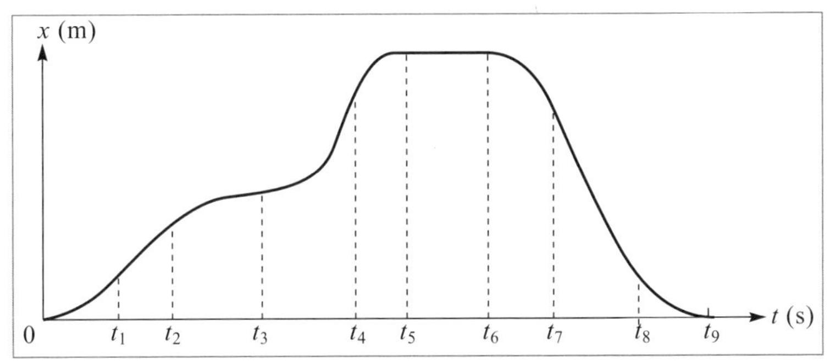

Figura 2.13 Gráfico da posição.

Note que o carro parte da origem em $t = 0$ e acaba regressando à origem em $t = t_9$.

Com o auxilio da interpretação geométrica da derivada como coeficiente angular da tangente à curva, podemos esboçar pelo menos qualitativamente o gráfico da velocidade instantânea associada a esse movimento:

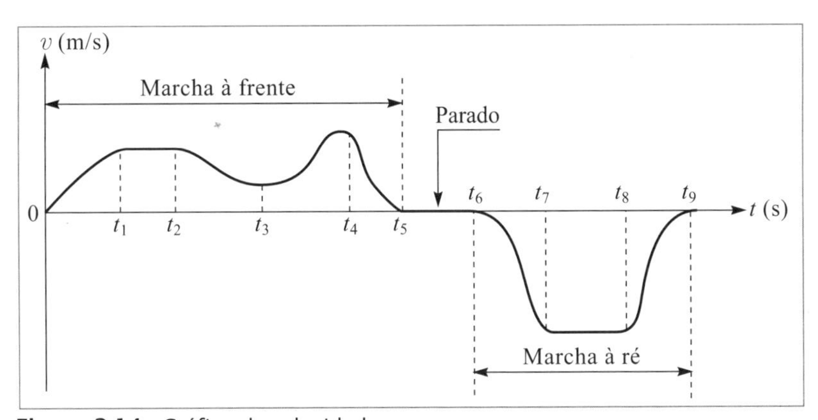

Figura 2.14 Gráfico da velocidade.

Como $x(t_9) - x(0) = 0$, a (2.3.3) implica que a área total entre a curva e o eixo Ot é $= 0$, ou seja, que a área positiva (acima do eixo) é exatamente cancelada pela área negativa (abaixo do eixo).

O gráfico da aceleração instantânea se obtém de forma análoga do gráfico $v \times t$:

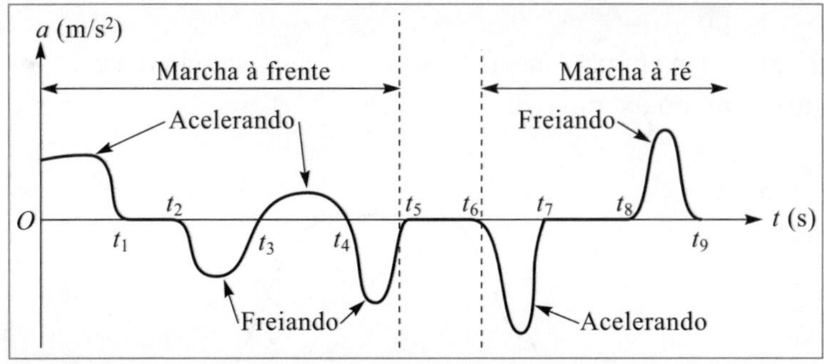

Figura 2.15 Gráfico da aceleração.

Note a correlação entre o sinal de $a\ (t)$ e a interpretação em termos de acelerar ou freiar o carro, que é diferente para marcha à frente e marcha à ré, conforme a discussão acima.

Aqui também podemos considerar o problema inverso, de determinar a variação de velocidade entre dois instantes, conhecendo $a\ (t)$. A solução se obtém imediatamente das (2.3.3) – (2.3.4), bastando trocar $x \to v$, $v \to a$:

$$v(t_2) - v(t_1) = \int_{t_1}^{t_2} a(t)dt \qquad \textbf{(2.4.4)}$$

que também se interpreta graficamente em termos da área entre a curva de $v(t)$ e o eixo Ot. No exemplo acima, como $v(0) = v\ (t_5) = 0$, a área negativa abaixo de Ot entre $t = 0$ e t_5 deve cancelar exatamente a área acima de Ot (no gráfico $a \times t$), e o mesmo vale para o intervalo $[t_6, t_9]$.

2.5 MOVIMENTO RETILÍNEO UNIFORMEMENTE ACELERADO

Um movimento retilíneo chama-se *uniformemente acelerado* quando a aceleração instantânea é constante (independentemente do tempo):

$$\boxed{\frac{dv}{dt} = \frac{d^2x}{dt^2} = a = \text{constante}} \qquad \textbf{(2.5.1)}$$

Podemos usar as técnicas de solução do "problema inverso" (Seção 2.3) para determinar a lei horária de um movimento uniformemente acelerado.

Para isto, consideremos o movimento durante um intervalo de tempo $[t_0, t]$, onde t_0 é o "instante inicial" (frequentemente se toma $t_0 = 0$).

A (2.4.4) dá:

$$v(t) - v(t_0) = \int_{t_0}^{t} a\ dt = a(t - t_0) \qquad \textbf{(2.5.2)}$$

que é a área do retângulo sombreado na Figura 2.16 (compare com a (2.3.1)).

O valor

$$\boxed{v(t_0) \equiv v_0} \tag{2.5.3}$$

da velocidade no instante inicial chama-se *velocidade inicial.* A (2.5.2) dá então

$$\boxed{v(t) = v_0 + a(t - t_0)} \tag{2.5.4}$$

mostrando que a velocidade é uma função linear do tempo no movimento uniformemente acelerado. Esta é precisamente a situação já analisada no caso da (2.3.5), de forma que o resultado (2.3.6) vale para qualquer movimento uniformemente acelerado: a velocidade média num intervalo é a média aritmética das velocidades nos extremos do intervalo.

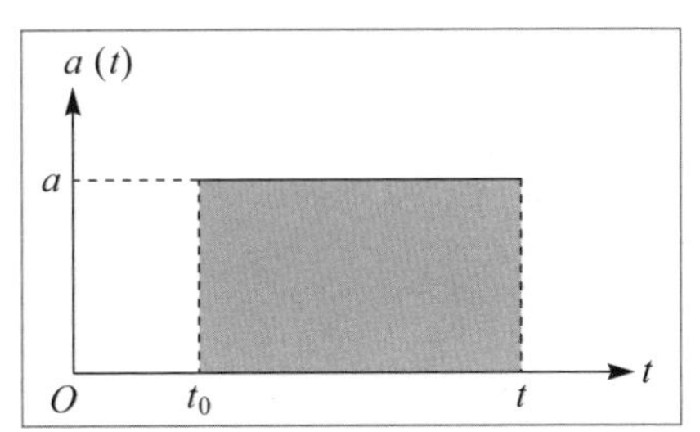

Figura 2.16 Variação da velocidade como área.

Poderíamos obter a lei horária simplesmente adaptando a (2.3.7) à notação da (2.5.4) (em particular, $2a$ na (2.3.5) corresponde a a na (2.5.4), mas é instrutivo recalcular o resultado de forma um pouco diferente. Pelas (2.3.3) e (2.3.4),

$$x(t) - x(t_0) = \int_{t_0}^{t} v(t')dt' \tag{2.5.5}$$

onde chamamos de t' a variável de integração (veja a discussão após a (2.3.4)), para evitar confusão com t, o extremo superior da integral. A área do trapézio, conforme mostra a Figura 2.17, pode também ser calculada como a soma da área do retângulo sombreado, que é $v_0\ (t - t_0)$, com a área do triângulo sombreado, que é

$$\frac{1}{2}a(t - t_0) \cdot (t - t_0)$$

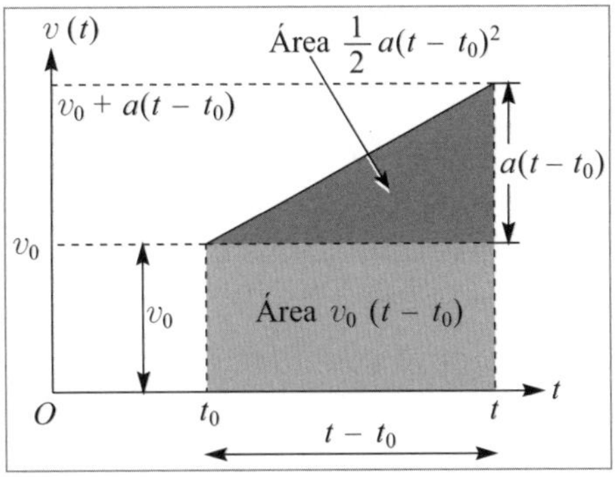

Figura 2.17 Integração gráfica.

ou seja

$$x(t) - x(t_0) = v_0(t - t_0) + \frac{1}{2}a(t - t_0)^2 \tag{2.5.6}$$

Analogamente à (2.5.3), definimos

$$\boxed{x(t_0) \equiv x_0} \tag{2.5.7}$$

como a *posição inicial.* A (2.5.6) dá então finalmente a *lei horária do movimento retilíneo uniformemente acelerado,*

$$\boxed{x(t) = x_0 + v_0(t - t_0) + \frac{1}{2}a(t - t_0)^2} \tag{2.5.8}$$

em função dos *valores iniciais* x_0 e v_0 da posição e da velocidade no instante inicial t_0.

Do ponto de vista matemático, a passagem da (2.5.1) à (2.5.8) corresponde à "integração" da equação diferencial de 2ª ordem (2.5.1) para a função incógnita $x(t)$ (de segunda ordem porque entra a derivada segunda d^2x/dt^2), com as condições iniciais (2.5.3) e (2.5.7). O gráfico $x \times t$ de um movimento uniformemente acelerado é uma parábola.

Frequentemente interessa também exprimir a velocidade no movimento uniformemente acelerado em função da posição x (em lugar do tempo t). Para obter esta expressão, basta substituir a (2.5.4) na (2.5.8), eliminando $t - t_0$:

$$t - t_0 = \frac{v - v_0}{a} \Rightarrow x - x_0 = v_0\left(\frac{v - v_0}{a}\right) + \frac{a}{2}\left(\frac{v - v_0}{a}\right)^2 = \frac{(v - v_0)(v + v_0)}{2a} = \frac{v^2 - v_0^2}{2a}$$

ou seja,

$$\boxed{v^2 = v_0^2 + 2a(x - x_0)} \quad \textbf{(2.5.9)}$$

que é a expressão procurada.

Exemplo: Um motorista freia seu carro uniformemente, de tal maneira que a velocidade cai de 60 km/h a 30 km/h em 5 s. Que distância o carro ainda percorrerá depois disso até parar, e quanto tempo levará para percorrer essa distância adicional?

Como o freiamento é uniforme, a aceleração instantânea e média se confundem; podemos calcular o seu valor pela (2.5.4)

$$\left.\begin{cases} t - t_0 = 5\,\text{s} \\ v_0 = 60\,\text{km/h} = 16.66\,\text{m/s} \\ v = 30\,\text{km/h} = 8{,}33\,\text{m/s} \end{cases}\right\} a = \frac{v - v_0}{t - t_0} = -\frac{8{,}33}{5}\,\text{m/s}^2 = -1{,}66\,\text{m/s}^2,$$

onde o sinal negativo está associado ao freiamento.

Para calcular a distância que o carro percorrerá até parar depois de atingir 30 km/h, podemos aplicar a (2.5.9) com v_0 = 30 km/h = 8, 33 m/s e v = 0 (velocidade final), o que dá

$$x - x_0 = \frac{v^2 - v_0^2}{2a} = \frac{0 - (8{,}33)^2}{-3{,}33}\,\text{m} = 20{,}83\,\text{m}.$$

O tempo que o carro levará para percorrer esta distância adicional se calcula de novo pela (2.5.4), tomando v_0 = 30 km/h e v = 0:

$$t - t_0 = \frac{v - v_0}{a} = \frac{0 - 8{,}33}{-1{,}66}\,\text{s} = 5\,\text{s}.$$

Logo, o carro leva mais 5 s para parar depois de freiado.

2.6 GALILEU E A QUEDA DOS CORPOS

O exemplo mais familiar de movimento retilíneo uniformemente acelerado é a queda livre de um corpo solto em repouso. Este foi um dos problemas analisados por Galileu em seus trabalhos, que deram origem à era moderna da física.

Os gregos da época clássica encontraram dificuldades intransponíveis na análise do movimento. Essas dificuldades estavam relacionadas com a formulação dos conceitos básicos do Cálculo Infinitesimal (como os de limite, derivada e integral), que nasceram precisamente da análise do problema do movimento. No século V a. C., Zenon de Eleia formulou quatro célebres paradoxos, um dos quais, "Aquiles e a tartaruga", está diretamente relacionado com este problema: Aquiles aposta uma corrida com uma tartaruga, e é 10 vezes mais veloz que ela. A tartaruga parte antes dele, de modo que está a uma distância d quando Aquiles parte. Quando Aquiles atinge a distância d, a tartaruga já terá percorrido uma distância adicional $d/10$, e continuará à frente de Aquiles. Quando Aquiles tiver percorrido $d/10$, a tartaruga terá percorrido $d/100$, e assim por diante: a conclusão do paradoxo é que Aquiles nunca conseguirá alcançar a tartaruga. A dificuldade básica dos gregos estava em entender que a soma de uma série infinita de intervalos de tempo que tendem a zero rapidamente (em progressão geométrica) pode ser finita. [Como exercício, suponha que a tartaruga percorre 10 cm/s e Aquiles se desloca a 1 m/s; a tartaruga parte 15 minutos antes de Aquiles, do mesmo ponto inicial. Depois de quanto tempo e em que ponto Aquiles alcançará a tartaruga?] .

Na Física de Aristóteles (século IV a. C.), a matéria era analisada em termos dos "Quatro Elementos": Terra, Água, Ar e Fogo, cada um dos quais teria seu "lugar natural": Água (oceanos) e Terra embaixo, Ar e Fogo (sol, estrelas) em cima. Um elemento deslocado de seu lugar natural procuraria regressar a ele: isto explicaria porque a fumaça sobe, ao passo que corpos mais pesados (compostos de "Terra") caem. Segundo Aristóteles, quanto mais pesado um corpo, mais depressa ele cai: uma pedra cai bem mais depressa que uma gota de chuva. Estas ideias, baseadas em observações qualitativas, transformaram-se em dogma e predominaram durante cerca de 20 séculos!

Galileu Galilei (*veja o vídeo sobre a sua vida no Portal FB1*) nasceu em Pisa em 1564. Recebeu a educação aristotélica convencional, tendo sido enviado pelo pai à Universidade de Pisa para estudar medicina. Entretanto, interessou-se mais pela matemática e conseguiu mudar para esse campo. Com 21 anos, teve de deixar a universidade por falta de recursos e foi para Florença. Em Florença, conseguiu rapidamente estabelecer uma tal reputação científica que, aos 26 anos, foi nomeado professor de matemática na Universidade de Pisa. Passou dois anos em Pisa, onde fez muitos inimigos devido ao seu espírito independente. Depois se mudou para a Universidade de Pádua, onde permaneceu como professor de matemática durante 18 anos. Foi um grande professor, chegando a ter 2.000 alunos em sua "aula magna".

Figura 2.18 Retrato de Galileu Galilei.

Foi em Pisa que Galileu procurou verificar experimentalmente se as ideias de Aristóteles de fato eram válidas (o que era então uma atitude revolucionária). Entretanto, a célebre história sobre a bala de canhão e a bala de fuzil que teria deixado cair do alto da Torre de Pisa para verificar se a de canhão realmente atingia o solo entes da outra é apócrifa. Uma experiência desse tipo parece ter sido feita por Simon Stevin, um cientista holandês precursor de Galileu, que dela teria tido conhecimento.

Em Pádua, Galileu se tornou um defensor da teoria de Copérnico, conforme veremos mais tarde. Voltou à Toscana em 1610, como filósofo e matemático da corte, e em 1632 publicou o seu "Diálogo sobre os dois Principais Sistemas do Mundo" defendendo Copérnico. Pouco depois, deu-se o choque com a Inquisição, que manteve Galileu virtualmente como prisioneiro. Foi então, já quase cego, que ele escreveu seu livro mais importante, "Discursos e Demonstrações Matemáticas sobre Duas Novas Ciências", contrabandeado para a Holanda e lá publicado em 1638, quatro anos antes da morte de Galileu.

Ambos os livros são escritos em forma de diálogo entre 3 personagens: Salviati (que representa Galileu), Simplício (defensor de Aristóteles) e Sagredo (representando um observador imparcial inteligente). Na 1ª Jornada, Salviati refuta Aristóteles:

> "Aristóteles diz que "uma bola de ferro de cem libras, caindo de cem cúbitos* de altura, atinge o solo antes que uma bala de uma libra tenha caído de um só cúbito". Eu digo que chegam ao mesmo tempo. Fazendo a experiência, você verifica que a maior precede a menor por dois dedos, ou seja, quando a maior chegou ao solo, a outra está a dois dedos de altura; você não pode querer esconder nesses dois dedos os noventa e nove cúbitos de Aristóteles...".

Galileu atribui as pequenas discrepâncias de tempo de queda, no exemplo citado, ao efeito da resistência do ar, que pode afetar bem mais um corpo mais leve, explicando assim as observações qualitativas em que Aristóteles se baseara. Mais tarde, com a invenção da máquina pneumática, foi possível verificar que objetos de pesos muito diferentes, de fato, caiam ao mesmo tempo, quando se eliminava a resistência do ar, fazendo o vácuo. Uma demonstração espetacular desse efeito foi realizada na Lua durante a expedição do Apolo 15, quando o seu comandante deixou cair ao mesmo tempo um martelo de 1,5 kg e uma pluma de 30 gramas (*veja o vídeo no Portal FB1*).

Galileu inicia a 2ª Parte dos "Discursos" anunciando qual é o seu propósito:

> "Meu objetivo é expor uma ciência muito nova que trata de um tema muito antigo. Talvez nada na natureza seja mais antigo que o movimento, e os livros escritos por filósofos sobre este tema não são poucos nem pouco volumosos; todavia, descobri por experimentos algumas propriedades dele que merecem ser conhecidas e não foram observadas nem demonstradas até agora. Existiam algumas observações superficiais, como, por exemplo, a de que o movimento de queda livre de um corpo pesado é continuamente acelerado, mas exatamente de que forma esta aceleração ocorre não havia sido anunciado até agora...
>
> Foi observado que os projéteis descrevem algum tipo de trajetória curva; mas ninguém mencionou o fato de que esta trajetória é uma parábola. Consegui demonstrar este e outros fatos, nem pouco numerosos nem menos dignos de nota; e, o que considero mais

---

* 1 cúbito equivalia a cerca de 45 a 50 cm.

importante, foram abertos a esta vasta e excelentíssima ciência, da qual meu trabalho é apenas o começo, caminhos e metas pelos quais outras mentes, mais agudas do que a minha, explorarão seus recantos mais remotos".

Depois de definir e discutir o movimento uniforme, Galileu passa a tratar o movimento uniformemente acelerado, definindo-o como aquele em que ocorrem incrementos iguais de velocidade em tempos iguais (Galileu havia pensado primeiro numa definição em que incrementos iguais de velocidade corresponderiam a percursos iguais, mas logo percebeu que ela não seria satisfatória). Assim, foi o primeiro a definir aceleração.

Um estudo experimental direto da queda livre seria muito difícil naquela época, porque os tempos de queda nas condições usuais são muito curtos. Galileu resolveu esta dificuldade diminuindo a aceleração com o auxílio de um plano inclinado. Em lugar de medir a velocidade em função do tempo, o que teria sido muito difícil, mediu a distância percorrida por um objeto descendo um plano inclinado a partir do repouso, mostrando que cresce com o quadrado do tempo, o que, conforme ele havia provado na discussão anterior, é característico do movimento uniformemente acelerado [vide (2.5.8)]. É interessante observar como Salviati descreve a experiência:

> "Foi tomada uma prancha de madeira, com cerca de 12 cúbitos de comprimento, meio cúbito de largura e três dedos de espessura; na beirada dela, foi escavada uma canaleta de pouco mais de um dedo de largura; tendo feito esta canaleta bem reta, lisa e polida, e tendo-a forrado com pergaminho, também tão liso e polido como possível, fizemos rolar ao longo dela uma bola de bronze dura, lisa e bem redonda. Tendo colocado a prancha numa posição inclinada, elevando uma extremidade um ou dois cúbitos acima da outra, rolamos a bola, como estava dizendo, ao longo da canaleta, anotando, da forma que vamos descrever, o tempo necessário para a descida. Repetimos este experimento mais de uma vez, afim de medir o tempo com tal precisão que o desvio entre duas observações nunca excedesse um décimo de um batimento do pulso" (cardíaco). "Tendo executado esta operação e tendo-nos assegurado de que o resultado merecia confiança, fizemos rolar a bola de apenas 1/4 do comprimento da canaleta; e, tendo medido o tempo de descida, encontramos precisamente a metade do anterior. Tentamos a seguir outras distâncias, comparando o tempo para o comprimento total com aquele para a metade, ou 2/3, ou 3/4, ou qualquer outra fração; em tais experiências, repetidas cem vezes, sempre encontramos que os espaços percorridos estavam entre si como os quadrados dos tempos, e que isto valia para qualquer inclinação do plano, ou seja, da canaleta, ao longo da qual fazíamos rolar a bola...
>
> Para a medida do tempo, empregamos um grande recipiente com água, colocado numa posição elevada; uma canaleta de pequeno diâmetro foi soldada ao fundo do recipiente, deixando escoar um filete de água, que era coletado num copinho no decurso de cada descida, fosse ela ao longo de todo o canal ou apenas de uma parte dele; a água assim coletada era pesada, após cada descida, numa balança de muita precisão; as diferenças e razões desses pesos nos davam as diferenças e razões dos tempos, e isto com tanta precisão que, embora a operação fosse repetida muitas e muitas vezes, não havia discrepância apreciável entre os resultados". (veja a Fig. 1.10)

Os experimentos de Galileu, e muitos outros posteriores, acabaram estabelecendo como fato experimental que o movimento de queda livre de um corpo solto ou lançado verticalmente, na medida em que a resistência do ar possa ser desprezada, é um movimento uniformemente acelerado, no qual a aceleração é a mesma para todos os corpos (embora sofra pequenas variações de ponto a ponto da Terra). Esta *aceleração da gravidade* é indicada por g e seu valor aproximado é

$$g \approx 9{,}8 \text{ m / s}^2 \tag{2.6.1}$$

Todos os resultados da Seção 2.5 (com $a = g$ e x orientado para baixo) se aplicam à queda livre. A Fig. 2.2 mostra uma foto estroboscópica da queda livre.

PROBLEMAS

2.1 Na célebre corrida entre a lebre e a tartaruga, a velocidade da lebre é de 30 km/h e a da tartaruga é de 1,5 m/min. A distância a percorrer é de 600 m, e a lebre corre durante 0,5 min antes de parar para uma soneca. Qual é a duração máxima da soneca para que a lebre não perca a corrida? Resolva analiticamente e graficamente.

Figura 2.19 Lebre × tartaruga.

2.2 Um carro de corridas pode ser acelerado de 0 a 100 km/h em 4 s. Compare a aceleração média correspondente com a aceleração da gravidade. Se a aceleração é constante, que distância o carro percorre até atingir 100 km/h?

2.3 Um motorista percorre 10 km a 40 km/h, os 10 km seguintes a 80 km/h e mais 10 km a 30 km/h. Qual é a velocidade média do seu percurso? Compare-a com a média aritmética das velocidades.

2.4 Um avião a jato de grande porte precisa atingir uma velocidade de 500 km/h para decolar, e tem uma aceleração de 4 m/s². Quanto tempo ele leva para decolar e que distância percorre na pista até a decolagem?

2.5 O gráfico da Figura 2.20 representa a marcação do velocímetro de um automóvel em função do tempo. Trace os gráficos correspondentes da aceleração e do espaço percorrido pelo automóvel em função do tempo. Qual é a aceleração média do automóvel entre $t = 0$ e $t = 1$ min? E entre $t = 2$ min e $t = 3$ min?

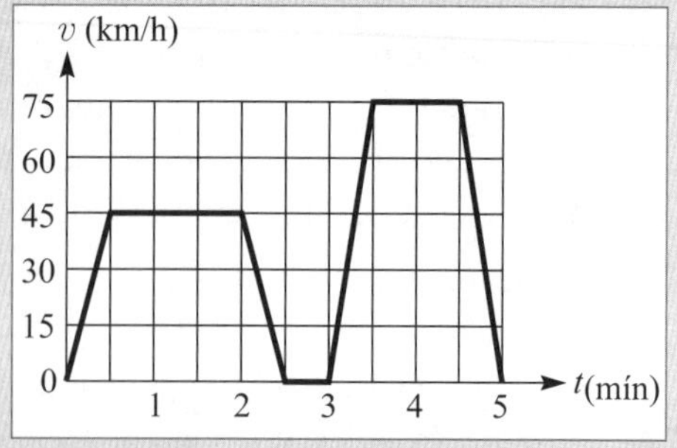

Figura 2.20

2.6 Uma partícula, inicialmente em repouso na origem, move-se durante 10 s em linha reta, com aceleração crescente segundo a lei

$$a = bt,$$

onde t é o tempo e $b = 0{,}5$ m/ s³. Trace os gráficos da velocidade v e da posição x da partícula em função do tempo. Qual é a expressão analítica de $v(t)$?

2.7 O tempo médio de reação de um motorista (tempo que decorre entre perceber um perigo súbito e aplicar os freios) é da ordem de 0,7 s. Um carro com bons freios, numa estrada seca, pode ser freiado a 6 m/s². Calcule a distância mínima que um carro percorre depois que o motorista avista o perigo, quando ele trafega a 30 km/h, a 60 km/h e a 90 km/h. Estime a quantos comprimentos do carro corresponde cada uma das distâncias encontradas.

2.8 O sinal amarelo num cruzamento fica ligado durante 3 s. A largura do cruzamento é de 15 m. A aceleração máxima de um carro que se encontra a 30 m do cruzamento quando o sinal muda para amarelo é de 3 m/s², e ele pode ser freiado a 5 m/s². Que velocidade mínima o carro precisa ter na mudança do sinal para amarelo a fim de que possa atravessar no amarelo? Qual é a velocidade máxima que ainda lhe permite parar antes de atingir o cruzamento?

2.9 Numa rodovia de mão dupla, um carro encontra-se 15 m atrás de um caminhão (distância entre pontos médios), ambos trafegando a 80 km/h. O carro tem uma aceleração máxima de 3 m/s². O motorista deseja ultrapassar o caminhão e voltar para sua mão 15 m adiante do caminhão. No momento em que começa a ultrapassagem, avista um carro que vem vindo em sentido oposto, também a 80 km/h. A que distância mínima precisa estar do outro carro para que a ultrapassagem seja segura?

2.10 Um trem com aceleração máxima a e desaceleração máxima f (magnitude da aceleração de freiamento) tem de percorrer uma distância d entre duas estações. O maquinista pode escolher entre (a) seguir com a aceleração máxima até certo ponto e a partir daí freiar com a desaceleração máxima, até chegar; (b) acelerar até uma certa velocidade, mantê-la constante durante algum tempo e depois freiar até a chegada. Mostre que a primeira opção é a que minimiza o tempo de percurso (sugestão: utilize gráficos $v \times t$) e calcule o tempo mínimo de percurso em função de a, f e d.

2.11 Você quer treinar para malabarista, mantendo duas bolas no ar, e suspendendo-as até uma altura máxima de 2 m. De quanto em quanto tempo e com que velocidade tem de mandar as bolas para cima?

2.12 Um método possível para medir a aceleração da gravidade g consiste em lançar uma bolinha para cima num tubo onde se fez vácuo e medir com precisão os instantes t_1 e t_2 de passagem (na subida e na descida, respectivamente) por uma altura z conhecida, a partir do instante do lançamento. Mostre que

$$g = \left(\frac{2z}{t_1 t_2}\right)$$

2.13 Uma bola de vôlei impelida verticalmente para cima, a partir de um ponto próximo do chão, passa pela altura da rede 0,3 s depois, subindo, e volta a passar por ela, descendo, 1,7 s depois do arremesso. (a) Qual é a velocidade inicial da bola? (b) Até que altura máxima ela sobe? (c) Qual é a altura da rede?

2.14 Deixa-se cair uma pedra num poço profundo. O barulho da queda é ouvido 2 s depois. Sabendo que a velocidade do som no ar é de 330 m/s, calcule a profundidade do poço.

2.15 Um vaso com plantas cai do alto de um edifício e passa pelo 3° andar, situado 20 m acima do chão, 0,5 s antes de se espatifar no chão. (a) Qual é a altura do edifício? (b) Com que velocidade (em m/s e em km/h) o vaso atinge o chão?

2.16 Um foguete para pesquisas meteorológicas é lançado verticalmente para cima. O combustível, que lhe imprime uma aceleração de 1,5 g (g = aceleração da gravidade) durante o período de queima, esgota-se após 1/2 min. (a) Qual seria a altitude máxima atingida pelo foguete, se pudéssemos desprezar a resistência do ar? (b) Com que velocidade (em m/s e km/h) e depois de quanto tempo, ele voltaria a atingir o solo?

2.17 O gráfico da velocidade em função do tempo para uma partícula que parte da origem e se move ao longo do eixo $0x$ está representado na Figura 2.19. (a) Trace os gráficos da aceleração $a(t)$ e da posição $x(t)$ para $0 \leq t \leq 16$ s. (b) Quantos m a partícula terá percorrido ao todo (para a frente e para trás) no fim de 12 s? (c) Qual é o valor de x nesse instante?

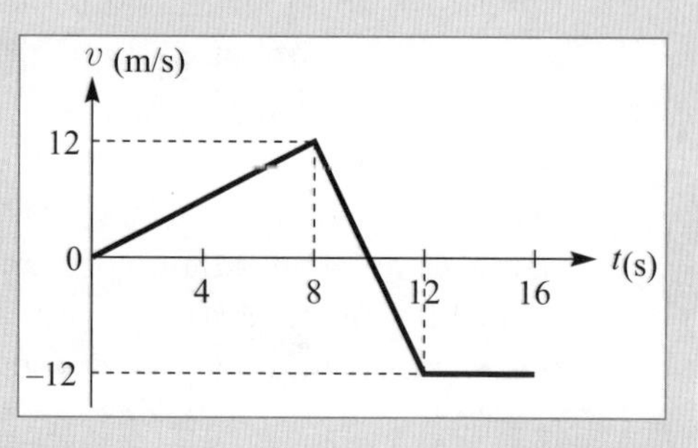

2.18 A integral, com limite inferior a fixo e limite superior x variável, define uma função de x,

$$F(x) = \int_a^x f(x')dx'$$

Mostre que

$$dF/\mathrm{d}x = f(x)$$

Assim, a integração pode ser considerada como operação inversa da derivação. *Sugestão*: Use a interpretação geométrica da integral.

2.19 Sabendo que a aceleração da gravidade é dada pela (2.6.1), calcule o intervalo entre os flashes na foto estroboscópica da Fig. 2.2.

3

Movimento bidimensional

3.1 DESCRIÇÃO EM TERMOS DE COORDENADAS

Neste capítulo, vamos passar do movimento retilíneo à descrição do movimento num plano, que inclui muitos casos importantes, como o movimento dos projéteis e o movimento da Terra em torno do Sol.

Conforme já foi mencionado na Seção 1.6, podemos especificar a posição de um ponto num plano através de 2 parâmetros, que são suas *coordenadas* em relação a um dado referencial. Se adotarmos coordenadas cartesianas, por exemplo, a posição de uma partícula em movimento no plano será descrita pelo par de funções

$$\big(x(t),\, y(t)\big) \tag{3.1.1}$$

onde $x(t)$ é a abcissa e $y(t)$ a ordenada da partícula no instante t. Podemos dizer que, à medida que o ponto P se move, descrevendo a trajetória da partícula no plano, suas projeções sobre os eixos Ox e Oy se movem correspondentemente, descrevendo movimentos unidimensionais. Reduzimos assim a descrição de um movimento bidimensional à de dois movimentos unidimensionais simultâneos, cuja composição leva ao movimento no plano.

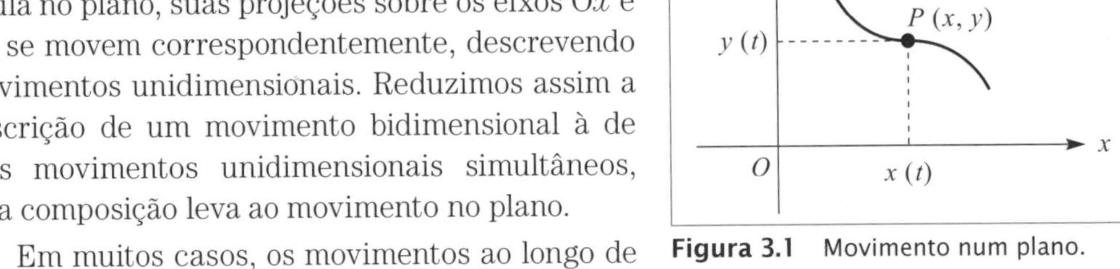

Figura 3.1 Movimento num plano.

Em muitos casos, os movimentos ao longo de dois eixos ortogonais são independentes um do outro (embora isto nem sempre aconteça: veja a Seção 3.6). Este fato foi reconhecido por Galileu e permitiu-lhe descrever corretamente, pela primeira vez, o movimento dos projéteis. Já em seu "Diálogo sobre os Dois Principais Sistemas do Mundo" Galileu havia empregado a independência dos movimentos para refutar um dos principais argumentos usados pelos partidários de Ptolomeu para provar a imobilidade da Terra. Eis o argumento, conforme expresso por Salviati:

"...Se a Terra tivesse um movimento diurno de rotação, uma torre do alto da qual se deixasse cair uma pedra, sendo transportada pela Terra em sua rotação, já se teria deslocado de muitas centenas de jardas para Leste durante o tempo de queda da pedra, e a pedra deveria atingir o solo a essa distância da base da torre. Também é mencionada a experiência em que se deixa cair uma bola de chumbo do topo do mastro de um navio parado, notando que ela cai ao pé do mastro, mas, se se deixa cair a mesma bola do mesmo ponto com o navio em movimento, ela cairá a uma distância do pé do mastro igual à distância de que o navio se tiver deslocado durante a queda..." (a comparação entre o exemplo da Terra e o do navio levaria a concluir pela imobilidade da Terra).

Ao refutar o argumento, Salviati começa por perguntar a Simplício:

"SALVIATI: Muito bem. Você jamais fez esta experiência do navio?

SIMPLÍCIO: Nunca fiz, mas certamente acredito que as autoridades que formularam o argumento tinham feito uma observação cuidadosa...

SALVIATI: ...você o toma como certo sem tê-lo feito... e eles fizeram o mesmo tendo fé em seus antecessores, e assim por diante, sem jamais chegar a alguém que o tenha feito. Pois quem quer que faça a experiência verá que ela mostra exatamente o contrário do que foi escrito, ou seja, que a pedra sempre cai no mesmo ponto do navio, quer ele esteja parado, quer esteja se movendo em qualquer velocidade que se queira. O mesmo vale para a Terra: nada pode ser inferido sobre o movimento ou imobilidade da Terra pelo fato de que a pedra sempre cai ao pé da torre."

E Salviati explica a Simplício que a pedra que se deixa cair do topo do mastro de um navio em movimento já compartilha, desde o início, do movimento (horizontal) do navio, ao passo que o movimento de queda livre na direção vertical é *independente* deste, de forma que não há diferença no ponto de queda em relação ao navio.

Galileu dá uma série de outros exemplos: um cavaleiro que lança uma bola para cima, enquanto seu cavalo galopa, pode recapturá-la mais adiante, como faria num lançamento vertical com seu cavalo parado (em relação a um observador em repouso no solo, a trajetória da bola, com o cavalo em movimento, seria uma parábola). E Sagredo dá outro exemplo:

"Analogamente, se um canhão horizontal numa torre atira paralelamente ao horizonte, não importa se a carga de pólvora é grande ou pequena, de forma que a bala caia a mil jardas de distância, ou quatro mil, ou seis mil; todos estes tiros levam o mesmo tempo (para atingir o chão), e este tempo é igual ao que a bala levaria da boca do canhão até o solo se caísse diretamente para baixo sem qualquer impulso".

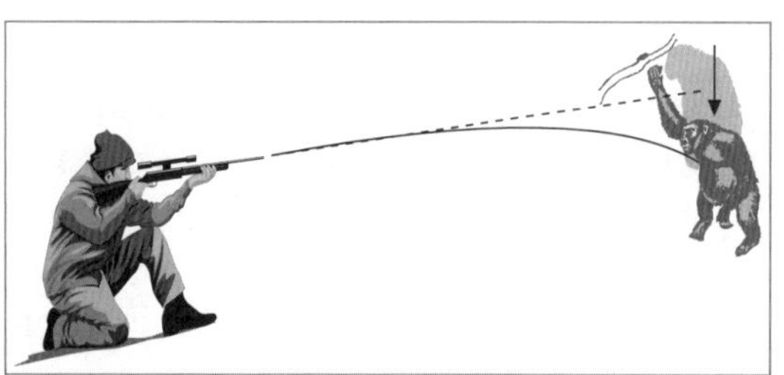

Figura 3.2 O caçador e o macaco.

Este efeito é também ilustrado pela tradicional história do caçador e do macaco (Figura 3.2). O caçador aponta para o macaco dependurado num galho; ao ver o clarão do disparo, o macaco se assusta e cai, mas isto não o salva, porque a aceleração da gravidade atua da mesma maneira sobre ele e a bala, no movimento de queda livre, e o desvio vertical da bala e do macaco em relação à linha de mira original, é o mesmo.

3.2 VETORES

O sistema de coordenadas escolhido para descrever o movimento na Seção 3.1 tem um caráter acessório; o mesmo movimento pode ser descrito com eixos de orientação diferente, ou em coordenadas polares, por exemplo. Vamos ver agora que é possível dar uma descrição *intrínseca* do movimento, independente da escolha do sistema de coordenadas, com o auxílio do conceito de *vetores*.

Para dar uma caracterização intrínseca do deslocamento de uma partícula em sua trajetória em relação a uma origem dada, não basta conhecermos a *magnitude* do deslocamento (distância à origem): é preciso também especificarmos a *direção* e o *sentido* do deslocamento. Por exemplo, não basta para determinar a posição de um carro dizer que ele se deslocou de 100 Km em relação ao ponto de partida. Definiríamos completamente o deslocamento, por outro lado, dizendo que ele se deu segundo a direção Norte-Sul, e no sentido Sul para o Norte.

Uma representação geométrica do deslocamento pode ser obtida por uma *seta*, que dá diretamente a direção e sentido, e cujo, comprimento mede a magnitude do deslocamento (Figura 3.3); usamos a notação **r** para nos referimos ao deslocamento assim representado. Representaremos vetores sempre por símbolos em **negrito.**

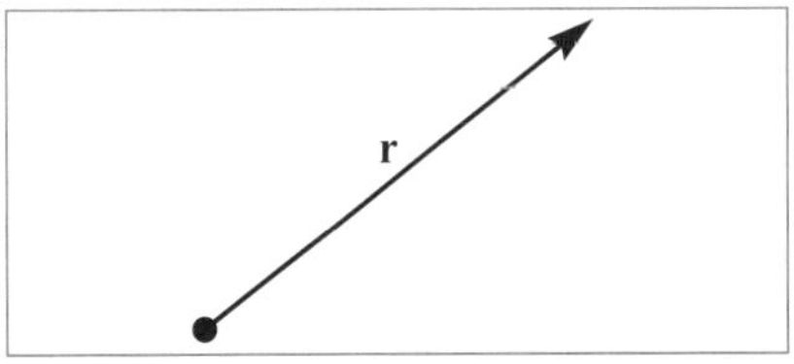

Figura 3.3 Deslocamento como vetor.

Uma propriedade fundamental dos deslocamentos é ilustrada pelo exemplo do navio dado por Galileu (Figura 3.4). O deslocamento total **r** da pedra que se deixa cair do topo do mastro pode ser considerado como *resultante* do deslocamento $\mathbf{r}_x$ na direção horizontal (que é o deslocamento do navio) com o deslocamento $\mathbf{r}_y$ devido à queda livre da pedra na direção vertical.

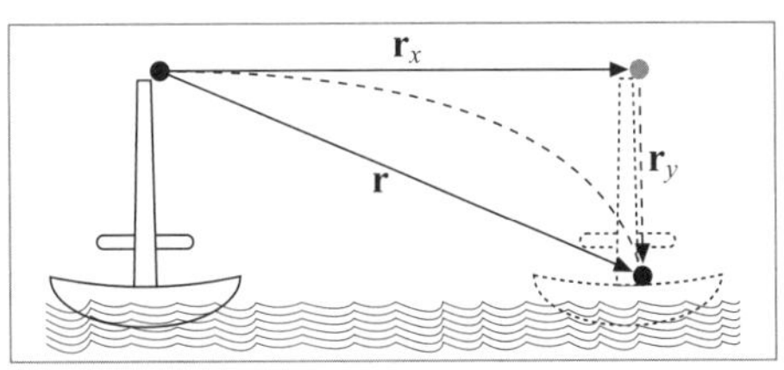

Figura 3.4 Composição de deslocamentos.

Isto independe de se tratar de deslocamentos em direções perpendiculares: o deslocamento **r** resultante de dois deslocamentos $\mathbf{r}_1$ e $\mathbf{r}_2$ em direções diferentes se obtém unindo a "origem" do primeiro à "extremidade" do segundo (Figura 3.5), ou, o que é equivalente, pela "regra do paralelogramo", tomando a diagonal do paralelogramo construído sobre $\mathbf{r}_1$ e $\mathbf{r}_2$ (Figura 3.6).

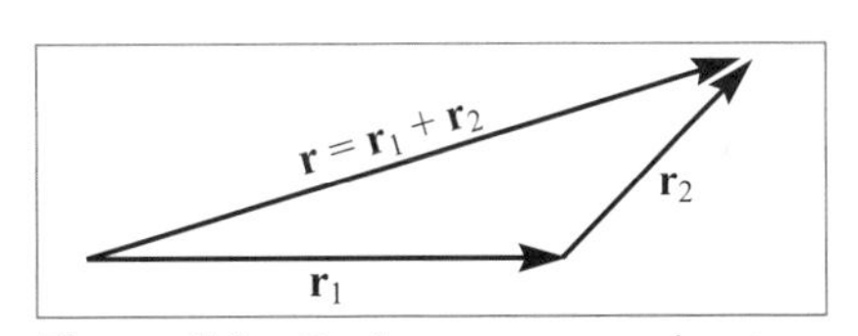

Figura 3.5 Deslocamento resultante.

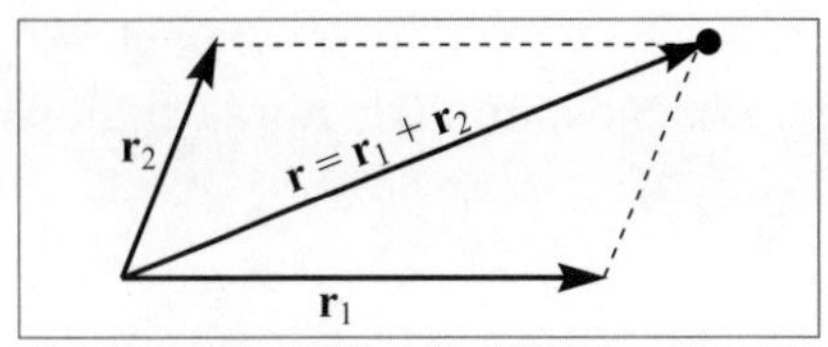

Figura 3.6 Regra do paralelograma.

Vamos chamar o deslocamento resultante de "soma" dos deslocamentos $\mathbf{r}_1$ e $\mathbf{r}_2$:

$$\mathbf{r} = \mathbf{r}_1 + \mathbf{r}_2 \tag{3.2.1}$$

Note que, com esta definição, a soma é comutativa (Figura 3.7)

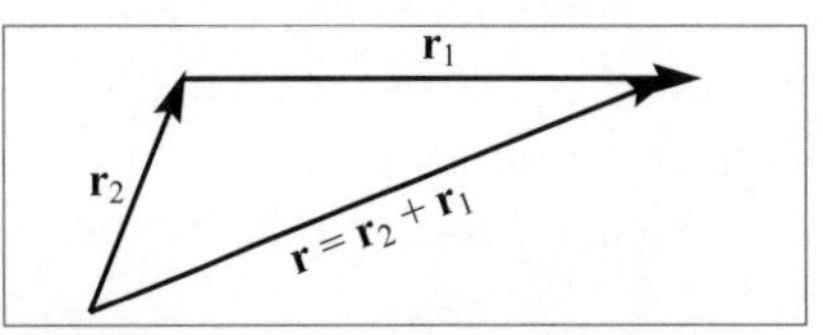

Figura 3.7 Comutatividade da soma.

$$\mathbf{r}_1 + \mathbf{r}_2 = \mathbf{r}_2 + \mathbf{r}_1 \tag{3.2.2}$$

e associativa (verifique!)

$$\mathbf{r}_1 + (\mathbf{r}_2 + \mathbf{r}_3) = (\mathbf{r}_1 + \mathbf{r}_2) + \mathbf{r}_3 \tag{3.2.3}$$

A soma de um número qualquer de deslocamentos obtém-se da forma indicada na Figura 3.8, unindo a origem do primeiro à extremidade do último.

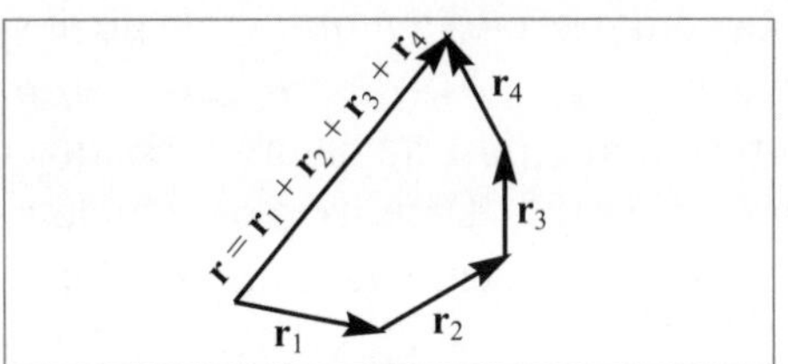

Figura 3.8 Soma de vários deslocamentos.

Designamos por $\mathbf{0}$ um deslocamento nulo, $\mathbf{r} + \mathbf{0} = \mathbf{r}$. Para cada deslocamento $\mathbf{r}$, existe um deslocamento oposto, que designaremos por $-\mathbf{r}$, que leva de volta ao ponto de partida, e que difere de $\mathbf{r}$ apenas pelo sentido (Figura 3.9): $\mathbf{r} + (-\mathbf{r}) = \mathbf{0}$.

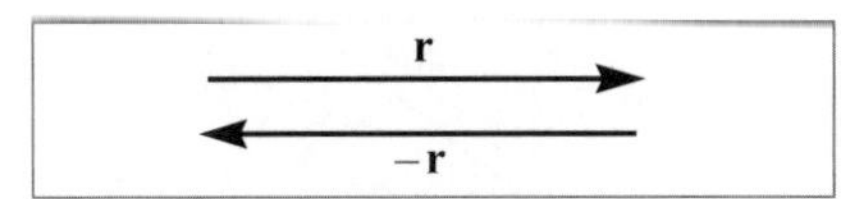

Figura 3.9 Deslocamento oposto.

Isto nos permite definir a *diferença* de dois deslocamentos por (Figura 3.10)

$$\mathbf{r}_2 - \mathbf{r}_1 = \mathbf{r}_2 + (-\mathbf{r}_1) \tag{3.2.4}$$

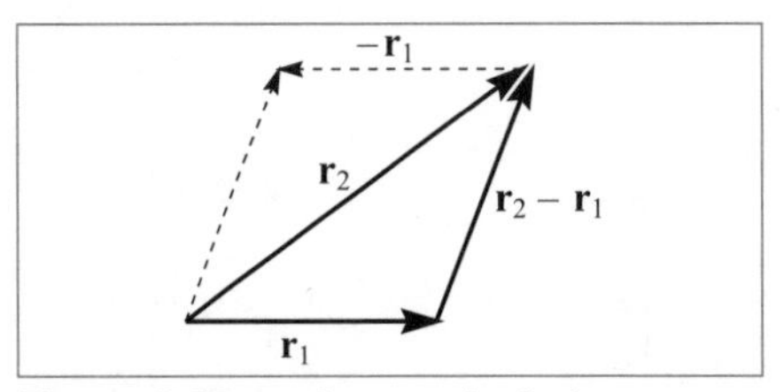

Figura 3.10 Diferença de deslocamento.

A Figura 3.10 mostra que $\mathbf{r}_2 - \mathbf{r}_1$ se obtém unindo a extremidade de $\mathbf{r}_1$ à extremidade de $\mathbf{r}_2$ (o que corresponde à outra diagonal na "regra do paralelogramo").

Para $\lambda > 0$, o deslocamento $\lambda\mathbf{r}$ é um deslocamento de mesma direção e sentido que $\mathbf{r}$, mas de magnitude λ vezes maior; se $\lambda < 0$, o sentido muda. Com esta definição, é imediato que $\lambda\,(\mathbf{r}_1 + \mathbf{r}_2) = \lambda\mathbf{r}_1 + \lambda\mathbf{r}_2$, e que $(\lambda + \mu)\,\mathbf{r} = \lambda\mathbf{r} + \mu\mathbf{r}$.

As propriedades acima dos deslocamentos caracterizam o que chamamos de *vetores.* Grandezas físicas representadas apenas por um número, como o tempo ou a distância, chamam-se *grandezas escalares;* as que são representadas por vetores, como o deslocamento, chamam-se *grandezas vetoriais.* Por conseguinte, *uma grandeza física é um vetor quando é caracterizada por magnitude, direção e sentido e se comporta como um deslocamento*, ou seja, obedece a leis de composição do mesmo tipo, que correspondem à soma de vetores e ao produto de um vetor por um escalar. As definições e propriedades destas operações para vetores quaisquer são idênticas às que foram vistas acima, bastando substituir a palavra "deslocamento" por "vetor". Do ponto de vista matemático, um vetor é um elemento de um "espaço vetorial", que se caracteriza precisamente pelas propriedades acima, da adição e produto por um escalar.

É importante notar que não basta que uma grandeza física seja caracterizada por sua magnitude, direção e sentido para que ela tenha caráter vetorial. É preciso ainda que ela obedeça às leis de composição consideradas acima, com todas as suas propriedades. Uma boa ilustração deste ponto é fornecida pelas rotações finitas em torno de eixos diferentes.

Com efeito, consideremos uma rotação por um ângulo θ em torno de um eixo. Poderíamos tentar associar-lhe um "vetor" "$\boldsymbol{\theta}$" que caracterizaria completamente a rotação, tomando "$\boldsymbol{\theta}$" na direção do eixo e de magnitude dada pelo ângulo de rotação θ; o sentido de "$\boldsymbol{\theta}$" poderia ser associado ao sentido de rotação, convencionando-se que a rotação, vista a partir da "extremidade da seta" de "$\boldsymbol{\theta}$", é no sentido anti-horário (Figura 3.11). Entretanto, embora "$\boldsymbol{\theta}$" tenha magnitude, direção e sentido, *não* é um vetor.

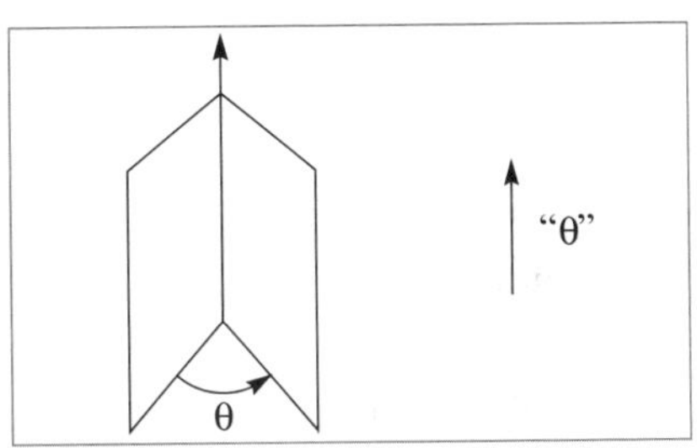

Figura 3.11 Representação de rotação finita.

Para ver isto notemos que a operação de composição de duas rotações finitas, representadas por "$\boldsymbol{\theta}_1$" e "$\boldsymbol{\theta}_2$" (em torno de eixos quaisquer), deveria corresponder à soma dos "vetores" correspondentes, "$\boldsymbol{\theta}_1 + \boldsymbol{\theta}_2$", da mesma forma que o deslocamento resultante de dois deslocamentos é a soma dos vetores correspondentes. Vamos mostrar agora que esta operação de "soma" deixaria de satisfazer à propriedade comutativa (3.2.2), ou seja, que em geral

$$"\boldsymbol{\theta}_1 + \boldsymbol{\theta}_2" \neq "\boldsymbol{\theta}_2 + \boldsymbol{\theta}_1" \tag{3.2.5}$$

No exemplo a seguir, "$\boldsymbol{\theta}_1$" é uma rotação de + 90° em torno do eixo Ox, e "$\boldsymbol{\theta}_2$" é uma rotação de + 90° em torno do eixo Oz. As Figuras 3.12 (a), (b) e (c) mostram respectivamente, a posição inicial de um objeto (livro) e os efeitos de aplicar primeiro "$\boldsymbol{\theta}_1$", depois "$\boldsymbol{\theta}_2$", levando em (c) ao resultado "$\boldsymbol{\theta}_1 + \boldsymbol{\theta}_2$"; as Figuras (a'), (b') e (c') mostram os efeitos de tomar a ordem inversa; comparando (c) e (c'), vemos que vale a (3.2.5). Logo, as rotações finitas não são vetores.

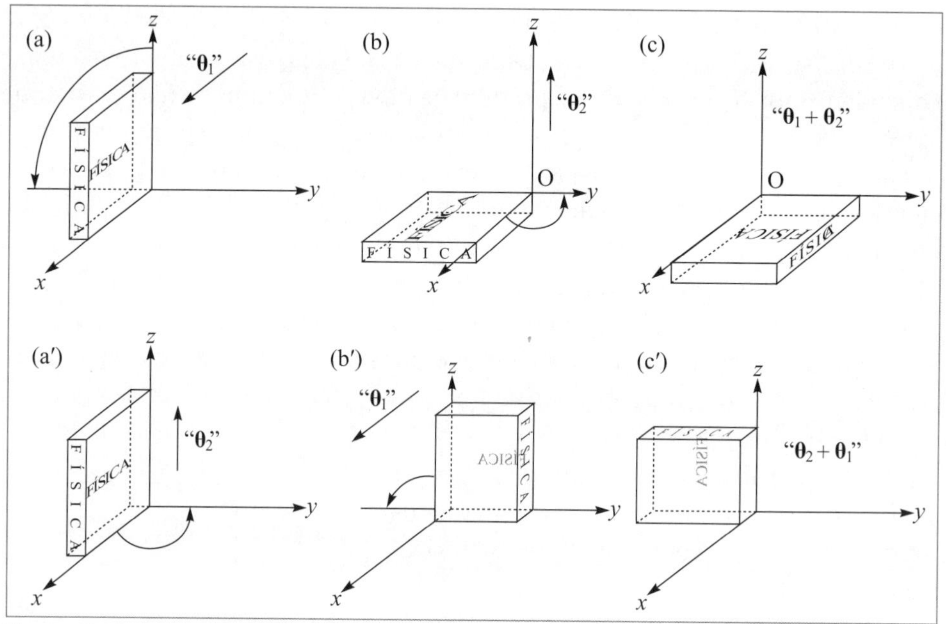

Figura 3.12 Não comutatividade da resultante de rotações finitas.

3.3 COMPONENTES DE UM VETOR

Podemos agora relacionar a descrição "intrínseca" de um deslocamento por um vetor (Seç. 3.2) com sua descrição em termos de coordenadas (Seç. 3.1), introduzindo as *componentes* de um vetor em relação a um sistema de coordenadas. Vamo-nos limitar por enquanto a vetores num plano, onde tomamos um sistema de coordenadas cartesianas.

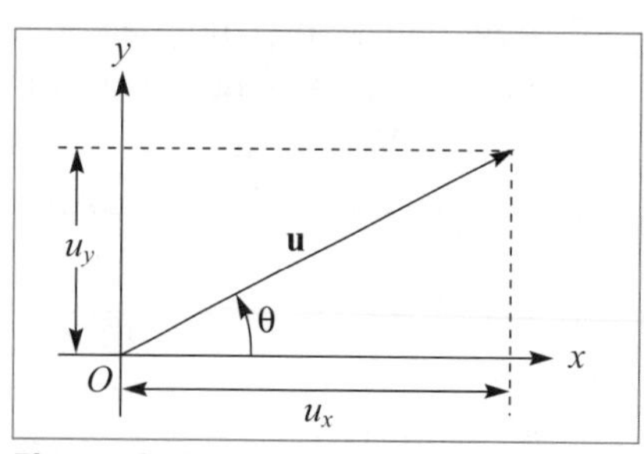

Figura 3.13 Componentes de um vetor.

Seja **u** um vetor qualquer (na Figura 3.13, tomamos a origem de **u** no ponto O, origem das coordenadas, o que não tem nada de restritivo, porque um vetor não está associado a uma origem determinada: um vetor obtido de **u** por qualquer translação é igual a **u**).

Chamam-se *componentes de* **u** segundo os eixos Ox e Oy as projeções u_x e u_y de **u** sobre esses eixos (Figura). A magnitude de **u** (ou *módulo* de **u**) é dada por

$$|\mathbf{u}| = \sqrt{u_x^2 + u_y^2} \qquad \textbf{(3.3.1)}$$

Chama-se *vetor unitário* um vetor de módulo = 1. Costuma-se designar um vetor unitário na direção de **u** por **û**, de forma que

$$\hat{\mathbf{u}} = \mathbf{u} / |\mathbf{u}| \qquad \textbf{(3.3.2)}$$

Os vetores unitários nas direções de Ox e Oy são designados por **i** e **j**, respectivamente (ou então por $\hat{\mathbf{x}}$ e $\hat{\mathbf{y}}$). É imediato que (Figura 3.14)

$$\mathbf{u} = u_x\mathbf{i} + u_y\mathbf{j} = u_x\hat{\mathbf{x}} + u_y\hat{\mathbf{y}} \tag{3.3.3}$$

Se θ é o ângulo entre **u** e Ox (Figura 3.13), temos

$$\left.\begin{aligned} u_x &= |\mathbf{u}|\cos\theta \\ u_y &= |\mathbf{u}|\,\text{sen}\,\theta \end{aligned}\right\} \tag{3.3.4}$$

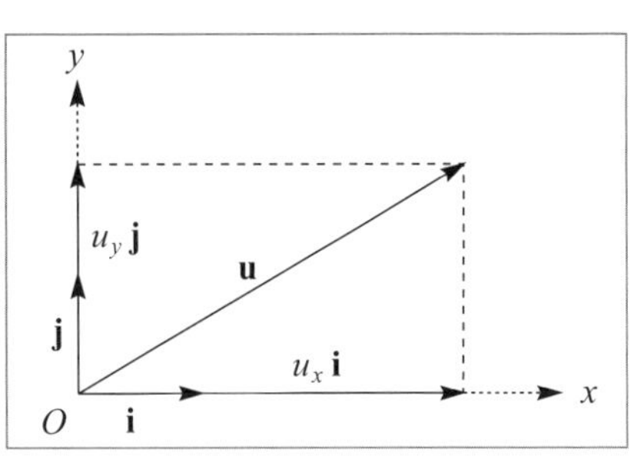

Figura 3.14 Decomposição de vetor.

o que permite obter θ em termos de u_x e u_y, com o auxílio da (3.3.1):

$$\cos\theta = \frac{u_x}{\sqrt{u_x^2 + u_y^2}}$$
$$\text{sen}\,\theta = \frac{u_y}{\sqrt{u_x^2 + u_y^2}} \qquad \text{tg}\,\theta = \frac{u_y}{u_x} \tag{3.3.5}$$

A (3.3.3) mostra que

$$\mathbf{u} + \mathbf{v} = (u_x + v_x)\mathbf{i} + (u_y + v_y)\mathbf{j} \tag{3.3.6}$$

ou seja, que as componentes da soma de dois vetores são as somas das componentes correspondentes, o que também é óbvio pela Figura 3.15. Vemos também que

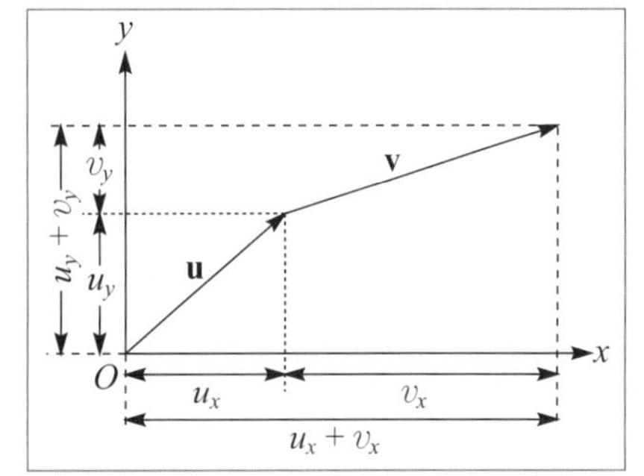

Figura 3.15 Componentes da soma.

$$\lambda\mathbf{v} = \lambda v_x\mathbf{i} + \lambda v_y\mathbf{j} \tag{3.3.7}$$

ou seja, as componentes de $\lambda\mathbf{v}$ são $(\lambda v_x, \lambda v_y)$.

Num dado sistema de coordenadas, vemos assim que um vetor está associado a um par ordenado $\mathbf{u} \to (u_x, u_y)$, com $\mathbf{u} + \mathbf{v} \to (u_x + v_x, u_y + v_y)$, $\lambda\mathbf{u} \to (\lambda u_x, \lambda u_y)$. Entretanto, a recíproca não é verdadeira: nem todo par ordenado (u_x, u_y) define um vetor. Como vemos pela (3.3.3), o vetor **u** só fica definido quando são dados também os vetores unitários (**i, j**) que definem as direções dos eixos do sistema de coordenadas, o que permite construir o vetor como entidade *intrínseca*, representável geometricamente de forma independente do sistema de coordenadas.

Se passarmos de um sistema de coordenadas Oxy a outro $Ox'y'$ de orientação diferente (o que equivale a uma *rotação dos eixos* em torno da origem), o significado intrínseco do vetor **u** nos deve permitir calcular suas componentes (u'_x, u'_y) no novo sistema a partir de (u_x, u_y) e do ângulo de rotação φ. A Figura 3.16 mostra como isto se faz por projeção sobre os novos eixos, uma vez cons-

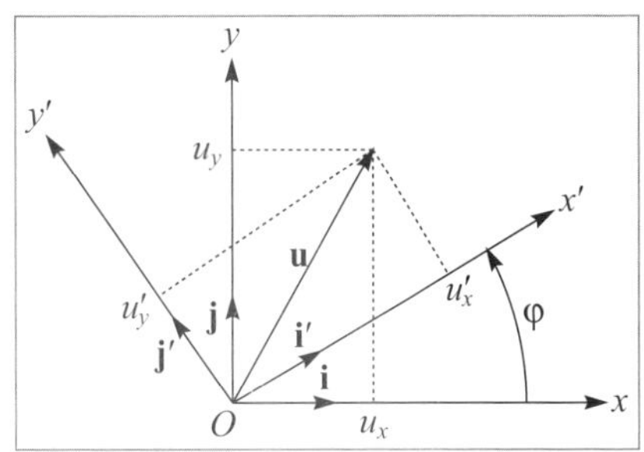

Figura 3.16 Rotação de eixos.

truído **u** pela (3.3.3). Veremos depois a forma analítica da relação entre (u'_x, u'_y) e (u_x, u_y), que dá a *lei de* transformação das componentes de um vetor numa rotação de eixos. O importante é perceber que essa lei de transformação é bem definida e característica de um vetor, refletindo o seu caráter intrínseco. Assim, por exemplo, se tivermos

$$u_x + v_x = w_x, \quad u_y + v_y = w_y \tag{3.3.8}$$

correspondendo à relação intrínseca **u** + **v** = **w**, a lei de transformação tem de ser tal que, em relação ao novo sistema de coordenadas, tenha-se também

$$u'_x + v'_x = w'_x, \quad u'_y + v'_y = w'_y \tag{3.3.9}$$

Exemplo: *Deslocamento relativo*

Sejam $\mathbf{r}_1 = \mathbf{OP}_1$ e $\mathbf{r}_2 = \mathbf{OP}_2$, os deslocamentos de dois pontos P_1 e P_2 em relação à origem O (Figura 3.17). Chama-se *deslocamento relativo* de P_2 em relação a P_1 o vetor $\mathbf{P}_1\mathbf{P}_2 = \mathbf{r}_{12}$ definido por

$$\mathbf{r}_{12} = \mathbf{r}_2 - \mathbf{r}_1 \tag{3.3.10}$$

A Figura 3.17 mostra a construção gráfica que dá $\mathbf{r}_{12}$. Uma caracterização intrínseca de $\mathbf{r}_{12}$ pode ser obtida dando seu módulo e o ângulo β entre $\mathbf{r}_{12}$ e $\mathbf{r}_1$ (por exemplo).

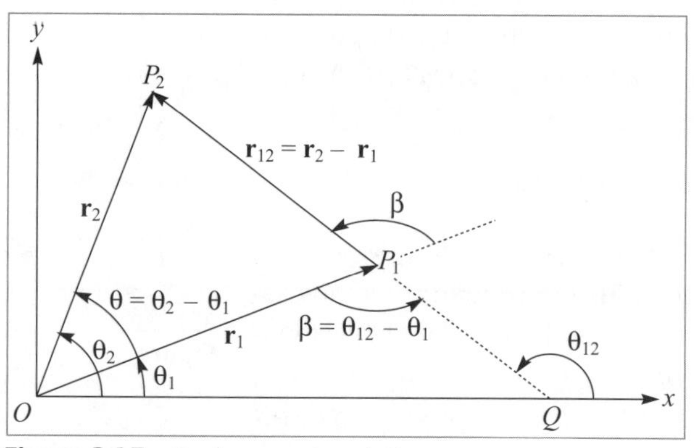

Figura 3.17 Deslocamento relativo.

Se θ é o ângulo entre $\mathbf{r}_1$ e $\mathbf{r}_2$, a lei dos cossenos aplicada ao triângulo OP_1P_2 dá

$$|\mathbf{r}_{12}|^2 = r_1^2 + r_2^2 - 2r_1r_2 \cos\theta \tag{3.3.11}$$

o que determina $|\mathbf{r}_{12}|$. A lei dos senos dá

$$\frac{|\mathbf{r}_{12}|}{\text{sen}\,\theta} = \frac{r_2}{\text{sen}(\pi - \beta)} = \frac{r_2}{\text{sen}\,\beta}\left\{\text{sen}\,\beta = \frac{r_2\,\text{sen}\,\theta}{|\mathbf{r}_{12}|}\right. \tag{3.3.12}$$

Por outro lado, tomando um sistema de coordenadas Oxy (Figura 3.17), as (3.3.10) e (3.3.1) dão

$$|\mathbf{r}_{12}|^2 = (x_2 - x_1)^2 + (y_2 - y_1)^2 = (x_2^2 + y_2^2) + (x_1^2 + y_1^2) - 2(x_2x_1 + y_2y_1) \tag{3.3.13}$$

onde, pelas (3.3.4), $x_i = r_i \cos \theta_i$, $y_i = r_i \operatorname{sen} \theta_i$ (i = 1,2), de modo que a (3.3.13) se escreve

$$|\mathbf{r}_{12}|^2 = r_2^2 + r_1^2 - 2r_1r_2 \underbrace{\left(\cos\theta_2 \cos\theta_1 + \operatorname{sen}\theta_2 \operatorname{sen}\theta_1\right)}_{\cos(\theta_2 - \theta_1)}$$

o que coincide com a (3.3.11), pois $\theta = \theta_2 - \theta_1$ (Figura 3.17).

Analogamente, se θ_{12} é o ângulo entre $\mathbf{r}_{12}$ e Ox, as (3.3.5) dão

$$\cos\theta_{12} = \frac{x_2 - x_1}{|\mathbf{r}_{12}|} = \frac{r_2 \cos\theta_2 - r_1 \cos\theta_1}{|\mathbf{r}_{12}|}$$

$$\operatorname{sen}\theta_{12} = \frac{y_2 - y_1}{|\mathbf{r}_{12}|} = \frac{r_2 \operatorname{sen}\theta_2 - r_1 \operatorname{sen}\theta_1}{|\mathbf{r}_{12}|}$$

o que dá

$$|\mathbf{r}_{12}| \underbrace{\left(\operatorname{sen}\theta_{12} \cos\theta_1 - \cos\theta_{12} \operatorname{sen}\theta_1\right)}_{\operatorname{sen}(\theta_{12} - \theta_1)} = r_2 \overbrace{\left(\operatorname{sen}\theta_2 \cos\theta_1 - \operatorname{sen}\theta_1 \cos\theta_2\right)}^{\operatorname{sen}(\theta_2 - \theta_1)}$$

o que coincide com a (3.3.12), pois $\beta = \theta_2 - \theta_1$, conforme vemos pelo triângulo OP_1Q. Vemos assim que os resultados (3.3.11) e (3.3.12) também podem ser obtidos a partir das componentes dos vetores num dado sistema de coordenadas.

3.4 VELOCIDADE E ACELERAÇÃO VETORIAIS

Consideremos uma partícula, em movimento num plano, que descreve uma trajetória APB, em relação a um sistema de referência Oxy. Seja $\mathbf{r}(t) = \mathbf{OP}$ o *deslocamento* da partícula em relação à origem O no instante t, onde P é a posição ocupada pela partícula no instante t; seja $\mathbf{r}(t + \Delta t) = \mathbf{OP'}$ o deslocamento no instante $t + \Delta t$. Pela (3.3.10), o deslocamento relativo da partícula entre os instantes t e $t + \Delta t$ é o vetor (Figura 3.18)

$$\mathbf{PP'} = \Delta\mathbf{r} = \mathbf{r}(t + \Delta t) - \mathbf{r}(t) \qquad \textbf{(3.4.1)}$$

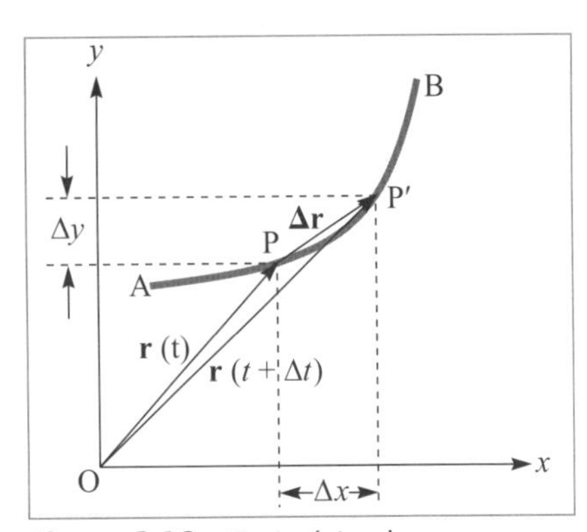

Figura 3.18 Trajetória plana.

Por analogia com a (2.1.5), é natural definirmos a *velocidade média* entre os instantes t e $t + \Delta t$ por

$$\mathbf{v}_{t \to t+\Delta t} = \frac{\mathbf{r}(t + \Delta t) - \mathbf{r}(t)}{\Delta t} = \frac{\Delta\mathbf{r}}{\Delta t} \qquad \textbf{(3.4.2)}$$

Como a diferença entre dois vetores e o produto de um vetor por um escalar são vetores, a (3.4.2) mostra que a velocidade média é um vetor, cuja direção e sentido são os da corda **PP′** que liga as posições nos instantes t e $t + \Delta t$ sobre a trajetória.

As componentes da velocidade média são

$$\left.\begin{aligned} v_{x(t\to t+\Delta t)} &= \frac{\Delta x}{\Delta t} \\ v_{y(t\to t+\Delta t)} &= \frac{\Delta y}{\Delta t} \end{aligned}\right\} \quad (3.4.3)$$

ou seja, são exatamente as velocidades médias dos movimentos unidimensionais descritos pelas projeções $x(t)$, $y(t)$ do deslocamento instantâneo $\mathbf{r}(t)$ sobre os eixos.

Quando $\Delta t \to 0$, sabemos pelas (2.2.2) e (2.2.5) que as (3.4.3) levam a

$$\left.\begin{aligned} v_x(t) &= \lim_{\Delta t\to 0}\left(\frac{\Delta x}{\Delta t}\right) = \frac{dx}{dt} \\ v_y(t) &= \lim_{\Delta t\to 0}\left(\frac{\Delta y}{\Delta t}\right) = \frac{dy}{dt} \end{aligned}\right\} \quad (3.4.4)$$

que representam as velocidades instantâneas dos movimento unidimensionais descritos pelas projeções. Isto sugere definir a *velocidade instantânea no instante* t por

$$\boxed{\mathbf{v}(t) = \lim_{\Delta t\to 0}\left(\frac{\Delta \mathbf{r}}{\Delta t}\right) = \frac{d\mathbf{r}}{dt} = \frac{dx}{dt}\mathbf{i} + \frac{dy}{dt}\mathbf{j} = v_x(t)\mathbf{i} + v_y(t)\mathbf{j}} \quad (3.4.5)$$

o que define ao mesmo tempo o conceito de *derivada de um vetor* dependente de um parâmetro (t) em relação a este parâmetro.

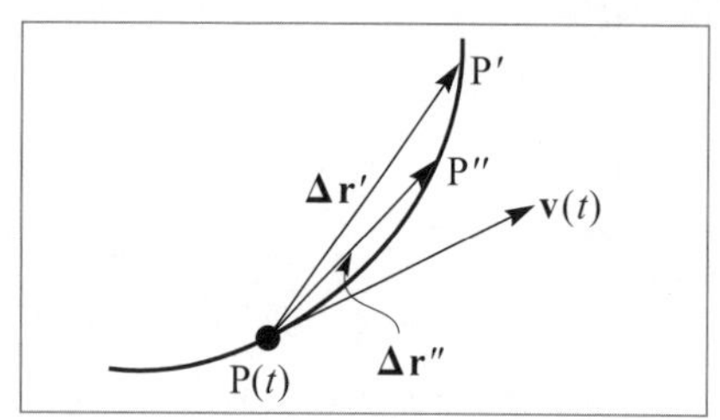

Figura 3.19 Velocidade vetorial.

Observando o comportamento de $\mathbf{\Delta r}$ à medida que $\Delta t \to 0$ (Figura 3.19), vemos também que a direção da velocidade instantânea $\mathbf{v}(t)$ é a da *tangente à trajetória* em P(t), e o sentido é o sentido de percurso da trajetória para t crescente. Obtemos assim a direção e o sentido de $\mathbf{v}$, mas como sabemos que é um vetor? Como vimos após a (2.2.4),

$$\frac{d}{dt}\left[x_1(t) + x_2(t)\right] = \frac{dx_1}{dt} + \frac{dx_2}{dt}, \quad \frac{d}{dt}\left[\lambda x(t)\right] = \lambda\frac{dx}{dt}$$

de modo que (cf. (3.3.6), (3.3.7)) a definição (3.4.5) satisfaz a todas as leis de composição que caracterizam um vetor. Podemos concluir, de forma mais geral, que *a derivada de um vetor é um vetor.*

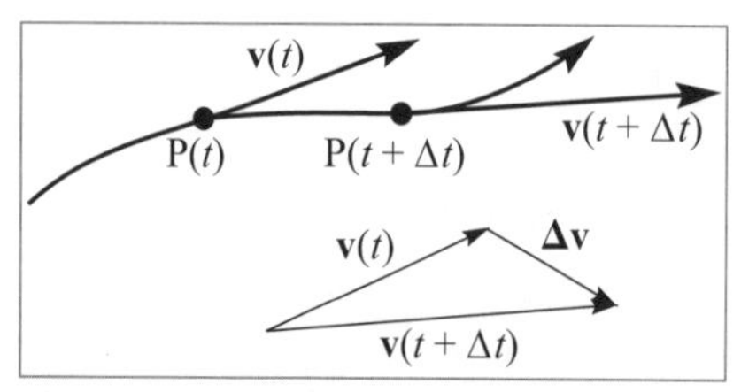

Figura 3.20 Aceleração vetorial.

Para definir a *aceleração média* de forma análoga, consideremos um intervalo $[t, t + \Delta t]$ e sejam $\mathbf{v}(t)$, $\mathbf{v}(t + \Delta t)$ os vetores velocidade instantâneos nos extremos do intervalo, que são tangentes à trajetória nos pontos correspondentes P(t) e P($t + \Delta t$) (Figura 3.20). Por definição (cf.(3.4.2)),

$$\bar{\mathbf{a}}_{t \to t+\Delta t} = \frac{\mathbf{v}(t+\Delta t) - \mathbf{v}(t)}{\Delta t} = \frac{\Delta \mathbf{v}}{\Delta t} \quad (3.4.6)$$

é o vetor *aceleração média* no intervalo $t \to t + \Delta t$.

A *aceleração instantânea* no instante t é o vetor

$$\mathbf{a}(t) = \lim_{\Delta t \to 0} \left[\frac{\mathbf{v}(t+\Delta t) - \mathbf{v}(t)}{\Delta t} \right] = \lim_{\Delta t \to 0} \left(\frac{\Delta \mathbf{v}}{\Delta t} \right) = \frac{d\mathbf{v}}{dt} \quad (3.4.7)$$

ou seja, é a derivada do vetor velocidade instantânea em relação ao tempo. Pela (3.4.5), também podemos escrever

$$\mathbf{a}(t) = \frac{d^2\mathbf{r}}{dt^2} = \frac{d^2x}{dt^2}\mathbf{i} + \frac{d^2y}{dt^2}\mathbf{j} \quad (3.4.8)$$

introduzindo assim ao mesmo tempo a *derivada segunda* de um vetor.

Para ter uma interpretação geométrica do vetor aceleração instantânea, basta aplicar a interpretação geométrica da derivada de um vetor, discutida após a (3.4.5). Se, a partir de uma origem comum O, representarmos os vetores velocidade associados aos diferentes pontos da trajetória (Figura 3.21), a extremidade do vetor $\mathbf{v}(t)$ descreverá uma curva (em linha interrompida na Figura) que se chama *hodógrafo* do movimento. O vetor $\mathbf{a}(t)$ é tangente ao hodógrafo no ponto correspondente $\mathbf{v}(t)$. Vemos que em geral $\mathbf{a}(t)$ não será tangente à trajetória. Geralmente omitiremos a palavra "instantânea". Quando nos referirmos à *velocidade* e à *aceleração* no instante t, estas expressões designarão $\mathbf{v}(t)$ e $\mathbf{a}(t)$, respectivamente. Um resultado fundamental da discussão acima é que a aceleração não está associada apenas a uma variação do *módulo* da velocidade: conforme ilustrado na Figura 3.22, *uma variação de direção da velocidade também representa uma aceleração.* Assim, se um carro percorre uma pista circular, ele tem aceleração, mesmo quando o ponteiro do velocímetro indica sempre o mesmo valor! Este resultado decorre do caráter vetorial da velocidade e da aceleração. O motorista percebe que tem de pisar no acelerador para descrever a curva.

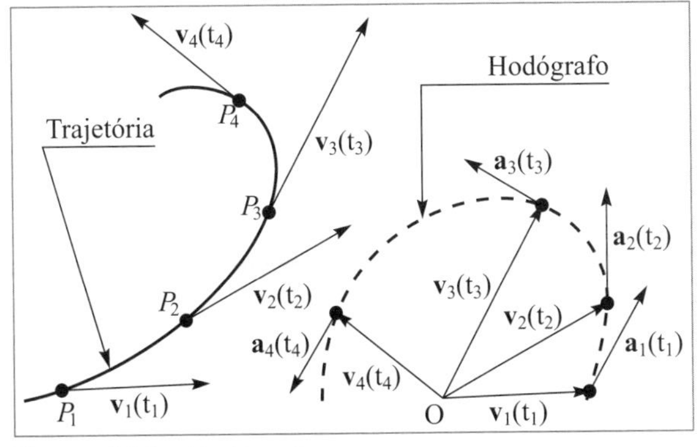

Figura 3.21 Hodógrafo.

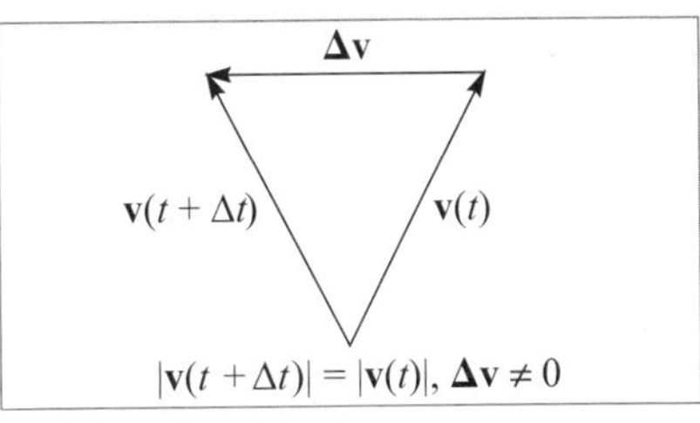

Figura 3.22 Variação da direção da velocidade.

3.5 MOVIMENTO UNIFORMEMENTE ACELERADO

Um movimento qualquer chama-se *uniformemente acelerado* quando a aceleração é constante (independentemente do tempo):

$$\boxed{\mathbf{a}(t) = \mathbf{a} = \text{constante}} \tag{3.5.1}$$

onde "constante", para um vetor, significa *constante em módulo, direção e sentido.*

Analogamente à discussão da Seç. 2.5, para determinar o movimento é preciso ainda dar as *condições iniciais*:

$$\boxed{\begin{aligned} \mathbf{v}(t_0) &= \mathbf{v}_0 \\ \mathbf{r}(t_0) &= \mathbf{r}_0 \end{aligned}} \tag{3.5.2}$$

No instante $t_0 + \Delta t$, $\mathbf{v}$ e $\mathbf{r}$ terão variado respectivamente de $\Delta\mathbf{v}$ e $\Delta\mathbf{r}$, onde, para Δt pequeno o suficiente (de modo que possamos confundir aceleração e velocidade médias e instantâneas), teremos

$$\left.\begin{aligned} \Delta\mathbf{v} &= \mathbf{a}\Delta t \\ \Delta\mathbf{r} &= \mathbf{v}_0\Delta t \end{aligned}\right\} \tag{3.5.3}$$

Se $\mathbf{v}_0$ é paralelo a $\mathbf{a}$, as (3.5.3) mostram que o movimento será retilíneo, segundo a direção paralela a $\mathbf{v}_0$ e $\mathbf{a}$ que passa por $\mathbf{r}_0$ (com efeito, podemos repetir o raciocínio a partir de $t_0 + \Delta t$, porque $\mathbf{v}_0 + \Delta\mathbf{v}$ continua neste caso sendo paralelo a $\mathbf{a}$). Recaímos então no caso do movimento retilíneo uniformemente acelerado, já estudado na Seç. 2.5.

Vamos supor então que $\mathbf{v}_0$ não é paralelo a $\mathbf{a}$, de forma que as direções de $\mathbf{v}_0$ e $\mathbf{a}$ definem um plano, ou melhor, uma família de planos paralelos. As (3.5.3) mostram então que o movimento estará contido no plano dessa família que passa pela posição inicial $\mathbf{r}_0$, ou seja, *o movimento é bidimensional.* Podemos assim, sem restrição de generalidade, tomar a origem neste plano.

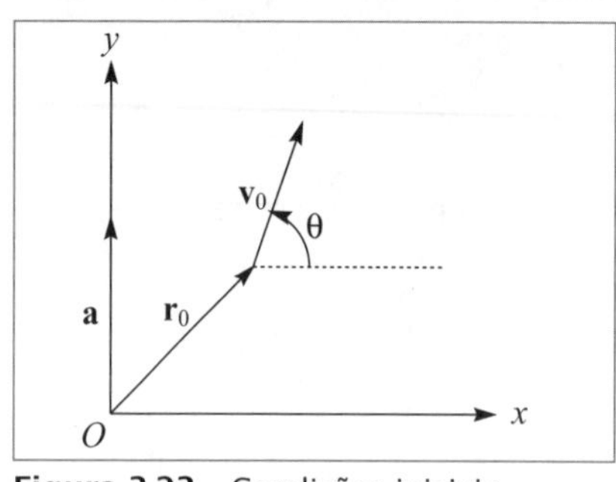

Figura 3.23 Condições iniciais.

Vamos adotar um sistema de coordenadas cartesianas com eixo Oy segundo a direção de $\mathbf{a}$ (Figura 3.23). Temos então

$$\left.\begin{aligned} \mathbf{a} &= a\mathbf{j} \\ \mathbf{v}_0 &= v_{0x}\mathbf{i} + v_{0y}\mathbf{j} \\ \mathbf{r}_0 &= x_0\mathbf{i} + y_0\mathbf{j} \end{aligned}\right\} \tag{3.5.4}$$

As projeções do movimento sobre os eixos x e y obedecerão então a

$$\left.\begin{aligned} &a_y = a = \text{constante}; \quad v_y(t_0) = v_{0y}; \quad y(t_0) = y_0 \\ &a_x = 0; \quad\quad\quad\quad\quad\;\; v_x(t_0) = v_{0x}; \quad x(t_0) = x_0 \end{aligned}\right\} \tag{3.5.5}$$

que correspondem a movimentos unidimensionais do tipo já considerado na Seç. 2.5. Podemos então aplicar imediatamente as (2.5.4) e (2.5.8), obtendo.

$$\left.\begin{array}{l} v_y(t) = v_{0y} + a(t - t_0) \\ v_x(t) = v_{0x} \end{array}\right\} \tag{3.5.6}$$

$$\left.\begin{array}{l} y(t) = y_0 + v_{0y}(t - t_0) + \frac{1}{2}a(t - t_0)^2 \\ x(t) = x_0 + v_{0x}(t - t_0) \end{array}\right\} \tag{3.5.7}$$

Em forma vetorial, estes resultados se tornam:

$$\mathbf{v}(t) = \mathbf{v}_0 + \mathbf{a}(t - t_0) \tag{3.5.8}$$

$$\mathbf{r}(t) = \mathbf{r}_0 + \mathbf{v}_0(t - t_0) + \frac{1}{2}\mathbf{a}(t - t_0)^2 \tag{3.5.9}$$

que dão a solução do problema de valores iniciais posto pelas (3.5.1) e (3.5.2).

No caso particular em que $\mathbf{a} = 0$, recaímos no movimento retilíneo uniforme (Figura 3.24). Com efeito, neste caso, as (3.5.7) dão

$$\left.\begin{array}{l} x = x_0 + v_{0x}(t - t_0) \\ y = y_0 + v_{0y}(t - t_0) \end{array}\right\} \frac{y - y_0}{v_{0y}} = \frac{x - x_0}{v_{0x}} \tag{3.5.10}$$

que é a equação de uma reta (trajetória).

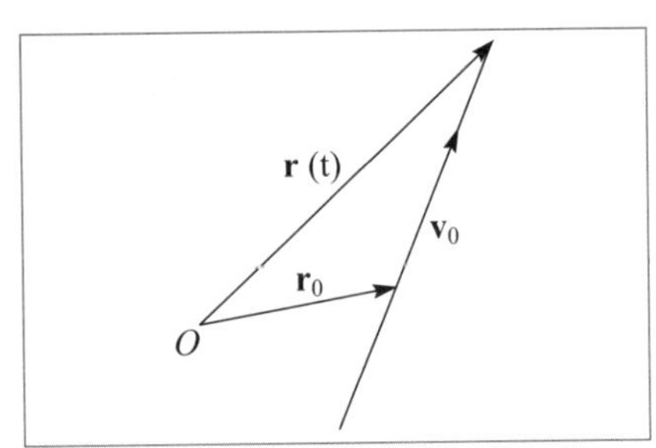

Figura 3.24 Movimento retilíneo uniforme.

Para obter a forma da trajetória no caso geral do movimento uniformemente acelerado, basta eliminar $t - t_0$ entre as (3.5.7). A condição de que $\mathbf{v}_0$ não é paralelo a $\mathbf{a}$ dá

$$v_{0x} \neq 0 \tag{3.5.11}$$

permitindo obter $t - t_0$ da segunda (3.5.7):

$$t - t_0 = \frac{x - x_0}{v_{0x}} \tag{3.5.12}$$

Substituindo na primeira (3.5.7), obtemos

$$y - y_0 = \left(\frac{v_{0y}}{v_{0x}}\right)(x - x_0) + \frac{1}{2}\frac{a}{v_{0x}^2}(x - x_0)^2 \tag{3.5.13}$$

que é a equação de uma *parábola* de eixo vertical, que passa por (x_0, y_0), e cuja tangente neste ponto tem a direção de $\mathbf{v}_0$ (por construção).

As (3.5.7) mostram que o movimento ao longo da parábola (3.5.13) pode ser considerado como resultante da composição de um movimento uniforme na direção horizontal com um movimento uniformemente acelerado na direção vertical.

3.6 MOVIMENTO DOS PROJÉTEIS

Uma aplicação importante dos resultados da Seç. 3.5. é o movimento dos projéteis na vizinhança da superfície da Terra. Na balística usual, podemos considerar a Terra como plana e a aceleração da gravidade como constante (cf. (2.6.1)) (isto não seria verdade para foguetes balísticos intercontinentais!). Desprezaremos, também, o efeito da resistência do ar.

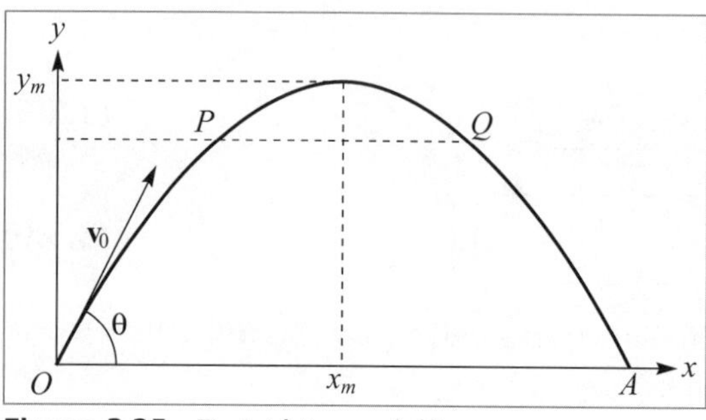

Figura 3.25 Trajetória parabólica.

Pela convenção da Seç. 3.5, temos de tomar o eixo Oy segundo a vertical. Vamos orientá-lo apontando para cima, de modo que, na (3.5.4), $a = -g$:

$$\mathbf{a} = -g\,\mathbf{j} \tag{3.6.1}$$

Vamo-nos limitar também ao caso em que $x_0 = y_0 = 0$, tomando a posição inicial na origem, e vamos tornar $t_0 = 0$. Seja θ o ângulo entre $\mathbf{v}_0$ e Ox (Figura 3.25), de modo que

$$v_{0x} = v_0 \cos\theta \quad v_{0y} = v_0 \operatorname{sen}\theta \tag{3.6.2}$$

As (3.5.6) e (3.5.7) ficam

$$v_y = v_0 \operatorname{sen}\theta - gt \quad v_x = v_0 \cos\theta \tag{3.6.3}$$

$$\left.\begin{aligned} y &= v_0 \operatorname{sen}\theta\, t - \frac{1}{2} g t^2 \\ x &= v_0 \cos\theta\, t \end{aligned}\right\} \tag{3.6.4}$$

e a equação da trajetória (3.5.13) fica

$$\boxed{y = \operatorname{tg}\theta \cdot x - \frac{gx^2}{2v_0^2 \cos^2\theta}} \tag{3.6.5}$$

Conforme mostra a Figura 3.25, a altura máxima y_m atingida pelo projétil corresponde ao instante t_m em que v_y se anula, ou seja, pela (3.6.3),

$$\boxed{t_m = \frac{v_0 \operatorname{sen}\theta}{g}} \tag{3.6.6}$$

e o valor correspondente de y é dado pela (3.6.4):

$$y_m = v_0 \operatorname{sen}\theta \cdot \frac{v_0 \operatorname{sen}\theta}{g} - \frac{1}{2} g \cdot \frac{v_0^2 \operatorname{sen}^2\theta}{g^2}$$

ou seja,

$$\boxed{y_m = \frac{v_0^2 \operatorname{sen}^2\theta}{2g}} \tag{3.6.7}$$

Quanto tempo o projétil leva para atingir o solo no ponto $x = A$ (Figura 3.25)? Fazendo $y = 0$ na primeira das (3.6.4), obtemos uma equação do 2° grau em t, em que uma das raízes é $t = 0$, correspondendo ao ponto de lançamento, e a outra é

$$t = t_A = \frac{2v_0 \operatorname{sen}\theta}{g} = 2t_m \qquad \textbf{(3.6.8)}$$

ou seja, é o dobro do tempo que leva para atingir a altura máxima, o que poderíamos ter inferido pela simetria da trajetória com respeito a $x = x_m$.

Com que velocidade o projétil atinge o solo? Basta fazer $t = t_A$ na (3.6.3):

$$\left.\begin{aligned} v_y(t_A) &= v_0 \operatorname{sen}\theta - g t_A = -v_0 \operatorname{sen}\theta \\ v_z(t_A) &= v_0 \cos\theta \end{aligned}\right\} |\mathbf{v}(t_A)| = |\mathbf{v}_0| \qquad \textbf{(3.6.9)}$$

Logo, ao atingir o solo, a velocidade do projétil só difere da velocidade inicial $\mathbf{v}_0$ pela inversão da componente vertical ($v_y \to -v_y$), e tem o mesmo módulo. Como $y = 0$ é um plano arbitrário, o mesmo vale em qualquer plano horizontal (y = constante), ou seja, também se aplica às velocidades nos dois pontos P e Q em que a parábola corta um dado plano horizontal (Figura 3.25).

Podemos exprimir as componentes da velocidade diretamente em função da altura y com o auxílio da (2.5.9):

$$v_y = \pm\sqrt{v_0^2 \operatorname{sen}^2\theta - 2gy}, \quad v_x = v_0 \cos\theta \qquad \textbf{(3.6.10)}$$

onde o sinal é + ou – conforme o projétil esteja subindo ou descendo.

A distância $x = A$ entre o ponto de lançamento O e o ponto em que o projétil volta a passar pelo plano $y = 0$ chama-se *alcance* do projétil, e se obtém substituindo a (3.6.8) na segunda (3.6.4):

$$\boxed{A = v_0 \cos\theta \cdot \frac{2v_0 \operatorname{sen}\theta}{g} = \frac{v_0^2}{g}\operatorname{sen}(2\theta)} \qquad \textbf{(3.6.11)}$$

onde usamos a bem conhecida relação trigonométrica: $\operatorname{sen}(2\theta) = 2 \operatorname{sen}\theta \cos\theta$. Uma consequência imediata da (3.6.11) é que o alcance é máximo quando o "ângulo de elevação" θ vale 45°.

Na última jornada dos "Diálogos", Galileu discute o movimento dos projéteis. Precursores de Galileu acreditavam que uma bala de canhão se move em linha reta até esgotar seu impulso, e depois cai verticalmente (um deles propôs juntar esses dois segmentos de reta por um arco de círculo tangente a ambos para descrever a trajetória). Galileu foi o primeiro a demonstrar que a trajetória é uma parábola. Além disso, obteve vários dos resultados discutidos acima, inclusive que o alcance é máximo para $\theta = 45°$, enunciando ainda o seguinte resultado:

> "As amplitudes das parábolas descritas por projéteis disparados com a mesma velocidade, mas em ângulos de elevação acima e abaixo de 45° e equidistantes de 45°, são iguais entre si".

Isto significa que, para o mesmo valor de $|\mathbf{v}_0|$, os alcances correspondentes a $\theta = 45° + \delta$ e $\theta = 45° - \delta$ são iguais. Verifique este resultado!

Galileu também observou o fato de que todos estes resultados sobre o movimento de projéteis são bastante idealizados, uma vez que não foi levado em conta o efeito da *resistência do ar*, que tende a diminuir o alcance e alterar o caráter do movimento. Este efeito é bastante complicado, porque a resistência do ar depende da forma do projétil e do *módulo* da velocidade instantânea, $|\mathbf{v}| = \sqrt{v_x^2 + v_y^2}$, de modo que *acopla os* movimentos horizontal e vertical, que não podem mais ser considerados como independentes. Entretanto, para projéteis de forma aerodinâmica (como as balas de armas de fogo) e lançados com velocidades iniciais elevadas, os resultados acima constituem geralmente uma boa aproximação.

É interessante observar que nos podemos aproximar melhor das condições ideais em que a resistência do ar está ausente utilizando feixes de partículas atômicas ou subatômicas (como elétrons) lançados numa região de alto vácuo.

No caso de elétrons, o efeito foi observado nas primeiras experiências que levaram à descoberta do elétron, feitas por J. J. Thomson em 1897.

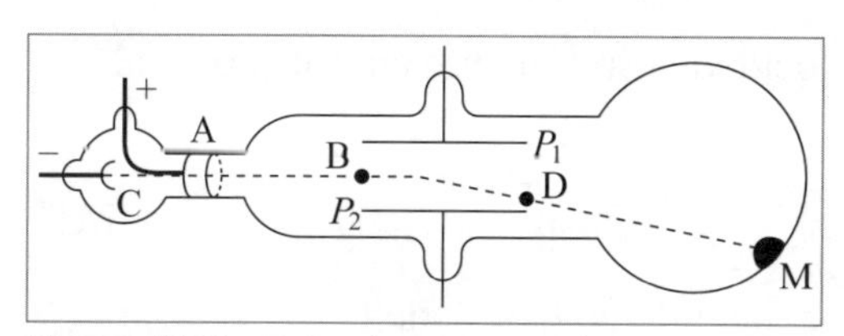

Figura 3.26 Tubo de raios catódicos.

O aparelho utilizado por Thomson (Figura 3.26) era uma versão primitiva do moderno tubo de osciloscópio ou de televisão, conhecido como "tubo de raios catódicos". Um feixe de elétrons ("raios catódicos") produzido numa descarga elétrica num gás rarefeito entre os eletrodos C (catodo) e A (anodo), é defletido de sua trajetória retilínea ao passar entre as placas P_1 e P_2 (Figura), entre as quais se estabelece uma diferença de potencial. Veremos depois que isto equivale a superpor ao movimento retilíneo uniforme dos elétrons no feixe, segundo a horizontal, um movimento uniformemente acelerado na vertical, onde a aceleração se deve ao campo elétrico entre as placas. A porção de trajetória BD na região entre as placas (Figura) é então um arco de parábola, e o feixe assim defletido é detectado pela mancha luminosa M que produz ao incidir sobre um depósito fluorescente na parede interna do tubo. Thomson também investigou o efeito de um campo magnético sobre o feixe (deflexão magnética), e essas experiências lhe permitiram medir a razão da carga elétrica para a massa do elétron, conforme será visto posteriormente (Seç. 5.4).

No caso de feixes atômicos, foi detectado o efeito de *queda livre dos átomos*, em experiências realizadas por Estermann, Simpson e Stern* em 1947. Numa delas, foi utilizado um feixe de átomos de césio, proveniente de um "forno" à temperatura de 450 K. Átomos de césio a essa temperatura têm velocidades médias da ordem de 300 m/s; um feixe colimado, propagando-se na direção horizontal, era extraído do forno, penetrando num tubo onde se fazia alto vácuo, e nele viajando uma distância de ~2 m. O tempo de

* 1. Estermann, O.C. Sinipson e O. Stern, *Phys. Rev.* 71, 238 (1947).

percurso correspondente é (2/300) s. De quanto os átomos caem nesse tempo sob a ação da gravidade?

Caem de $1/2\, g\, t^2 = 1/2 \times 9{,}8 \times (1/150\,)^2$ m $\approx 2 \times 10^{-4}$ m, ou seja, de ~ 0,2 mm. Embora se trate de um deslocamento pequeno, ele pode ser detectado com relativa facilidade, porque o diâmetro do feixe e do fio utilizado no detector são ~ 10 vezes menores (é um "detector de fio quente", em que os átomos são ionizados e depois coletados por um eletrodo, medindo-se a corrente elétrica resultante). Devido ao alto vácuo, os resultados obtidos nesta seção sobre trajetórias parabólicas se aplicam com grande precisão. O objetivo das experiências não era estudar a queda livre, mas sim testar resultados da teoria cinética dos gases, sobre a distribuição de velocidades dos átomos. Também têm sido feitas recentemente tentativas de observar a queda livre de elétrons, mas a experiência, realizada dentro de um cilindro evacuado, se torna muito mais difícil neste caso, devido a forças de origem elétrica, oriundas das paredes dos cilindro, que atuam sobre os elétrons e têm efeitos dominantes, de modo que não há ainda evidência clara de que o efeito tenha sido observado.

Em 1999, foi produzido um "chafariz de átomos" em que eles foram lançados no vácuo, descrevendo trajetórias parabólicas. O tempo de atraso entre subida e descida foi empregado na construção do relógio atômico NIST-F1 (Seç. 1.7).

3.7 MOVIMENTO CIRCULAR UNIFORME

Um tipo de movimento plano de grande importância na física é o movimento circular uniforme, em que a trajetória é um círculo e o *módulo* da velocidade instantânea é constante, de modo que a partícula descreve arcos de círculo iguais em tempos iguais. Temos assim um movimento periódico, em que o período corresponde ao tempo levado para descrever uma volta completa, o que define um "relógio".

De fato, o movimento da extremidade dos ponteiros de um relógio é deste tipo. O movimento da Lua em torno da Terra também pode ser aproximado por um movimento circular uniforme. Outro exemplo são as órbitas de partículas carregadas em aceleradores de tipo circular.

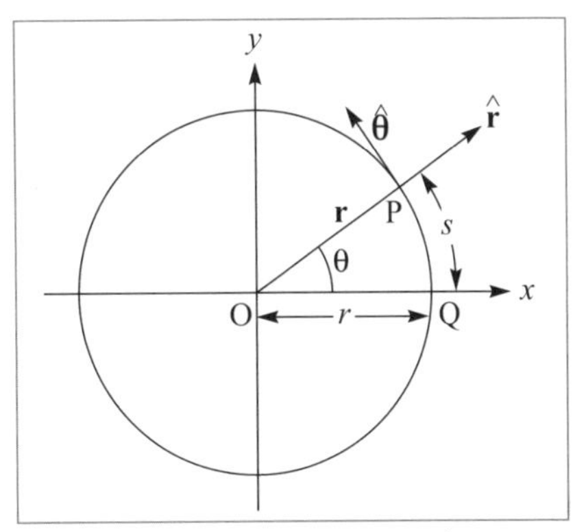

Figura 3.27 Movimento circular.

Seja r o raio da trajetória circular. A posição instantânea P da partícula fica definida pelo ângulo θ entre o vetor deslocamento $\mathbf{r} = \mathbf{OP}$ correspondente e o eixo Ox de um sistema cartesiano com origem no centro do círculo (Figura 3.27), onde θ é positivo no sentido anti-horário. O arco s correspondente ao ângulo θ sobre o círculo é dado por

$$\boxed{s = r\theta} \qquad \textbf{(3.7.1)}$$

onde θ é medido em radianos (2π rad = 360°). Vamos introduzir $\hat{\mathbf{r}}$, o vetor unitário na direção de $\mathbf{r}$, que aponta radialmente para fora, e $\hat{\boldsymbol{\theta}}$, o vetor unitário tangente ao círculo

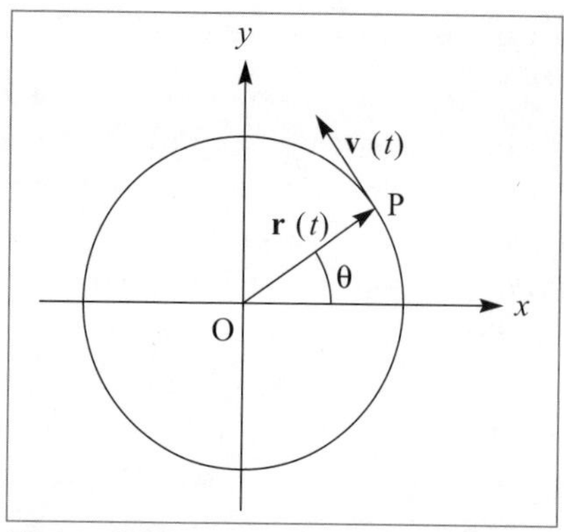

Figura 3.28 Velocidade instantânea.

(portanto perpendicular a $\hat{\mathbf{r}}$) em P, orientado no sentido de θ crescente (anti-horário). Note que ao contrário de $\mathbf{i}$ e $\mathbf{j}$, que são vetores fixos nas direções dos eixos, as direções de $\hat{\mathbf{r}}$ e $\hat{\boldsymbol{\theta}}$ variam com a posição P ocupada pela partícula ao longo do círculo.

Pela definição de movimento circular uniforme, a lei horária é

$$s = s_0 + v(t - t_0) \tag{3.7.2}$$

onde s_0 é o valor do arco no instante inicial t_0 e v é a "*velocidade linear*" com que o arco s é descrito. Lembrando a definição (3.4.5) da velocidade instantânea e o fato de que $|\Delta\mathbf{r}|$ se confunde com Δs (corda e arco se confundem) quando $\Delta t \to 0$, vemos que $v = |\mathbf{v}|$ dá o módulo da velocidade instantânea $\mathbf{v}(t)$, que é tangente ao círculo em P. A velocidade instantânea $\mathbf{v}(t)$ é dada por

$$\mathbf{v} = v\hat{\boldsymbol{\theta}} \tag{3.7.3}$$

(note que isto continua valendo quando o círculo é descrito no sentido horário e $v < 0$). Temos ainda

$$v = ds / dt \tag{3.7.4}$$

como consequência imediata da (3.7.2).

O *período* T do movimento é o tempo para dar uma volta completa, ou seja,

$$\boxed{T = 2\pi r / |v|} \tag{3.7.5}$$

Chama-se *frequência* υ o inverso do período:

$$\boxed{\upsilon = 1 / T} \tag{3.7.6}$$

A frequência dá portanto o *número de rotações por unidade de tempo*. Assim, um disco LP tem 33 1/3 rpm (rotações por minuto), o que corresponde a $\upsilon \approx 0{,}5\ \text{s}^{-1}$ e $T \approx 2$ s.

Podemos empregar a (3.7.1) para exprimir a lei horária (3.7.2) em termos do ângulo θ descrito em função do tempo:

$$\theta = \theta_0 + \omega(t - t_0) \tag{3.7.7}$$

onde

$$\boxed{\omega = v / r} \tag{3.7.8}$$

chama-se *velocidade angular*. Temos, analogamente à (3.7.4),

$$\boxed{\omega = \frac{d\theta}{dt}} \tag{3.7.9}$$

e as (3.7.5) e (3.7.8) mostram que

$$|\omega| = \frac{2\pi}{T} = 2\pi\upsilon \qquad \textbf{(3.7.10)}$$

A velocidade angular se mede em rad/s, ou simplesmente em s^{-1}. Assim, por exemplo, a velocidade angular do ponteiro dos segundos de um relógio, para o qual $T = 1$ min, é

$$\omega = (2\pi / 60)\,s^{-1} \approx 0{,}1\,s^{-1} \quad (0{,}1 \text{ rad / s})$$

A (3.7.8), escrita sob a forma $v = \omega r$, nos mostra ainda que, num disco em rotação uniforme (por exemplo, um disco LP num toca-discos), a velocidade linear cresce linearmente com a distância ao centro, sendo nula no centro e máxima na periferia.

As (3.7.3) e (3.7.8) dão

$$\mathbf{v} = \omega r \hat{\boldsymbol{\theta}} \qquad \textbf{(3.7.11)}$$

Embora o movimento circular uniforme tenha uma velocidade de *módulo* constante, a *direção* da velocidade **v** varia de ponto a ponto da trajetória. Logo, conforme foi mencionado no fim da Seç. 3.4, ele é um movimento *acelerado*, ou seja, a aceleração é ≠ 0. Vamos agora ver como se obtém a aceleração **a**.

Uma forma possível de determinar **a** é pelo processo geométrico do hodógrafo, descrito na Seç. 3.4. O hodógrafo de um movimento circular uniforme também é um movimento circular uniforme, sobre um círculo de raio v (em linha interrompida na Figura 3.29). Pelo que vimos na Seç. 3.4, a velocidade do movimento sobre o hodógrafo ("velocidade de variação da velocidade") é a aceleração **a**. Como a velocidade angular com que é descrito o hodógrafo é a mesma do movimento circular uniforme, mas o raio do hodógrafo é v, em lugar de r, obtemos da (3.7.8), aplicada ao hodógrafo, o módulo da aceleração:

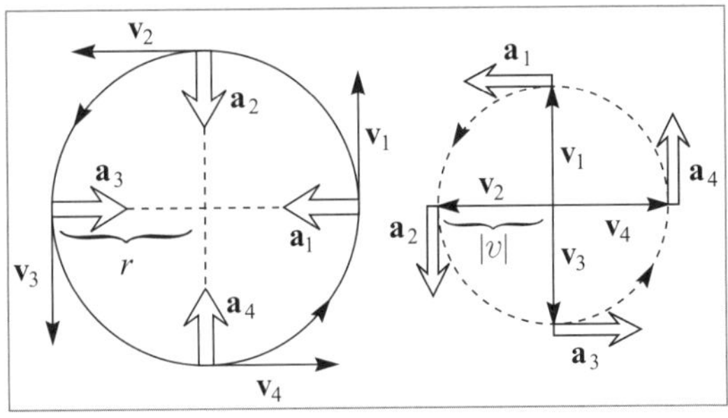

Figura 3.29 Hodógrafo do movimento circular uniforme.

$$|\mathbf{a}| = \omega v = \omega^2 r = v^2 / r \qquad \textbf{(3.7.12)}$$

Por outro lado, o exame da Figura 3.29 mostra que o vetor **a**, tangente ao hodógrafo, está dirigido radialmente para dentro no círculo original (trajetória). Logo

$$\mathbf{a} = -|\mathbf{a}|\,\hat{\mathbf{r}} = -\omega^2 r \hat{\mathbf{r}} = -\frac{v^2}{r}\hat{\mathbf{r}} \qquad \textbf{(3.7.13)}$$

Esta é a chamada *aceleração centrípeta* (porque aponta para o centro do círculo).

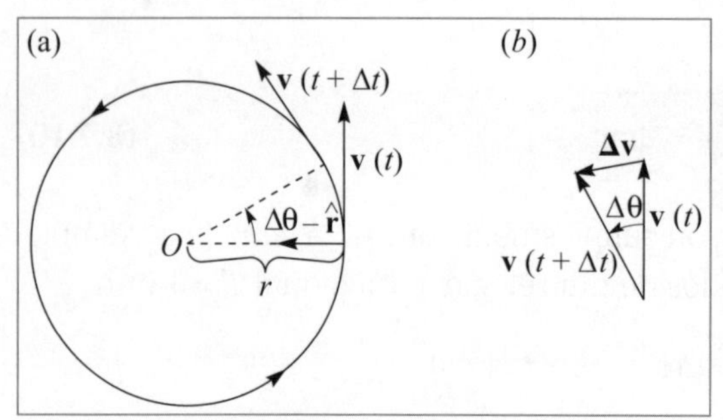

Figura 3.30 Incremento de velocidade.

Podemos também obter o mesmo resultado de outra forma, empregando diretamente a definição (3.4.7) do vetor **a**. A Figura 3.30 (a) mostra os vetores $\mathbf{v}(t)$ e $\mathbf{v}(t + \Delta t)$, onde Δt corresponde a um incremento $\Delta\theta$. A (b) ilustra a construção de $\Delta\mathbf{v}$, mostrando que, no limite em que $\Delta t \to 0$, $\Delta\mathbf{v}$ tende a apontar na direção de $-\hat{\mathbf{r}}$. Além disto, o ângulo entre $\mathbf{v}(t)$ e $\mathbf{v}(t + \Delta t)$ é também $\Delta\theta$, e, no limite em que $\Delta t \to 0$, podemos confundir o comprimento de $\Delta\mathbf{v}$ (corda) com o do arco de círculo de raio $|v|$ que subentende o ângulo $|\Delta\theta|$:

$$|\Delta\mathbf{v}| \approx |\mathbf{v}||\Delta\theta| \left\{ \frac{|\Delta v|}{\Delta t} \approx |\mathbf{v}| \frac{|\Delta\theta|}{\Delta t} \right. \qquad \textbf{(3.7.14)}$$

o que se torna exato no limite em que $\Delta t \to 0$, levando novamente à (3.7.12) (cf. (3.7.9)).

A título de ilustração, vamos calcular a *aceleração centrípeta da Lua* em sua órbita em redor da Terra, supondo a órbita circular, o que é uma boa aproximação. O raio da órbita é $r \approx 380.000$ km = $3,8 \times 10^8$ m (distância Terra-Lua). 0 período de rotação da Lua em redor da Terra (mês lunar) é $T \approx 27,3$ dias $\approx 27,3 \times 8,64 \times 10^4$ s $\approx 2,4 \times 10^6$ s. Logo, pelas (3.7.12) e (3.7.10),

$$|\mathbf{a}| = \omega^2 r = \frac{4\pi^2}{T^2} r \approx 2,7 \times 10^{-3} \frac{\text{m}}{s^2} \qquad \textbf{(3.7.15)}$$

o que podemos comparar com a aceleração da gravidade (2.6.1):

$$\frac{|\mathbf{a}|}{g} \approx \frac{2,7 \times 10^{-3}}{9,8} \sim \frac{1}{3.600} \qquad \textbf{(3.7.16)}$$

3.8 ACELERAÇÕES TANGENCIAL E NORMAL

Consideremos agora um movimento não uniforme sobre um círculo. Embora a velocidade instantânea continue naturalmente sendo tangente ao círculo, a não uniformidade do movimento circular significa que o *módulo* da velocidade, além da sua direção, também variará com o tempo. É natural então considerar separadamente os dois fatores que contribuem para $\Delta\mathbf{v}$.

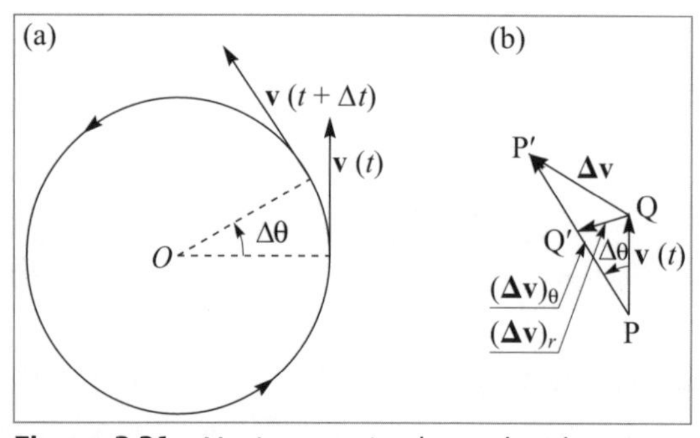

Figura 3.31 Movimento circular acelerado.

Na figura 3.31 (a), consideramos a situação em que $|\mathbf{v}(t + \Delta t)| \neq |\mathbf{v}(t)|$. Na (b), **PQ** representa $\mathbf{v}(t)$ e **PP′** corresponde a $\mathbf{v}(t + \Delta t)$. O ponto Q′ é tomado de tal forma que $|\mathbf{PQ'}| = |\mathbf{PQ}| = |\mathbf{v}(t)|$. Vemos que

$$\Delta\mathbf{v} = \mathbf{QP'} = \mathbf{QQ'} + \mathbf{Q'P'} \tag{3.8.1}$$

Já calculamos $\mathbf{QQ'}$ na (3.7.14):

$$|\mathbf{QQ'}| = |(\Delta\mathbf{v})_r| \approx |\mathbf{v}||\Delta\theta| \tag{3.8.2}$$

onde o índice r se refere ao fato de que, para $\Delta t \to 0$, $(\Delta\mathbf{v})_r$ dará a componente radial de $\mathbf{a}$ (aceleração centrípeta), já calculada na Seç. 3.7:

$$\lim_{\Delta t\to 0}\left[\frac{(\Delta\mathbf{v})}{\Delta t}\right] = -\omega^2 r\hat{\mathbf{r}} = -r\left(\frac{d\theta}{dt}\right)^2\hat{\mathbf{r}} \tag{3.8.3}$$

A componente nova que temos de calcular é $\mathbf{Q'P'}$. No caso ilustrado na Figura 3.31 (a), temos $v > 0$ e a (b) mostra que, no limite em que $\Delta t \to 0$, a direção e sentido de $\mathbf{Q'P'}$ tendem a coincidir com os de $\mathbf{v}(t)$, ou seja (cf. (3.7.3)) com os de $\hat{\boldsymbol{\theta}}$, e

$$\mathbf{Q'P'} = (\Delta\mathbf{v})_\theta \approx [v(t+\Delta t) - v(t)]\hat{\boldsymbol{\theta}} = \Delta v \cdot \hat{\boldsymbol{\theta}} \tag{3.8.4}$$

de modo que

$$\lim_{\Delta t\to 0}\left[\frac{(\Delta\mathbf{v})_\theta}{\Delta t}\right] = \lim_{\Delta t\to 0}\left(\frac{\Delta v}{\Delta t}\right)\hat{\boldsymbol{\theta}} = \frac{dv}{dt}\hat{\boldsymbol{\theta}} \tag{3.8.5}$$

Esta relação permanece válida quer seja $v > 0$ ou $v < 0$, e quer $|v|$ esteja crescendo ou decrescendo, como se vê por uma discussão análoga à da Seç. 2.4. Pelas (3.7.8) e (3.7.9), temos ainda a relação

$$\boxed{\frac{dv}{dt} = r\frac{d\omega}{dt} = r\frac{d^2\theta}{dt^2} = r\alpha} \tag{3.8.6}$$

onde α se chama *aceleração angular.*

Combinando as expressões acima, obtemos finalmente a expressão da *aceleração num movimento circular qualquer:*

$$\boxed{\mathbf{a} = a_r\hat{\mathbf{r}} + a_\theta\hat{\boldsymbol{\theta}}} \tag{3.8.7}$$

onde

$$\boxed{a_r = -\omega^2 r = -r\left(\frac{d\theta}{dt}\right)^2 = -\frac{v^2}{r}} \tag{3.8.8}$$

e

$$\boxed{a_\theta = \alpha r = r\frac{d^2\theta}{dt^2} = \frac{dv}{dt}} \tag{3.8.9}$$

O termo $a_r\hat{\mathbf{r}}$ na (3.8.7) continua sendo chamado de *aceleração centrípeta;* o outro termo, $a_\theta\hat{\boldsymbol{\theta}}$ é a componente da aceleração tangente ao círculo, e se chama por isso de aceleração *tangencial;* a_r e a_θ na (3.8.7) definem também as *componentes do vetor* **a** *em coordenadas polares* (Seç. 1.6).

Exemplo – *Movimento circular uniformemente acelerado:* É, por definição, aquele em que a *aceleração angular* α *é constante:*

$$\boxed{\alpha = \frac{d^2\theta}{dt^2} = \text{constante}} \qquad \textbf{(3.8.10)}$$

Sejam

$$\boxed{\omega_0 = \left(\frac{d\theta}{dt}\right)_{t=t_0}, \quad \theta_0 = \theta(t_0)} \qquad \textbf{(3.8.11)}$$

os valores iniciais da velocidade angular e do angulo θ. Pela analogia entre as (3.8.10) – (3.8.11) e as (2.5.1), (2.5.3) e (2.5.7), vemos imediatamente que a lei horária do movimento uniformemente acelerado é (cf. (2.5.8))

$$\boxed{\theta(t) = \theta_0 + \omega_0(t - t_0) + \frac{1}{2}\alpha(t - t_0)^2} \qquad \textbf{(3.8.12)}$$

que a velocidade angular instantânea é (cf. (2.5.4))

$$\boxed{\omega(t) = \omega_0 + \alpha(t - t_0)} \qquad \textbf{(3.8.13)}$$

e que (cf. (2.5.9)

$$\boxed{\omega^2 = \omega_0^2 + 2\alpha(\theta - \theta_0)} \qquad \textbf{(3.8.14)}$$

A expressão de **a** se obtém substituindo as (3.8.10) e (3.8.13) nas (3.8.7) a (3.8.9).

Consideremos agora um movimento plano sobre uma trajetória curva qualquer AB (Figura 3.32), e sejam P e P′ as posições nos instantes t e $t + \Delta t$, respectivamente. As normais à curva em P e P′ (perpendiculares às tangentes nesses pontos) se encontram geralmente num ponto C (Figura), que, para Δt muito pequeno, é equidistante de P e P′, ou seja, é o centro de um circulo de raio $R = \overline{CP}$ tal que o arco de círculo PP′ e arco de curva PP′ tendem a ter as mesmas tangentes em P e P′ quando $\Delta t \to 0$ (é o arco de círculo que melhor se aproxima do arco de curva PP′ nesse limite). O ponto C chama-se *centro de curvatura* da curva no ponto P e R é o *raio de curvatura* correspondente (para um segmento de reta, R é infinito). O circulo de centro C e raio R é o *círculo de curvatura* da curva no ponto P; em geral, C e R variam de ponto a ponto.

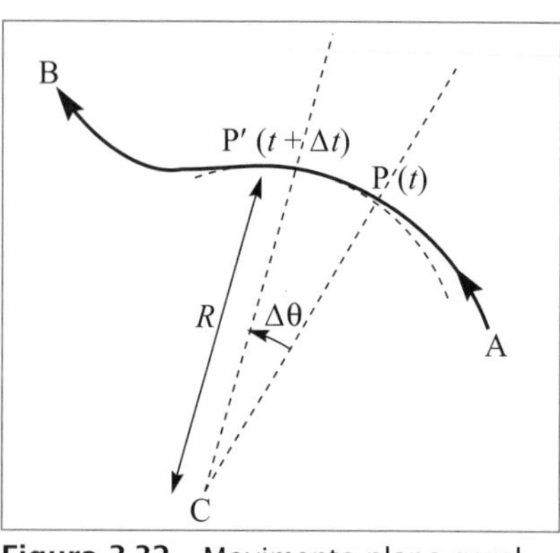

Figura 3.32 Movimento plano geral.

Por construção, o movimento sobre a curva e sobre o círculo de curvatura têm os mesmos *vetores velocidade* em P e P′ quando $\Delta t \to 0$; logo, têm também a mesma aceleração **a**. Para o movimento sobre o círculo de curvatura, **a** é dado pela (3.8.7). Entretanto $\hat{\mathbf{r}}$ e $\hat{\boldsymbol{\theta}}$ têm de ser interpretados do ponto de vista da trajetória:

$a_\theta \hat{\boldsymbol{\theta}}$ tem a direção da *tangente à* trajetória em *P*, e dá a *aceleração tangencial* a_T (Figura 3.33), ao passo que $a_r \hat{\mathbf{r}}$ aponta em direção ao centro de curvatura C e dá a *aceleração normal* $\mathbf{a}_N$. Temos (cf. (3.8.8) e (3.8.9))

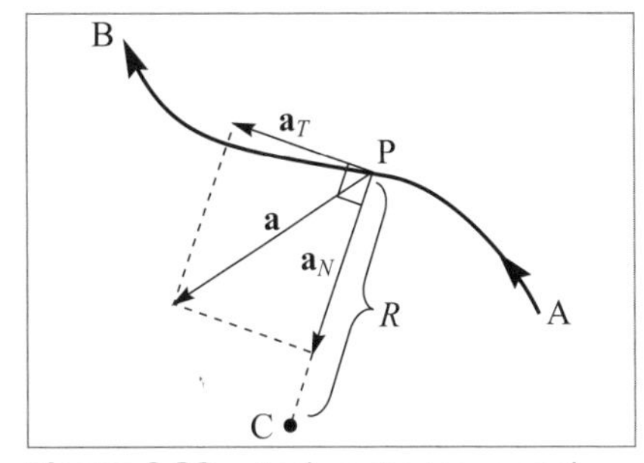

Figura 3.33 Aceleração tangencial e normal.

$$\boxed{\mathbf{a} = \mathbf{a}_T + \mathbf{a}_N} \qquad \textbf{(3.8.15)}$$

$$\boxed{a_T = \frac{dv}{dt}} \qquad \textbf{(3.8.16)}$$

$$\boxed{a_N = \frac{v^2}{R}} \qquad \textbf{(3.8.17)}$$

onde *R* é o raio de curvatura em P. A magnitude da aceleração em P é dada por

$$\boxed{|\mathbf{a}| = \sqrt{a_T^2 + a_N^2}} \qquad \textbf{(3.8.18)}$$

3.9 VELOCIDADE RELATIVA

Consideremos *duas* partículas em movimento em relação a uma origem O, que num dado instante, ocupam as posições P_1 e P_2, correspondendo aos deslocamentos $\mathbf{r}_1(t)$ e $\mathbf{r}_2(t)$ em relação a O (Figura 3.34). O *deslocamento relativo* $\mathbf{r}_{12}\,(t)$ de P_2 em relação a P_1 no instante *t* é, como vimos na (3.3.10),

$$\mathbf{r}_{12}(t) = \mathbf{r}_2(t) - \mathbf{r}_1(t) \qquad \textbf{(3.9.1)}$$

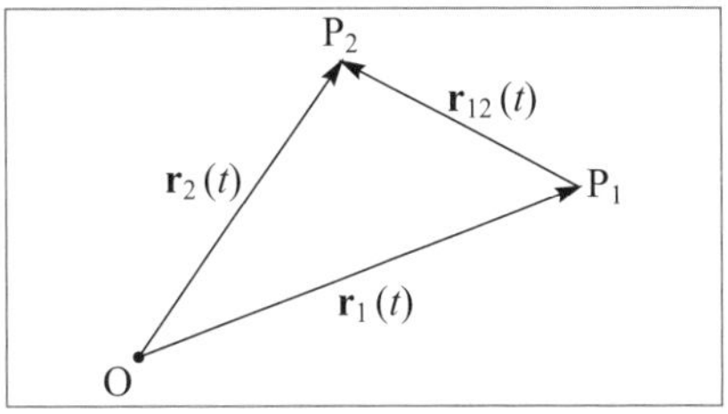

Figura 3.34 Deslocamento relativo.

Derivando ambos os membros da (3.9.1) em relação ao tempo, obtemos (cf. (3.4.5))

$$\boxed{\frac{d}{dt}\mathbf{r}_{12} = \mathbf{v}_{12}(t) = \mathbf{v}_2(t) - \mathbf{v}_1(t)} \qquad \textbf{(3.9.2)}$$

ou seja, a *velocidade relativa* de 2 em relação a 1, dada por $\mathbf{v}_{12}$, é a diferença entre as velocidades de 2 e 1 em relação à origem O. Podemos interpretar $\mathbf{v}_{12}$ como a velocidade da partícula 2 num referencial com origem na partícula 1. Assim, no exemplo citado por

Galileu do corpo que cai do mastro de um navio em movimento na direção horizontal, as componentes horizontais das velocidades do corpo e do navio são iguais e se cancelam na (3.9.2), de forma que a velocidade do corpo *relativa ao navio* continua sendo vertical (ele cai ao pé do mastro).

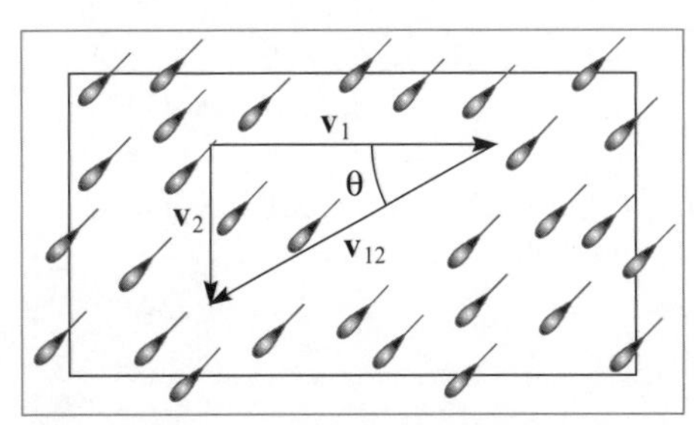

Figura 3.35 Chuva na janela de um carro em movimento.

Se estivermos no interior de um veículo em movimento horizontal (em relação ao solo) com velocidade $\mathbf{v}_1$ e se gotas de chuva estiverem caindo verticalmente (em relação ao solo) com velocidade $\mathbf{v}_2$, vemos as gotas de chuva escorrerem sobre uma janela do veículo segundo um ângulo θ com a horizontal correspondente à direção de $\mathbf{v}_{12}$, ou seja, (Figura 3.35), temos $\text{tg}\theta = v_2 / v_1$.

Voltaremos a discutir este assunto de forma mais ampla no capítulo 13.

PROBLEMAS

3.1 No problema do caçador e do macaco (Seç. 3.1), mostre analiticamente que a bala atinge o alvo, e calcule em que instante isso ocorre, para uma dada distância d entre eles e altura h do galho, sendo v_0 a velocidade inicial da bala. Interprete o resultado.

3.2 Um avião a jato voa para o Norte, de Brasília até Belém, a 1.630 km de distância, levando 2h 10 min nesse percurso. De lá, segue para Oeste, chegando a Manaus, distante 1.290 km de Belém, após 1h 50 min de voo. (a) Qual é o vetor deslocamento total do avião? (b) Qual é o vetor velocidade média no trajeto Brasília – Belém? (c) Qual é o vetor velocidade média no trajeto Brasília – Manaus?

3.3 Mostre que a magnitude da soma de dois vetores **a** e **b** está sempre compreendida entre os limites

$$\left||\mathbf{a}| - |\mathbf{b}|\right| \leq |\mathbf{a} + \mathbf{b}| \leq |\mathbf{a}| + |\mathbf{b}|$$

Em que situações são atingidos os valores extremos?

3.4 As magnitude de **a** e **b** são iguais. Qual é o ângulo entre **a** + **b** e **a** – **b**?

3.5 As latitudes e longitudes de São Paulo, Rio de Janeiro e Belo Horizonte, respectivamente, são as seguintes: São Paulo: 23°33' S, 46°39' O; Rio de Janeiro: 22°53' S, 43°17' O; Belo Horizonte: 19°55' S, 43°56' O. A partir destes dados, (a) Calcule as distâncias entre as três cidades; (b) Em relação a um sistema de coordenadas com origem em São Paulo e eixo das abcissas na direção São Paulo-Rio de Janeiro, obtenha o vetor de posição de Belo Horizonte.

3.6 Um helicóptero, saindo de seu hangar, percorre 100 m numa pista em direção ao Sul, dobrando depois para entrar noutra pista rumo ao Leste, de onde, após percorrer mais 100 m, levanta voo verticalmente, elevando-se a 100 m de altitude.

Calcule: (a) A magnitude do deslocamento total; (b) o ângulo de elevação em relação ao solo, a partir do hangar; (c) a direção da projeção sobre o solo do vetor deslocamento total.

3.7 Uma pedra que se encontra numa elevação de 60 m, sobre uma plataforma horizontal, é arrastada por uma enxurrada com a velocidade de 3 m/s. A que distância horizontal do ponto de projeção e com que velocidade (em km/h) ela atinge o solo?

3.8 Uma mangueira, com o bico a 1,5 m acima do solo, é apontada para cima, segundo um ângulo de 30° com o chão. O jato de água atinge um canteiro a 15 m de distância. (a) Com que velocidade o jato sai da mangueira? (b) Que altura ele atinge?

3.9 Num jogo de vôlei, desde uma distância de 14,5 m da rede, é dado um saque do tipo "jornada nas estrelas". A bola sobe a 20 m acima da altura de lançamento, e desce até a altura do lançamento num ponto do campo adversário situado a 1 m da rede e 8 m à esquerda do lançamento. (a) Em que ângulo a bola foi lançada? (b) Com que velocidade (em km/h) volta a atingir a altura do lançamento? (c) Quanto tempo decorre neste percurso?

3.10 Um jogador de basquete quer encestar a bola levantando-a desde uma altura de 2 m do chão, com velocidade inicial de 7 m/s. A distância da bola à vertical que passa pelo centro do cesto é de 3 m, e o aro do cesto está a 3,05 m de altura do chão. Em que ângulo a bola deve ser levantada?

3.11 Demonstre o resultado de Galileu enunciado na Seç. 3.6, mostrando que, para uma dada velocidade inicial v_0, um projétil pode atingir o mesmo alcance A para dois ângulos de elevação diferentes, $\theta = 45° + \delta$ e $\theta = 45° - \delta$, contanto que A não ultrapasse o alcance máximo $A_m = v_0^2/g$. Calcule δ em função de v_0 e A.

3.12 Generalize o resultado do problema anterior, mostrando que um projétil lançado do chão com velocidade inicial v_0 pode atingir um ponto situado à distância x e à altura y para dois ângulos de elevação diferentes, contanto que o ponto (x, y) esteja abaixo da "parábola de segurança"

$$y = \frac{1}{2}\left(A_m - \frac{x^2}{A_m}\right)$$

onde A_m é o alcance máximo.

3.13 Um jogador de futebol inexperiente chuta um pênalti a 9 m do gol, levantando a bola com velocidade inicial de 15 m/s. A altura da trave é de 2,4 m. Calcule: (a) a que distância máxima da trave, atrás do gol, um apanhador de bola pode ficar agachado, e (b) a que distância mínima devem ficar os espectadores, para que não corram risco nenhum de levar uma bolada.

3.14 Um jogador de futebol, a 20,5 m do gol adversário, levanta a bola com um chute a uma velocidade inicial de 15 m/s, passando-a ao centroavante do time, que está alinhado com ele e o gol, a 5,5 m do gol. O centroavante, que tem 1,80 m de altura, acerta uma cabeçada na bola, imprimindo-lhe um incremento de velocidade na direção horizontal, e marca gol. (a) De que ângulo a bola havia sido levantada? (b) Qual foi o incremento de velocidade impresso à bola pela cabeçada? Considere cuidadosamente todas as soluções possíveis.

3.15 O alcance de um projétil é 4 vezes sua altura máxima, e ele permanece no ar durante 2s. (a) Em que ângulo ele foi lançado? (b) Qual foi a velocidade inicial? (c) Qual é o alcance?

3.16 Um canhão lança um projétil por cima de uma montanha de altura h, de forma a passar quase tangenciando o cume C no ponto mais alto de sua trajetória. A distância horizontal entre o canhão e o cume é R. Atrás da montanha há uma depressão de profundidade d (Figura 3.36). Determine a distância horizontal entre o ponto de lançamento O e o ponto P onde o projétil atinge o solo, em função de R, d e h.

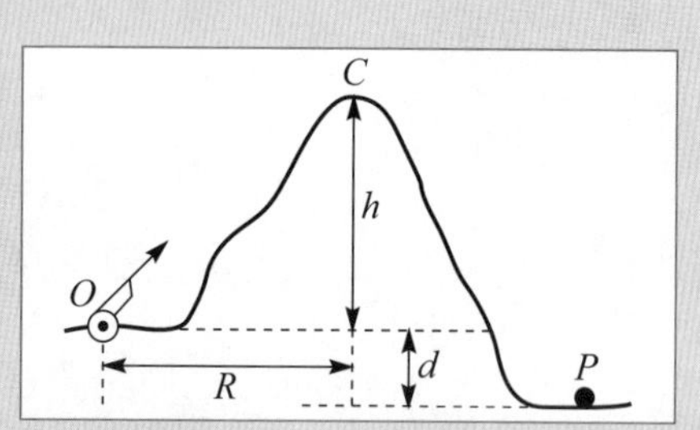

Figura 3.36

3.17 Uma pedra cai de um balão que se desloca horizontalmente. A pedra permanece no ar durante 3 s e atinge o solo segundo uma direção que faz um ângulo de 30° com a vertical. (a) Qual é a velocidade do balão? (b) De que altura caiu a pedra? (c) Que distância a pedra percorreu na horizontal? (d) Com que velocidade a pedra atinge o solo?

3.18 Calcule a velocidade angular média de cada um dos três ponteiros de um relógio.

3.19 Com que velocidade linear você está se movendo devido à rotação da Terra em torno do eixo? E devido à translação da Terra em torno do Sol? (aproxime a órbita da Terra por um círculo). Em cada um dos dois casos, calcule a sua aceleração centrípeta em m/s^2 e exprima-a como um percentual da aceleração da gravidade.

3.20 Numa ultracentrífuga girando a 50.000 rpm (rotação por minuto), uma partícula se encontra a 20 cm do eixo de rotação. Calcule a relação entre a aceleração centrípeta dessa partícula e a aceleração da gravidade g.

3.21 Qual é a hora entre 9 h e 10 h em que o ponteiro dos minutos de um relógio coincide com o das horas? Depois de meio dia, qual é a primeira vez que os três ponteiros voltam a coincidir?

3.22 Na figura 3.37, a roda maior, de 30 cm de raio, transmite seu movimento à menor, de 20 cm de raio, através da correia sem fim C, que permanece sempre bem esticada e sem deslizamento. A roda maior, partindo do repouso com aceleração angular uniforme, leva 1 min para atingir sua velocidade de regime permanente, e

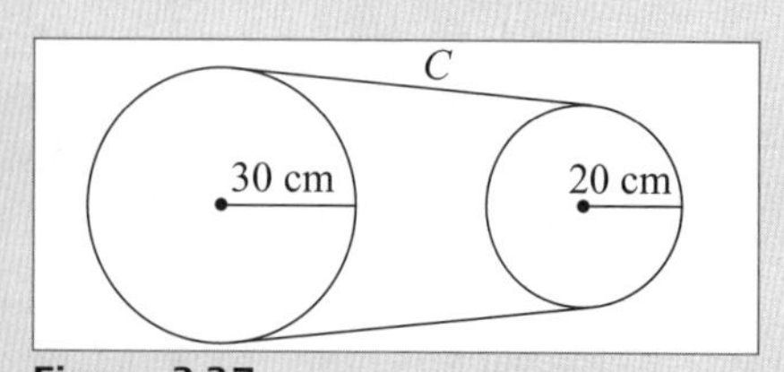

Figura 3.37

efetua um total de 540 rotações durante esse intervalo. Calcule a velocidade angular da roda menor e a velocidade linear da correia uma vez atingido o regime permanente.

3.23 Uma roda, partindo do repouso, é acelerada de tal forma que sua velocidade angular aumenta uniformemente para 180 rpm em 3 min. Depois de girar com essa velocidade por algum tempo, a roda é freada com desaceleração angular uniforme, levando 4 min para parar. O número total de rotações é 1.080. Quanto tempo, ao todo, a roda ficou girando?

3.24 Um carro de corridas percorre, em sentido anti-horário, uma pista circular de 1 km de diâmetro, passando pela extremidade sul, a 60 km/h, no instante $t = 0$. A partir daí, o piloto acelera o carro uniformemente, atingindo 240 km/h em 10 s. (a) Que distância o carro percorre na pista entre $t = 0$ e $t = 1$ s? (b) Determine o vetor aceleração média do carro entre $t = 0$ e $t = 10$ s.

3.25 Um trem viaja para o norte a 120 km/h. A fumaça da locomotiva forma uma trilha que se estende numa direção 14° ao E da direção sul, com o vento soprando do Oeste. Qual é a velocidade do vento?

3.26 Um bombardeiro, a 300 m de altitude, voando a 180 km/h, mergulha segundo um ângulo de 30° com a horizontal, em perseguição a um carro que viaja a 90 km/h. A que distância horizontal do carro deve ser lançada uma bomba para que acerte no alvo?

3.27 Um rio de 1 km de largura tem uma correnteza de velocidade 1,5 km/h. Um homem atravessa o rio de barco, remando a uma velocidade de 2,5 km/h em relação à água. (a) Qual é o tempo mínimo que leva para atravessar o rio? Onde desembarca neste caso? (b) Suponha agora que o homem quer chegar a um ponto diametralmente oposto na outra margem, e tem duas opções: remar de forma a atingi-lo diretamente, ou remar numa direção perpendicular à margem, sendo arrastado pela correnteza até além do ponto onde quer chegar, e depois caminhar de volta até lá. Se ele caminha a 6 km/h, qual das duas opções é mais vantajosa, e quanto tempo leva?

3.28 Às 8 h da manhã, um navio sai do porto de Ilhéus, rumando para 45° SO, à velocidade de 16 nós (1 nó = 1 milha marítima/h = 1.852 m/h). À mesma hora, outro navio está a 45° NO de Ilhéus, a 40 milhas marítimas de distância, rumando em direção a Ilhéus, a uma velocidade de 12 nós. A que hora os dois navios passam à distância mínima um do outro? Qual é essa distância?

3.29 Dois trens passam pela mesma estação, sem parar nela, com dois minutos de diferença, ambos a 60 km/h. O primeiro a passar viaja rumo ao sul e o segundo viaja para Oeste. (a) Determine o vetor velocidade relativa do segundo trem em relação ao primeiro. (b) Com origem na estação, e tomando como instante inicial o da passagem do primeiro trem pela estação, represente graficamente o vetor deslocamento relativo do segundo trem em relação ao primeiro, nos instantes $t = 0$, $t = 2$ min e $t = 4$ min. Que forma tem a trajetória do segundo trem vista do primeiro? (c) A que distância mínima os dois trens passam um do outro? Em que instante isso ocorre?

3.30 A distância entre as cidades A e B é l. Um avião faz uma viagem de ida e volta entre A e B voando em linha reta, com velocidade V em relação ao ar. (a) Calcule o tempo total de voo, se o vento sopra com velocidade v, numa direção que forma um ângulo θ com a direção AB. Este tempo depende do sentido em que o vento sopra? (b) Mostre que a viagem de ida e volta só é possível se $v < V$, e calcule a relação entre o tempo de voo $t_{\parallel}$ quando o vento sopra na direção AB e o tempo $t_{\perp}$ quando sopra na direção perpendicular (este resultado é relevante na discussão do experimento de Michelson e Morley); (c) Mostre que, qualquer que seja sua direção, o vento sempre prolonga a duração da viagem de ida e volta.

4

Os princípios da dinâmica

4.1 FORÇAS EM EQUILÍBRIO

Até aqui discutimos somente a *descrição* de movimentos, sem nos preocuparmos com a determinação do tipo de movimento que ocorrerá em dadas circunstâncias físicas. Essa determinação constitui o problema fundamental da dinâmica.

Os princípios básicos da dinâmica foram formulados por Galileu e por Newton. Procuraremos chegar a eles, baseando-nos o máximo possível em noções intuitivas. Sabemos todos por experiência que o movimento é afetado pela ação do que costumamos chamar de "forças". Nossa ideia intuitiva de forças está relacionada com o esforço muscular, e sabemos que, exercendo "forças" desse tipo, somos capazes de colocar objetos em movimento ou, mais geralmente, alterar seu estado de movimento.

Historicamente, as forças e seus efeitos foram analisadas primeiro em situações "estáticas", ou seja, de equilíbrio, e vamos inicialmente considerar situações desse tipo afim de formular um método (que será ainda provisório) de medir o efeito de uma força. Também vamo-nos limitar, por enquanto, a forças aplicadas a uma partícula, ou seja, um corpo de dimensões desprezíveis.

Dizemos que uma partícula que permanece em repouso em relação a um dado referencial está em *equilíbrio* nesse referencial. Por enquanto, podemos pensar no referencial como estando ligado ao laboratório; mais tarde, voltaremos a discutir o problema da escolha do referencial.

Podemos medir o efeito de uma força aplicada a uma partícula P, conforme mostra a Figura 4.1, pela distensão que ela produz puxando uma mola, presa rigidamente pela outra extremidade a um suporte fixo. A posição indicada por um ponteiro ligado à mola permite graduar uma escala, cuja indicação "0" corresponde à posição do ponteiro antes da aplicação da força. Podemos provisoriamente definir a unidade de força nesta escala de forma

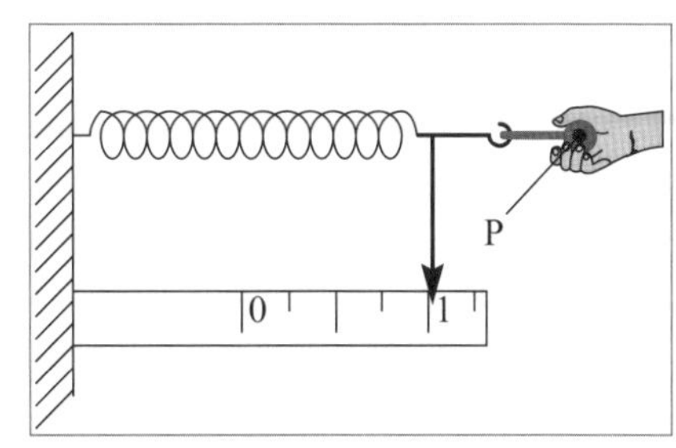

Figura 4.1 Distensão de uma mola.

bastante arbitrária, associando-lhe a graduação "1" na escala (é preciso que a força não seja tão grande que produza uma deformação permanente da mola, ou seja, que ela volte ao "0" quando a soltarmos, removendo a força). Diremos então, por exemplo, que duas pessoas diferentes produzem "a mesma força" sobre a partícula quando levam o ponteiro à mesma posição de equilíbrio sobre a escala.

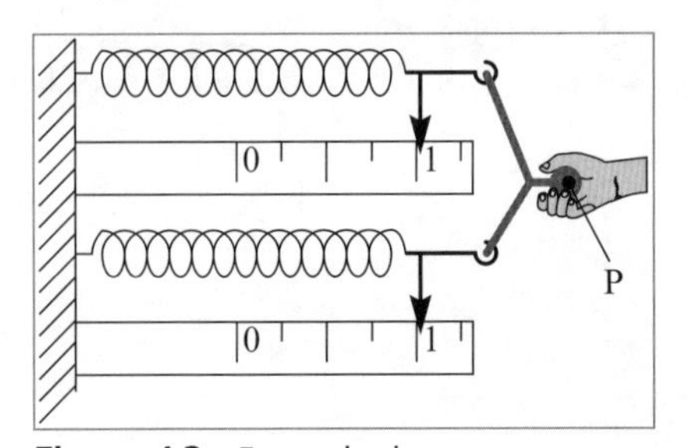

Figura 4.2 Força dupla.

A Figura 4.2 mostra como podemos definir uma força de *duas* unidades na escala acima, utilizando duas molas idênticas, cada uma das quais sofre uma distensão correspondente a uma unidade de força. Podemos definir analogamente outros múltiplos da unidade de força.

Uma força produz efeitos diferentes conforme a direção e sentido em que é aplicada, o que sugere uma representação de tipo vetorial. Na Figura 4.3 (b), $\mathbf{F}_1$, $\mathbf{F}_2$ e $\mathbf{F}_3$ representam as forças aplicadas à partícula P em (a), em magnitude (medida pela distensão das molas), direção e sentido. É um fato experimental que a partícula P permanece em equilíbrio sob a ação simultânea dessas três forças quando a resultante (vetorial!) das três forças se anula (polígono fechado na Figura 4.3 (b)).

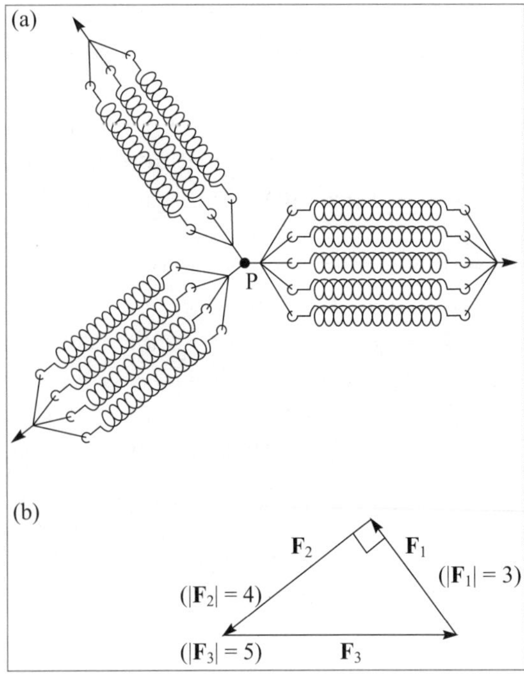

Figura 4.3 Equilíbrio de forças.

$$\mathbf{F}_1 + \mathbf{F}_2 + \mathbf{F}_3 = 0 \qquad \textbf{(4.1.1)}$$

A experiência mostra portanto que as forças se combinam como vetores, e a condição de equilíbrio (resultante nula) permanece válida para um número qualquer de forças aplicadas a uma partícula.

Em particular, na Figura 4.1, podemos dizer que, como a partícula P está em equilíbrio, a mola aplica sobre ela uma força igual e contrária à força aplicada pela pessoa que está puxando.

Consideremos agora a situação da Figura 4.4, em que a partícula está suspensa verticalmente da mola. É a base da "balança de mola", instrumento tipicamente usado por feirantes para pesar mercadorias. O ponteiro acusa uma distensão da mola, na situação de equilíbrio. Temos portanto duas forças iguais e contrárias, **F** e –**F** na figura, agindo sobre a partícula. Uma delas, –**F**, é devida à mola, como no exemplo acima. E a outra? A força **F** não é devida ao puxão de uma pessoa; sabemos que se deve à atração gravitacional da Terra e representa a *força-peso*. O peso de um corpo é a magnitude desta força, ou seja, é a *magnitude da força* (vertical, dirigida para cima) *que é preciso aplicar ao corpo para mantê-lo em equilíbrio quando suspenso livremente, sob a ação da gravidade*. No exemplo acima, esta força está sendo aplicada pela mola.

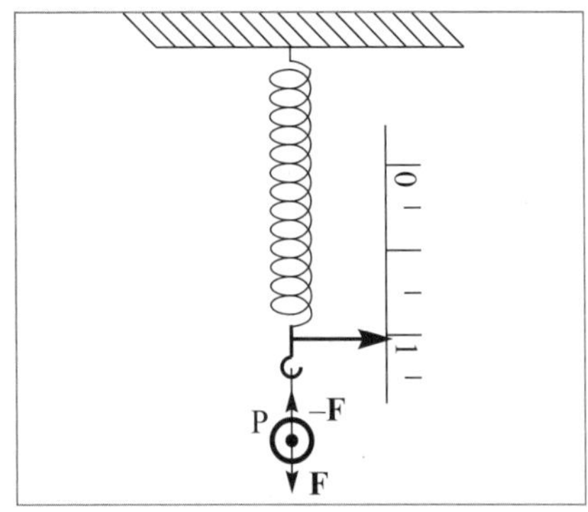

Figura 4.4 Força-peso.

A força-peso é um exemplo de uma força que atua sobre uma partícula sem que precise haver *contato direto* com o agente responsável pela força (no caso a Terra). Forças elétricas e magnéticas sobre partículas carregadas são exemplos análogos.

Se a partícula P que estava suspensa da mola é agora colocada sobre uma mesa, onde também permanece em equilíbrio, inferimos que a força –**F** que equilibra a força-peso, e que estava sendo aplicada pela mola, está sendo aplicada agora pela mesa sobre a partícula. Esta força –**F** é um exemplo de uma *reação de contato*, normal à superfície da mesa, e que tem origem na deformação elástica da mesa devida a seu contato com o objeto colocado sobre ela.

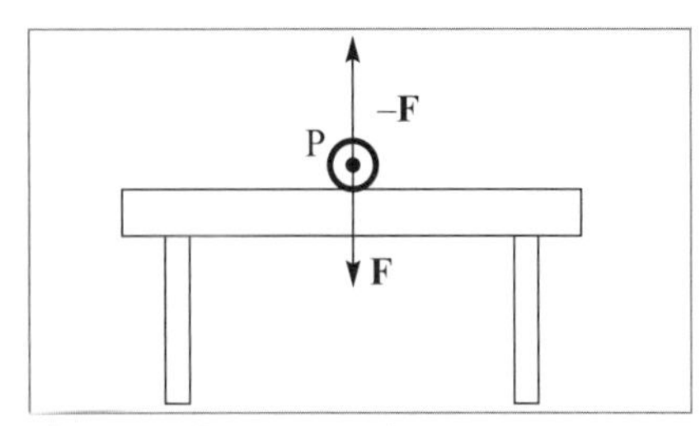

Figura 4.5 Reação de contato.

Voltaremos adiante a analisar, de forma mais detalhada, os diferentes tipos de forças discutidas acima.

4.2 A LEI DA INÉRCIA

Segundo Aristóteles, tanto para colocar um corpo em movimento como para mantê-lo em movimento é necessária a ação de uma força. Isto parece concordar com nossa experiência imediata de que um objeto deslizando sobre o solo, por exemplo, tende a parar se pararmos de empurrá-lo. Entretanto, um projétil como uma pedra ou uma flecha continua em movimento depois de lançado. Aristóteles explicava isto afirmando que é o ar "empurrado para os lados" pelo projétil que se desloca para trás dele e produz a força que o impulsiona. Logo, segundo Aristóteles, se a força que atua sobre um corpo é nula, o corpo permanecerá sempre em repouso.

Vejamos agora o que diz Galileu nos "Diálogos Sobre os Dois Principais Sistemas do Mundo":

> "SALVIATI: ...Diga-me agora: Suponhamos que se tenha uma superfície plana lisa como um espelho e feita de um material duro como o aço. Ela não está horizontal, mas inclinada, e sobre ela foi colocada uma bola perfeitamente esférica, de algum material duro e pesado, como o bronze. A seu ver, o que acontecerá quando a soltarmos?
>
> SIMPLÍCIO: Não acredito que permaneceria em repouso; pelo contrário, estou certo de que rolaria espontaneamente para baixo...

SALVIATI: ...E por quanto tempo a bola continuaria a rolar, e quão rapidamente? Lembre-se de que eu falei de uma bola perfeitamente redonda e de uma superfície altamente polida, afim de remover todos os impedimentos externos e acidentais. Analogamente, não leve em consideração qualquer impedimento do ar causado por sua resistência à penetração, nem qualquer outro obstáculo acidental, se houver.

SIMPLÍCIO: Compreendo perfeitamente, e em resposta a sua pergunta digo que a bola continuaria a mover-se de modo indefinido, enquanto permanecesse sobre a superfície inclinada, e com um movimento continuamente acelerado...

SALVIATI: Mas se quiséssemos que a bola se movesse para cima sobre a mesma superfície, acha que ela subiria?

SIMPLÍCIO: Não espontaneamente; mas ela o faria se fosse puxada ou lançada para cima.

SALVIATI: E se fosse lançada com um certo impulso, qual seria seu movimento, e de que amplitude?

SIMPLÍCIO: O movimento seria constantemente freado e retardado, sendo contrário à tendência natural, e duraria mais ou menos tempo conforme o impulso e a inclinação do plano fossem maiores ou menores.

SALVIATI: Muito bem, até aqui você me explicou o movimento sobre dois planos diferentes. Num plano inclinado para baixo, o corpo móvel desce espontaneamente e continua acelerando, e é preciso empregar uma força para mantê-lo em repouso. Num plano inclinado para cima, é preciso uma força para lançar o corpo ou mesmo mantê-lo parado, e o movimento impresso no corpo diminui de modo contínuo até cessar de todo. Você diria ainda que, nos dois casos, surgem diferenças conforme a inclinação do plano seja maior ou menor, de forma que um declive mais acentuado implica maior velocidade, ao passo que, num aclive, um corpo lançado com uma dada força se move tanto mais longe quanto menor o aclive.

Diga-me agora o que aconteceria ao mesmo corpo móvel colocado sobre uma superfície sem nenhum aclive nem declive.

SIMPLÍCIO: Aqui preciso pensar um instante sobre a resposta. Não havendo declive, não pode haver tendência natural ao movimento; e, não havendo aclive, não pode haver resistência ao movimento. Parece-me portanto que o corpo deveria naturalmente permanecer em repouso. Mas eu me esqueci; faz pouco tempo que Sagredo me deu a entender que isto é o que aconteceria.

SALVIATI: Acredito que aconteceria se colocássemos a bola firmemente num lugar. Mas que sucederia se lhe déssemos um impulso em alguma direção?

SIMPLÍCIO: Ela teria que se mover nessa direção.

SALVIATI: Mas com que tipo de movimento? Seria continuamente acelerado, como no declive, ou continuamente retardado, como no aclive?

SIMPLÍCIO: Não posso ver nenhuma causa de aceleração, uma vez que não há aclive nem declive.

SALVIATI: Exatamente. Mas se não há razão para que o movimento da bola se retarde, ainda menos há razão para que ele pare; por conseguinte, por quanto tempo você acha que a bola continuaria se movendo?

SIMPLÍCIO: Tão longe quanto a superfície se estendesse sem subir nem descer.

SALVIATI: Então, se este espaço fosse ilimitado, o movimento sobre ele seria também ilimitado? Ou seja, perpétuo?

SIMPLÍCIO: Parece-me que sim, desde que o corpo móvel fosse feito de material durável".

Temos aqui formulada pela primeira vez a *lei da inércia*, na situação ideal contemplada por Galileu, com uma esfera lançada sobre um plano horizontal perfeitamente polido (sem atrito), desprezando a resistência do ar. O movimento não seria nem acelerado nem desacelerado: não havendo forças na direção horizontal, teríamos um *movimento retilíneo uniforme*. Ao contrário do que dizia Aristóteles, não há necessidade de forças para manter um movimento retilíneo uniforme: pelo contrário, uma aceleração nula ($\mathbf{v}$ = constante) está necessariamente associada à ausência de força resultante sobre a partícula ($\mathbf{F} = 0$).

A situação imaginada por Galileu é muito difícil de realizar na prática, na escala do laboratório. Podemos pensar nela como um caso limite. Em circunstancias em que procuramos minimizar o atrito, como na patinação no gelo, um impulso adquirido tende a persistir durante muito tempo. Em demonstrações de laboratório, costumam-se empregar discos de base bem polida, deslizando sobre uma camada de ar ou de gás carbônico (proveniente da evaporação de gelo seco) que escapa através de orifícios, produzindo um "colchão de gás" sobre o qual o disco flutua, como um aerobarco sobrevoando a água, tornando muito pequeno o efeito do atrito. Nessas condições, podemos verificar aproximadamente a lei da inércia.

Em seu monumental tratado "Os Princípios Matemáticos da Filosofia Natural", publicado em 1687, Newton formulou três "Axiomas ou Leis do Movimento".

A 1ª Lei é a Lei da Inércia:

"Todo corpo persiste em seu estado de repouso, ou de movimento retilíneo uniforme, a menos que seja compelido a modificar esse estado pela ação de forças impressas sobre ele".

O que significa realmente esta lei? Como podemos saber que não existem "forças impressas sobre o corpo"? Pelo fato de que permanece em repouso ou movimento retilíneo e uniforme? se assim fosse, Eddington teria tido razão quando criticou o enunciado da 1ª lei, dizendo ser equivalente a "... persiste... exceto quando não persiste" (o que corresponderia à bem conhecida predição meteorológica: "Tempo bom, salvo se chover"). Esta crítica é injusta. Se todas as forças fossem devidas ao contato com outros corpos, bastaria a ausência de contato para estabelecer a ausência de forças. O exemplo da força-peso, e das forças elétricas e magnéticas, mostra, porém, a existência de forças que atuam sem que haja contato direto com o corpo responsável pela força.

Entretanto, estas forças tendem a diminuir à medida que os corpos em interação se afastam um do outro. Em média, a distância típica entre uma estrela e sua vizinha mais próxima é ~ 10^{18} cm (veja a Tabela 1.1, Seç. 1.5), o que deveria ser suficiente para que forças entre elas possam ser desprezadas. A observação das estrelas confirma que elas obedecem com muito boa aproximação à lei da inércia. Em relação a que referencial? Não é em relação à Terra, pois um observador terrestre vê as estrelas girarem no céu noturno.

Isso indica outro ponto importante na compreensão da 1ª lei: ela não pode ser válida em qualquer referencial. Os referenciais em que é válida chamam-se *referenciais inerciais.* A Terra não é um referencial inercial. Entretanto, o movimento de rotação da Terra em torno do eixo afeta muito pouco os movimentos usuais, na escala de laboratório, e na prática, nessa escala, empregar o laboratório como referencial inercial é uma boa aproximação (o movimento de rotação da Terra pode ser evidenciado, conforme veremos no Capítulo 13, pela experiência do pêndulo de Foucault). Por outro lado, um referencial ligado às estrelas fixas é, com excelente aproximação, um referencial inercial, e é a este tipo de referencial que nos referiremos, em princípio, daqui por diante.

Decorre imediatamente da (3.9.2) que um *referencial em movimento retilíneo uniforme em relação a um referencial inercial é também inercial* (porque um corpo em repouso ou em movimento retilíneo uniforme em relação a um deles também estará em repouso ou em movimento retilíneo uniforme em relação ao outro). Logo, dispondo de um referencial inercial (ligado às estrelas fixas), dispomos em consequência de uma infinidade deles.

A expressão "movimento retilíneo" refere-se à geometria euclidiana que, conforme já foi mencionado (Seç. 1.2) não é um conceito válido a *priori*, mas está sujeito à verificação experimental. Em escala cosmológica, observam-se desvios, mas na escala em que estaremos aplicando as leis da mecânica clássica tais desvios são desprezíveis.

4.3 A 2ª LEI DE NEWTON

Uma das implicações da 1ª lei é que qualquer variação da velocidade $\mathbf{v}$ de um corpo (em módulo ou em direção!) em relação a um referencial inercial, ou seja, qualquer *aceleração*, deve estar associada à ação de *forças.* Isso sugere procurar uma relação mais precisa entre força e aceleração.

Consideremos o exemplo da queda livre de um corpo. Já vimos que, neste caso, a aceleração é constante [cf. (3.6.1)]: $\mathbf{a} = \mathbf{g}$, onde $\mathbf{g}$ é vertical e dirigido para baixo. Qual é a força que atua sobre o corpo? Vimos na Seç. 4.1 que esta força (atração gravitacional), é também vertical, dirigida para baixo, e constante para um dado corpo (ou seja, a mesma em qualquer altura, na vizinhança dum dado ponto da superfície da Terra: a distensão da mola que equilibra esta força é a mesma em qualquer altura). Isso sugere que a aceleração devida a uma força seja proporcional à força (vetorialmente!), ou seja, $\mathbf{a} = k\mathbf{F}$. Que podemos dizer sobre o coeficiente de proporcionalidade k?

Sabemos que a mesma força (medida em termos da distensão de uma mola), quando aplicada a corpos diferentes, produz em geral acelerações diferentes. Logo, o coeficiente k mede uma *propriedade do corpo*, que caracteriza sua *resposta* à força aplicada.

Acelerar ou frear um carro requer uma força bem maior do que para uma bicicleta, para a mesma variação de velocidade (as consequências de uma colisão com um ou com outro, à mesma velocidade, também são bem diferentes!). Dizemos usualmente que um carro tem *inércia* muito maior que uma bicicleta, resistindo portanto bem mais a variações de velocidade. O coeficiente k deve medir então uma propriedade inversamente proporcional à "inércia" do corpo.

As Figuras 4.6(a), (b) e (c) mostram uma série de experiências idealizadas que poderiam ser feitas com discos deslizantes sobre uma camada de gás, para minimizar o atrito (Seç. 4.2). Em (a), a força **F**, medida pela distensão de uma mola, como foi discutido na Seç. 4.2, é aplicada ao disco D, que desliza com movimento retilíneo uniformemente acelerado de aceleração **a** na direção de **F**. Em (b) o disco D é o mesmo, mas a força aplicada é 2**F**, e verifica-se que a aceleração de D é 2**a**. Logo, temos de fato proporcionalidade entre aceleração e força para um mesmo corpo D:

$$\mathbf{a} = \mathbf{F} / m \qquad \textbf{(4.3.1)}$$

onde o coeficiente de proporcionalidade ($1/m$) é característico do disco D.

Em (c), a força voltou a ser **F**, mas empilhamos dois discos idênticos D e D′, e a aceleração caiu à metade. Comparando então as experiências (a) e (c), vemos que, na (4.3.1), é preciso atribuir ao sistema de dois discos idênticos D e D′ o coeficiente de proporcionalidade $1/(2m)$, ou seja, que a "inércia" de dois objetos idênticos agregados num objeto único é o dobro da inércia de um deles. O "coeficiente de inércia" m mede portanto, nesse sentido, a "quantidade de matéria" do objeto.

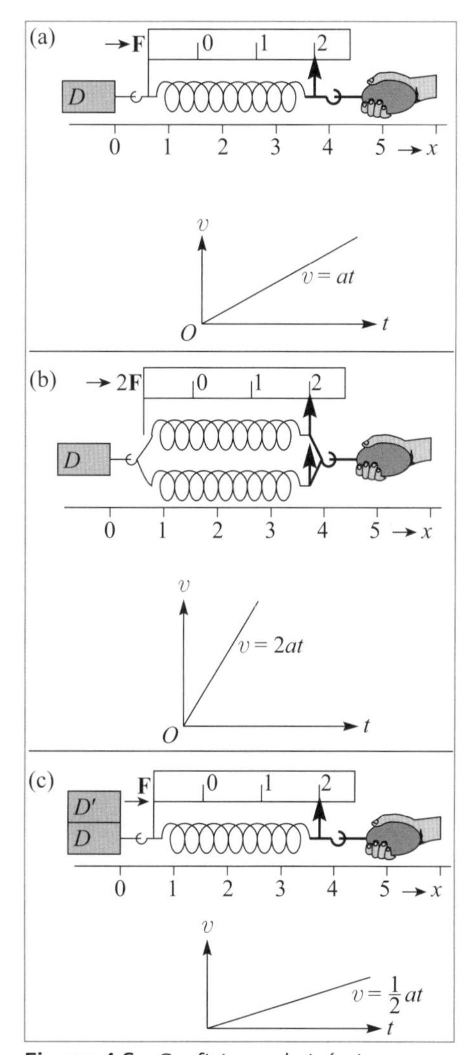

Figura 4.6 Coeficiente de inércia.

Repetindo experiências como (a) e (c) com objetos diferentes sujeitos à mesma força **F**, obteríamos de forma mais geral

$$\mathbf{F} = m_1\mathbf{a}_1 = m_2\mathbf{a}_2 \qquad \textbf{(4.3.2)}$$

ou seja, $|\mathbf{a}_2|/|\mathbf{a}_1| = m_1/m_2$: as acelerações adquiridas por objetos diferentes submetidos à mesma força são inversamente proporcionais aos respectivos "coeficientes de inércia".

Experiências deste tipo nos permitem inferir assim a 2ª *Lei de Newton*

$$\boxed{\mathbf{F} = m\mathbf{a}} \qquad \textbf{(4.3.3)}$$

onde o "coeficiente de inércia" m associado à partícula sobre a qual age a força **F** chama-se *massa inercial* dessa partícula.

Utilizando uma mesma força padrão **F**, como na (4.3.2), podemos estabelecer uma *escala relativa de massas inerciais*. Em lugar de escolher arbitrariamente uma "unidade de força", como fizemos na Seç. 4.1, é mais conveniente escolher arbitrariamente uma unidade de massa inercial. Em geral, omitiremos a palavra "inercial", falando simplesmente de "massa". Veremos depois que se pode definir também a chamada "massa gravitacional".

A *unidade de massa* é definida em termos de um protótipo, um padrão de platina iridiada, depositado no Ofício Internacional de Pesos e Medidas em Paris, que representa o *quilograma* (kg), e foi construído originalmente para corresponder à massa de 1 l de água à pressão atmosférica e à temperatura de 4°C. Por definição, 1 kg é a massa desse protótipo. Poderíamos pensar em adotar também unidades atômicas para a massa, mas isto seria atualmente desvantajoso do ponto de vista de precisão nas aplicações práticas, uma vez que não podemos contar diretamente o número de átomos contido num corpo macroscópico, e o número de Avogadro (n° de moléculas por mol) é conhecido com precisão muito inferior à precisão com a qual podemos medir massas em termos de quilograma padrão.

Usualmente adotaremos o Sistema Internacional (SI) de unidades, em que a unidade de comprimento é o metro, a de massa é o quilograma, e a de tempo é o segundo. Todas as demais unidades mecânicas poderão ser expressas em termos destas três.

Assim, a (4.3.3) permite agora substituir nossa definição provisória de unidade de força da Seç. 4.1 pela definição de *newton* (N), unidade de força do sistema SI. Por definição, 1 N é a força que, quando aplicada a um corpo de massa de 1 kg, imprime-lhe uma aceleração de 1 m/s^2. Para ter uma ideia concreta da ordem de grandeza do newton, lembremos que, pela (2.6.1), 1 N é a ordem de grandeza da força-peso exercida pela gravidade sobre um objeto de massa $\approx$100 g (uma maçã, p. ex.!).

No *sistema CGS* de unidades, em que as unidades básicas são cm, g e s, a unidade de força é 1 dina, a força que comunica uma aceleração de 1 cm/s^2 a uma massa de 1 g. Como 1 g = 10^{-3} kg, 1 cm = 10^{-2} m, temos

$$1 \text{ dina} = 10^{-5} \text{ N}$$

4.4 DISCUSSÃO DA 2ª LEI

A 2ª lei de Newton é o *princípio fundamental da dinâmica*; conforme veremos, é a lei básica que permite determinar a evolução de um sistema na mecânica clássica. A 1ª lei pode ser considerada como um caso particular da 2ª: se a força resultante **F** que atua sobre uma partícula é nula, a (4.3.3) mostra que $\mathbf{a} = 0$, e já demonstramos [cf. (3.5.9)] que isto acarreta para a partícula a permanência em repouso ou em movimento retilíneo uniforme. Note-se que a 2ª lei, como a 1ª, só é válida num referencial inercial.

Muitas vezes se diz que a 2ª lei não passa de uma *definição de força*. Se assim fosse, ela seria desprovida de conteúdo físico, e não poderíamos questionar sua validade: no máximo, poderíamos argumentar sobre se é ou não uma definição conveniente.

Se **F** fosse dado apenas pela (4.3.3), ela seria realmente uma definição de força. Entretanto, isto não é verdade: as forças que atuam sobre uma partícula resultam de sua interação com outras partículas, e veremos que são dadas por *leis de forças*, que definem **F** em termos da situação em que a partícula se encontra. Exemplos disso são a lei da gravitação universal e as leis que dão as forças elétricas e magnéticas que atuam sobre uma partícula carregada. A (4.3.3) é uma espécie de molde, que permanece vazio enquanto não substituímos **F** pela sua expressão em termos de leis de forças, mas que adquire todo o seu significado uma vez que isto é feito. De fato, a 2ª lei define uma espécie de *programa* para a física clássica: encontrar as leis de forças correspondentes a todas as interações possíveis.

Vimos que a 2ª lei permite estabelecer uma escala de massas inerciais, e neste sentido ela pode ser considerada como permitindo definir o conceito de massa inercial, mas não é tão pouco apenas uma definição deste conceito. De fato, a ideia implícita na 2ª lei é que a massa inercial m é uma característica da partícula; uma vez determinada quando atua sobre a partícula uma força conhecida, devemos empregar o mesmo valor de m para descrever o movimento da partícula sob a ação de quaisquer outras forças. Admite-se também tacitamente que m (ou seja, o efeito de uma força em produzir aceleração) é independente da posição e velocidade da partícula, pelo menos enquanto se mantém a sua identidade (isto não se aplicaria a uma gota de chuva que aumenta de volume enquanto cai, ou a um foguete que ejeta combustível à medida que sobe; discutiremos mais tarde sistemas de massa variável como estes).

Na relatividade restrita, conforme veremos, verifica-se que m de fato depende da velocidade da partícula. Entretanto, este efeito é desprezível enquanto a partícula não atinge velocidades comparáveis à velocidade da luz no vácuo. Temos de excluir este domínio relativístico de velocidades elevadas do campo de aplicabilidade da mecânica newtoniana, limitando-nos ao *domínio não relativístico*. Usualmente teremos de nos limitar também ao domínio macroscópico, excluindo objetos pertencentes à escala atômica, aos quais se aplicam as leis da mecânica quântica (o conceito de força não tem muita utilidade do ponto de vista quântico). Em alguns casos, porém, ainda poderemos aplicar os resultados obtidos pela mecânica clássica a objetos atômicos, por exemplo, ao movimento de feixes de partículas como os que foram considerados no fim da Seç. 3.6.

A 2ª lei tem ainda diversas outras implicações. Uma delas é que só intervêm na dinâmica deslocamentos, velocidades e acelerações das partículas; não é preciso considerar, por exemplo, derivadas temporais da aceleração, tais como $\mathbf{da}/dt$ *ou* $d^2\mathbf{a}/dt^2$.

Outra implicação importante está relacionada com o caráter vetorial da (4.3.3). Como **a** é um vetor e m um escalar, segue-se que **F** é *um vetor*. Assim, *se* $\mathbf{F}_1, \mathbf{F}_2, \ldots, \mathbf{F}_n$ são *forças de diferentes origens que atuam sobre a mesma partícula*, **F** na (4.3.3) *é a força resultante que atua sobre a partícula*, ou seja,

$$\mathbf{F} = \mathbf{F}_1 + \mathbf{F}_2 + \ldots + \mathbf{F}_n \tag{4.4.1}$$

onde a soma é *vetorial* (para n = 2, obedece à regra do paralelogramo). Este é um *resultado experimental*, conhecido como *princípio de superposição, de forças*, que já foi mencionado no caso particular do equilíbrio [cf. (4.1.1)].

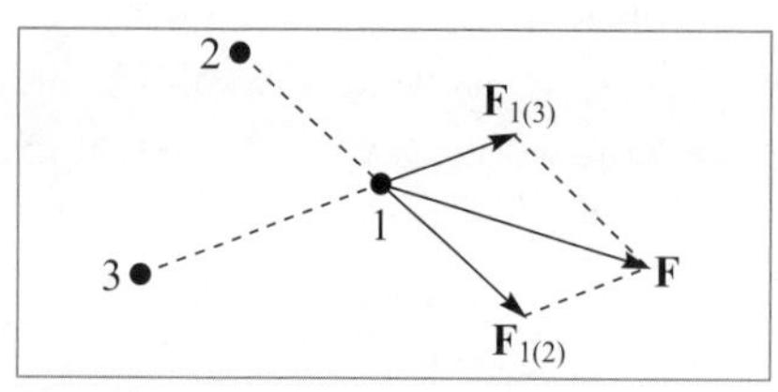

Figura 4.7 Partícula em interação com duas outras.

Consideremos por exemplo uma partícula 1 interagindo com duas outras 2 e 3 (Figura 4.7), e seja $\mathbf{F}_{1(2)}$ a força sobre 1 devida à partícula 2, e $\mathbf{F}_{1(3)}$ a força sobre 1 devida à partícula 3. A força resultante sobre a partícula 1 será então $\mathbf{F} = \mathbf{F}_{1(2)} + \mathbf{F}_{1(3)}$. Em muitos casos, $\mathbf{F}_{1(2)}$ é também a força que agiria sobre 1 se somente 2 estivesse presente (e $\mathbf{F}_{1(3)}$ a força que agiria sobre 1 em presença apenas de 3), mas isto não é necessariamente verdade, ou seja, $\mathbf{F}_{1(2)}$ pode ser modificada pela presença de 3 e $\mathbf{F}_{1(3)}$ pela presença de 2. O princípio de superposição continua valendo, mas é preciso calcular cada força levando em conta a presença de todas as partículas. Geralmente, porém, nos problemas de que vamos tratar, esta complicação não aparecerá, e as forças devidas a uma partícula poderão ser calculadas como se as outras não estivessem presentes.

A (4.3.3) não corresponde à formulação original de Newton da 2ª lei. Newton começou definindo o que chamou de "quantidade de movimento", também conhecido como *momento linear*, ou simplesmente *momento*. A definição de Newton foi:

"A quantidade de movimento é a medida do mesmo, que se origina conjuntamente da velocidade e da massa".

Ou seja: *o momento (linear) de uma partícula é o produto de sua massa por sua velocidade:*

$$\boxed{\mathbf{p} = m\mathbf{v}} \tag{4.4.2}$$

Decorre imediatamente desta definição que **p** é um vetor.

Se m não varia com o tempo, ou seja, se excluirmos sistemas de massa variável, obtemos, derivando em relação ao tempo ambos os membros da (4.4.2) (cf.(2.2.5)),

$$\frac{d\mathbf{p}}{dt} = m\frac{d\mathbf{v}}{dt} = m\mathbf{a} \tag{4.4.3}$$

e, comparando com a (4.3.3),

$$\boxed{\frac{d\mathbf{p}}{dt} = \mathbf{F}} \tag{4.4.4}$$

o que corresponde à **formulação de Newton da 2ª lei**:

"A variação do momento é proporcional à força impressa, e tem a direção da força".

Ou seja: *a força é a taxa de variação temporal do momento.* Embora essa formulação da 2ª lei pareça inteiramente equivalente à (4.3.3), veremos que ela tem vantagens. Uma delas, que revela a importância do conceito de momento, aparecerá na próxima Seção. Outra, que será vista posteriormente, é que a (4.4.4), ao contrário da (4.3.3), permanece válida na mecânica relativística.

Vejamos agora alguns *exemplos simples da aplicação da 2ª lei:*

Exemplo 1 – *Força-peso*: Substituindo a (3.6.1) na (4.3.3), vemos que a força **P** que atua sobre um corpo na vizinhança da superfície da Terra devido à atração gravitacional por ela exercida sobre o corpo é

$$\boxed{\mathbf{P} = m\mathbf{g}} \tag{4.4.5}$$

onde m é a massa inercial do corpo e **g** a aceleração da gravidade, vertical, dirigida para baixo e de magnitude g. A (4.4.5) chama-se *força-peso*; pode ser medida em equilíbrio pela balança de mola (Seç. 4.1). Para uma partícula em queda livre, a 2ª lei de Newton leva à (3.6.1),

$$\mathbf{a} = \mathbf{g} \tag{4.4.6}$$

A proporcionalidade da força-peso à massa inercial é uma peculiaridade notável dessa força, que voltaremos a discutir no capítulo sobre gravitação. É graças a ela que a aceleração da gravidade é a mesma para qualquer partícula [cf. (4.4.6) e (2.6.1)]. É também graças a ela que podemos medir a massa inercial pelo peso, por exemplo, por pesagem com uma balança de mola. É importante, porém, evitar confusão entre os conceitos de massa e peso, que são totalmente diferentes. Num ponto muito distante da superfície da Terra (na superfície da Lua, por exemplo), o peso de uma partícula, indicado pela distensão da balança de mola, seria muito diferente, embora sua massa não se tenha alterado. Aliás, o peso sofre pequenas variações mesmo de ponto a ponto da superfície da Terra, devido às variações locais de g.

Em engenharia, é comum utilizar como unidade de força o quilograma-força (kgf), definido como a força-peso sobre uma massa de 1 kg ao nível do mar e na latitude de 45° N (onde $g \approx 9{,}81$ m/s²). Na prática, podemos tomar: 1 kgf ≈ 9,8 N.

Exemplo 2 – *Plano inclinado*: Consideremos uma partícula de massa m colocada sobre um plano inclinado de ângulo de inclinação θ (Figura 4.8.). Além da força-peso $\mathbf{P} = m\mathbf{g}$, atua sobre a partícula a reação de contato **N** devida a seu contato com o plano. Já vimos um exemplo de uma tal reação no caso de uma partícula em equilíbrio sobre uma mesa (Seç. 4.1).

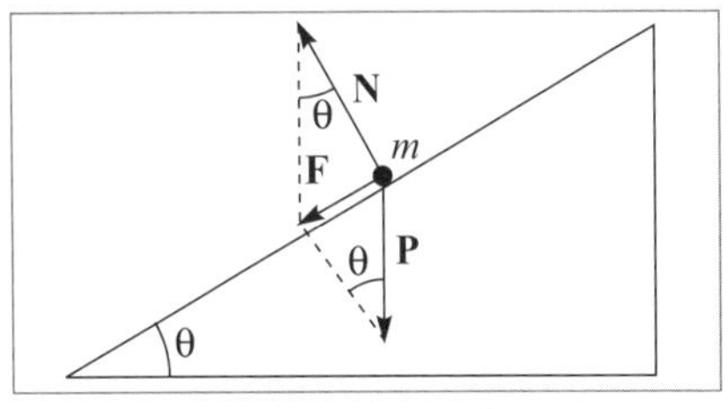

Figura 4.8 Plano inclinado.

Em geral, a reação de contato pode ter componentes tanto na direção normal ao plano como na direção tangencial. A componente tangencial está associada às forças de atrito, que serão discutidas no capítulo 5. Para simplificar, vamos tomar o caso limite ideal em que a superfície do plano é perfeitamente polida, "sem atrito", o que elimina a componente tangencial: a força de reação **N** é normal ao plano.

A Figura 4.9 mostra então que a magnitude da resultante **F** é

$$F = P \text{ sen } \theta = mg \text{ sen } \theta \tag{4.4.7}$$

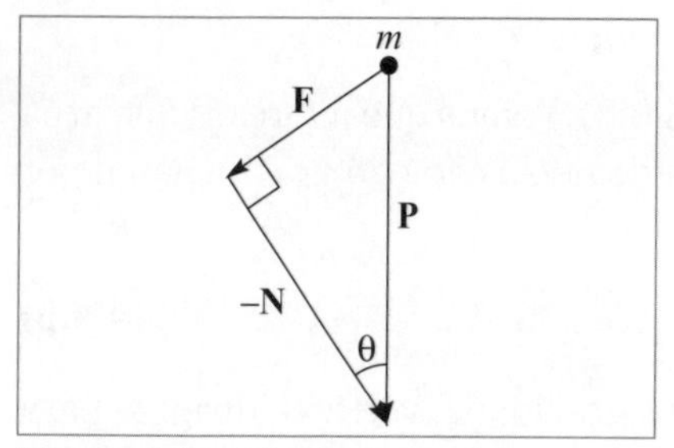

Figura 4.9 Cálculo da resultante.

e que **F** é dirigida tangencialmente ao plano, para baixo. A aceleração **a** do movimento da partícula ao longo do plano inclinado tem a direção de **F**; pelas (4.4.7) e (4.3.3), temos

$$a = g \text{ sen } \theta \quad \textbf{(4.4.8)}$$

Logo, o efeito do plano inclinado é reduzir a aceleração da queda livre por um fator igual ao seno do ângulo de inclinação. Este resultado, que já havia sido obtido por Galileu, foi empregado por ele, como vimos (Seç. 2.6), no estudo experimental do movimento uniformemente acelerado.

Exemplo 3 – *Funda*: Voltemos agora a considerar o exemplo de uma partícula em movimento circular uniforme (Seç. 3.7). Vimos que este é um movimento acelerado, de forma que só pode ser mantido pela ação de uma força. Para uma partícula de massa m, a força **F** necessária para mantê-la em movimento circular uniforme de velocidade v num círculo de raio r é dada pelas (4.3.3) e (3.7.13);

$$\boxed{\mathbf{F} = -\frac{mv^2}{r}\hat{\mathbf{r}}} \quad \textbf{(4.4.9)}$$

Esta é a chamada *força centrípeta*. A Figura 4.10 mostra um exemplo familiar da atuação desta força: fazemos girar em torno de nossa mão uma pedra amarrada num fio, em movimento circular uniforme. Neste caso, a força centrípeta **F** é aplicada pela nossa mão e transmitida à pedra através do fio.

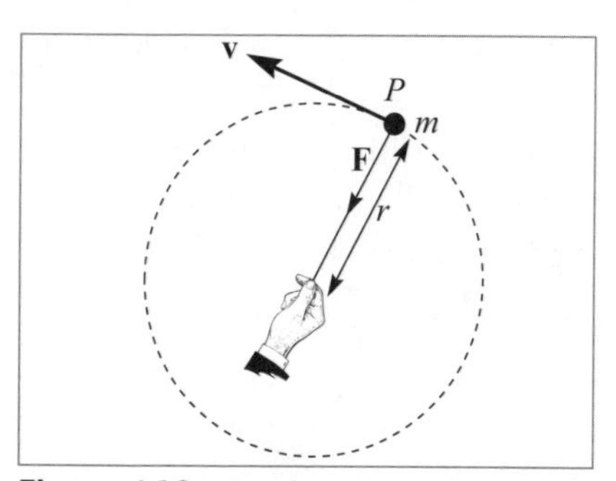

Figura 4.10 Funda.

Se soltarmos o fio quando a pedra se encontra num determinado ponto P de sua órbita, e se desprezarmos o efeito da força-peso (gravidade), **F** subitamente se anula, e a lei da inércia implica então que a pedra se move, a partir do ponto P, com movimento retilíneo uniforme de velocidade **v** igual à velocidade do movimento circular no ponto P da órbita, ou seja (cf. (3.7.3)), tangente ao círculo em P. A pedra "sai pela tangente".

4.5 CONSERVAÇÃO DO MOMENTO E 3ª LEI DE NEWTON

Até aqui, consideramos apenas as forças exercidas sobre uma única partícula; sabemos que são devidas à ação de outras partículas, mas não consideramos ainda o que acontece com estas partículas. A situação mais simples imaginável é aquela em que há apenas *duas partículas em interação*, que podemos designar por 1 e 2; as únicas forças existentes são então aquelas devidas à ação mútua de uma sobre a outra, $\mathbf{F}_{1(2)}$ (força sobre 1 devida a 2) e $\mathbf{F}_{2(1)}$ (força sobre 2 devida a 1).

É extremamente difícil realizar na prática uma situação como esta, pois é preciso assegurar que todas as demais forças que atuam sobre as duas partículas tenham efeitos desprezíveis. Podemo-nos aproximar deste limite ideal fazendo experimentos com dois discos deslizantes sobre uma camada de gás (Seç. 4.3).

Vamos considerar experimentos de colisão entre dois discos idênticos (portanto, de mesma massa m). As forças de interação entre os dois discos são forças de contato, que atuam somente durante *o tempo de colisão*, o intervalo de tempo Δt em que os dois discos permanecem em contato. Este intervalo é tão curto que é praticamente imperceptível, e podemos falar no "instante da colisão", como se ela fosse instantânea. Antes e depois da colisão, a força resultante sobre cada disco é nula (com boa aproximação), de modo que as velocidades dos discos antes e depois da colisão são constantes. Vamos chamar de $\mathbf{v}_1$ e $\mathbf{v}_2$ as velocidades respectivamente dos discos 1 e 2 antes da colisão, e de $\mathbf{v}'_1$ e $\mathbf{v}'_2$ as velocidades correspondentes depois da *colisão*. Os momentos correspondentes são $\mathbf{p}_1$ e $\mathbf{p}_2$ (antes da colisão) e $\mathbf{p}'_1$ e $\mathbf{p}'_2$ (depois da *colisão*).

Vamos considerar somente experimentos em que as colisões *são frontais*, ou seja, se dão segundo a linha que une os centros dos dois discos. O que se observa em cada experimento está representado nas figuras a seguir.

Experiência 1				
	Antes da colisão		Depois da colisão	
	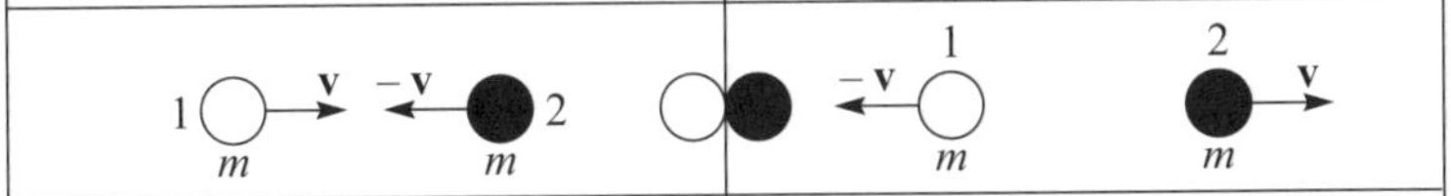 1 $\mathbf{v}$ → m	← $-\mathbf{v}$ 2 m	1 ← $-\mathbf{v}$ m	2 $\mathbf{v}$ → m
Velocidades	$\mathbf{v}_1 = \mathbf{v}$	$\mathbf{v}_2 = -\mathbf{v}$	$\mathbf{v}'_1 = -\mathbf{v}$	$\mathbf{v}'_2 = \mathbf{v}$
Momentos	$\mathbf{p}_1 = m\mathbf{v}$	$\mathbf{p}_2 = -m\mathbf{v}$	$\mathbf{p}'_1 = -m\mathbf{v}$	$\mathbf{p}'_2 = m\mathbf{v}$
Total	$\mathbf{P} = \mathbf{p}_1 + \mathbf{p}_2 = 0$		$\mathbf{P}' = \mathbf{p}'_1 + \mathbf{p}'_2 = 0$	

Figura 4.11 Colisão entre dois discos em velocidades opostas.

Neste experimento, os discos se aproximam com velocidades iguais e contrárias; depois da colisão, afastam-se tendo *intercambiado* as velocidades.

Neste experimento 2 (Figura 4.12), o disco 2 está inicialmente parado e o disco 1 se aproxima dele com velocidade $\mathbf{v}$; após a colisão, 1 parou e 2 se afasta de 1 com velocidade $\mathbf{v}$.

No experimento seguinte (3) (Figura 4.13), a situação inicial é a mesma do experimento 2, mas grudamos ao disco 1 um pedacinho de chiclete (de massa desprezível), de tal forma que, ao colidirem, os dois discos permanecem colados, passando a se mover juntos (massa 2 m).

Experiência 2				
	Antes da colisão		Depois da colisão	
	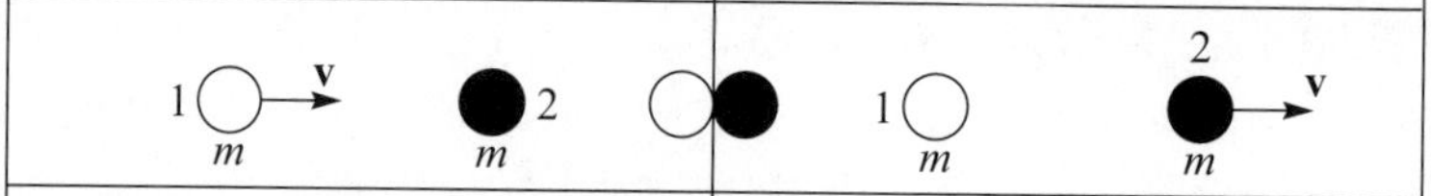 1 ○→ $\mathbf{v}$, m	● 2, m ○●	1 ○, m	2 ●→ $\mathbf{v}$, m
Velocidades	$\mathbf{v}_1 = \mathbf{v}$	$\mathbf{v}_2 = 0$	$\mathbf{v}_1' = 0$	$\mathbf{v}_2' = \mathbf{v}$
Momentos	$\mathbf{p}_1 = m\mathbf{v}$	$\mathbf{p}_2 = 0$	$\mathbf{p}_1' = 0$	$\mathbf{p}_2' = m\mathbf{v}$
Total	$\mathbf{P} = \mathbf{p}_1 + \mathbf{p}_2 = m\mathbf{v}$		$\mathbf{P}' = \mathbf{p}_1' + \mathbf{p}_2' = m\mathbf{v}$	

Figura 4.12 Colisão com um disco em repouso.

Após a colisão, neste caso, observamos que os dois discos se movem juntos com velocidade $\mathbf{v}/2$.

Experiência 3				
	Antes da colisão		Depois da colisão	
	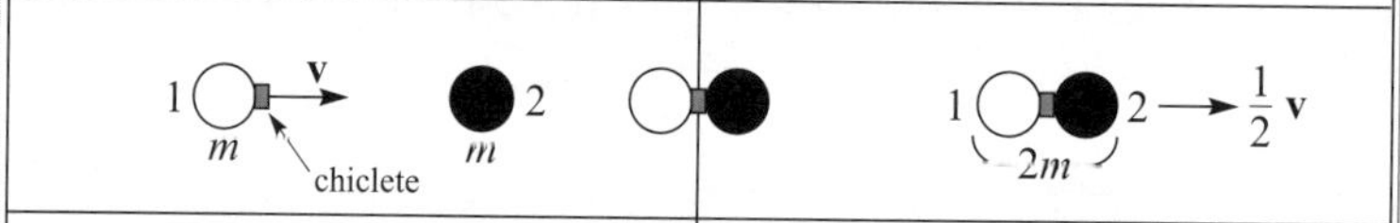 1 ○▪→ $\mathbf{v}$, m, chiclete	● 2, m ○▪●	1 ○▪● 2 → $\frac{1}{2}\mathbf{v}$, $2m$	
Velocidades	$\mathbf{v}_1 = \mathbf{v}$	$\mathbf{v}_2 = 0$	$\mathbf{v}_1' = \mathbf{v}_2' = \frac{1}{2}\mathbf{v}$	
Momentos	$\mathbf{p}_1 = m\mathbf{v}$	$\mathbf{p}_2 = 0$	$\mathbf{p}_1' = \mathbf{p}_2' = \frac{1}{2}m\mathbf{v}$	
Total	$\mathbf{P} = \mathbf{p}_1 + \mathbf{p}_2 = m\mathbf{v}$		$\mathbf{P}' = \mathbf{p}_1' + \mathbf{p}_2' = m\mathbf{v}$	

Figura 4.13 Colisão com agregação.

Na última linha de cada um dos quadros acima, marcada "total", calculamos o *momento total do sistema*, que é definido como a soma dos momentos das partículas 1 e 2, antes e depois da colisão. Em todos os casos (experimentos 1, 2 e 3), observamos que

$$\boxed{\mathbf{P} = \mathbf{p}_1 + \mathbf{p}_2 = \mathbf{p}_1' + \mathbf{p}_2' = \mathbf{P}'} \qquad \textbf{(4.5.1)}$$

ou seja, que o momento total do sistema de duas partículas é o mesmo antes e depois da colisão. Dizemos que o *momento total do sistema se conserva.*

Se fizéssemos experimentos de colisão com discos de massas diferentes $m_1 \neq m_2$ e quaisquer velocidades $\mathbf{v}_1$, $\mathbf{v}_2$ antes da colisão, verificaríamos sempre, como nos três experimentos descritos acima, a validade da (4.5.1), desde que as únicas forças que atuem sobre o sistema sejam as interações entre as duas partículas durante a colisão, ou seja, desde que *possamos desprezar os efeitos de forças externas ao sistema* (como o atrito). Nessas condições, dizemos que *o sistema é isolado.* Experimentos como os que acabamos de descrever e muitos outros levaram ao Princípio de Conservação do Momento: **o momento total de um sistema isolado se conserva**.

Este é um dos princípios fundamentais da física, e é uma das razões da importância do conceito de momento, introduzido na (4.4.2). Conforme veremos mais tarde, ele se generaliza a sistemas de mais de duas partículas e a situações muito mais gerais do que aquela que estamos considerando.

A (4.5.1) equivale a

$$\mathbf{\Delta p}_1 = \mathbf{p}_1' - \mathbf{p}_1 = -(\mathbf{p}_2' - \mathbf{p}_2) = -\mathbf{\Delta p}_2 \tag{4.5.2}$$

onde $\mathbf{\Delta p}_1$ e $\mathbf{\Delta p}_2$ são as *variações de momento* das partículas 1 e 2, respectivamente, em consequência da colisão. Essas variações se produzem durante o intervalo de tempo Δt (extremamente curto) que dura o processo de colisão; decorre da (4.5.2), portanto, que

$$\frac{\mathbf{\Delta p}_1}{\Delta t} = -\frac{\mathbf{\Delta p}_2}{\Delta t} \tag{4.5.3}$$

Como Δt é extremamente pequeno, podemos inferir que

$$\frac{d\mathbf{p}_1}{dt} = -\frac{d\mathbf{p}_2}{dt} \tag{4.5.4}$$

durante o processo de colisão, ou, o que é equivalente,

$$\frac{d}{dt}(\mathbf{p}_1 + \mathbf{p}_2) = 0 \tag{4.5.5}$$

Isso quer dizer que *o momento total do sistema se conserva a cada instante*, inclusive durante a colisão.

Aplicando a 2ª lei de Newton (4.4.4) à (4.5.4), vemos que $d\mathbf{p}_1/dt$ representa a força sobre a partícula 1 (devida a 2) durante a colisão, ou seja, $\mathbf{F}_{1(2)}$; analogamente, $d\mathbf{p}_2/dt = \mathbf{F}_{2(1)}$, e a (4.5.4) equivale a

$$\boxed{\mathbf{F}_{1(2)} = -\mathbf{F}_{2(1)}} \tag{4.5.6}$$

ou seja, a força exercida por 1 sobre 2 é igual e contrária àquela exercida por 2 sobre 1. Dizemos que se trata de um *par ação-reação*.

A Figura 4.14a ilustra a origem dessas forças de contato: durante a colisão, a porção da superfície dos discos em contato se deforma, sofrendo uma compressão; depois, volta a se distender, como uma mola. Trata-se assim de forças elásticas, como no exemplo da Figura 4.5. A Figura 4.14b representa dois patinadores, inicialmente em repouso sobre uma pista de gelo, que se empurram mutuamente. As forças recíprocas entre eles obedecem a (4.5.6), mas as acelerações em sentidos opostos que adquirem são inversamente proporcionais às suas respectivas massas.

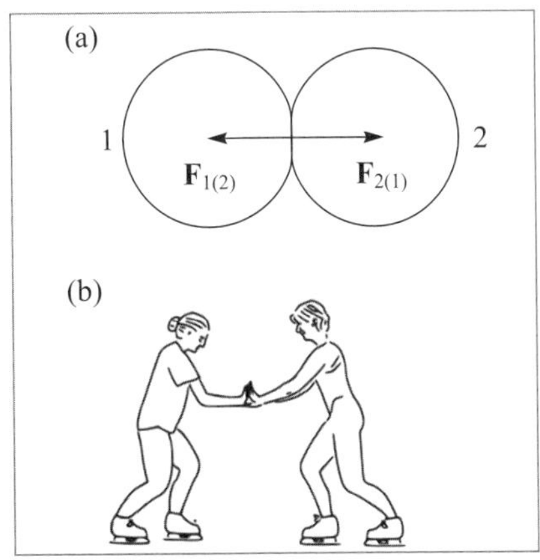

Figura 4.14 Ação e reação.

A (4.5.6), obtida aqui para as interações de contato numa colisão entre duas partículas, é um caso particular da **3ª lei de Newton**, assim enunciada por ele:

> "A toda ação corresponde uma reação igual e contrária, ou seja, as ações mútuas de dois corpos um sobre o outro são sempre iguais e dirigidas em sentidos opostos".

Esta lei também é conhecida como o "Princípio da Ação e Reação". É importante notar que a "ação" e a "reação" estão sempre *aplicadas a corpos diferentes* (na (4.5.6), $\mathbf{F}_{1(2)}$ é uma força aplicada à partícula 1, e $\mathbf{F}_{2(1)}$ está aplicada à partícula 2).

Vejamos agora algumas ilustrações da 3ª lei (entre as quais duas citadas por Newton):

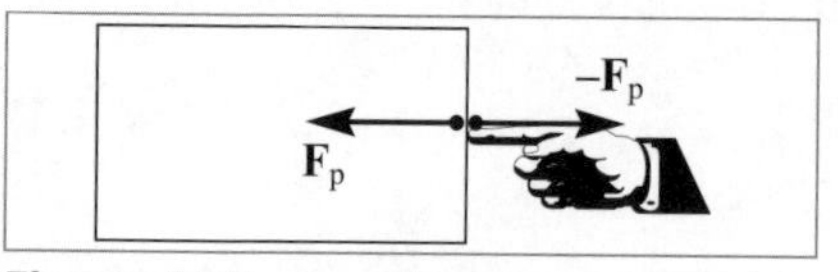

Figura 4.15 Pressão sobre uma pedra.

Exemplo 1 (Newton): Quando fazemos pressão sobre uma pedra com um dedo, exercendo uma força $\mathbf{F}_p$ (aplicada *à pedra*) a reação da pedra sobre nosso dedo é uma força $\mathbf{F}_d = -\mathbf{F}_p$ (aplicada *ao dedo*), que produz uma deformação da ponta do dedo onde ela está em contato com a pedra. A reação decorre de uma deformação da pedra, extremamente pequena (na escala atômica). Não é recomendável chutar com força uma pedra de massa apreciável!

Exemplo 2 (força-peso): Qual é a reação à força-peso **P**? Como **P** representa o efeito da atração gravitacional da Terra sobre uma partícula, a reação −**P**, aplicada à *Terra*, representa a atração gravitacional exercida pela partícula sobre a Terra. Como a massa da Terra é imensamente maior que a da partícula, a aceleração resultante da Terra é imperceptível.

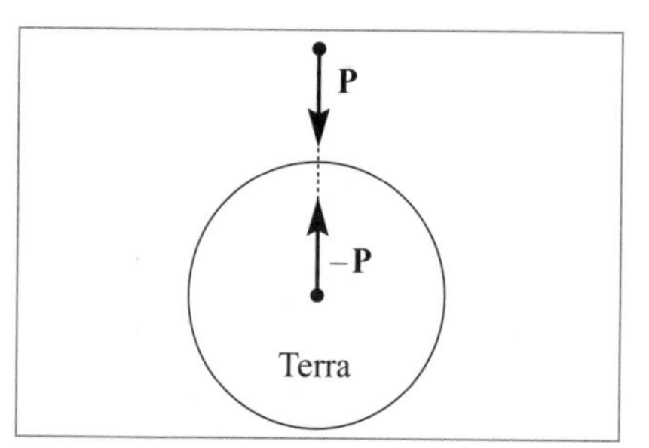

Figura 4.16 Reação à força-peso.

Exemplo 3 (funda): No exemplo da funda (Seç. 4.4), a reação à força **F** exercida pelo fio sobre a pedra (o fio transmite à pedra o puxão de nossa mão) é uma força −**F** exercida pela pedra sobre o fio e transmitida à nossa mão, que sente um puxão dirigido radialmente para fora.

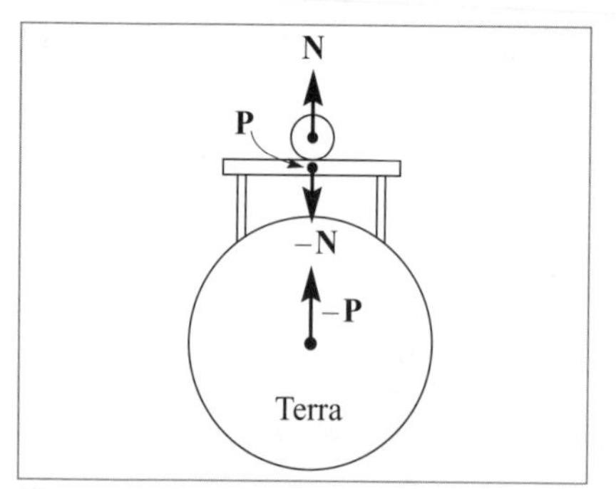

Figura 4.17 Ações e reações de contato.

Exemplo 4: Consideremos novamente o exemplo da partícula em equilíbrio sobre uma mesa (Seç. 4.1). As forças que atuam *sobre a partícula* são sua força-peso **P** e a reação de contato da mesa, **N**, e, como estão em equilíbrio, temos

$$\mathbf{N} = -\mathbf{P} \tag{4.5.7}$$

Entretanto, embora sejam iguais e contrárias, **N** *não é* a reação à força-peso. Como vimos no exemplo 2, a reação a **P** é a força −**P** aplicada à

Terra. A força **N** é a reação da mesa à força –**N** com que a partícula atua *sobre a mesa;* a (4.5.7) é consequência do equilíbrio.

Exemplo 5 (Plano inclinado com atrito): Sabemos que, num plano inclinado de ângulo de inclinação θ não excessivamente grande, um corpo pode permanecer em equilíbrio. Como a resultante da força-peso **P** e da reação normal **N** do plano sobre a partícula é uma força tangencial de magnitude já calculada na (4.4.7), que tenderia a fazer o corpo descer ao longo do plano, o equilíbrio exige que o plano também exerça sobre o corpo uma força tangencial **T** de magnitude dada pela (4.4.7), mas de sentido contrário:

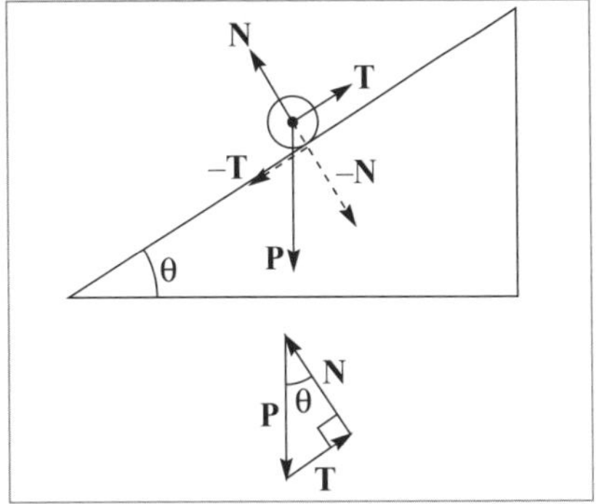

Figura 4.18 Plano inclinado com atrito.

$$|\mathbf{T}| = P \text{ sen } \theta = mg \text{ sen } \theta \quad \textbf{(4.5.8)}$$

de tal forma que **P** + **N** + **T** = 0 (Figura 4.18). A força tangencial **T**, que se chama *força de atrito estático*, é a reação da superfície do plano (áspera, como qualquer superfície real) à força –**T** exercida pela partícula tangencialmente ao plano, que tenderia a fazê-la descer. É típico do atrito que ele sempre tende a se opor ao movimento que a partícula teria na ausência de atrito. Voltaremos mais tarde a discutir as forças de atrito.

Exemplo 6: Esta é mais uma ilustração dada por Newton da 3ª lei:

> "Se um cavalo puxa uma corda amarrada a uma pedra, o cavalo (se assim posso dizer) será igualmente puxado para trás pela pedra; com efeito, a corda distendida, pela mesma tendência a se relaxar ou soltar, puxará tanto o cavalo para a pedra como a pedra para o cavalo, e obstruirá tanto o avanço de um deles quanto facilita o da outra".

A Figura 4.19 mostra a situação considerada por Newton, bem como os diferentes pares ação-reação, apenas para as forças que atuam na horizontal. Podemos ignorar as forças verticais (forças-peso e reações de contato do tipo do Exemplo 4), que não afetam as considerações quanto a equilíbrio ou movimento ao longo da estrada horizontal.

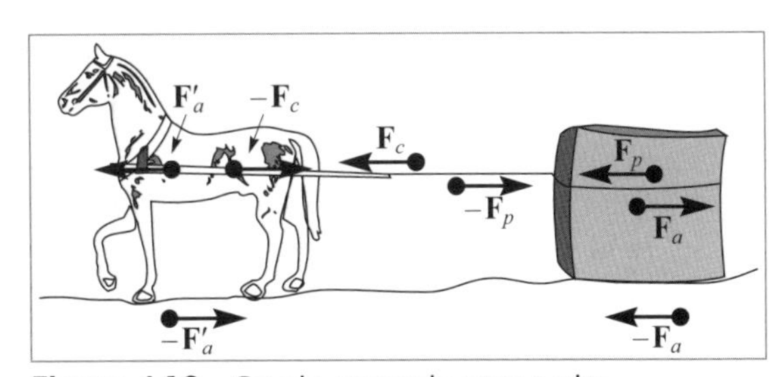

Figura 4.19 Cavalo puxando uma pedra.

As forças horizontais são: (a) $\mathbf{F}_c$ é a força de tração exercida pelo cavalo sobre a corda, devido ao esforço muscular: está aplicada à corda; $-\mathbf{F}_c$ é a reação correspondente, aplicada ao cavalo: é a força com a qual o cavalo é "puxado para trás pela corda"; (b) $\mathbf{F}_p$ é a força exercida pela corda sobre a pedra, aplicada à pedra, e, $-\mathbf{F}_p$ a reação correspondente, aplicada à corda; (c) $-\mathbf{F}'_a$ é a força de atrito exercida pelo cavalo sobre a estrada, aplicada à estrada; $\mathbf{F}'_a$ é a reação correspondente, aplicada ao cavalo. Note o sentido destas forças: afim de se deslocar para a frente, o cavalo "empurra o chão para trás" de tal forma que a reação de atrito $\mathbf{F}'_a$

é no sentido de impulsionar o cavalo para a frente. Analogamente, caminhamos graças ao atrito, empurrando o chão para trás. Fica mais difícil caminhar sobre o gelo! Um remador impele seu barco empurrando a água em sentido oposto com os remos. (d) $-\mathbf{F}_a$ é a força de atrito da pedra sobre a estrada, aplicada à estrada, e $\mathbf{F}_a$ a reação correspondente, aplicada à pedra; note que, como a pedra está sendo puxada para a frente, a força de atrito sobre a pedra é para trás, opondo-se ao movimento que a pedra teria na ausência de atrito.

As únicas forças horizontais aplicadas ao cavalo são $\mathbf{F}'_a$ e $-\mathbf{F}_c$. A resultante destas forças é $\mathbf{F}'_a - \mathbf{F}_c$, e a 2ª lei de Newton, aplicada ao movimento do cavalo ao longo da estrada, daria:

$$\mathbf{F}'_a - \mathbf{F}_c = m_c \mathbf{a}_c \tag{4.5.9}$$

onde m_c, e $\mathbf{a}_c$ são, respectivamente, a massa e a aceleração do cavalo. Analogamente, se m_{c0} e $\mathbf{a}_{c0}$ são a massa e aceleração da corda, e m_p e $\mathbf{a}_p$ a massa e aceleração da pedra, temos, aplicando a 2ª lei de Newton à corda e à pedra,

$$\mathbf{F}_c - \mathbf{F}_p = m_{c0} \mathbf{a}_{c0} \tag{4.5.10}$$

e

$$\mathbf{F}_p - \mathbf{F}_a = m_p \mathbf{a}_p \tag{4.5.11}$$

Se o sistema estiver se deslocando como um todo, de forma solidária, temos $\mathbf{a}_c = \mathbf{a}_{c0} = \mathbf{a}_p = \mathbf{a}$, onde $\mathbf{a}$ é a aceleração comum a todo o sistema. Em particular, pode ser atingido o regime de movimento retilíneo uniforme, em que $\mathbf{a} = 0$. Nestas condições, vemos pelas equações acima que

$$\mathbf{F}'_a = \mathbf{F}_c = \mathbf{F}_p = -\mathbf{F}_a \tag{4.5.12}$$

ou seja, que todas as forças têm a mesma magnitude (o equilíbrio é um caso particular).

É frequente em problemas de dinâmica falar-se em cordas ou fios "de massa desprezível" (em confronto com as demais massas que aparecem no problema). Nesse caso limite idealizado, tomaríamos $m_{c0} = 0$ no problema acima, e a (4.5.10) mostra que se teria sempre $\mathbf{F}_c = \mathbf{F}_p$, o que significa que a força de tração do cavalo é *transmitida* à pedra pela corda, sem sofrer alteração. Este resultado é característico de um fio ou corda "sem massa", e já foi tacitamente admitido na discussão do Exemplo 3.

Só estamos tratando até agora de dinâmica de uma partícula (cf. Seç. 4.1), de forma que nos exemplos acima tratamos cada corpo como se fosse uma partícula. Neste tratamento, não fica bem definido em que ponto de cada corpo estão aplicadas as diferentes forças consideradas (pois estamos tratando os corpos como se tivessem dimensões desprezíveis). Mais tarde, quando discutirmos sistemas de partículas, veremos que, no que se refere ao movimento de um corpo como um todo, é lícito considerar que a força resultante à qual ele está sujeito se encontra aplicada num ponto, que se chama o "centro de massa" desse corpo.

É interessante notar o papel das forças de atrito no exemplo 6. Que aconteceria se o cavalo estivesse sobre a estrada e a pedra sobre um lago congelado? E se a situação se invertesse? E se ambos estivessem sobre a superfície de um lago congelado? Seria possível o deslocamento do cavalo e da pedra para a frente na ausência de atrito?

Chegamos à 3ª lei de Newton a partir do princípio de conservação do momento, para o caso especial de forças de contato. Veremos depois que, para forças que não são de contato, a 3ª lei pode deixar de valer. Entretanto, o princípio de conservação do momento, generalizado convenientemente, permanece sempre válido. É por esta razão que preferimos partir da conservação do momento, chamando a atenção sobre as limitações na validade da 3ª lei, que encontraremos mais adiante.

■ PROBLEMAS

4.1 Uma partícula está em equilíbrio sob a ação de três forças, $\mathbf{F}_1$, $\mathbf{F}_2$ e $\mathbf{F}_3$. Mostre que

$$\frac{|\mathbf{F}_1|}{\text{sen}\,(\theta_{23})} = \frac{|\mathbf{F}_2|}{\text{sen}\,(\theta_{31})} = \frac{|\mathbf{F}_3|}{\text{sen}\,(\theta_{12})}$$

onde θ_{ij} é o ângulo entre $\mathbf{F}_i$ e $\mathbf{F}_j$.

4.2 Um acrobata de 60 kg se equilibra no centro de uma corda bamba de 20 m de comprimento. O centro desceu de 30 cm em relação às extremidades, presas em suportes fixos. Qual é a tensão em cada metade da corda?

4.3 No sistema representado na figura, calcule as tensões nas cordas A e B e a compressão na viga C, desprezando as massas da viga e das cordas.

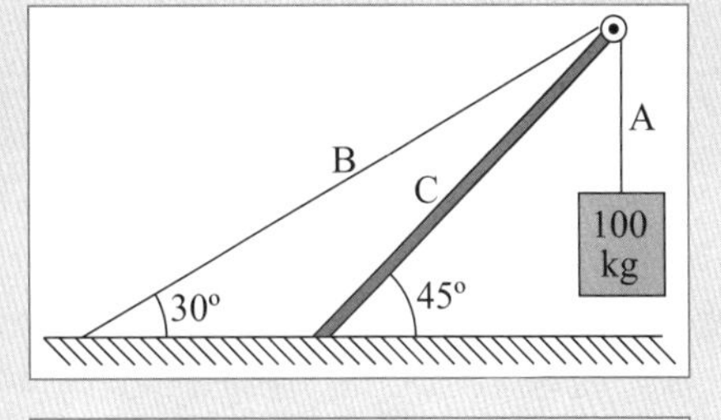

4.4 O sistema representado na figura está em equilíbrio. Desprezando as massas dos fios e das polias P_1 e P_2, calcule os ângulos θ_1 e θ_2.

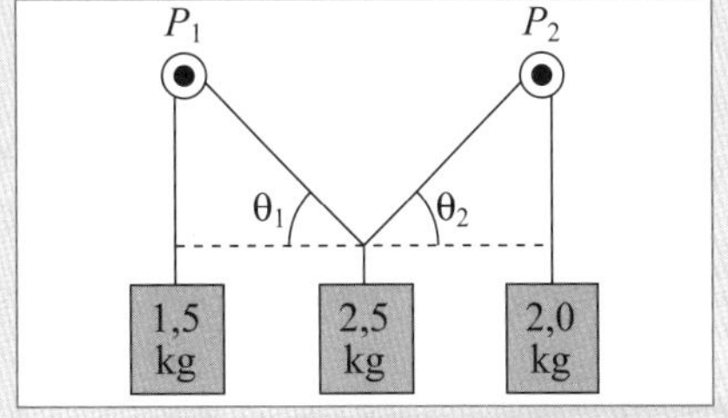

4.5 O sistema representado na figura está em equilíbrio. Determine as tensões nos fios 1, 2 e 3 e o valor do ângulo θ.

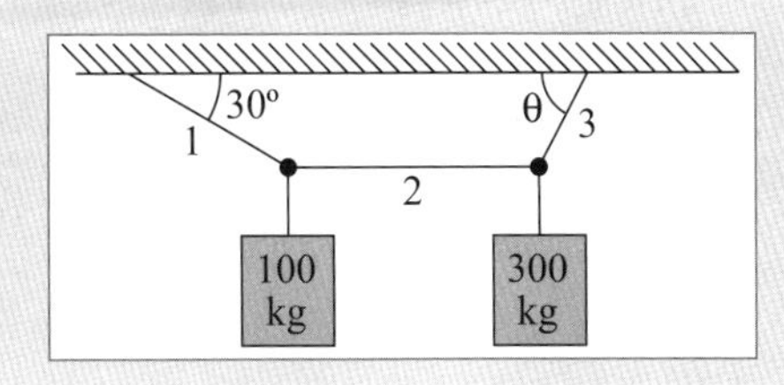

4.6 Uma bala de fuzil de massa igual a 20 g atinge uma árvore com a velocidade de 500 m/s, penetrando nela a uma profundidade de 10 cm. Calcule a força média (em N e em kgf) exercida sobre a bala durante a penetração.

4.7 Uma pulga de massa igual a 2 mg é capaz de saltar verticalmente a uma altura de 50 cm. Durante o intervalo de tempo (muito curto) em que estica as patas para impulsionar o salto, ela se eleva de 1 mm antes que suas patas "decolem" do solo. Calcule a força média (em kgf) exercida pela pulga sobre o solo ao pular e compare-a com o peso da pulga.

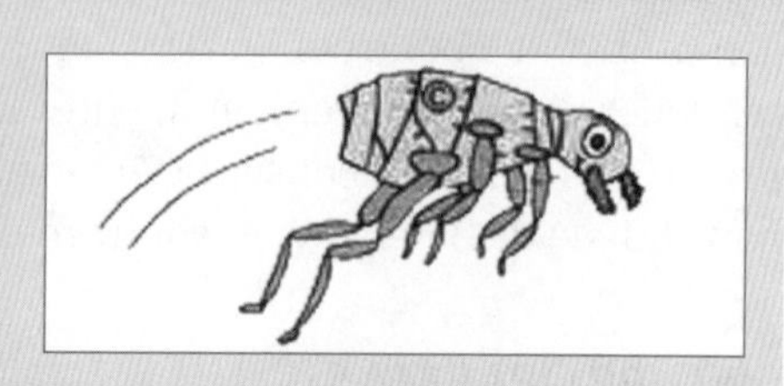

4.8 Um martelo atinge um prego com velocidade v, fazendo-o enterrar-se de uma profundidade l numa prancha de madeira. Mostre que a razão entre a força média exercida sobre o prego e o peso do martelo é igual a h/l, onde h é a altura de queda livre do martelo que o faria chegar ao solo com velocidade v. Estime a ordem de grandeza dessa razão para valores típicos de v e l.

4.9 Um automóvel estacionado no alto de uma ladeira molhada pela chuva, de 100 m de comprimento e 25 m de altura, perde os freios e desliza pela ladeira (despreze o atrito). Com que velocidade, em km/h, ele atinge o pé da ladeira?

4.10 Uma criança desliza, para mergulhar dentro de uma piscina, do alto de um escorregador de 3 m de comprimento e 30° de inclinação com respeito à horizontal. A extremidade inferior do escorregador está 3 m acima da água. A que distância horizontal dessa extremidade a criança mergulha na água?

4.11 Um bloco de massa M é puxado ao longo de uma superfície horizontal lisa por uma corda de massa m, sobre a qual se exerce uma força horizontal **F**, conforme indica a figura. Determine a aceleração **a** do bloco e da corda e a força **T** exercida pela corda sobre o bloco. Qual é o valor de **T** se desprezarmos m em confronto com M?

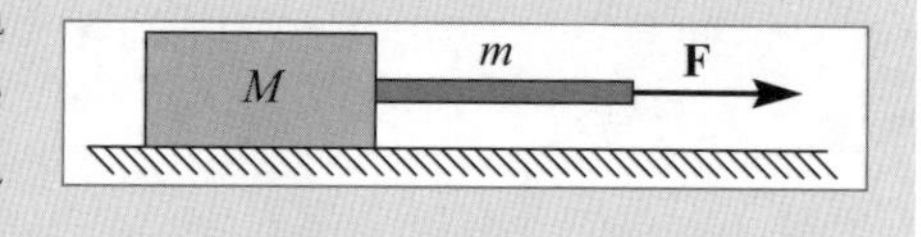

4.12 Em lugar de realizar o experimento da Fig. 4.6 aplicando a força **F** por meio de um esforço muscular, podemos aplicá-la ao disco D de massa m através da força-peso de uma massa m' suspensa da forma indicada na figura, ligada a D por um fio que passa sobre uma polia (supondo desprezíveis as massas do fio e da polia) (a) Calcule a magnitude a da aceleração do disco

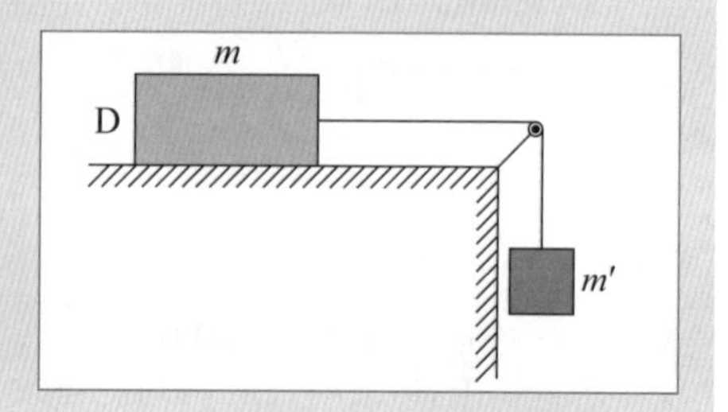

e mostre que, se m' é desprezível em confronto com m, a é diretamente proporcional a m' e inversamente proporcional a m. (b) Calcule a tensão T no fio (força aplicada a D) e mostre que, nas mesmas condições, ela se aproxima da força-peso.

4.13 O dispositivo da figura gira em torno do eixo vertical com a velocidade angular ω. (a) Qual deve ser o valor de ω para que o fio de comprimento l com a bolinha suspensa de massa m faça um angulo θ com a vertical? (b) Qual é a tensão T no fio nessa situação?

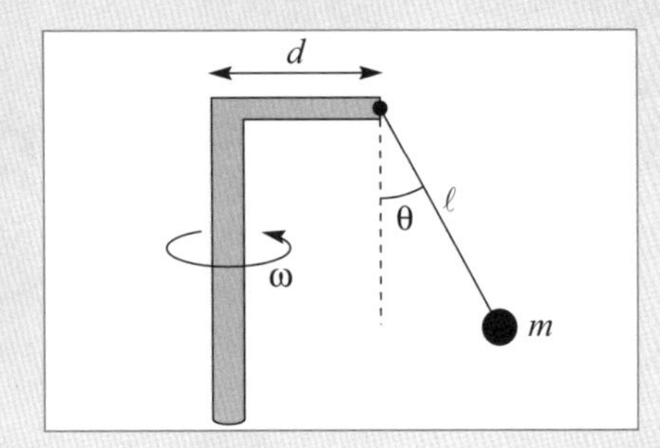

5

Aplicações das Leis de Newton

5.1 AS INTERAÇÕES FUNDAMENTAIS DA FÍSICA

Neste capítulo, vamos ilustrar a aplicação dos princípios da dinâmica a uma variedade de exemplos e situações diversas. Para isso, teremos de considerar um certo número de exemplos de leis de forças (cf. Seç. 4.4).

Sabemos atualmente reduzir todos os tipos de forças conhecidas a apenas quatro tipos de *interações fundamentais*. Não são consideradas como o nível mais básico de compreensão das leis físicas, mas serão suficientes para os fenômenos que vamos tratar.

(i) Interações gravitacionais

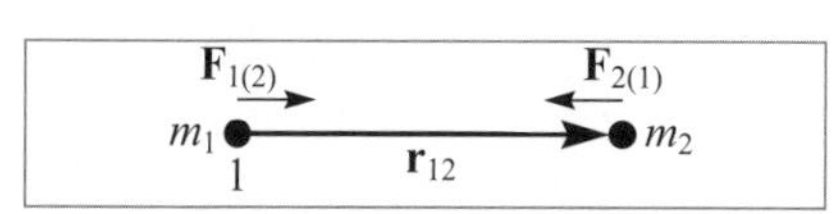

Figura 5.1 Interação gravitacional.

A lei de força mais antiga conhecida é a *lei de Newton da gravitação universal*, que exprime as forças de interação gravitacional entre duas partículas 1 (massa m_1) e 2 (massa m_2) cujo deslocamento relativo é $\mathbf{r}_{12}$ (Figura 5.1):

$$\boxed{\mathbf{F}_{2(1)} = -G\frac{m_1 m_2}{r_{12}^2}\hat{\mathbf{r}}_{12} = -\mathbf{F}_{1(2)}} \qquad \textbf{(5.1.1)}$$

onde $r_{12} = |\mathbf{r}_{12}|$ é a distância entre as partículas, e $\hat{\mathbf{r}}_{12} = \mathbf{r}_{12}/r_{12}$ é o vetor unitário da direção que vai de 1 para 2. Em palavras, a (5.1.1) diz que a *magnitude* da força gravitacional é proporcional à massa de cada uma das partículas e inversamente proporcional ao quadrado da distância que as separa. A força está dirigida ao longo da reta que passa pelas duas partículas e é *atrativa*, ou seja, a força $\mathbf{F}_{2(1)}$ exercida por 1 sobre 2 está dirigida para 1 [em sentido oposto a $\hat{\mathbf{r}}_{12}$: daí o sinal – na (5.1.1)].

A constante de proporcionalidade G que aparece na (5.1.1) é uma "constante universal" (ou seja, a mesma para qualquer par de partículas), que se chama a *constante gravitacional*. Seu valor numérico em unidades SI é

$$G \approx 6{,}67 \times 10^{-11}\,\mathrm{N \cdot m^2 / kg^2} \qquad \textbf{(5.1.2)}$$

Isso quer dizer que a força de atração gravitacional entre duas massas de 1 kg à distância de 1 m é de $\approx 6{,}67 \times 10^{-11}$ N, ou seja, é $\sim 10^{-5}$ vezes o peso de um fio de cabelo! Isso mostra como é fraca a interação gravitacional: é a mais fraca de todas as interações fundamentais conhecidas.

Discutiremos no capítulo sobre gravitação como Newton chegou à (5.1.1) e algumas de suas consequências. Apesar de ser tão fraca, a interação gravitacional é a mais importante nas aplicações à astronomia, devido às seguintes razões: (a) continua atuando entre corpos eletricamente neutros, ou seja, que contêm igual quantidade de carga elétrica positiva e negativa, eliminando as interações de origem elétrica entre eles; (b) ao contrário das forças elétricas, a interação gravitacional é *sempre atrativa*; (c) as massas dos corpos que interagem, na escala astronômica, são extremamente grandes.

(ii) Interações eletromagnéticas

Embora as forças elétricas já fossem conhecidas desde a antiguidade, a lei de forças entre duas partículas carregadas em repouso só foi obtida em 1785 por Coulomb. Para duas partículas de cargas elétricas q_1 e q_2 com deslocamento relativo $\mathbf{r}_{12}$ (Figura 5.2), a lei de *Coulomb* dá:

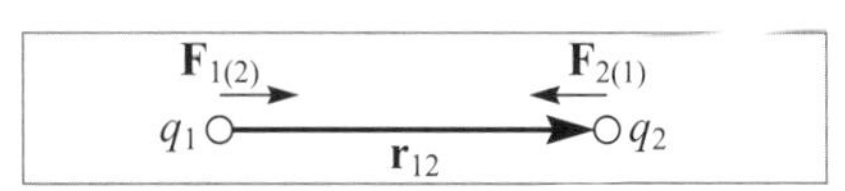

Figura 5.2 Lei de Coulomb.

$$\boxed{\mathbf{F}_{2(1)} = -k\frac{q_1 q_2}{r_{12}^2}\hat{\mathbf{r}}_{12} = -\mathbf{F}_{1(2)}} \qquad \textbf{(5.1.3)}$$

Embora a analogia com a (5.1.1) seja grande, a carga, ao contrário da massa, pode ser positiva ou negativa. A constante k é positiva, de modo que duas cargas de sinais contrários se atraem, $\ominus \rightarrow \leftarrow \oplus$, ao passo que as cargas de mesmo sinal se repelem, $\leftarrow \oplus\ \oplus \rightarrow$, $\leftarrow \ominus\ \ominus \rightarrow$.

No sistema SI, a unidade usual de carga elétrica é o Coulomb (C). Uma corrente de 1A (1 ampère) num fio corresponde à passagem de 1C por segundo por meio da secção transversal do fio. Nestas unidades, a constante k na (5.1.3) é dada por

$$k = 9 \times 10^9\ \mathrm{N \cdot m^2 / C^2} \qquad \textbf{(5.1.4)}$$

de forma que a magnitude da força elétrica entre duas cargas de 1C à distância de 1 m entre si é de 9×10^9 N, que corresponde ao peso de 9×10^8 kg! Isso dá uma ideia de quão mais forte é a interação elétrica em confronto com a gravitacional. Como a carga do elétron é de $1{,}6 \times 10^{-19}$C (igual e contrária à do próton), um corpo macroscópico contém em seus átomos uma carga total negativa de pelo menos alguns milhares de C, mas ela é neutralizada por uma carga positiva igual e contrária, e é por isto, como já mencionamos, que os efeitos da (5.1.3) não se fazem sentir neste caso.

Quando uma partícula carregada se move num campo magnético, atua sobre ela uma força conhecida como *força de Lorentz*, que será estudada no curso de eletromagnetismo (são forças deste tipo que atuam sobre um fio que transporta uma corrente elétrica situada num campo magnético, fazendo girar um motor, por exemplo). A força de Lorentz é proporcional à velocidade da partícula, mas sua direção é perpendicular à de **v**. Como uma partícula carregada em movimento também produz um campo magnético, existem forças de interação tanto elétricas como magnéticas entre duas cargas em movimento qualquer. Estas forças eletromagnéticas, que são bastante complicadas, *não* obedecem em geral à 3ª lei de Newton, ou seja, $\mathbf{F}_{1(2)} \neq -\mathbf{F}_{2(1)}$ nesse caso. Entretanto, o princípio de conservação do momento permanece válido, embora sob uma forma consideravelmente generalizada: o sistema considerado em geral emite radiação eletromagnética, e é preciso levar em conta que a radiação também transporta momento.

Embora as forças elétrica e magnética apareçam de forma bastante diferente na discussão acima, a teoria da relatividade restrita mostra que se trata na realidade de aspectos diferentes da mesma força, que poderíamos chamar de "força eletromagnética".

(iii) Interações fortes

Essas são as interações responsáveis pelas forças nucleares. Sabemos que o núcleo atômico é formado de prótons e nêutrons, localizados numa região cujas dimensões são da ordem de 1 F = 10^{-15} m (Seç. 1.5). A força de repulsão coulombiana entre os prótons a distâncias tão pequenas é muito grande; apesar disso, temos não somente núcleos estáveis, mas sabemos que é preciso bombardeá-los com partículas de energias elevadas para fragmentá-los. Esses fatos já conduzem a algumas das características das interações fortes: são de intensidade ainda bem maior que as interações eletromagnéticas – de fato, são as mais intensas conhecidas –, mas, ao mesmo tempo, têm um alcance extremamente curto, da ordem das dimensões nucleares.

As interações fortes somente atuam entre as "partículas elementares" conhecidas como hádrons, que possuem "carga hadrônica", (da mesma forma que interações eletromagnéticas atuam entre partículas com carga elétrica). Os hádrons compreendem os *bárions*, entre os quais figuram os núcleons (nêutron e próton), bem como outras partículas mais pesadas, e também partículas mais leves chamadas *mésons*. Muitas dessas partículas são instáveis, desintegrando-se espontaneamente em outras, com meias-vidas (Seç. 1.7) extremamente pequenas, geralmente menores que 10^{-8} s.

As forças nucleares, que resultam das interações fortes, são muito complexas; têm caráter atrativo para distâncias > 0,4 F e repulsivo para distâncias menores. Seu decréscimo com a distância é extremamente rápido: caem "exponencialmente" a distâncias maiores que as dimensões nucleares, ou seja, de forma análoga à Figura 1.13. Os fenômenos que ocorrem na escala nuclear só podem ser tratados pela mecânica quântica, em que o próprio conceito de "força" perde boa parte de sua aplicabilidade.

Nas últimas décadas, bárions e mésons passaram a ser analisados em termos de constituintes mais elementares, os *quarks*, interagindo com partículas chamadas *glúons*.

Desenvolveu-se o "modelo-padrão" da física de partículas cujas predições concordam com os fatos experimentais conhecidos até agora nessa área.

(iv) Interações fracas

As interações fracas, como as fortes, atuam somente na escala nuclear; seu alcance, aliás, é ainda menor que o das interações fortes. Entretanto, sua intensidade é muito menor, não apenas que a das interações fortes, mas também do que a das eletromagnéticas, situando-se num nível intermediário entre as eletromagnéticas e as gravitacionais. As interações fracas são responsáveis pelo processo de "desintegração beta", a emissão de elétrons pelos núcleos de certas substâncias radioativas. Em 1956, foi descoberto que as interações fracas violam o que se acreditava ser uma simetria fundamental das leis físicas, a "conservação da paridade" (associada com simetria entre direita e esquerda, ou para reflexão num espelho). Como as interações fortes, as interações fracas também só podem ser tratadas pela mecânica quântica.

Entre os progressos recentes mais importantes nas teorias das interações fundamentais, destacam-se as tentativas de *unificação* dessas interações. Uma das mais bem-sucedidas é a teoria unificada das interações eletromagnéticas e fracas, segundo a qual elas representam aspectos diferentes de uma mesma interação fundamental. Está-se procurando juntar a esta teoria unificada as interações fortes. Desenvolvimentos mais recentes, que têm caráter muito especulativo, unificariam todas as interações, juntando também a gravidade (são as teorias chamadas de "supersimetria" e a "teoria de cordas"). Essas teorias ainda carecem de verificações experimentais.

5.2 FORÇAS DERIVADAS

Todas as demais forças que aparecem na física podem ser reduzidas, em princípio, àquelas que foram discutidas na Seç. 5.1. Dessas, as interações fortes e fracas, em razão de seu curto alcance, só desempenham um papel importante na escala nuclear. Assim, do ponto de vista macroscópico, as únicas interações fundamentais relevantes são a eletromagnética e a gravitacional. A estrutura dos átomos e as forças interatômicas dependem apenas da interação eletromagnética, combinada com os princípios da mecânica quântica.

(i) Forças interatômicas

As forças interatômicas são de natureza eletromagnética, conforme acabamos de mencionar. Isso é evidente no caso de um cristal iônico como o sal de cozinha (NaCl), formado de íons positivos (Na^+) e negativos (Cl^-), em que as forças de ligação resultam da atração eletrostática entre íons de cargas opostas.

Entretanto, o mesmo vale para as forças entre átomos ou moléculas neutras. Com efeito, as cargas positivas (núcleo) e negativas (nuvem de elétrons) num átomo não estão concentradas no mesmo ponto: há uma *distribuição de carga*. Quando dois átomos neutros se aproximam um do outro, as interações eletromagnéticas entre as duas distribuições de cargas as modificam, dando origem a forças entre os átomos neutros. À medida que os átomos vão se aproximando entre si, estas forças são inicialmente *atrativas* e aumentam rapidamente de intensidade. Com efeito, sabemos que, quando comprimimos suficientemente um gás, ele tende a se condensar (liquefazer), demonstrando o efeito das forças atrativas, que se chamam *forças de Van der Waals*. Por outro lado, uma vez liquefeito, o fluido tende a resistir fortemente à compressão, e sabemos que o mesmo acontece com sólidos. Isso sugere que, a distâncias suficientemente pequenas, as forças interatômicas sejam fortemente repulsivas.

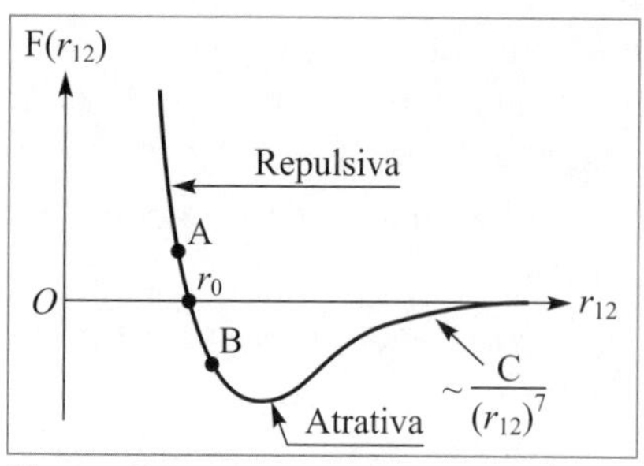

Figura 5.3 Força entre dois átomos em função da distância entre eles.

Isso acontece quando dois átomos se aproximam a distâncias da ordem do raio atômico. Nessas condições, começa a ocorrer a interpenetração entre suas nuvens eletrônicas, e a repulsão coulombiana entre elas se opõe à interpenetração, dando origem às forças repulsivas. Um gráfico da força em função da distância interatômica r_{12} tem portanto o aspecto da Figura 5.3, onde a parte negativa corresponde às forças atrativas, e r_0 é da ordem da soma dos dois raios atômicos (as forças de Van der Waals decrescem aproximadamente como o inverso da sétima potência da distância interatômica, ou seja, bem mais depressa do que a força coulombiana (5.1.3)). As forças repulsivas (positivas) crescem rapidamente para $r_{12} < r_0$, quase como se tivéssemos uma barreira impenetrável nessa distância.

São forças desta natureza que dão origem à "reação normal de contato" quando um corpo sólido é colocado sobre a superfície de outro, como, por exemplo, um livro sobre uma mesa (Fig. 4.5). Na escala atômica, não podemos propriamente falar de "contato", mesmo porque os átomos não são como bolas de bilhar, com superfícies bem definidas.

Podemos considerar a distância $r_{12} = r_0$ para a qual a força se anula na Figura 5.3 como uma distância de *equilíbrio*. Se procurarmos diminuí-la, "comprimindo" os átomos até o ponto A da curva, surge uma força repulsiva, que se opõe à compressão. Se procurarmos aumentá-la, "distendendo" o sistema até o ponto B da curva acima, surgem forças atrativas, que tendem a fazer os átomos aproximar-se até o ponto de equilíbrio r_0. Para A e B suficientemente próximos de r_0, podemos aproximar o trecho AB da curva por um segmento de reta (tangente à curva em r_0), de modo que a força varia *linearmente* com a "deformação" (deslocamento da posição de equilíbrio) num entorno de r_0. O sistema de dois átomos se comporta assim como uma *mola* na vizinhança da posição de equilíbrio, tendendo a voltar a ela quando comprimido ou distendido, com uma "força restauradora" proporcional ao deslocamento da posição de equilíbrio.

São realmente forças deste tipo que atuam no caso de uma mola (equilibrando a força-peso no exemplo da Fig. 4.4). Nas Figuras 5.4 e 5.5, x representa o *deslocamento a partir da posição de equilíbrio* da mola, mostrada em (b). Em (a), temos $x < 0$ (compressão); em (c), $x > 0$ (distensão). Se representarmos a força por $\mathbf{F} = F\hat{\mathbf{x}}$, onde $\hat{\mathbf{x}}$ é um vetor unitário ao longo de Ox (direção da mola), temos $F > 0$ ("repulsiva") em (a) e $F < 0$

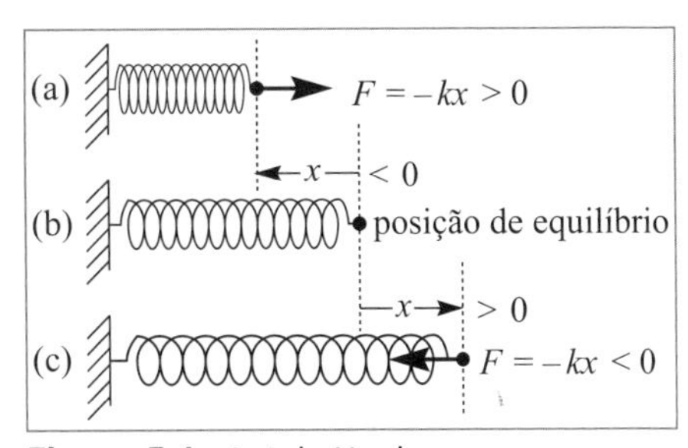

Figura 5.4 Lei de Hooke.

("atrativa") em (c), ou seja, a força sempre tende a fazer a mola voltar à posição de equilíbrio. Para x suficientemente pequeno, verifica-se experimentalmente que vale a *lei de Hooke*

$$\boxed{\mathbf{F} = -kx\,\hat{\mathbf{x}}} \tag{5.2.1}$$

ou seja, *a força restauradora é proporcional ao deslocamento da posição de equilíbrio* (linear); a constante da proporcionalidade k é característica da mola ("constante da mola"). A lei de Hooke deixa de valer se a deformação da mola for excessivamente grande.

(ii) Forças de atrito

Já vimos no Exemplo 5 (Fig. 4.18) que as forças de atrito, no contato entre dois corpos sólidos, são forças *tangenciais* à superfície de contato. As "leis de forças" para o atrito são leis empíricas, formuladas por Amontons e Coulomb no século XVIII. O fenômeno é extremamente complicado e depende fortemente da natureza dos materiais e do estado das superfícies em contato: grau de polimento, oxidação, presença ou não de camadas fluídas (água, lubrificantes). Vamos considerar inicialmente apenas o atrito entre superfícies *secas*.

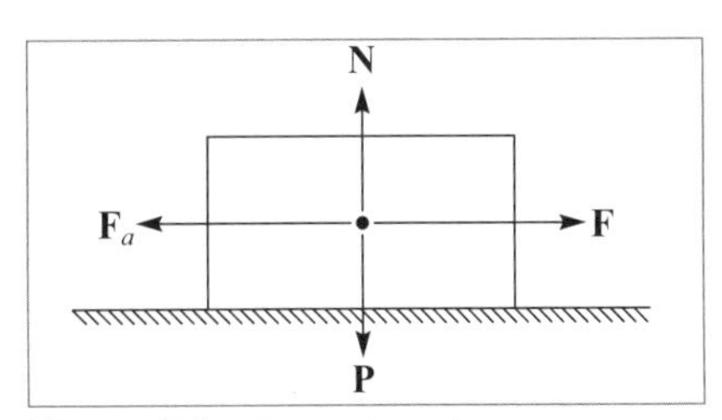

Figura 5.5 Força de atrito.

Consideremos um bloco que repousa sobre uma superfície horizontal e ao qual se aplica uma força **F** também horizontal. A experiência mostra que, se formos aumentando gradualmente $|\mathbf{F}|$ a partir de zero, o bloco não entra em movimento enquanto $|\mathbf{F}|$ não atinge um valor crítico, que chamaremos de F_e. A Figura 5.5 mostra as forças que atuam sobre o bloco enquanto ele permanece em equilíbrio: verticalmente, a força-peso **P** do bloco e a reação normal de contato do plano **N**, que se equilibram,

$$|\mathbf{N}| = |\mathbf{P}| \tag{5.2.2}$$

e, horizontalmente, a força **F** tem de ser equilibrada pela reação tangencial do plano, a força de atrito $\mathbf{F}_a$:

$$\mathbf{F}_a = -\mathbf{F}, \quad \text{para } |\mathbf{F}| < F_e \tag{5.2.3}$$

Note que, enquanto $|\mathbf{F}| < F_e$, a força de atrito se ajusta automaticamente para equilibrar **F**.

As "leis do atrito" são as seguintes:

(a) A força de atrito máxima F_e, para a qual o bloco começa a se mover, é proporcional ao módulo da força normal de contato $|\mathbf{N}|$ entre as duas superfícies.

$$\boxed{|\mathbf{F}_a|_{\text{máx}} = F_e = \mu_e |\mathbf{N}|} \tag{5.2.4}$$

(b) O coeficiente de proporcionalidade μ_e, que se chama *coeficiente de atrito estático*, depende da natureza das duas superfícies em contato;

(c) A força F_e é independente da área de contato entre os dois corpos. Assim, se colocarmos o *mesmo* bloco da Figura 5.5 assentado sobre uma face de área menor (Figura 5.6), $|\mathbf{P}|$ e $|\mathbf{N}|$ não se alteram (cf. 5.2.2)), e, por conseguinte, F_e também não, embora a área de contato agora seja menor.

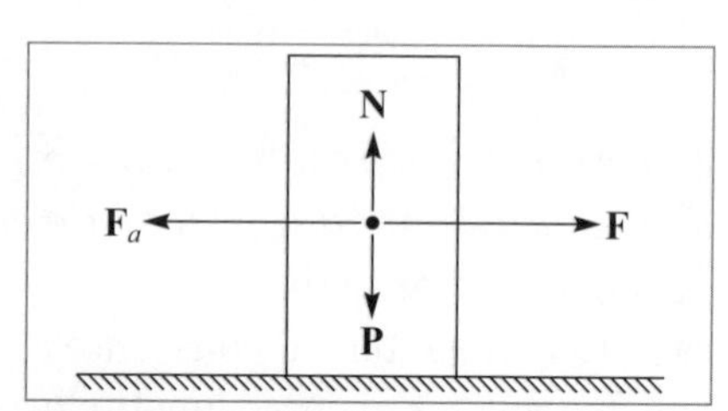

Figura 5.6 Independência da área de contato.

Uma vez atingido o valor F_e, e depois que o bloco começa a deslizar, verifica-se geralmente uma diminuição na força de atrito, o que permite equilibrá-la com uma força **F** de magnitude menor,

$$\boxed{\mathbf{F} = F_c = \mu_c |\mathbf{N}|, \quad \mu_c < \mu_e} \tag{5.2.5}$$

mantendo o bloco em movimento retilíneo uniforme ($\mathbf{F} + \mathbf{F}_a = 0 \therefore \mathbf{a} = 0$) ao longo do plano horizontal. O coeficiente μ_c chama-se *coeficiente de atrito cinético;* note que tanto μ_e como μ_c, são números puros (sem dimensões), pois representam o quociente das magnitudes de duas forças. Geralmente, μ_c e μ_e são menores que 1.

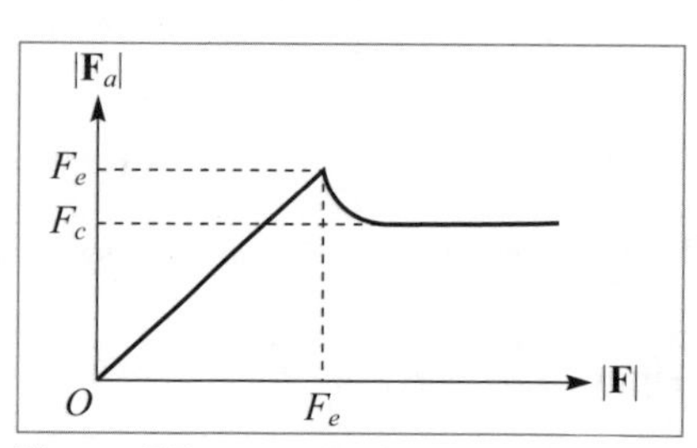

Figura 5.7 Variação da magnitude da força de atrito com a força aplicada.

Verifica-se experimentalmente que μ_c é aproximadamente *independente da velocidade* instantânea de escorregamento (desde que ela não atinja valores muito elevados). Assim, se $|\mathbf{F}|$ continua crescendo a partir de F_e, $|\mathbf{F}_a|$ permanece aproximadamente constante no valor F_c. O gráfico ao lado mostra a variação de $|\mathbf{F}_a|$ em função de $|\mathbf{F}|$; a parte linear corresponde à (5.2.3). Note que, para $|\mathbf{F}| > F_e$, temos $|\mathbf{F} + \mathbf{F}_a| > 0$, de modo que a resultante das forças horizontais é $\neq 0$, e o movimento do bloco é uniformemente acelerado.

Diversos resultados discutidos acima podem ser ilustrados colocando o bloco sobre um plano inclinado de inclinação variável feito do material cujo atrito com o material do bloco se quer estudar (por exemplo, uma prancha que se ergue gradualmente). Conforme mostra a Figura 4.18, temos neste caso, em lugar da (5.2.2),

$$|\mathbf{N}| = m\, g \cos\theta \tag{5.2.6}$$

onde m é a massa do bloco. Por outro lado, a componente da força-peso tangencial ao plano (–**T** na Figura 4.18) corresponde à força aplicada ao bloco na discussão acima, de forma que a (4.5.8) dá

$$|\mathbf{F}| = T = m\, g \operatorname{sen}\theta \tag{5.2.7}$$

Comparando as (5.2.6) e (5.2.7), obtemos

$$|\mathbf{F}| / |\mathbf{N}| = \text{tg}\ \theta \qquad (5.2.8)$$

Experimentalmente, verifica-se que o bloco começa a escorregar quando θ atinge um certo valor θ_e. Comparando as (5.2.4) e (5.2.8), vem então

$$\boxed{\mu_e = \text{tg}\ \theta_e} \qquad (5.2.9)$$

o que fornece um procedimento para medir o coeficiente de atrito estático. Às leis do atrito mencionadas acima corresponde o fato de que o ângulo crítico θ_e só depende da natureza dos materiais do bloco e do plano, sendo independente da massa m do bloco (as (5.2.6) e (5.2.7) mostram que aumentar m equivale a aumentar $|\mathbf{N}|$ e $|\mathbf{F}|$ na mesma proporção).

Todas as leis empíricas do atrito discutidas acima são aproximações não muito precisas de um fenômeno bastante complicado. Os resultados dependem não só da natureza dos materiais, mas ainda do grau de polimento das superfícies, de sua contaminação por impurezas (inclusive formação de óxidos), da existência ou não de filmes superficiais de umidade, graxa ou outros lubrificantes. Para $\theta = \theta_e$, o bloco escorrega em alguns pontos do plano inclinado, parando em outros, conforme a situação local da superfície.

Do ponto de vista microscópico, as forças responsáveis pelo atrito são as forças interatômicas atuando nas regiões em que as duas superfícies estão em contato. Essas regiões representam uma fração muito pequena da área aparente (geométrica) de contato, devido à rugosidade das duas superfícies na escala microscópica, e a área total delas é aproximadamente independente desta área aparente, crescendo com a pressão normal $|\mathbf{N}|$ entre as duas superfícies (explicando as leis do atrito (a) e (c) acima). Note que 3 pontos de contato não alinhados bastam para definir um plano. Nas áreas de contato, formam-se pequenas "soldas" em que os dois materiais aderem um ao outro mais ou menos fortemente, dependendo da presença de impurezas, devido às forças interatômicas. O atrito resulta da necessidade de quebrar estas "soldas". É essencial notar que o processo de ruptura de uma "solda" gera excitações locais, sob forma de vibrações que se propagam nos materiais como ondas sonoras. Este processo *dissipa energia mecânica*, gerando *calor*, ou seja, há um aquecimento local. É bem conhecido que o atrito produz um aquecimento das superfícies em contato.

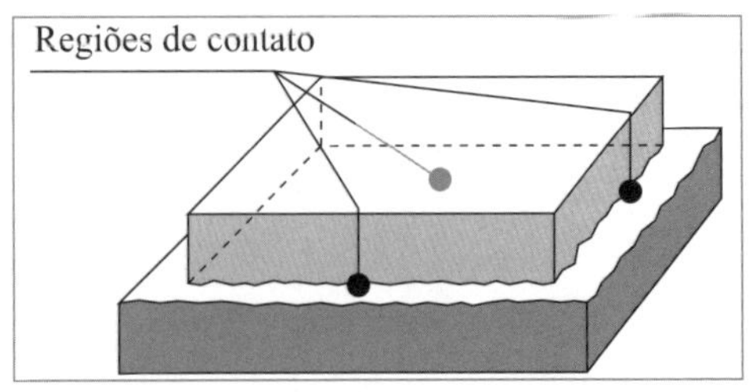

Figura 5.8 Contato entre as duas superfícies.

Este fato é muito importante, porque é devido a ele que as forças de atrito têm caráter *dissipativo*, tendendo a se opor ao movimento que se produziria na ausência de atrito. Não poderíamos explicar a força de atrito em termos do esforço necessário para percorrer a "montanha russa" das rugosidades, porque isto ainda levaria a uma força "conservativa" ou seja, que não dissiparia a energia mecânica (voltaremos a discutir mais tarde os conceitos de forças conservativas e dissipativas). Acima de um certo grau de polimento e limpeza das superfícies, o atrito tende a *aumentar* em lugar de diminuir. Isso é facilmente compreensível do ponto de vista microscópico. Com efeito, se polirmos oticamente as superfícies de dois blocos do mesmo metal e removermos as impurezas e gases absorvidos nas superfícies (o que pode ser feito colocando os blocos numa câmara em alto vácuo), bem como quaisquer camadas fluidas depositadas nas superfícies, os dois blocos, colocados em contato, ficarão praticamente soldados um ao outro: é como se estivéssemos criando um bloco único do mesmo metal, com as forças interatômicas agindo em toda a extensão da área de contato, produzindo a coesão. Analogamente, se colocarmos em contato duas placas de vidro molhado bem polidas (a água ajuda a dissolver impurezas que contaminam as superfícies), torna-se muito difícil deslizar uma sobre a outra (ao fazê-lo, chegamos até a arranhar o vidro).

Toda a discussão acima das leis do atrito se refere ao atrito entre duas superfícies secas. Se existe uma camada de fluido entre as duas superfícies (por exemplo, água ou lubrificantes), a situação se torna muito diferente: temos de considerar o problema do atrito entre um sólido e um fluido. Este é o chamado "atrito interno", e um exemplo importante é a *resistência* do ar.

A resistência oposta por um fluido ao deslocamento de um corpo através dele é também um fenômeno muito complicado (voltaremos a discuti-lo no Volume 2 deste curso). Para baixas velocidades, a resistência depende da *viscosidade* do fluido, e é geralmente *proporcional à velocidade*, opondo-se ao movimento através do fluido. Para velocidades mais elevadas, produz-se em geral *turbulência* no fluido, e o termo dominante da força de resistência é proporcional ao *quadrado* da velocidade. Assim, se chamarmos de **R** a força de resistência, temos em geral

$$\boxed{|\mathbf{R}| = a|\mathbf{v}| + b|\mathbf{v}|^2} \qquad \textbf{(5.2.10)}$$

onde o primeiro termo domina para $|\mathbf{v}|$ pequeno e o segundo para $|\mathbf{v}|$ grande. Já notamos (Seç. 3.6) que a dependência de $|\mathbf{v}|$ acopla os movimentos horizontal e vertical de um projétil, de forma que eles não são mais independentes quando levamos em conta a resistência do ar.

Vimos assim os principais tipos de forças que serão encontradas no decorrer do curso de mecânica. Vamos ver agora como se aplicam os princípios da dinâmica a alguns exemplos de sistemas em que atuam essas forças.

5.3 EXEMPLOS DE APLICAÇÃO

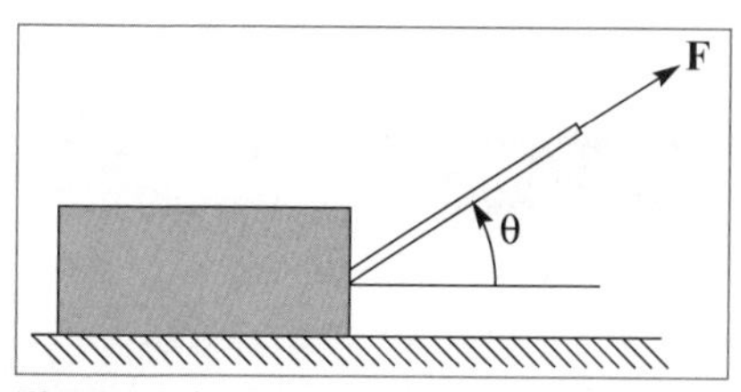

Figura 5.9 Bloco sobre plano com atrito.

Exemplo 1: Consideremos um bloco colocado sobre um plano com atrito e puxado por uma corda de massa desprezível com uma força **F** inclinada de um ângulo θ em relação ao plano, suposto horizontal (Figura 5.9).

Se μ_e *é o coeficiente de atrito estático e* P *o peso do bloco, para que valor de* $F \equiv |\mathbf{F}|$ *ele começará a escorregar?*

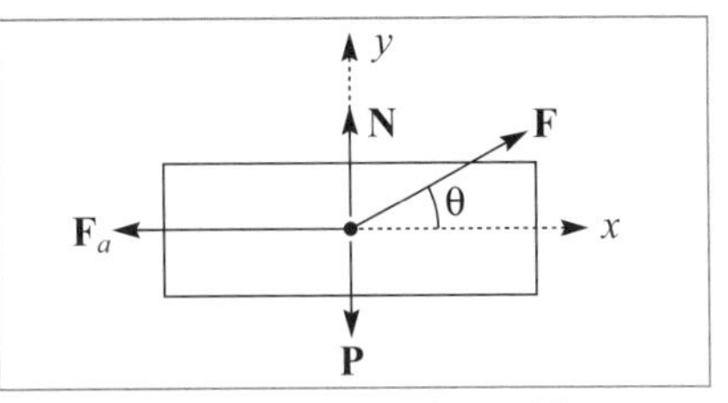

Figura 5.10 Forças sobre o bloco.

O primeiro passo na solução de um problema desse tipo é o que se chama de "isolar" o bloco, ou seja, representá-lo separadamente, com todas as forças que atuam sobre ele. Isso está feito na Figura 5.10. Como a corda é de massa desprezível, ela simplesmente *transmite* ao bloco a força **F**, como vimos na Seç. 4.5. Além disto, atuam sobre o bloco sua força-peso **P**, a reação normal de contato do plano **N**, e a força de atrito $\mathbf{F}_a$ (Figura 5.10). O passo seguinte é escolher um sistema de coordenadas conveniente: no caso, adotamos coordenadas cartesianas, com Ox horizontal e Oy vertical (Figura). Finalmente, aplicamos a 2ª lei de Newton às componentes das forças nas direções x e y.

Na direção y, o bloco deve permanecer em equilíbrio sobre o plano, ou seja, devemos ter, com $N = |\mathbf{N}|$ e $P = |\mathbf{P}|$,

$$N + F \text{ sen } \theta - P = 0 \left\{ N = P - F \text{ sen } \theta \right. \quad \textbf{(5.3.1)}$$

onde estamos tomando **N** dirigido *para cima*: o plano só pode produzir uma reação normal nesse sentido. Como $N > 0$, a (5.3.1) implica que F não pode ser excessivamente grande: devemos ter sempre

$$F \text{ sen } \theta < P \quad \textbf{(5.3.2)}$$

(Se F sen $\theta > P$, a força **F** arranca o bloco do plano, erguendo-o acima dele).

Na direção x, para que o bloco comece a se mover, conforme vimos na Seç. 5.2, é preciso que se tenha, com $F_a = |\mathbf{F}_a|$,

$$F \cos \theta - F_a = 0 \quad \textbf{(5.3.3)}$$

$$F_a = F_e = \mu_e N \quad \textbf{(5.3.4)}$$

As (5.3.1), (5.3.3) e (5.3.4) dão

$$F \cos \theta = \mu_e (P - F \text{ sen } \theta) \left\{ F = \frac{\mu_e P}{\cos \theta + \mu_e \text{ sen } \theta} \right. \quad \textbf{(5.3.5)}$$

que é o valor procurado.

Qual é a reação N correspondente? Ela decorre das (5.3.3) e (5.3.4):

$$N = \frac{F \cos \theta}{\mu_e} \left\{ N = \frac{P \cos \theta}{\cos \theta + \mu_e \text{ sen } \theta} \right. \quad \textbf{(5.3.6)}$$

Se substituirmos μ_e na (5.3.5) pela sua expressão (5.2.9) em função do ângulo θ_e obtemos

$$F = \frac{P \text{ tg } \theta_e}{\cos \theta + \dfrac{\text{sen } \theta_e}{\cos \theta_e} \text{sen } \theta} = \frac{P \text{ sen } \theta_e}{\cos \theta \cos \theta_e + \text{sen } \theta \text{ sen } \theta_e}$$

ou seja

$$F = \frac{P \text{ sen } \theta_e}{\cos(\theta - \theta_e)} \quad \textbf{(5.3.7)}$$

Esta última expressão mostra que a magnitude da força necessária para que o bloco comece a se mover é *mínima* quando ela é aplicada segundo o ângulo $\theta = \theta_e$.

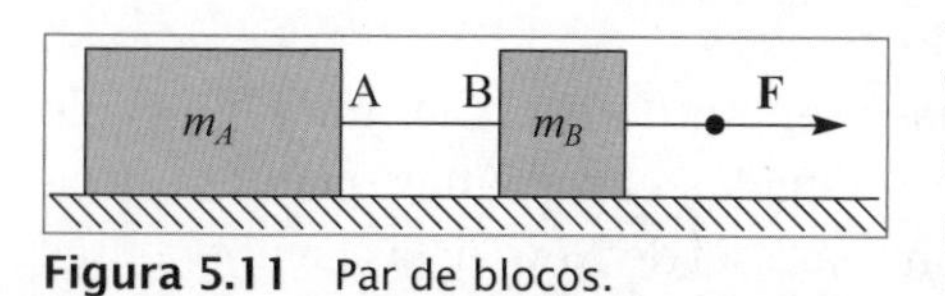

Figura 5.11 Par de blocos.

Exemplo 2: Consideremos dois blocos de massas m_A e m_B, ligados por um fio AB de massa desprezível, puxados por uma força horizontal **F** (Figura 5.11), através de um fio amarrado ao bloco m_B, sobre um plano horizontal, com atrito desprezível. Como se move o sistema?

Se o fio AB está esticado, como seu comprimento é constante (supomos que é inextensível), suas extremidades A e B (e por conseguinte os dois blocos) se movem com a mesma aceleração **a** ao longo do plano horizontal, na direção da força **F**. O comprimento constante do fio, impondo a mesma aceleração a todo o sistema, é um exemplo de um *vínculo*.

Se isolamos as diferentes partes do sistema, obtemos (basta considerar as forças horizontais):

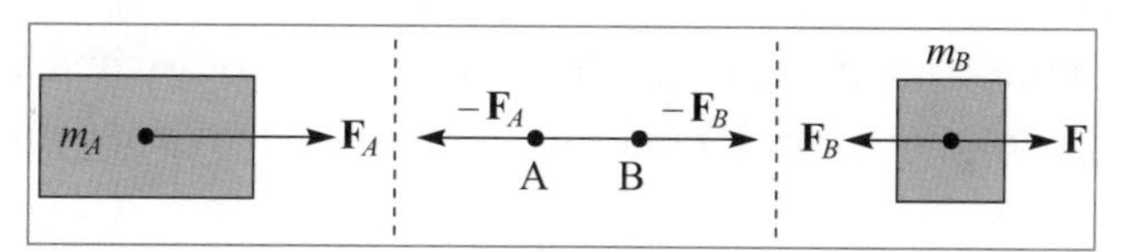

Figura 5.12 Força sobre cada elemento.

Como a massa do fio AB é desprezível, a resultante das forças que atuam sobre ele deve ser nula, ou seja,

$$\mathbf{F}_A = -\mathbf{F}_B \quad \textbf{(5.3.8)}$$

Como a aceleração **a** é comum, as equações de movimento dos dois blocos são:

$$\mathbf{F}_A = m_A\mathbf{a} \quad \textbf{(5.3.9)}$$

$$\mathbf{F} + \mathbf{F}_B = m_B\mathbf{a} \quad \textbf{(5.3.10)}$$

Somando membro a membro e levando em conta a (5.3.8), obtemos

$$\mathbf{F} = (m_A + m_B)\mathbf{a} \quad \left\{ \mathbf{a} = \frac{F}{m_A + m_B} \right. \quad \textbf{(5.3.11)}$$

o que exprime o fato de que os dois blocos ligados respondem à força **F** como um único bloco de massa $m_A + m_B$ (aditividade das massas).

Teríamos chegado diretamente ao mesmo resultado "isolando" desde logo o sistema total formado pelos dois blocos e o fio e aplicando-lhe a 2ª lei, o que ilustra o fato de que podemos "isolar" diferentes partes de um sistema da forma que julgarmos mais conveniente.

Como introdução ao exemplo seguinte, vamos considerar um elemento idealizado de um sistema análogo ao "fio de massa desprezível", que é uma "polia de massa desprezível". Consideremos uma polia de raio R suspensa de um suporte e capaz de girar (sem atrito) em torno de um eixo que passa pelo seu centro O. Se a massa da polia é desprezível, veremos mais tarde, ao estudar a dinâmica das rotações, que, se $\mathbf{T}$ e $\mathbf{T}'$ são as forças aplicadas aos dois lados do fio que passa pela polia (Figura 5.13 (a)), devemos ter

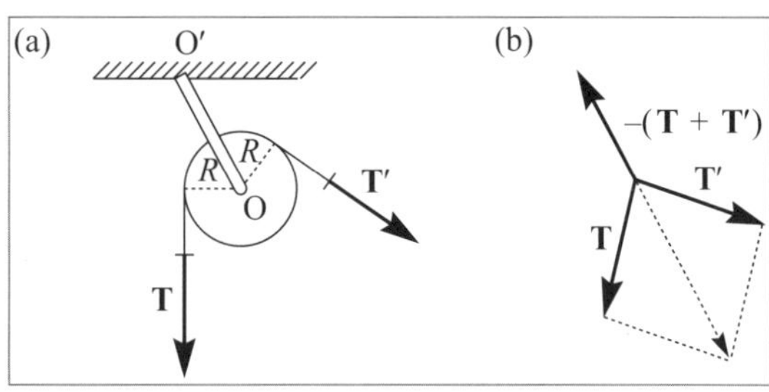

Figura 5.13 Polia.

$$T = |\mathbf{T}| = |\mathbf{T}'| \qquad \textbf{(5.3.12)}$$

onde T é o que se chama a *tensão do fio* (este resultado é o análogo para o movimento de rotação da polia da (5.3.8) para o movimento de translação de um fio, e exprime o fato de que o "torque" resultante de $\mathbf{T}$ e $\mathbf{T}'$ em relação ao eixo O da polia deve ser nulo). Logo, a polia tem simplesmente o efeito de *alterar a direção* da força aplicada ao fio, sem alterar o seu módulo. Ao mesmo tempo, para que a polia permaneça em equilíbrio, a resultante das forças a ela aplicadas deve anular-se, ou seja, como mostra a Figura 5.13 (b) acima, o suporte OO′ da polia deve exercer sobre ela uma força igual a $-(\mathbf{T} + \mathbf{T}')$.

Exemplo 3: Consideremos duas massas m_1 e m_2 suspensas por um sistema de duas polias e de fios, todos de massa desprezível, da forma indicada na Figura 5.14. Qual é o movimento do sistema?

As partes móveis do sistema são duas, "isoladas" na figura pelas linhas fechadas interrompidas: a massa m_1 e o sistema formado pela massa m_2 presa à polia 2, que se movem solidariamente. Chamamos de T a tensão do fio, que, pela discussão acima, é a mesma dos dois lados da polia 2 e é também a mesma com a qual a polia 1 age sobre a massa m_1. Seja a a aceleração da massa m_1, tomada positivamente quando dirigida para cima (os movimentos são todos na vertical). A equação de movimento da massa m_1 é então:

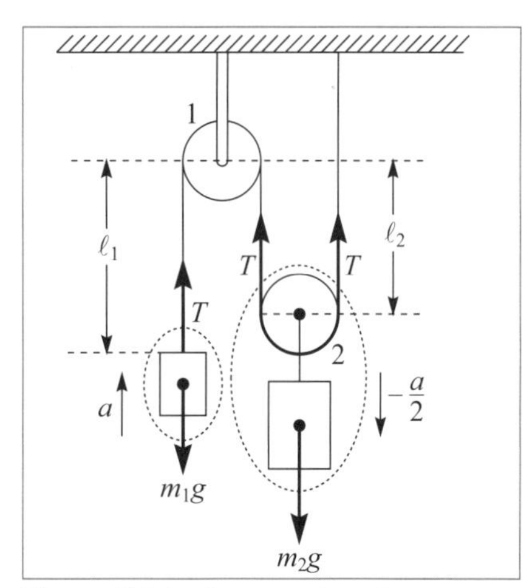

Figura 5.14 Sistema de polias.

$$T - m_1 g = m_1 a \qquad \textbf{(5.3.13)}$$

Qual é a aceleração da massa m_2? Se l_1 e l_2 são os comprimentos das porções de fio indicadas na figura, vemos pela figura que

$$l_1 + 2l_2 = \text{constante} \quad \textbf{(5.3.14)}$$

ou seja, se a massa m_1 sobe ou desce, variando l_1 de Δl_1, devemos ter

$$\Delta l_1 + 2\Delta l_2 = 0 \left\{ \Delta l_2 = -\frac{1}{2}\Delta l_1 \right. \quad \textbf{(5.3.15)}$$

Logo, se m_1 sobe de uma certa distância, m_2 desce de metade dessa distância, mostrando que a aceleração de m_2 é igual a $-a/2$ (a (5.3.14) é outro exemplo de um *vínculo*; cf. o Exemplo 2). A equação de movimento da outra parte do sistema é então:

$$2T - m_2 g = -m_2 a / 2 \quad \textbf{(5.3.16)}$$

Resolvendo as duas equações (5.3.13) e (5.3.16) em relação às duas incógnitas a e T, obtemos

$$a = \frac{2(m_2 - 2m_1)}{4m_1 + m_2} g \quad \textbf{(5.3.17)}$$

$$T = \frac{3m_1 - 2m_2}{4m_1 + m_2} g \quad \textbf{(5.3.18)}$$

Em particular, temos equilíbrio ($a = 0$) para

$$m_1 = \frac{m_2}{2} \quad \textbf{(5.3.19)}$$

ou seja, o sistema de polias reduz à metade o peso (ou força) necessário para equilibrar um dado peso $m_2 g$, proporcionando assim uma *vantagem mecânica*. É fácil ver (verifique!) que um sistema análogo com $2n$ polias levaria à relação: $m_1 = m_2/(2n)$. Note também que $a > 0$ na (5.3.17) para $m_2 > 2m_1$, conforme deveria ser: uma massa m_2 maior que a de equilíbrio faz subir a massa m_1.

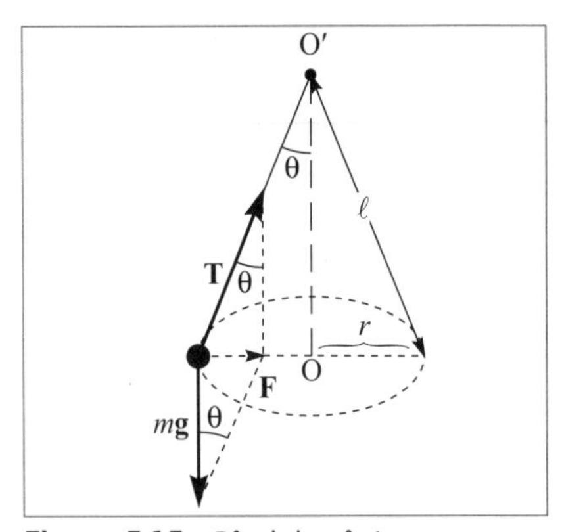

Figura 5.15 Pêndulo cônico.

Exemplo 4: O pêndulo cônico: É uma partícula de massa m que gira em movimento circular uniforme, descrevendo um circulo de raio r, suspensa por um fio de comprimento l preso a um ponto fixo O′ (Figura 5.15), de forma que o fio descreve a superfície de um cone de ângulo de abertura θ, com

$$\text{sen}\,\theta = r / l \quad \textbf{(5.3.20)}$$

Seja ω a velocidade angular do movimento circular uniforme. As forças que atuam sobre a partícula são a força-peso $m\mathbf{g}$ e a tensão $\mathbf{T}$ do fio. A resultante $\mathbf{F} = m\mathbf{g} + \mathbf{T}$ destas duas forças tem de corresponder à força centrípeta (cf. (4.4.9), (3.7.13), ou seja, tem de estar dirigida para o centro O do círculo. A Figura 5.15 mostra então que

$$\text{tg}\,\theta = F / mg = m\omega^2 r / mg = \omega^2 r / g \quad \textbf{(5.3.21)}$$

Seja τ o período associado ao movimento do pêndulo. Temos então, pelas (3.7.10), (5.3.20) e (5.3.21),

$$\tau^2 = 4\pi^2 / \omega^2 = 4\pi^2 r / (g \text{ tg } \theta) = 4\pi^2 l \cos\theta / g$$
$$\therefore \boxed{\tau = 2\pi\sqrt{(l \cos\theta)/g}} \qquad \textbf{(5.3.22)}$$

o que dá a relação entre o período, o comprimento do pêndulo e o ângulo de abertura θ. Por exemplo, para $l = 1$ m e $\theta = 45^\circ$ ($\cos\theta = 1/\sqrt{2}$), acha-se $\tau \approx 1{,}7$ s. A tensão do fio também se calcula imediatamente a partir do ângulo de abertura: a Figura 5.15 mostra que

$$T = mg / \cos\theta \qquad \textbf{(5.3.23)}$$

A (5.3.22) também pode ser escrita:

$$\cos\theta = \frac{g}{\omega^2 l} \qquad \textbf{(5.3.24)}$$

mostrando que o ângulo θ de abertura do cone descrito aumenta ($\cos\theta$ diminui) à medida que a velocidade angular de rotação ω aumenta. Este princípio é empregado no *regulador de Watt* (Figura 5.16), em que as bolas presas aos dois braços articulados se afastam do eixo à medida que ω aumenta; numa máquina a vapor, o regulador é acoplado à válvula de escapamento do vapor, fazendo com que escape quando ω se toma excessivo, o que automaticamente reduz ω e faz baixar as bolas. Um princípio análogo é empregado em taquímetros para medir a velocidade de rotação de um eixo.

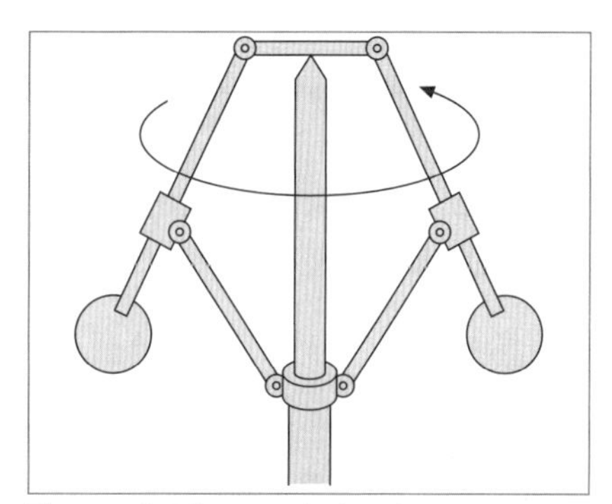

Figura 5.16 Regulador de Watt.

Exemplo 5 *(superelevação das curvas numa estrada)*: Consideremos um carro que faz uma curva numa estrada, trafegando com velocidade **v**. A força centrípeta sobre o carro é

$$F = mv^2 / r \qquad \textbf{(5.3.25)}$$

onde m é a massa do carro e r o raio de curvatura da curva (cf. (3.8.17)), mostrado na Figura 5.17 (a), que é uma vista de cima do movimento. A (b) mostra em corte vertical que é vantajoso "superelevar" a estrada, criando um desnível θ entre suas margens externa e interna, de tal forma que **F** seja a componente horizontal da reação normal **N** da estrada, a única outra força sobre o carro sendo então a força-peso, ou seja,

$$\mathbf{F} = m\mathbf{g} + \mathbf{N} \qquad \textbf{(5.3.26)}$$

o que implica, escrevendo as componentes horizontal e vertical da 2ª lei de Newton e levando em conta a (5.3.25),

$$F = |\mathbf{F}| = N \text{ sen } \theta = mv^2 / r \qquad \textbf{(5.3.27)}$$

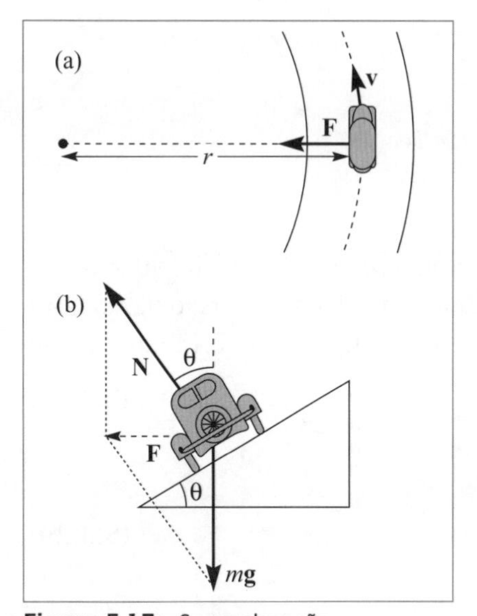

Figura 5.17 Superelevação.

$$N \cos \theta - mg = 0 \quad \{ \quad N \cos \theta = mg \tag{5.3.28}$$

e, dividindo membro a membro,

$$\text{tg}\ \theta = \frac{v^2}{rg} \tag{5.3.29}$$

o que dá a velocidade ideal **v** em que a curva deve ser descrita para um dado desnível θ. Note a analogia entre esta relação e a (5.3.21).

Se o carro fizer a curva com velocidade maior que a dada pela (5.3.29), a força centrípeta adicional necessária para que ele permaneça num círculo de raio r só pode provir do atrito entre os pneus e a estrada (reação tangencial). Se for excedido o limite da força de atrito que pode ser assim desenvolvida (coeficiente de atrito estático), o carro tenderá a derrapar na direção radial. A (5.3.29) mostra que, quando menor for θ, menor será a velocidade capaz de provocar derrapagem.

5.4 MOVIMENTO DE PARTÍCULAS CARREGADAS EM CAMPOS ELÉTRICOS OU MAGNÉTICOS UNIFORMES

O movimento de partículas carregadas no vácuo sob a ação de forças elétricas ou magnéticas conhecidas tem uma grande variedade de aplicações importantes em eletrônica, aceleradores de partículas, microscopia eletrônica, física dos plasmas e muitos outros domínios da física.

O caso mais simples de tratar é aquele em que essas forças correspondem a "campos uniformes". O que isso significa pode ser ilustrado por analogia com o caso gravitacional. A força de atração gravitacional entre uma partícula e a Terra, conforme veremos, é dada pela (5.1.1), onde m_1 e m_2 são as massas da partícula e da Terra, e r_{12} é a distância da partícula ao centro da Terra. Entretanto, na escala do laboratório, r_{12} é aproximadamente constante (igual ao raio da Terra) e $\hat{\mathbf{r}}_{12}$ também (vertical local). Obtemos assim para a força gravitacional que atua sobre uma partícula de massa m *por unidade de massa* da partícula o valor (cf. (4.4.5) e a Seç. 4.3)

$$\mathbf{F} / m = m\mathbf{g} / m = \mathbf{g} \tag{5.4.1}$$

constante no tempo e o mesmo (em módulo, direção e sentido) em qualquer ponto da região do espaço considerada. Dizemos então que se tem nessa região um *campo gravitacional uniforme*, dado pela (5.4.1).

Analogamente, se considerarmos um par de placas metálicas paralelas ligadas respectivamente aos terminais positivo e negativo de uma bateria (Figura 5.18), uma partícula carregada de carga elétrica q situada na região entre as placas fica sujeita a uma força elétrica

$$\mathbf{F} = q\mathbf{E} = qE\hat{\mathbf{x}} \tag{5.4.2}$$

onde $\hat{\mathbf{x}}$ tem a direção perpendicular às placas e **E** é aproximadamente constante (na região entre as placas). A força **E** *por unidade de carga elétrica* chama-se *campo elétrico*, e o fato de que o *vetor* **E** é constante na região entre as placas se exprime dizendo haver nessa região *um campo elétrico uniforme*.

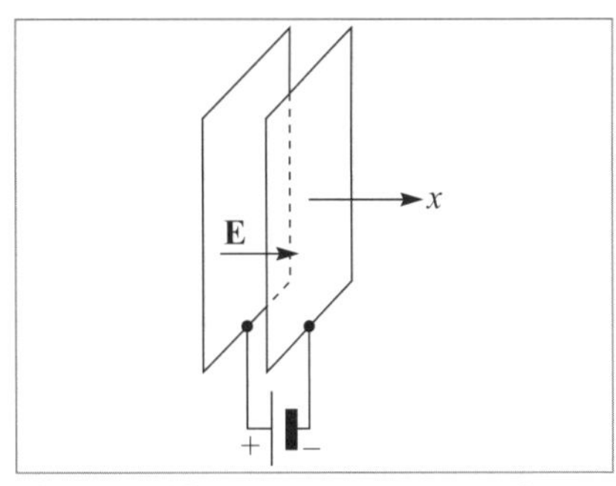

Figura 5.18 Campo elétrico uniforme.

A Figura 5.19 mostra como se pode produzir um *campo magnético uniforme* **B** entre os polos de um eletroimã, com um núcleo de ferro em forma de C, em redor do qual se enrola um solenoide (bobina) percorrido por uma corrente elétrica. Na figura, $\mathbf{B} = B\hat{\mathbf{z}}$, onde B é aproximadamente constante na região entre os polos.

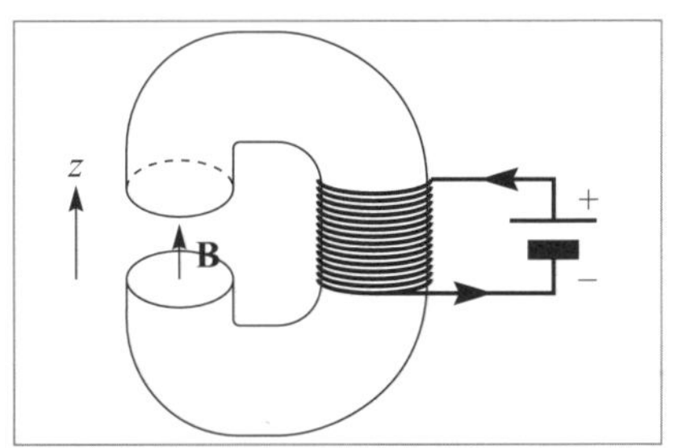

Figura 5.19 Campo magnético uniforme.

O que isso significa em termos de força de Lorentz (Seç. 5.1) está ilustrado na Figura 5.20 (a) e (b). Em ambas, **B** é perpendicular ao plano do papel; em (a) **B** aponta para cima (indicado por pontos); em (b), para baixo (×××××). Consideramos apenas a força magnética **F** sobre uma carga q que se move com velocidade **v** perpendicular a **B**. A força **F** é perpendicular tanto a **v** como a **B**, de forma que está no plano do papel. As figuras (a) e (b) mostram a orientação de **F** para $q > 0$; para $q < 0$, **F** se inverte. A *magnitude* $F = |\mathbf{F}|$ é dada, no sistema SI, por

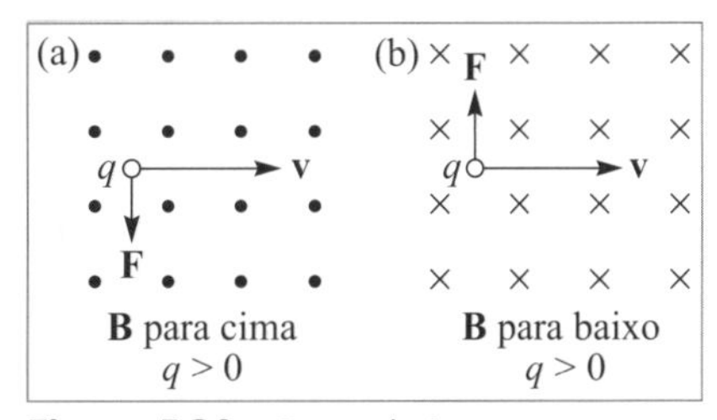

Figura 5.20 Força de Lorentz.

$$F = |q|vB \tag{5.4.3}$$

de forma que é a mesma em qualquer ponto da região onde o campo é uniforme, desde que $v \equiv |\mathbf{v}|$ permaneça o mesmo (mas a direção de **F** varia com a de **v**).

Vemos pela (5.4.3) que a unidade de B no sistema SI é o campo que atua com força 1N sobre uma carga de 1C movendo-se a 1 m/s (com $\mathbf{v} \perp \mathbf{B}$). Esta unidade é chamada 1 weber/m^2. Também se usa frequentemente 1 gauss = 10^{-4} weber/m^2. O campo magnético da Terra é da ordem de 0,5 gauss.

Os conceitos e resultados acima serão discutidos detalhadamente no curso de eletromagnetismo. Vamos estudar agora o movimento de partículas carregadas em campos elétricos ou magnéticos uniformes.

(a) Movimento em campos elétricos uniformes

Aplicando a 2ª lei de Newton ao movimento de uma partícula de carga q (supomos $q > 0$) e massa m num campo elétrico **E** uniforme, vemos pela (5.4.2) que (desprezando a força gravitacional)

$$\mathbf{a} = \mathbf{F} / m = \frac{q}{m}\mathbf{E} \tag{5.4.4}$$

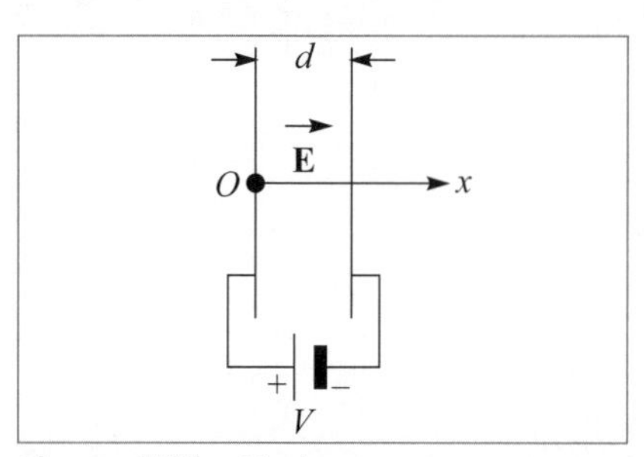

Figura 5.21 Movimento num campo elétrico uniforme.

é um vetor constante na região dada, ou seja, o movimento é uniformemente acelerado (Seç. 3.5).

Consideremos inicialmente uma partícula situada no vácuo entre um par de placas separadas por uma distância d (Figura 5.21), que parte do repouso na vizinhança de uma das placas (x = 0, Figura). Pela (5.4.4), ela se moverá na direção x com movimento retilíneo uniformemente acelerado, atingindo a outra placa com velocidade v dada pela (2.5.9):

$$v^2 = 2ad = 2\frac{q}{m}Ed \tag{5.4.5}$$

O produto Ed corresponde ao que se chama a *diferença de potencial* V entre as placas, ou seja,

$$E = V / d \tag{5.4.6}$$

No sistema SI, V é medido em volts (V), de forma que a unidade de campo elétrico é 1 N/C = 1 V/m. A (5.4.5) dá então

$$v = \sqrt{2(q / m)V} \tag{5.4.7}$$

Diz-se que a carga q foi "acelerada por meio da diferença de potencial V".

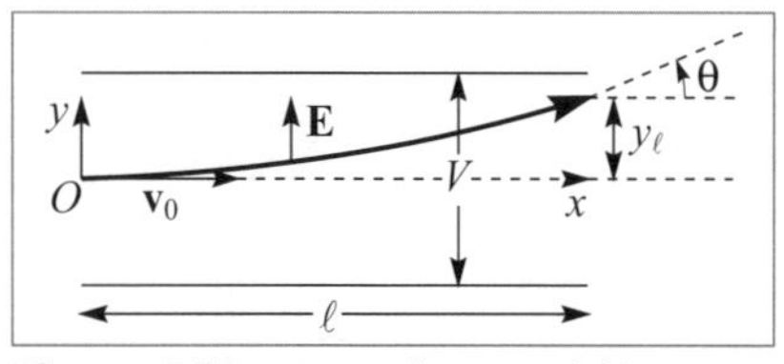

Figura 5.22 Trajetória parabólica.

Suponhamos, por outro lado, que a partícula penetre na região entre as placas numa direção *perpendicular* ao campo **E** com velocidade inicial v_0; vamos adotar o sistema de eixos da Figura 5.22. A aceleração (5.4.4) tem então a direção y, e temos uma trajetória parabólica, como as da Seç. 3.6, com

$$\left\{\begin{aligned} x &= v_0 t \\ y &= \frac{1}{2}at^2 = \frac{1}{2}\frac{q}{m}Et^2 = \frac{qV}{2md}t^2 \end{aligned}\right\} \tag{5.4.8}$$

Se l é o comprimento das placas, a deflexão y_l sofrida ao atingir a outra extremidade (Figura 5.22) se obtém tomando $t = l/v_0$:

$$y_1 = \frac{qV}{2md}\frac{l^2}{v_0^2} \tag{5.4.9}$$

A trajetória das partículas carregadas emerge da região entre as placas formando um ângulo θ com a horizontal (ângulo de deflexão: ver Figura 5.22), que é também a direção da velocidade $\mathbf{v}_l$ da partícula para $x = l$:

$$\left.\begin{array}{l} \text{tg}\,\theta = \dfrac{v_{ly}}{v_{lx}} \ldots\ldots\ldots\ldots\ldots\ldots \\ v_y = at \left\{ v_{ly} = a\dfrac{l}{v_0} = \dfrac{qVl}{mdv_0} \right. \\ \qquad v_y = v_{lx} = v_0 \ldots\ldots \end{array}\right\} \Rightarrow \text{tg}\,\theta = \frac{qVl}{mdv_0^2} \tag{5.4.10}$$

Podemos agora discutir a deflexão de um feixe de elétrons num tubo de raios catódicos ou nas experiências de Thomson (Seç. 3.6). As partes essenciais do dispositivo estão esquematizadas na Figura 5.23. O feixe de elétrons é emitido pelo filamento aquecido F (este é o *efeito termoiônico*, descoberto por Edison em 1883), e acelerado por meio da diferença de potencial entre as placas aceleradoras AA, adquirindo assim uma velocidade na direção x dada por (cf. (5.4.7))

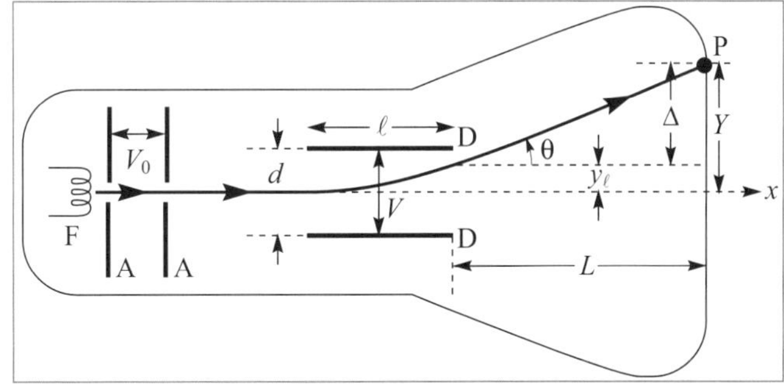

Figura 5.23 Deflexão eletrônica num tubo de osciloscópio.

$$v_0 = \sqrt{2(e/m)V_0} \tag{5.4.11}$$

onde e e m são a carga e massa do elétron.

O feixe continua com a velocidade v_0 na região livre de campo entre AA e as placas defletoras DD (Figura 5.21); note que é feito alto vácuo dentro do tubo. As placas defletoras DD têm comprimento l e espaçamento d, com uma diferença de potencial V entre elas, de forma que podemos aplicar as (5.4.9) e (5.4.10).

Após emergir da região entre as placas DD, o feixe atravessa outra região livre de campo, descrevendo uma trajetória retilínea até produzir uma mancha luminosa P no anteparo fluorescente, a uma distância L das placas DD. A deflexão adicional Δ na vertical correspondente ao caminho L é (Figura 5.21)

$$\Delta = L\ \text{tg}\,\theta \tag{5.4.12}$$

A deflexão vertical é $Y = y_l + \Delta$. Levando em conta as (5.4.9), (5.4.10), (5.4.11) e (5.4.12), obtemos finalmente

$$Y = y_1 + \Delta = \frac{eVl^2}{2md \cdot 2\dfrac{e}{m}V_0} + L \cdot \frac{eVl}{md \cdot 2\dfrac{e}{m}V_0}$$

ou seja

$$\boxed{Y = \frac{lV}{2dV_0}\left(L + \frac{l}{2}\right)} \tag{5.4.13}$$

Geralmente, tem-se $L >> l$, de modo que podemos desprezar $l/2$ na expressão entre parênteses. Note que a deflexão é diretamente proporcional à diferença de potencial defletora V e inversamente proporcional à diferença de potencial aceleradora. Por outro lado, ela é a mesma para elétrons do que para qualquer outra partícula carregada, porque a carga e a massa não entram na expressão final.

(b) Movimento em campos magnéticos uniformes

Consideremos uma partícula de carga q e massa m situada num campo magnético uniforme **B**, movendo-se com velocidade **v** perpendicular a **B**. Qual é a trajetória?

A aceleração **a** é dada por **F**/m, onde **F** é a força de Lorentz, que nesta situação, conforme vimos acima, está no plano ⊥ **B** que passa pela carga, e é ⊥ **v**. Como **v** é tangente à trajetória, isto quer dizer que **a** é *puramente normal* à trajetória em qualquer ponto da mesma, e tem módulo (cf. (5.4.3))

$$|\mathbf{a}| = \frac{q}{m} vB \tag{5.4.14}$$

(tomando $q > 0$). Conforme vimos nas Seçs. 3.7 e 3.8, esta situação (ausência de aceleração tangencial) é característica do movimento circular uniforme num círculo de raio r, onde (cf. (3.7.13))

$$|\mathbf{a}| = \frac{v^2}{r} = \frac{q}{m} vB$$

o que dá para r o valor

$$\boxed{r = \frac{mv}{qB} = \frac{p}{qB}} \tag{5.4.15}$$

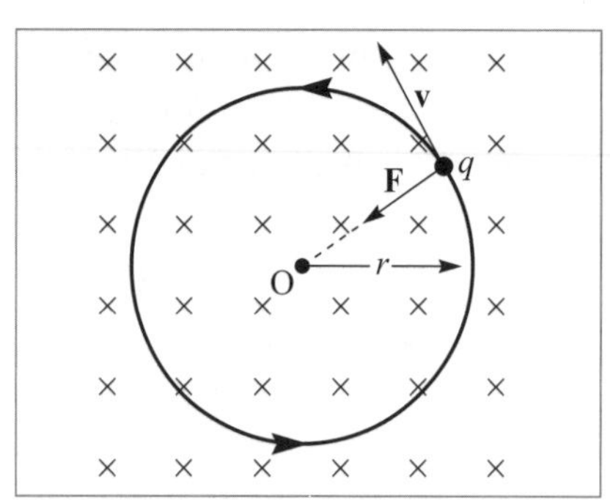

Figura 5.24 Trajetória circular num campo magnético.

onde $p \equiv |\mathbf{p}|$ é a magnitude do *momento* da partícula. Logo, nestas condições, a partícula descreve um *movimento circular uniforme* num círculo de raio *proporcional ao momento* da partícula, e inversamente proporcional à sua carga e ao campo B. Essa propriedade é utilizada na física experimental de partículas elementares de alta energia para medir os momentos das partículas carregadas produzidas nas reações estudadas nesse domínio. As trajetórias num campo magnético uniforme são materializadas em detectores como a "câmara de bolhas" e fotografadas; nas fotografias, a simples medida de r permite determinar os momentos correspondentes.

A (5.4.15) dá a velocidade angular $\omega = v/r$ do movimento circular uniforme:

$$\boxed{\omega = \frac{q}{m}B} \tag{5.4.16}$$

Esta velocidade ou frequência angular, que só depende da razão q/m da carga para a massa da partícula e do campo B, é chamada de *frequência de cíclotron* da partícula no campo B. Note que é independente do raio da órbita: à medida que v aumenta, r vai aumentando correspondentemente, de forma a manter $\omega = v/r$ constante.

A razão do nome dado a ω é que o *cíclotron*, acelerador de partículas inventado por Lawrence e Livingston em 1931, baseia-se na constância de ω quando r varia. A Figura 5.25 mostra a câmara de aceleração do cíclotron (que fica dentro de um tanque onde se faz vácuo). É um cilindro metálico oco achatado dividido ao meio, formando duas peças em forma de "D". O campo **B** é aplicado perpendicularmente às bases, que ficam entre os polos de um eletroimã. No centro F (Fig.) há uma fonte de íons positivos, geralmente prótons ou dêuterons, que vão ser acelerados. Os dois "Ds" são ligados a um oscilador que produz entre eles uma voltagem alternada, de frequência angular ω, ajustada de forma a acelerar um íon positivo quando ele atravessa o intervalo entre os "Ds". O íon descreverá sob a ação de **B** um semicírculo de raio r proporcional à velocidade com que penetrou no "D", levando para isto um tempo $T/2$, onde $T = 2\pi/\omega$. Como a voltagem alternada tem exatamente o mesmo período, ela se terá invertido durante esse tempo, de forma que fará o íon sofrer nova aceleração ao atravessar em sentido contrário o intervalo entre os "Ds", aumentando sua velocidade e, consequentemente, também o raio da órbita.

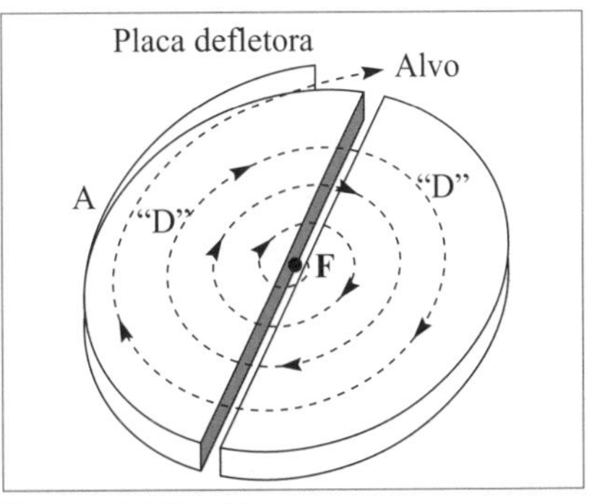

Figura 5.25 Cíclotron.

A órbita resultante será então uma espiral: a magnitude da velocidade permanece constante ao longo de cada semicírculo, mas aumenta a cada atravessamento do intervalo entre os "Ds". Finalmente, uma vez atingida a velocidade final desejada, o feixe de íons sai pela abertura A e é desviado por uma placa defletora em direção ao alvo.

Um exemplo típico seria um cíclotron com um campo magnético de 10 quilogauss = 1 weber/m^2. Para prótons ($q = e = 1{,}6 \times 10^{-19}$ C, $m = m_p = 1{,}67 \times 10^{-27}$ kg), a (5.4.16) dá $\omega \approx 10^8$ s^{-1}. A velocidade final atingida é $v \approx \omega R$, onde R é o raio dos "Ds". Para um raio típico $R \sim 50$ cm, temos $v \approx 5 \times 10^7$ m/s, o que já é cerca de 1/10 da velocidade da luz. A vantagem do cíclotron é que a voltagem aceleradora não precisa ser muito elevada (tipicamente ~10^5 volts): as velocidades finais elevadas são atingidas à custa de um número grande (centenas) de voltas.

Se quisermos acelerar partículas a velocidades mais elevadas ainda, entramos no domínio onde feitos relativísticos se tornam importantes. Um deles, conforme veremos mais tarde, é que a massa da partícula aumenta com a velocidade. Isso prejudica a operação do cíclotron, porque, como vemos pela (5.4.16), ω, em lugar de ser independente de v, começa a decrescer com o aumento de v. Para que a partícula continue sendo acelerada a cada volta, é preciso então "sincronizar" a frequência de oscilação da voltagem alternada, fazendo-a também decrescer com o aumento de v. Aceleradores em que isto é feito chamam-se *síncrotrons*. No Brasil, foi construído um acelerador desse tipo, que funciona no Laboratório Nacional de Luz Síncrotron (LNLS). A Fig. 5.26 é uma foto do LNLS.

Figura 5.26 O síncrotron do LNLS.

Voltemos agora às experiências de J. J. Thomson de deflexão de raios catódicos. Vimos na (5.4.13) que a deflexão por um campo elétrico é a mesma para qualquer partícula carregada, independentemente de sua carga e massa.

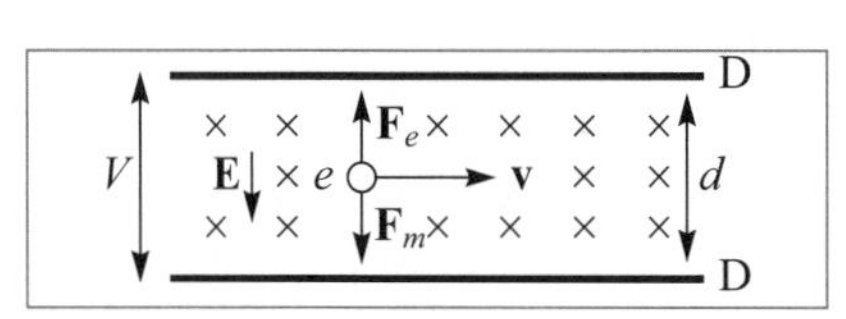

Figura 5.27 Campos **E** e **B** cruzados.

A segunda parte da experiência de Thomson consistiu em superpor ao campo elétrico $E = V/d$ entre as placas defletoras DD (Figuras 5.25 e 5.27) também um campo magnético $\mathbf{B}$, perpendicular às direções de $\mathbf{E}$ e $\mathbf{v}_0$, e de sentido tal que a força magnética de Lorentz $\mathbf{F}_m$ sobre um elétron (carga negativa) de velocidade $\mathbf{v}_0$ atuasse em sentido contrário ao da força elétrica $\mathbf{F}_e = e\mathbf{E}$. Ajustando a magnitude de $\mathbf{B}$, Thomson chegou a um valor para o qual a deflexão elétrica Y (Figura 5.22) era exatamente compensada pela deflexão magnética, de modo que o feixe de raios catódicos não sofria deflexão nenhuma. A condição para isto é que a resultante de $\mathbf{F}_e$ e $\mathbf{F}_m$ se anule, ou seja, pela (5.4.3),

$$\boxed{eE = eV / d = ev_0 B} \qquad \textbf{(5.4.17)}$$

As (5.4.11) e (5.4.13) para $L >> l$, dão

$$Y = \frac{elLV}{mdv_0^2} \qquad \textbf{(5.4.18)}$$

Substituindo v_0 pelo seu valor (5.4.17) e resolvendo em relação a e/m, obtemos finalmente

$$\frac{e}{m} = \frac{YV}{dlLB^2} \qquad \textbf{(5.4.19)}$$

onde todas as grandezas do 2º membro são conhecidas experimentalmente, o que permite determinar e/m. O resultado é

$$e / m \approx 1,76 \times 10^{11} \text{ C / kg} \qquad \textbf{(5.4.20)}$$

A carga e do elétron foi medida em 1910 numa notável série de experiências por R. A. Millikan. A ideia básica destas experiências foi a de medir as cargas de gotículas de óleo ultramicroscópicas borrifadas por um vaporizador no espaço entre duas placas, entre as quais se pode estabelecer um campo elétrico uniforme na direção vertical. As gotículas adquirem carga elétrica por atrito ao sair do vaporizador. Na ausência de campo, as gotículas caem lentamente sob a ação de seu peso (reduzido pelo empuxo do ar) e da resistência do ar, que neste regime é proporcional à velocidade (termo α $|\mathbf{v}|$ na (5.2.10)). Quando se aplica um campo elétrico, pode-se usá-lo para equilibrar a força para baixo sobre gotículas carregadas, ou para fazê-las subir em lugar de descer. A carga de uma dada gotícula, observada durante um tempo longo, sofre variações espontâneas (ou provocadas quando se introduz algum agente ionizante, como raios X ou uma fonte radioativa). A medida dessas variações de carga mostrou que elas correspondiam sempre a múltiplos inteiros de uma carga elementar negativa $-e$, onde

$$e \approx 1,6 \times 10^{-19} \text{ C} \qquad \textbf{(5.4.21)}$$

foi interpretado por Millikan como a magnitude da carga de elétron. Combinando as (5.4.21) e (5.4.20), obtemos também o valor da massa do elétron m_e:

$$m_e \approx 9,1 \times 10^{-31} \text{ kg} \qquad \textbf{(5.4.22)}$$

As órbitas circulares de partículas carregadas em campos magnéticos uniformes também podem ser utilizadas para medir as *massas* dessas partículas. Para partículas de mesma carga q, a (5.4.15) mostra que o raio r de uma trajetória circular num dado campo B dá o momento $p = mv$ da partícula. Se selecionarmos somente partículas de mesma velocidade v_0, o raio passa a ser diretamente uma medida da massa.

A seleção de velocidade pode ser feita com o auxílio de um *filtro de velocidade*, que é um dispositivo semelhante ao da Figura 5.27, com os campos uniformes **E** e **B** superpostos, perpendiculares entre si. Pela (5.4.17), uma partícula carregada não sofre deflexão somente quando sua velocidade v_0 é dada por

$$v_0 = E / B \qquad \textbf{(5.4.23)}$$

Uma fenda num anteparo FF (Figura 5.28) só deixa passar as partículas que não sofreram deflexão, de forma que as partículas à direita da fenda têm todas a mesma velocidade v_0.

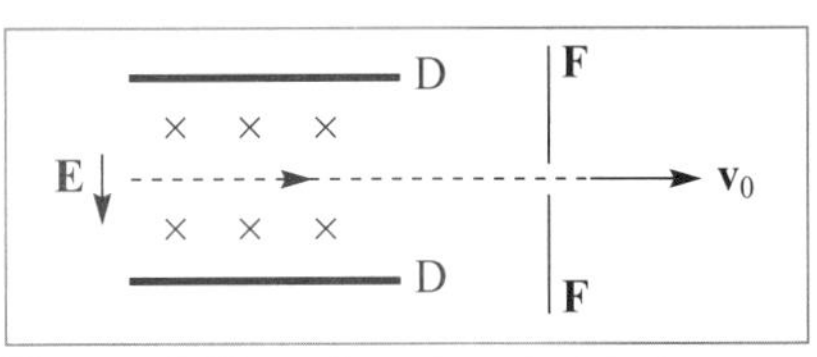

Figura 5.28 Filtro de velocidade.

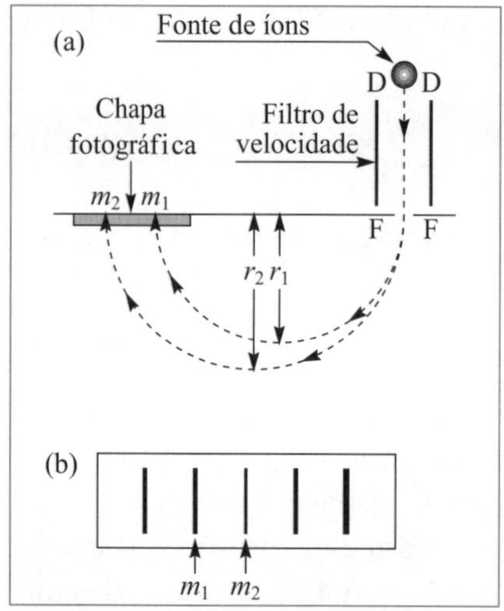

Figura 5.29 Espectrógrafo de massa.

A Figura 5.29 mostra um tipo simples de *espectrógrafo de massa*, que permite medir massas atômicas com precisão, separando isótopos diferentes.

Como indicado na Figura 5.29 (a), os íons são produzidos numa fonte de íons; usualmente, terão perdido um só elétron, tendo portanto carga positiva $+e$. Eles atravessam primeiro um filtro de velocidade, emergindo na câmara do espectrógrafo, todos com a mesma velocidade, através da fenda FF. Nessa região são submetidos a um campo magnético uniforme **B**, perpendicular ao plano da figura, e descrevem órbitas circulares, cujos raios, pela (5.4.15) (onde v, q e B são comuns a todos os íons), são diretamente proporcionais às massas dos íons.

Após descrever um semicírculo, cada íon incide sobre o detector, que pode ser uma chapa fotográfica (Figura (a)). Revelando-a, observa-se (Figura (b)) um "espectro de massa" semelhante a um espectro ótico, em que cada raia corresponde a um grupo de partículas de massa diferente (na Figura 5.28, $r_2 > r_1$, correspondente a $m_2 > m_1$).

O espectrógrafo de massa permite separar isótopos diferentes do mesmo elemento (por exemplo, o oxigênio existe na natureza como mistura de três isótopos, O^{16}, O^{17} e O^{18}) e medir suas massas com precisão. Como todos os isótopos do mesmo elemento têm as mesmas propriedades químicas, a separação por métodos químicos não é possível. Utilizando em lugar da chapa fotográfica um detector que meça a *corrente* de íons, é possível analisar também com precisão a *abundância relativa* dos diferentes isótopos numa amostra.

PROBLEMAS

5.1 Um astronauta, vestindo seu traje espacial, consegue pular a uma altura de 60 cm na Terra. A que altura conseguirá pular na Lua? Os raios médios da Terra e da Lua são de 6.371 Km e 1.738 Km, respectivamente; as densidades médias são 5,52 g/cm^3 e 3,34 g/ cm^3, respectivamente.

5.2 Utilizando os dados do problema anterior, calcule que fração da distância Terra-Lua é preciso percorrer para que a atração gravitacional da Terra seja compensada pela da Lua.

5.3 No átomo de hidrogênio, a distância média entre o elétron e o próton é de aproximadamente 0,5 Å. Calcule a razão entre as atrações coulombiana e gravitacional das duas partículas no átomo. A que distância entre o elétron e o próton sua atração coulombiana se tornaria igual à atração gravitacional existente entre eles no átomo? Compare o resultado com a distância Terra-Lua.

5.4 Duas bolinhas de isopor, de 0,5 g cada uma, estão suspensas por fios de 30 cm, amarrados no mesmo ponto. Comunica-se a mesma carga elétrica a cada bolinha; em consequência, os fios se afastam até formar um ângulo de 60° um com o outro. Qual é o valor da carga?

5.5 Leve em conta a resistência do ar, supondo-a proporcional à magnitude da velocidade. Nestas condições, um pedregulho que é lançado verticalmente para cima, a partir de uma certa altura, demora mais, menos ou o mesmo tempo para subir até a altura máxima do que para voltar até a altura do lançamento? Explique.

5.6 O sistema da figura está em equilíbrio. A distância d é de 1 m e o comprimento relaxado de cada uma das duas molas iguais é de 0,5 m. A massa m de 1 kg faz descer o ponto P de uma distância h = 15 cm. A massa das molas é desprezível. Calcule a constante K das molas

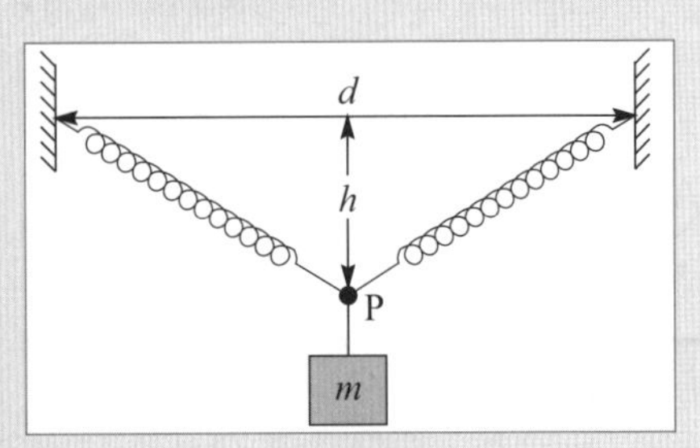

5.7 Um bloco é lançado para cima, com velocidade de 5 m/s, sobre uma rampa de 45° de inclinação. O coeficiente de atrito cinético entre o bloco e a rampa é 0,3. (a) Qual é a distância máxima atingida pelo bloco ao longo da rampa? (b) Quanto tempo leva o bloco para subir a rampa? (c) Quanto tempo leva para descer a rampa? (d) Com que velocidade final chega ao pé da rampa?

5.8 Na figura, as molas M_1 e M_2 têm massa desprezível, o mesmo comprimento relaxado l_0 e constantes de mola k_1 e k_2, respectivamente. Mostre que se pode substituir o par de molas por uma mola única equivalente de constante de mola k, e calcule k nos casos (a) e (b).

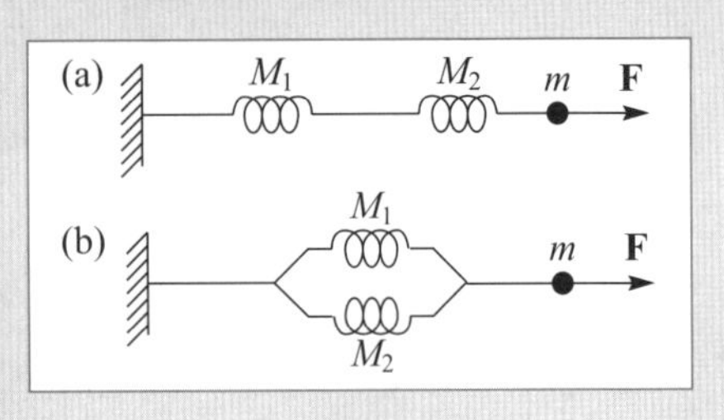

5.9 No sistema da figura (máquina de Atwood), mostre que a aceleração a da massa M e a tensão T (desprezando as massas da corda e da polia) são dadas por

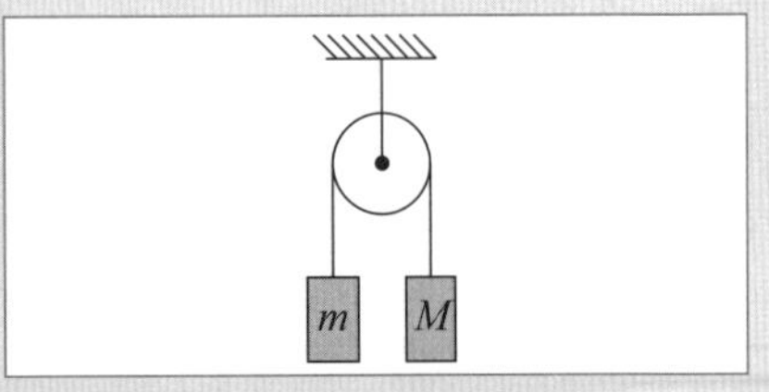

$$a = \left(\frac{M - m}{M + m}\right) g \qquad T = \frac{2mM}{(M + m)} g$$

5.10 No sistema da figura, $m_1 = 1$ kg, $m_2 = 3$ kg e $m_3 = 2$ kg, e as massas das polias e das cordas são desprezíveis. Calcule as acelerações a_1, a_2 e a_3 das massas m_1, m_2 e m_3 e a tensão T da corda.

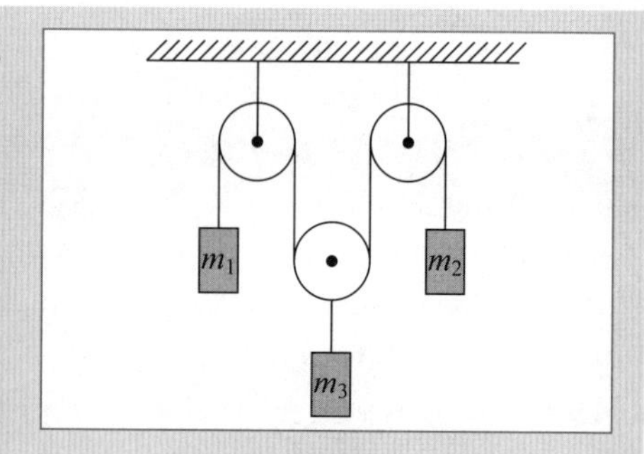

5.11 Um pintor está sobre uma plataforma suspensa de uma polia (Figura). Puxando a corda em 3, ele faz a plataforma subir com aceleração $g/4$. A massa do pintor é de 80 kg e a da plataforma é de 40 kg. Calcule as tensões nas cordas 1, 2 e 3 e a força exercida pelo pintor sobre a plataforma.

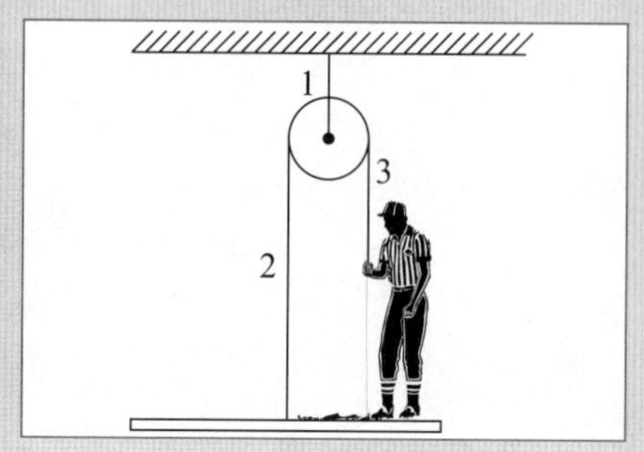

5.12 No sistema da figura, $m_1 = 20$ kg, $m_2 = 40$ kg e $m_3 = 60$ kg. Desprezando as massas das polias e dos fios e o atrito, calcule a aceleração do sistema e as tensões nos fios 1, 2 e 3.

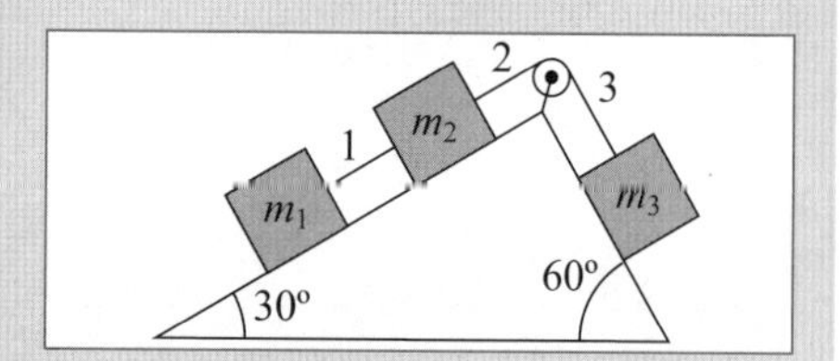

5.13 Um bloco está numa extremidade de uma prancha de 2 m de comprimento. Erguendo-se lentamente essa extremidade, o bloco começa a escorregar quando ela está a 1,03 m de altura, e então leva 2,2 s para deslizar até a outra extremidade, que permaneceu no chão. Qual é o coeficiente de atrito estático entre o bloco e a prancha? Qual é o coeficiente de atrito cinético?

5.14 Um bloquinho de massa igual a 100 g encontra-se numa extremidade de uma prancha de 2 m de comprimento e massa 0,5 kg. Os coeficientes de atrito estático e cinético entre o bloquinho e a prancha são, respectivamente, 0,4 e 0,35. A prancha está sobre uma mesa horizontal lisa (atrito desprezível). Com que força máxima podemos empurrar a outra extremidade da prancha para que o bloquinho não deslize sobre ela? Se a empurrarmos com uma força 3N, depois de quanto tempo o bloquinho cairá na prancha?

5.15 No sistema da figura, o bloco 1 tem massa de 10 kg e seu coeficiente de atrito estático com o plano inclinado é 0,5. Entre que valores mínimo e máximo pode variar a massa m do bloco 2 para que o sistema permaneça em equilíbrio?

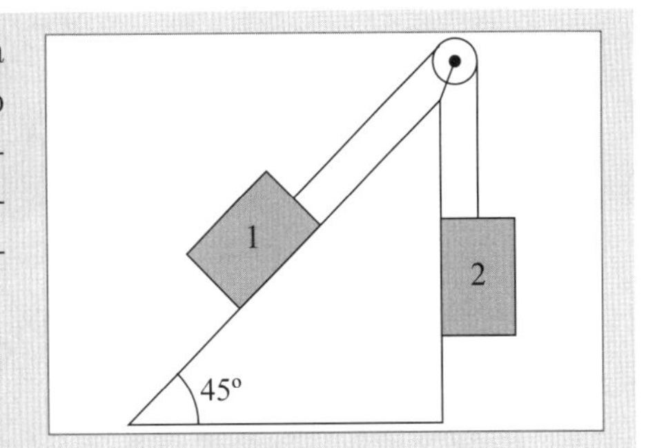

5.16 O coeficiente de atrito estático entre as roupas de uma pessoa e a parede cilíndrica de uma centrífuga de parque de diversões de 2 m de raio é 0,5. Qual é a velocidade angular mínima (em rotações por minuto) da centrífuga para que a pessoa permaneça colada à parede, suspensa acima do chão, como na foto ao lado?

5.17 Uma curva semicircular horizontal numa estrada tem 30 m de raio. Se o coeficiente de atrito estático entre os pneus e o asfalto é 0,6, qual é a velocidade máxima (em km/h) com que um carro pode fazer a curva sem derrapar?

5.18 Um trem atravessa uma curva de raio de curvatura igual a 100 m a 30 km/h. A distância entre os trilhos é de 1 m. De que altura é preciso levantar o trilho externo para minimizar a pressão que o trem exerce sobre ele ao passar pela curva?

5.19 No sistema da Figura, a bolinha de massa m está amarrada por fios de massa desprezível ao eixo vertical AB e gira com velocidade angular ω em torno desse eixo. A distância AB vale l. Calcule as tensões nos fios superior e inferior. Para que valor de ω o fio inferior ficaria frouxo?

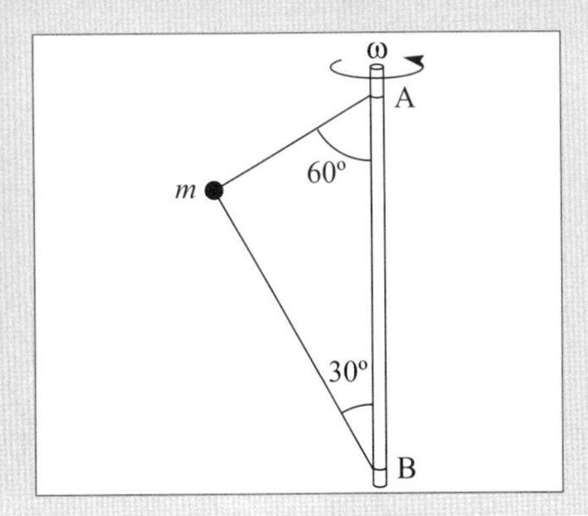

5.20 Um feixe de elétrons de velocidade 3×10^6 m/s penetra horizontalmente na região entre um par de placas defletoras de 2 cm de extensão, onde existe um campo elétrico vertical de 1 kV/m. Calcule o ângulo de deflexão e a magnitude da velocidade do feixe ao emergir da região entre as placas.

5.21 Qual é a frequência de cíclotron de um elétron no campo magnético da Terra, tomando seu valor típico de 0,5 gauss? Se um elétron acelerado através de uma diferença de potencial de 250V se move neste campo, perpendicularmente à direção do campo magnético. qual é o raio de curvatura da sua órbita?

5.22 Um feixe de prótons movendo-se ao longo de uma direção tomada como eixo Ox com velocidade de 10^6 m/s penetra numa região onde existe um campo magnético uniforme de intensidade 100 gauss, dirigido ao longo do eixo Oz. Calcule a deflexão do feixe na direção y após penetrar uma distância de 50 cm ao longo da direção x na região onde existe o campo magnético.

6

Trabalho e energia mecânica

6.1 CONSERVAÇÃO DA ENERGIA MECÂNICA NUM CAMPO GRAVITACIONAL UNIFORME

Sabemos que, na "experiência da Torre de Pisa", todos os corpos lançados do alto da torre atingem o solo (se desprezarmos a resistência do ar) com a mesma velocidade. Mais geralmente, qualquer corpo lançado de uma altura z_0 com velocidade inicial v_0 (vertical) passa por uma altura z_1 (Figura 6.1) com a mesma velocidade v_1, qualquer que seja sua massa m. Com efeito, decorre da (2.5.9) que

$$v_1^2 = v_0^2 + 2g(z_0 - z_1) \qquad \textbf{(6.1.1)}$$

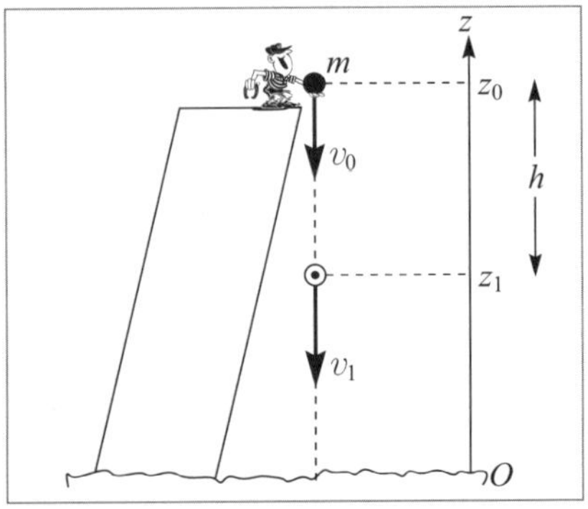

Figura 6.1 Velocidades na queda livre.

Em particular, a velocidade adquirida por um corpo em queda livre a partir do repouso após cair de uma altura h é $v = \sqrt{2gh}$ ("fórmula de Torricelli").

Por outro lado, se lançarmos um corpo verticalmente para cima com velocidade inicial v, ele sobe até uma altura $h = v^2/2g$, ou seja, a velocidade adquirida por ele após cair de uma certa altura é capaz de fazê-lo subir até essa mesma altura (sempre desprezando a resistência do ar).

Suponhamos agora que a massa m seja lançada com velocidade inicial v_0 ao longo de um plano inclinado de inclinação θ (Figura 6.2) e de comprimento l, com atrito desprezível. Vimos na (4.4.8) que a aceleração do movimento ao longo do plano é $a = g$ sen θ. Logo, a massa atinge a base do plano com velocidade v_1 dada por

$$v_1^2 = v_0^2 + 2gl \text{ sen } \theta \qquad \textbf{(6.1.2)}$$

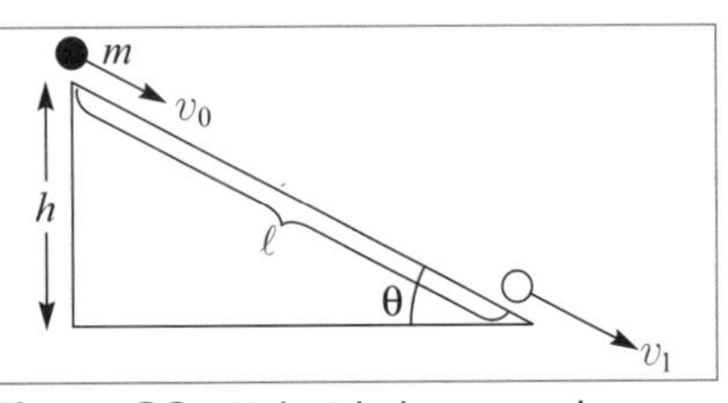

Figura 6.2 Velocidades num plano inclinado.

Mas (Figura 6.2) l sen $\theta = h = z_0 - z_1$ é a altura do plano inclinado. Comparando a (6.1.2) com a (6.1.1), vemos então que a *magnitude* da velocidade adquirida é a mesma nos dois casos (qualquer que seja o ângulo θ), ou seja, só depende da diferença de altura (note, porém, que as *direções* de $\mathbf{v}_0$ e $\mathbf{v}_1$ variam com θ).

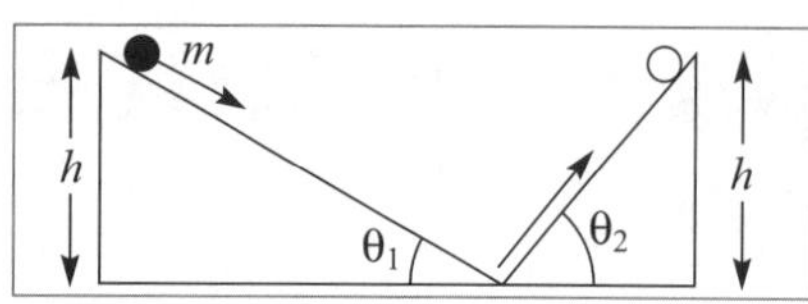

Figura 6.3 Alturas iguais de descida e subida.

Um resultado análogo vale para a velocidade necessária para subir de uma altura h ao longo de um plano inclinado. Em particular, na ausência de atrito e da resistência do ar, uma partícula que desce de uma altura h ao longo de um plano inclinado de inclinação θ_1 adquire uma velocidade exatamente suficiente para elevá-la de uma altura h ao longo de outro plano inclinado de inclinação θ_2, quaisquer que sejam θ_1 e θ_2 (Figura 6.3).

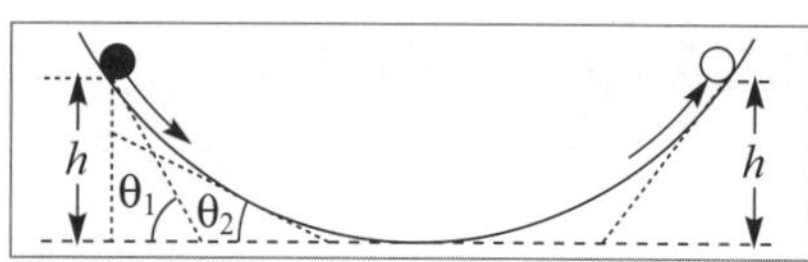

Figura 6.4 Descida e subida numa rampa curva.

Podemos pensar numa trajetória curva sob a ação da gravidade (por exemplo, numa rampa curva, como a de uma montanha-russa), como uma sucessão de planos inclinados infinitésimos, de inclinações variáveis continuamente (aproximando a curva por uma poligonal circunscrita de número crescente de lados). Assim, uma partícula que desce de uma altura h ao longo de uma rampa curva (Figura 6.4) sobe também a uma altura h com a velocidade adquirida, desde que possamos desprezar o atrito e a resistência do ar.

O resultado acima já era conhecido de Galileu, que assim o enunciou em "Duas Novas Ciências": "As velocidades adquiridas pelo mesmo corpo descendo ao longo de planos de inclinações diferentes são iguais quando as alturas desses planos são iguais."

Galileu também aplicou o resultado ao movimento de um pêndulo (em lugar de uma partícula sobre uma rampa curva), da seguinte forma (Figura 6.5)

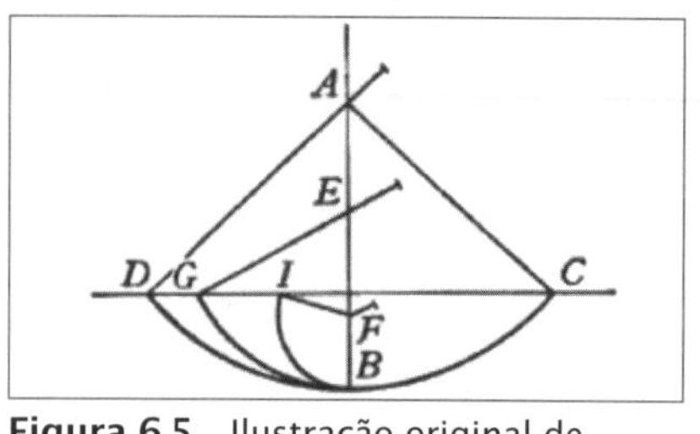

Figura 6.5 Ilustração original de Galileu.

"Imaginemos que esta página representa uma parede vertical, com um prego pregado nela; e que do prego esteja suspensa uma bola de chumbo de uma ou duas onças, por um fio vertical fino AB, de quatro a seis pés de comprimento, digamos; desenhamos sobre a parede uma linha horizontal DC, em ângulo reto com o fio vertical AB, que está pendurado a cerca de dois dedos de distância da parede. Agora vamos trazer o fio AB com a bola presa a ele até a posição AC e soltá-lo; veremos que desce primeiro ao longo do arco CBD, ultrapassa o ponto B, e percorre o arco BD, atingindo quase a horizontal CD, ficando um pouco abaixo devido à resistência do ar e do fio; daí poderemos corretamente inferir que a bola, descendo ao longo do arco CB, adquiriu um ímpeto ao chegar em B que é exatamente suficiente para levá-la ao longo do arco semelhante BD até a mesma altura. Tendo repetido esta experiência muitas vezes, vamos agora colocar um prego na parede perto da perpendicular AB, digamos em E ou em F, de forma que se projete para fora de cinco ou seis dedos, afim de que o fio, transportando novamente a bola ao longo do arco CB, bate no prego E quando a bola atinge B, forçando-o a atravessar o arco BG, descrito com o centro em E. Isto permite ver o que pode ser feito pelo mesmo ímpeto que antes, partindo do mesmo ponto B, carregava o mesmo corpo ao longo do arco BD até a horizontal CD. Agora, cavalheiros, observarão com prazer que a bola oscila até o ponto G na horizontal, e veriam o mesmo ocorrer se o obstáculo fosse colocado num ponto mais baixo, digamos em F, em torno do qual a bola descreveria o arco BI, elevando-se sempre até terminar exatamente sobre a linha CD. Mas, se o prego for colocado tão baixo que o resto do fio abaixo dele não chega até a altura CD (o que sucederia se o prego fosse colocado mais próximo de B do que da intersecção de AB com a horizontal CD), então o fio pula por cima do prego e se enrosca em torno dele".

O resultado (6.1.1) pode ser reescrito da seguinte forma:

$$\frac{1}{2}v_1^2 + gz_1 = \frac{1}{2}v_0^2 + gz_0 \tag{6.1.3}$$

relacionando as velocidades v_1 e v_0 associadas a duas alturas quaisquer z_1 e z_0. Analogamente à (4.5.1), podemos dizer que a grandeza

$$\frac{1}{2}v^2 + gz \tag{6.1.4}$$

é *conservada* no movimento de uma partícula sob a ação do campo gravitacional uniforme (Seç. 5.4) na vizinhança da superfície da Terra. Isso vale qualquer que seja esse movimento (mesmo para uma trajetória curvilínea). Entretanto, ainda obteríamos uma grandeza conservada multiplicando a (6.4.1) pela massa m da partícula ou por qualquer função de m (porque m se conserva).

Para remover a ambiguidade sobre a forma da grandeza que se conserva, vamos considerar um sistema de *duas massas* m e M ligadas por um fio de massa desprezível que passa sobre uma polia de massa desprezível ("máquina de Atwood"). Sejam z, v e a a altura, velocidade e aceleração instantâneas da massa m, e Z e V a altura e a velocidade correspondentes de M; como $l_1 + l_2$ é constante na Figura 6.6, a aceleração de M é $-a$, e temos, analogamente à (5.3.15),

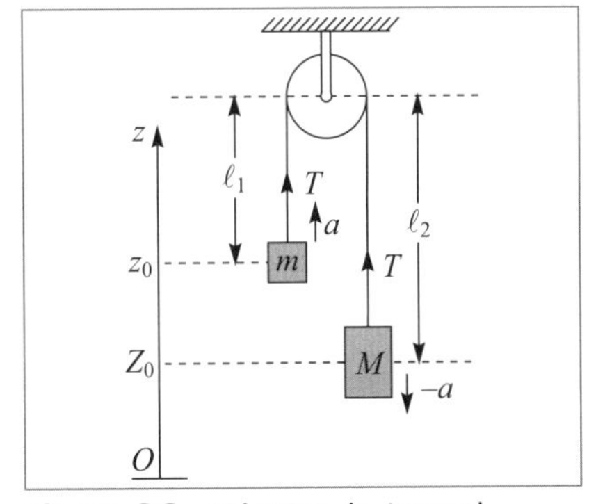

Figura 6.6 Máquina de Atwood.

$$\Delta l_1 = (z_1 - z_0) = -\Delta l_2 = -(Z_1 - Z_0) \tag{6.1.5}$$

ou seja, uma massa desce da mesma altura de que a outra sobe. Se T é a tensão do fio, temos

$$\left.\begin{cases} T - mg = ma \\ T - Mg = -Ma \end{cases}\right\} (M - m)g = (M + m)a \quad \left\{ a = \frac{M - m}{M + m} g \right. \tag{6.1.6}$$

Podemos agora aplicar a (2.5.9) ao movimento de cada uma das massas:

$$\left.\begin{cases} v_1^2 = v_0^2 = 2a(z_1 - z_0) \\ V_1^2 = V_0^2 = 2(-a)(Z_1 - Z_0) \end{cases}\right\} \tag{6.1.7}$$

ou, pela (6.1.6)

$$\left.\begin{cases} \frac{1}{2}v_1^2 - \frac{1}{2}v_0^2 = g\left(\frac{m - M}{m + M}\right)(z_0 - z_1) = g(z_0 - z_1) - \frac{2M}{m + M} g(z_0 - z_1) \\ \frac{1}{2}V_1^2 - \frac{1}{2}V_0^2 = g\left(\frac{M - m}{M + m}\right)(Z_0 - Z_1) = g(Z_0 - Z_1) - \frac{2m}{m + M} g(Z_0 - Z_1) \end{cases}\right\}$$

ou ainda

$$\left.\begin{cases} \frac{1}{2}v_1^2 + gz_1 = \frac{1}{2}v_0^2 + gz_0 - \frac{2Mg}{m + M}(z_0 - z_1) \\ \frac{1}{2}V_1^2 + gZ_1 = \frac{1}{2}V_0^2 + gZ_0 - \frac{2mg}{m + M}(Z_0 - Z_1) \end{cases}\right\} \tag{6.1.8}$$

Multiplicando a primeira das (6.1.8) por m e a segunda por M e somando membro a membro, os últimos termos dos segundos membros se cancelam, pois $(z_0 - z_1) + (Z_0 - Z_1) = 0$ pela (6.1.5). Obtemos então

$$\left(\frac{1}{2}mv_1^2 + mgz_1\right) + \left(\frac{1}{2}MV_1^2 + MgZ_1\right) = \left(\frac{1}{2}mv_0^2 + mgz_0\right) + \left(\frac{1}{2}MV_1^2 + MgZ_0\right) \tag{6.1.9}$$

ou seja, para um sistema de partículas sob a ação do campo gravitacional **g**, a grandeza que se conserva é

$$\boxed{E = \sum\left(\frac{1}{2}mv^2 + mgz\right)} \tag{6.1.10}$$

onde soma é estendida a todas as partículas do sistema. Vamos agora discutir a interpretação física de E, que representa, conforme veremos, a *energia mecânica* do sistema.

6.2 TRABALHO E ENERGIA

Consideremos um "bate-estacas" (Figura 6.7 (a)), que opera da seguinte maneira: um bloco de massa m suspenso inicialmente a uma altura z_0 acima de uma estaca que se quer enterrar é deixado cair sobre ela, atingindo-a com velocidade v. Como resultado (Figura (b)) a estaca penetra a uma profundidade adicional Δz. Aplicando a (6.1.10) à massa do bloco, temos, inicialmente,

$$E = mgz_0 \tag{6.2.1}$$

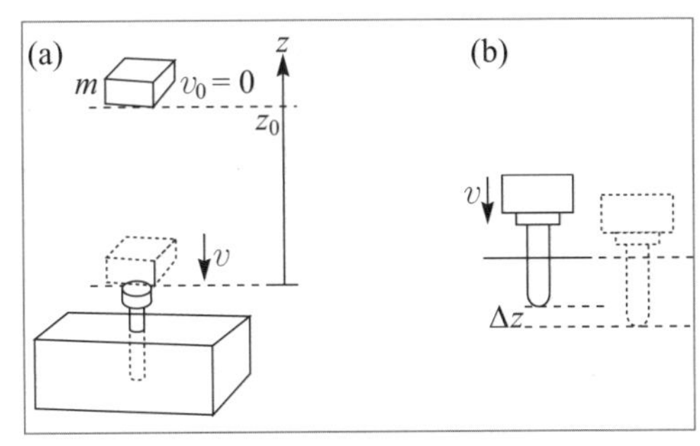

Figura 6.7 Bate-estacas.

No instante em que o bloco atinge a estaca ($z = 0$), temos

$$E = \frac{1}{2}mv^2 \tag{6.2.2}$$

A força F com que o bloco atua sobre a estaca é uma *força impulsiva*, típica de um processo de colisão, que atua durante um intervalo de tempo muito curto e tem uma magnitude muito grande durante este intervalo. A estaca atua sobre o bloco com uma força igual e contrária $-F$, cujo efeito é desacelerar o bloco até que ele pare. Vamos admitir, para simplificar, que essa desaceleração é uniforme, correspondendo a uma aceleração constante a ($a < 0$). Por hipótese, como F é muito grande, podemos desprezar outras forças, (inclusive a força-peso) em confronto com F, o que dá para a equação de movimento do bloco

$$-F = ma \tag{6.2.3}$$

Aplicando a (2.5.9) à desaceleração do bloco da velocidade v até parar, temos então ($\Delta z > 0$)

$$v^2 = -2a\Delta z \tag{6.2.4}$$

As (6.2.2), (6.2.3) e (6.2.4) dão então, em $z = 0$,

$$\boxed{E = \frac{1}{2}mv^2 = F \cdot \Delta z} \tag{6.2.5}$$

Dizemos que a força F aplicada à estaca, enterrando-a de Δz, ou seja, *produzindo um deslocamento de Δz na direção da força, realiza um* ***trabalho***

$$\boxed{\Delta W = F \cdot \Delta z} \tag{6.2.6}$$

sobre a estaca. O trabalho é tanto maior quanto maior o deslocamento ou a força sob a ação da qual ele se realiza.

Em razão da velocidade v com que atinge a estaca, o bloco tem a capacidade de realizar esse trabalho, exercendo uma força sobre a estaca. *Chama-se* ENERGIA *a capacidade de produzir trabalho*. No instante em que atinge a estaca, a energia E do bloco, dada pela (6.2.2), está associada unicamente com sua velocidade v. Esta forma de *energia devida ao movimento* chama-se *energia cinética*; vamos designá-la por T.

A energia cinética de uma partícula de massa m que se move com velocidade **v** *é dada por*

$$\boxed{T = \frac{1}{2}mv^2} \tag{6.2.7}$$

onde $v = |\mathbf{v}|$. No século XVII, houve uma violenta controvérsia entre Descartes e Leibnitz sobre qual seria a "verdadeira medida de uma força": segundo Descartes, seria mv, e segundo Leibnitz seria mv^2, que Leibnitz chamava de "força viva". Vemos que ambos são importantes, mas medem coisas diferentes.

Por outro lado, na situação inicial em que o bloco está em repouso à altura z_0, sua energia (a mesma) é dada pela (6.2.1). Esta forma de energia, que só depende da *posição* em que o bloco se encontra, chama-se *energia potencial*, e vamos representá-la por U. Para uma massa m à mesma altura z na vizinhança da superfície terrestre, a *energia potencial gravitacional* é dada por

$$\boxed{U = mgz} \tag{6.2.8}$$

A (6.1.0) mostra que a *energia total* de uma partícula de massa m no campo gravitacional próximo da superfície terrestre é dada por

$$\boxed{E = T + U = \frac{1}{2}mv^2 + mgz} \tag{6.2.9}$$

e *se conserva*. Logo, *a energia total de uma partícula é a soma de sua energia cinética com sua energia potencial*. A razão do nome "energia potencial" é que esta energia fica armazenada em forma "potencial", como no caso do bloco suspenso, podendo converter-se em energia cinética e realizar trabalho.

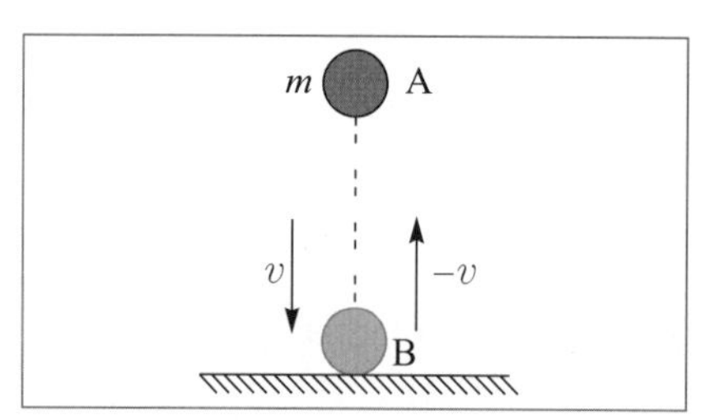

Figura 6.8 Bola pulando sobre o chão.

Exemplo 1: Consideremos uma bola solta da posição A (Figura 6.8), a uma altura z_0 do chão. Suponhamos que ela sofre ao atingir o chão uma colisão perfeitamente *elástica*, cujo único efeito é inverter o sentido de sua velocidade, convertendo-a de v em $-v$. A bola voltará então a subir à mesma altura inicial, e assim permaneceria indefinidamente, oscilando entre as posições extremas A (onde sua energia é puramente potencial, dada pela (6.2.1)) e B (onde sua energia é puramente cinética, dada pela (6.2.2)), se não fosse dissipando a energia pelo atrito (resistência do ar).

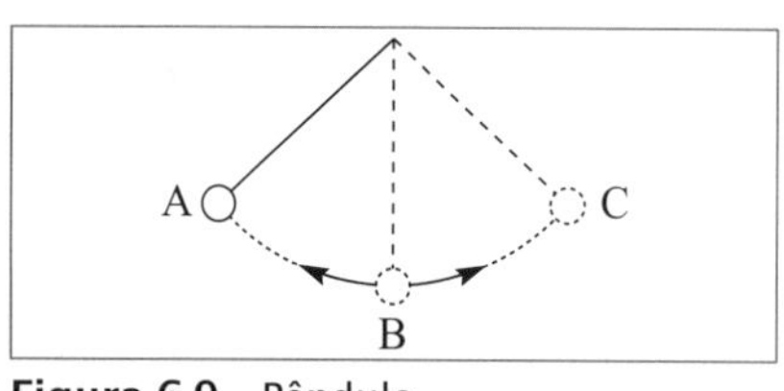

Figura 6.9 Pêndulo.

Exemplo 2: O pêndulo, que conforme vimos foi considerado por Galileu, também oscilaria indefinidamente na ausência de atrito e resistência do ar. A energia total se conserva, oscilando entre a forma puramente potencial em A e C, onde a partícula para instantaneamente, e a forma puramente cinética em B, onde a velocidade é máxima.

Numa montanha-russa, sempre desprezando o atrito e a resistência do ar, a energia mecânica é conservada, permitindo (idealmente) que o carrinho volte a subir à altura h

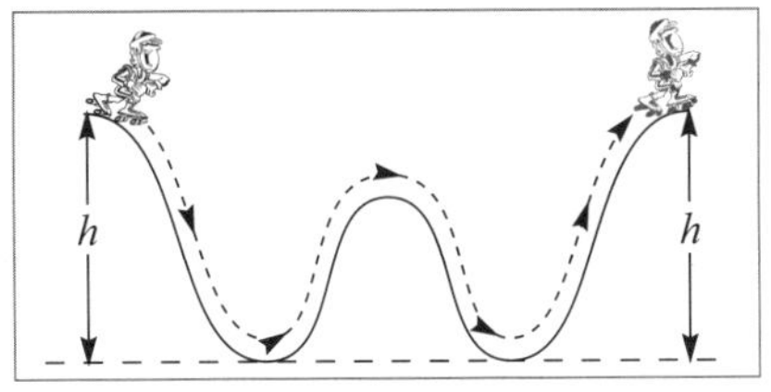

Figura 6.10 Montanha-russa.

inicial, onde sua energia é puramente potencial, depois de passar pelos "vales", onde sua energia cinética é máxima.

As (6.2.5) e (6.2.6) mostram que tanto trabalho como energia têm dimensões do produto de força por deslocamento, de modo que a unidade SI correspondente é

$$1\ \text{N} \times 1\ \text{m} = 1\ \text{J (Joule)}$$

No sistema CGS, seria 1 dina × 1 cm = 1 erg. Lembrando que 1 N = 10^5 dinas (Seç. 4.3), vemos que

$$1\ \text{J} = 10^7\ \text{ergs}$$

O resultado (6.2.5) pode ser estendido a qualquer movimento unidimensional sob a ação de uma força constante. Com efeito, se multiplicarmos por $m/2$ ambos os membros da (2.5.9), obtemos

$$\frac{1}{2}mv_1^2 = \frac{1}{2}mv_0^2 + \underbrace{ma}_{=F\left(\substack{\text{força que atua}\\ \text{sobre a partícula}}\right)}(x_1 - x_0)$$

ou seja,

$$\boxed{W_{x_0 \to x_1} = F(x_1 - x_0) = T_1 - T_0 = \frac{1}{2}mv_1^2 - \frac{1}{2}mv_0^2} \qquad \textbf{(6.2.10)}$$

O primeiro membro define o *trabalho realizado sobre a partícula pela força F que atua sobre ela, no deslocamento de* x_0 *até* x_1. Para o caso especial do movimento unidimensional sob a ação de uma força constante, a (6.2.10) mostra que esse trabalho é igual à *variação de energia cinética da partícula* entre esses dois pontos (energia final menos energia inicial).

No caso particular do campo gravitacional, com $x \to z$ e Oz dirigido verticalmente para cima, temos $F = -mg$ e a (6.2.10) se reduz à (6.1.3). Para o bate-estacas, durante a queda livre da altura z_0 até $z_1 = 0$, a força aplicada ao bloco (gravidade) tem o mesmo sentido que o deslocamento, realizando portanto sobre ele um trabalho positivo, o que aumenta sua energia cinética para o valor (6.2.2). Depois que o bloco bateu na estaca, a força sobre o bloco é a reação da estaca $-F$ dada pela (6.2.3), dirigida para cima, ao passo que o bloco se desloca para baixo. Logo, o trabalho realizado sobre o bloco é *negativo*, reduzindo sua energia cinética do valor (6.2.2) até zero.

A (6.2.10) também ilustra o fato de que a expressão (6.2.9) para a energia total resultou do cálculo de *diferenças* de energia entre dois pontos, que não seriam alteradas acrescentando à (6.2.9) uma constante arbitrária, ou seja: *a energia total é definida a menos de uma constante aditiva arbitrária*. Isso também é óbvio pelo próprio resultado. Com efeito, a altura z nas (6.2.8) e (6.2.9) é tomada em relação a um nível ($z = 0$) que pode ser escolhido arbitrariamente. Uma mudança da origem das alturas equivale a acrescentar à energia potencial – e por conseguinte também à energia total – uma constante arbitrária.

6.3 TRABALHO DE UMA FORÇA VARIÁVEL

Até aqui consideramos somente o trabalho realizado por uma força constante. Limitando-nos ainda, por enquanto, ao movimento unidimensional, consideremos agora o que acontece quando a força varia à medida que a partícula se desloca, ou seja, depende da posição x ocupada pela partícula:

$$\mathbf{F} = F(x)\hat{\mathbf{x}} \tag{6.3.1}$$

onde $F\ (x)$ pode ser positivo ou negativo. Um exemplo é dado pela (5.2.1).

Num deslocamento muito pequeno Δx_i da partícula em torno de uma posição x_i, tal que a força permaneça praticamente constante, $F\ (x) \approx F\ (x_i)$, o trabalho realizado pela força sobre a partícula é

$$\Delta W_i \approx F(x_i)\Delta x_i \tag{6.3.2}$$

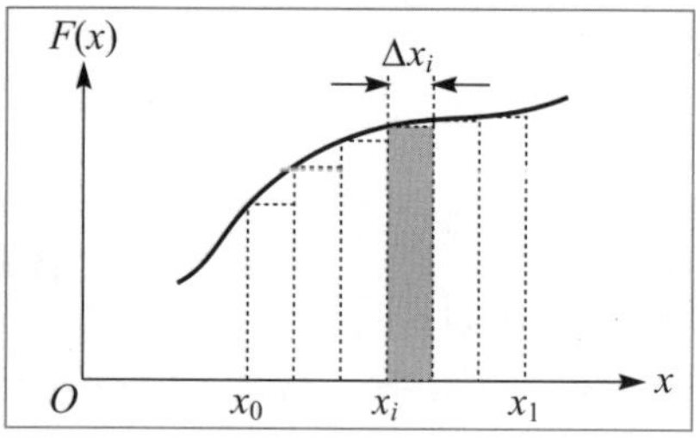

Para calcular o *trabalho realizado num deslocamento finito* $x_0 \to x_1$, podemos decompô-lo em uma sucessão de deslocamentos muito pequenos Δx_i, a cada um dos quais aplicamos a (6.3.2), passando depois ao limite em que $\Delta x_i \to 0$:

$$W_{x_0 \to x_1} = \lim_{\Delta x_i \to 0} \sum_i F(x_i)\Delta x_i \tag{6.3.3}$$

Figura 6.11 Trabalho de uma força variável.

onde a soma se estende de x_0 até x_1. Comparando a (6.3.3) com a (2.3.4), obtemos, finalmente

$$\boxed{W_{x_0 \to x_1} = \int_{x_0}^{x_1} F(x)dx} \tag{6.3.4}$$

o que representa, conforme vimos na Seç. 2.3, a área compreendida entre o gráfico de $F(x)$ e o eixo Ox, na região que vai de x_0 até x_1.

Aplicação à lei de Hooke: Um sistema mecânico extremamente importante é constituído por uma partícula de massa m presa a uma extremidade de uma mola cuja outra extremidade é fixa. A Figura 6.12 (b) mostra a situação de equilíbrio (mola nem comprimida nem esticada), em que a força **F** que atua sobre a partícula se anula. Seja x o *deslocamento da partícula, medido a partir desta posição de equilíbrio*. Verifica-se então experimentalmente que se $|x|$ não for excessivamente

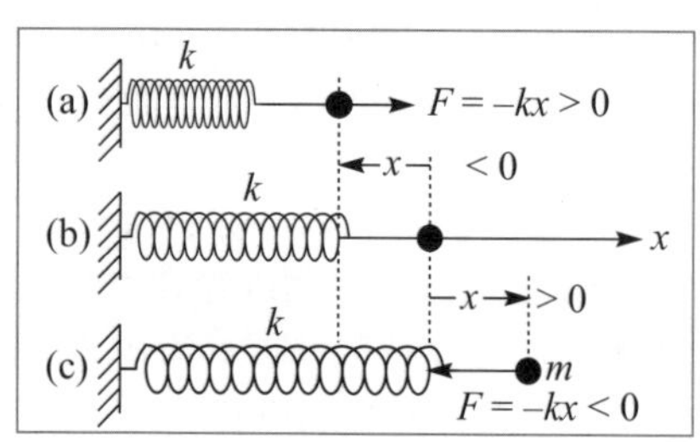

Figura 6.12 Lei de Hooke.

grande, a força **F** exercida pela mola *sobre a partícula* é dada pela (6.3.1), com (cf. (5.2.1)).

$$\boxed{F(x) = -kx} \tag{6.3.5}$$

onde k é uma constante positiva, chamada *constante da mola*.

As Figuras 6.12 (a) e (c) ilustram a origem do sinal (–) na (6.3.5): a força F tende a se *opor* ao deslocamento da partícula, trazendo-a de volta à situação de equilíbrio, ou seja $F > 0$ para $x < 0$ (*compressão* da mola), e $F < 0$ para $x > 0$ (*distensão* da mola). Diz-se por isso que F é uma *força restauradora*. A constante da mola k mede-se em N/m.

A lei de Hooke foi por ele enunciada em 1678 sob a forma de um anagrama – o que era comum na época para garantir a prioridade do autor e ao mesmo tempo evitar que competidores levassem mais adiante sua ideias. O anagrama enunciado por Hooke foi "ceiiinosssttuv", que ele decifrou dois anos depois: "ut tensio, sic vis", o que significava, em latim "como a deformação, assim a força", ou seja, a força é proporcional à deformação.

Substituindo $F(x)$ na (6.3.4) pela expressão (6.3.5), obtemos o *trabalho realizado pela força restauradora da mola sobre a partícula* ao passar de um deslocamento x_0 da posição de equilíbrio a um deslocamento x_1.

$$W_{x_0 \to x_1} = -k \int_{x_0}^{x_1} x \, dx \tag{6.3.6}$$

A interpretação geométrica do segundo membro (Seç. 2.3) é que representa a área sombreada na Figura 6.13, ou seja

$$W_{x_0 \to x_1} = -\frac{k}{2}(x_0 + x_1)(x_1 - x_0)$$

(a área de um trapézio semelhante foi calculada na Seç. 2.3). Obtemos assim

$$\boxed{W_{x_0 \to x_1} = -\left(\frac{1}{2}kx_1^2 - \frac{1}{2}kx_0^2\right)} \tag{6.3.7}$$

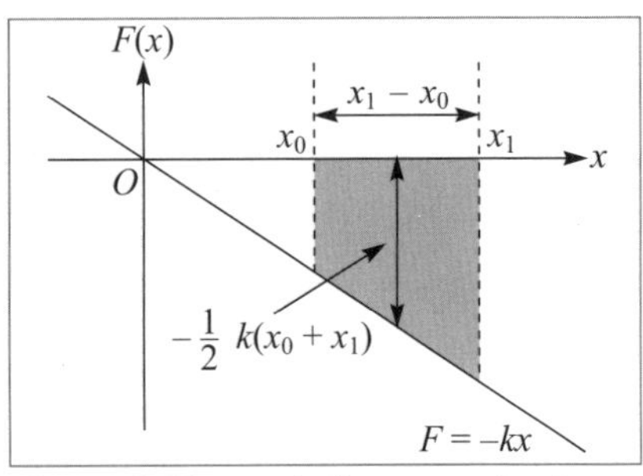

Figura 6.13 Trabalho para a lei de Hooke.

ou seja, o trabalho realizado sobre a partícula é *negativo* quando *aumenta a deformação* da mola ($|x_1| > |x_0|$: pense no que isto significa em termos de possíveis combinações de sinais de x_0 e x_1), e é *positivo* no caso contrário ($|x_1| < |x_0|$). Isso seria de se esperar, uma vez que no primeiro caso a força restauradora da mola é em sentido oposto ao deslocamento, ao passo que no segundo tem o mesmo sentido que ele.

Vamos ver agora que se pode estender a (6.2.10) ao caso de uma força variável. Para isso, vamos considerar o movimento da partícula entre as posições x_0 e x_1, que supomos serem atingidas nos instantes t_0 e t_1, respectivamente. A equação de movimento é dada pela 2ª lei de Newton:

$$F = ma = m\frac{dv}{dt} \tag{6.3.8}$$

onde a e v são a aceleração e velocidade instantâneas da partícula, respectivamente. Se v é a velocidade da partícula correspondente a um deslocamento infinitésimo dx, temos

$$dx = vdt = \frac{dx}{dt}dt \tag{6.3.9}$$

que define o que se chama a *diferencial* de x. Para deslocamentos Δx suficientemente pequenos na (6.3.3), podemos confundir Δx com dx. Passando da (6.3.3) para a (6.3.4), isto mostra que a (6.3.4) também pode ser escrita

$$W_{x_0 \to x_1} = \int_{t_0}^{t_1} mv \frac{dv}{dt} dt \tag{6.3.10}$$

onde

$$x(t_0) = x_0, \quad x(t_1) = x_1 \tag{6.3.11}$$

Do ponto de vista físico, a passagem da (6.3.4) à (6.3.10) corresponde a integrar o trabalho realizado ao longo do movimento, considerando a variação das grandezas com o tempo, em lugar da posição ao longo da trajetória, o que é obviamente equivalente. Do ponto de vista matemático, a (6.3.10) se obtém da (6.3.4) por uma *mudança de variável*, tomando t em lugar de x como variável independente, com o auxílio da (6.3.9).

Podemos calcular imediatamente a (6.3.10) fazendo outra mudança de variável de integração, que consiste em tomar a velocidade v como variável independente, com (cf. (6.3.9))

$$dv = \frac{dv}{dt}dt \tag{6.3.12}$$

Sejam

$$v(t_0) = v_0, \quad v(t_1) = v_1 \tag{6.3.13}$$

as velocidades nas posições inicial e final, respectivamente. A (6.3.10) fica então

$$W_{x_0 \to x_1} = \int_{v_0}^{v_1} mv\, dv \tag{6.3.14}$$

que é uma integral do mesmo tipo da (6.3.6), com $k \to -m$. O resultado é então análogo à (6.3.7), com a mesma substituição:

$$\boxed{W_{x_0 \to x_1} = \int_{x_0}^{x_1} F(x)dx = \frac{1}{2}mv_1^2 - \frac{1}{2}mv_0^2 = T_1 - T_0 = \Delta T} \tag{6.3.15}$$

ou seja, *o trabalho realizado por uma força qualquer sobre uma partícula é igual à variação da energia cinética da partícula entre as posições inicial e final.* Isso generaliza a (6.2.10) para o caso de uma força *qualquer*, no movimento unidimensional.

6.4 CONSERVAÇÃO DA ENERGIA MECÂNICA NO MOVIMENTO UNIDIMENSIONAL

No movimento vertical de queda livre, com eixo Oz dirigido para cima, temos $F = -m\,g$, e

$$\boxed{W_{z_0 \to z_1} = -mg\int_{z_0}^{z_1} dz = -mg\left(z_1 - z_0\right) = -\left(U_1 - U_0\right) = -\Delta U} \tag{6.4.1}$$

onde

$$\boxed{U(z) = mgz} \tag{6.4.2}$$

representa, como vimos na Seç. 6.2, a *energia potencial* de uma partícula de massa m à altura z. Combinando a (6.4.1) com a (6.3.15), vem

$$\boxed{\Delta T = -\Delta U \;\left\{\; \Delta(T+U) = \Delta E = 0\right.} \tag{6.4.3}$$

o que exprime a *conservação da energia mecânica total* $E = T + U$ dada, neste caso, pela (6.2.9).

Por outro lado, no caso da partícula presa a uma mola (Fig. 6.12), vimos que $W_{x_0 \to x_1}$ é dado pela (6.3.7), que também pode ser escrita de forma análoga à (6.4.1):

$$W_{x_0 \to x_1} = -\left[U(x_1) - U(x_0)\right] = -\Delta U \tag{6.4.4}$$

Assim,

$$\boxed{U(x) = \frac{1}{2}kx^2} \tag{6.4.5}$$

deve então ser interpretado como a *energia potencial da partícula para uma deformação* $|x|$ *da mola* (U tem o mesmo valor para deslocamentos x e $-x$ da posição de equilíbrio). Note que aqui também poderíamos ter acrescentado a U uma constante aditiva arbitrária sem alterar a (6.4.4), porque a constante se cancelaria ao tomar $U(x_1) - U(x_0)$. A (6.4.5) corresponde a escolher como nível zero de energia potencial a situação em que a mola não está deformada ($x = 0$).

Combinando as (6.3.15) e (6.4.4), obtemos novamente, neste caso, a conservação da energia mecânica total da partícula, dada por

$$\boxed{E = T + U(x) = \frac{1}{2}mv^2 + \frac{1}{2}kx^2} \tag{6.4.6}$$

Esta lei de conservação é consequência da existência de uma função energia potencial $U(x)$ que satisfaz à (6.4.4). Forças como $F = -mg$ ou $F = -kx$ para as quais isto acontece, ou seja, *forças sob a ação das quais existe uma função energia mecânica que se conserva durante o movimento da partícula, chamam-se* ***forças conservativas***.

Para que isso aconteça, é necessário, pelo (6.4.4), que o *trabalho realizado pela força entre* x_0 *e* x_1 *só dependa dos pontos inicial e final*, pois deve representar a diferença de energia potencial entre estes pontos. É fácil ver que isso não acontece quando a força F, além de depender da posição x da partícula, também depende da velocidade. Um exemplo seria a resistência de atrito interno (5.2.10) (especializada ao caso unidimensional), que representa uma *força dissipativa* (Seç. 5.2). Nesse caso $W_{x_0 \to x_1}$ dependeria não apenas de x_0 e x_1, mas também da velocidade com que o caminho de x_0 a x_1 é descrito (que dependeria da velocidade inicial).

Suponhamos, por outro lado, que a força exercida sobre uma partícula na posição x só depende de x, como acontece com a força gravitacional e a lei de Hooke. Se fixarmos x_0, podemos dizer então que

$$\Phi(x) = \int_{x_0}^{x} F(u)du = W_{x_0 \to x} \quad \textbf{(6.4.7)}$$

é uma função somente de x. Temos então

$$\Phi(x_2) - \Phi(x_1) = \int_{x_1}^{x_0} F(u)du + \int_{x_0}^{x_2} F(u)du = \int_{x_1}^{x_2} F(u)du = W_{x_1 \to x_2} \quad \textbf{(6.4.8)}$$

onde usamos propriedades simples da integral $\left(\int_a^b = -\int_b^a ;\ \int_a^b + \int_b^c = \int_a^c \right)$. Comparando a (6.4.8) com a (6.4.4), vemos que se pode tomar

$$\boxed{U(x) = -\Phi(x) = -\int_{x_0}^{x} F(u)du} \quad \textbf{(6.4.9)}$$

como *função energia potencial*. Note que $U(x_0) = 0$, de forma que a escolha arbitrária de x_0 reflete a arbitrariedade na escolha do nível zero de energia potencial (constante aditiva arbitrária na energia). Logo, *num movimento unidimensional, qualquer força F que só dependa da posição x da partícula (e não, por exemplo, de sua velocidade) é conservativa*, e a (6.4.9) define a energia potencial correspondente. É fácil ver (verifique!) que a (6.4.9) reproduz os resultados já obtidos nos casos da força gravitacional e da lei de Hooke.

Vejamos agora de que forma a função $\Phi(x)$ definida pela (6.4.7) varia quando se passa de x a $x + \Delta x$, onde Δx é um incremento pequeno.

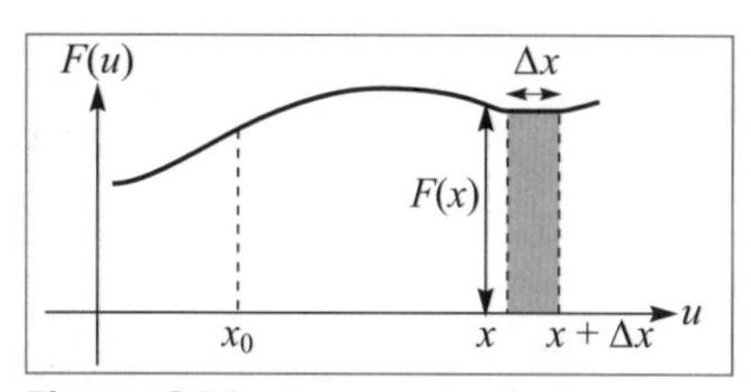

Figura 6.14 Incremento de área.

Lembrando a interpretação geométrica da integral, vemos que

$$\Delta\Phi = \Phi(x + \Delta x) - \Phi(x)$$

representa na Figura 6.14 a diferença entre as áreas de x_0 a $x + \Delta x$ e de x_0 a x, ou seja, a área sombreada. Para $\Delta x \to 0$ (suficientemente pequeno), temos então

$$\Phi(x + \Delta x) - \Phi(x) \approx F(x)\Delta x \quad \textbf{(6.4.10)}$$

com erro tanto menor quanto menor for Δx. Dividindo ambos os membros por Δx, passando ao limite $\Delta x \to 0$ e lembrando a definição (2.2.2) de derivada, obtemos finalmente

$$\boxed{\frac{d\Phi}{dx} = F(x)} \tag{6.4.11}$$

que corresponde ao teorema fundamental do cálculo integral: a derivada da integral (6.4.7) em relação ao extremo superior é igual ao valor do integrando nesse extremo. Comparando a (6.4.11) com a (6.4.7), vemos também que *a integração é a operação inversa da derivação*, permitindo "inverter" a (6.4.11) para exprimir Φ em termos de F.

As (6.4.9) e (6.4.11) dão

$$\boxed{F(x) = -\frac{dU}{dx}} \tag{6.4.12}$$

ou seja, *menos a derivada da energia potencial em relação à posição é igual à força*. Esse importante resultado nos mostra que, se conhecermos a energia potencial em função da posição, podemos calcular a força por simples derivação.

Podemos verificar facilmente este resultado nos casos da (6.2.8) e da (6.4.5):

$$\left\{\begin{array}{l} U(z) = mgz \Rightarrow -\dfrac{dU}{dz} = -mg = F \\ U(x) = \dfrac{1}{2}kx^2 \Rightarrow -\dfrac{dU}{dx} = -kx = F \end{array}\right\} \tag{6.4.13}$$

Como a derivada de uma constante é nula, vemos que a constante aditiva arbitrária na determinação da energia potencial não afeta o cálculo da força. Na (6.4.9), ela corresponde ao que se chama de "constante de integração".

Podemos exprimir a condição para que uma força seja conservativa de forma equivalente à anterior notando que

$$\boxed{\int_{x_0}^{x_1} F(x)dx = W_{x_0 \to x_1} = U_0 - U_1} \tag{6.4.14}$$

implica

$$\int_{x_1}^{x_0} F(x)dx = W_{x_1 \to x_0} = -\int_{x_0}^{x_1} F(x)dx = U_1 - U_0 \tag{6.4.15}$$

ou seja, somando membro a membro,

$$\boxed{W_{x_0 \to x_1} + W_{x_1 \to x_0} = 0} \tag{6.4.16}$$

Assim, *o trabalho total realizado numa "viagem de ida e volta" é nulo*. É intuitivo que isto corresponde a uma força que conserva a energia mecânica: se é preciso fornecer trabalho à partícula na "ida", ele é integralmente devolvido na "volta". Isso é evidente na Exemplo 1 da Seç. 6.2.

No caso das forças do atrito, é fácil ver que a (6.4.16) não pode ser satisfeita. Com efeito, quando se inverte o sentido do deslocamento, também se inverte o sentido da força de atrito, de forma que $W_{x_0 \to x_1}$ e $W_{x_1 \to x_0}$, para as forças de atrito, têm o mesmo sinal e não podem cancelar-se mutuamente. Em geral, o trabalho realizado pelas forças de atrito é negativo, porque tendem a se opor ao deslocamento. Veremos mais tarde que isto corresponde a uma *dissipação* da energia mecânica, que se converte em calor, o que justifica o nome de *forças dissipativas*.

Poderia parecer, à primeira vista, que a força de atrito cinético (5.2.5) satisfaz ao critério de só depender da posição, uma vez que μ_c é (aproximadamente) independentemente da velocidade, o que, como foi mencionado acima, caracterizaria uma força conservativa. Entretanto, mesmo que a *magnitude* da força seja independente da velocidade, o seu *sentido* se inverte quando a velocidade se inverte. Assim, o vetor $\mathbf{F}_a$ correspondente à (5.2.5) depende da velocidade, e a força correspondente é de fato dissipativa.

6.5 DISCUSSÃO QUALITATIVA DO MOVIMENTO UNIDIMENSIONAL SOB A AÇÃO DE FORÇAS CONSERVATIVAS

Consideremos uma partícula de massa m que se move em uma dimensão sob a ação de uma força conservativa $F(x)$ associada à energia potencial $U(x)$. A partir do gráfico de $U(x)$, é possível dar uma discussão qualitativa bastante detalhada dos aspectos mais importantes do movimento, qualquer que seja a forma de $U(x)$ (mesmo em casos onde seria difícil obter soluções explícitas).

Pela (6.4.12), temos

$$\boxed{F(x) - dU / dx} \qquad \textbf{(6.5.1)}$$

de modo que o gráfico da força se obtém do de $U(x)$ por derivação, o que leva a relações semelhantes às que foram discutidas na Seç. 2.4 com respeito aos gráficos de posição, velocidade e aceleração como funções do tempo.

A Figura 6.16 ilustra as correlações existentes entre os gráficos de energia potencial e da força. Pela (6.5.1), a força é > 0 (dirigida para a direita) nas regiões em que $U(x)$ tem declividade (coeficiente angular de tangente à curva) negativa (entre x_1 e x_3 e entre x_5 e x_7), e é < 0 onde $U(x)$ é crescente (entre x_3 e x_5), ou seja, a *força aponta para a direção em que a energia potencial decresce*. A magnitude da força é maior em x_1 do que em x_2, ou seja, *a magnitude da força é maior nos pontos em que é mais abrupta a variação da energia potencial* ($|\Delta U|$ é maior para o mesmo $|\Delta x|$).

Pontos onde $F(x) = 0$ chamam-se *pontos de equilíbrio*, e podem ser de vários tipos. Nesses pontos, o gráfico de $U(x)$ tem tangente horizontal. Em x_3, $U(x)$ passa por um *mínimo*. Como varia $F(x)$ na vizinhança de x_3? Se deslocarmos a partícula um pouco para a esquerda de x_3, a força resultante (por exemplo, no ponto A do gráfico de $F(x)$ na Figura 6.15) é *positiva*, ou seja tende a fazer a partícula *voltar* para x_3. O mesmo se aplica a um deslocamento um pouco para a direita de x_3, quando a força é negativa (ponto B do gráfico). Dizemos por isso que x_3 é uma posição de *equilíbrio estável*.

No ponto x_5, $U(x)$ passa por um *máximo*. Se afastarmos a partícula um pouco para a direita ou esquerda de x_5, as forças resultantes (pontos C e D do gráfico de $F(x)$) tendem a *afastar* a partícula ainda mais de x_5. Dizemos que x_5 é uma posição de *equilíbrio instável*: qualquer desvio dessa posição, por menor que seja, faz com que a partícula a abandone.

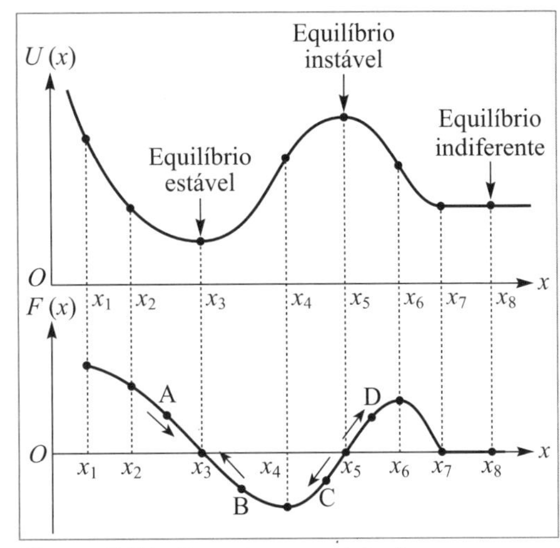

Figura 6.15 Energia potencial e força.

No ponto x_8, $U(x)$ é constante e $F(x) = 0$ na vizinhança de x_8. Se deslocarmos a partícula em torno de x_8 nessa vizinhança ela permanece na nova posição: não aparecem forças restauradoras, nem forças que tendam a afastá-la ainda mais. Dizemos que x_8 é uma posição de *equilíbrio indiferente.*

Note que o gráfico de $F(x)$ na vizinhança de uma posição de equilíbrio estável, como x_3, é aproximadamente linear no deslocamento da posição de equilíbrio, ou seja, o força restauradora que entra em jogo *obedece aproximadamente à lei de Hooke* (compare a porção AB do gráfico acima com a Figura 6.13). Logo, *a lei de Hooke representa aproximadamente a lei de forças na vizinhança de qualquer posição de equilíbrio estável*, o que é uma das principais razões de sua importância.

A magnitude $|F|$ da força é máxima nos pontos de inflexão, como x_4 ou x_6 do gráfico de U.

Movimento a uma energia E dada: Consideremos agora o movimento de uma partícula de massa m sob a ação da força conservativa $F(x)$ para um valor prefixado E da energia total da partícula. A conservação da energia mecânica se escreve então

$$\boxed{E = \frac{1}{2}mv^2 + U(x) = \text{constante}} \tag{6.5.2}$$

o que podemos resolver em relação a v^2:

$$\frac{1}{2}mv^2 = E - U(x) \tag{6.5.3}$$

Como o 1° membro da (6.5.3) é necessariamente ≥ 0, o mesmo tem de valer para o 2° membro, ou seja, o *movimento com energia E* só é possível nas regiões de valores de x onde

$$\boxed{U(x) \leq E} \tag{6.5.4}$$

que chamaremos de regiões *acessíveis* ao movimento com energia E. Regiões onde $U(x) > E$ serão chamadas de *inacessíveis* ou *proibidas*.

Assim, por exemplo, para uma partícula com massa m que parte do repouso no campo gravitacional da Terra a uma altura inicial z_0, temos $E = mgz_0$ (cf. (6.2.1)), e a região acessível para o movimento sob a ação do campo gravitacional é $z \leq z_0$, ou seja, a partícula não pode subir a uma altura maior do que a inicial.

A (6.5.3) mostra que, nas regiões acessíveis, a velocidade de uma partícula de energia E ao passar pela posição x só pode tomar dois valores:

$$\boxed{v(x) = \pm\sqrt{(2/m)\left[E - U(x)\right]}} \tag{6.5.5}$$

O duplo sinal corresponde aos dois sentidos possíveis da velocidade. Assim, na queda livre, a partícula pode estar subindo ou descendo, e já vimos que, para uma dada energia, as velocidades de subida ou descida ao passar pela mesma altura são iguais e contrárias.

A velocidade (6.5.5) troca de sinal ao passar por um ponto x onde $v(x) = 0$, ou seja

$$\boxed{U(x) = E} \tag{6.5.6}$$

Pontos onde isto acontece são chamados *pontos de inversão* ou *pontos de retorno*. As fronteiras das regiões proibidas, para uma dada energia, são pontos de inversão do movimento a essa energia.

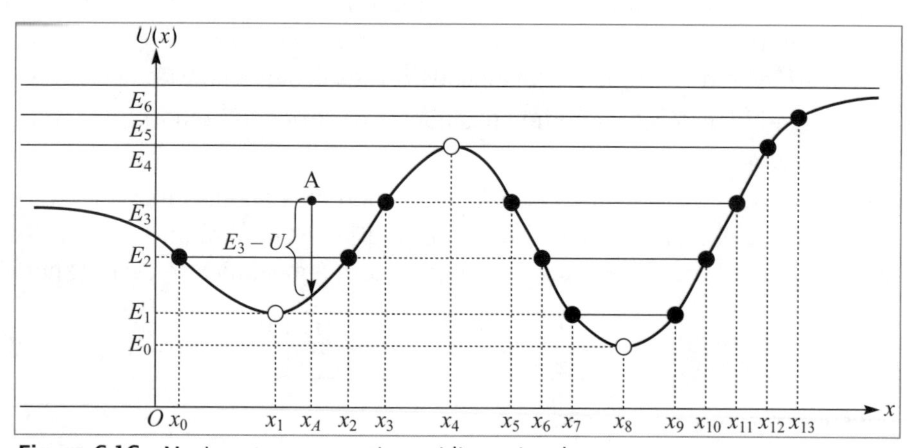

Figura 6.16 Movimento conservativo unidimensional.

Consideremos, por exemplo, o movimento sob a ação de forças para as quais $U(x)$ é dado pelo gráfico acima, que podemos descrever pictoricamente como "dois poços de potencial separados por uma barreira de potencial". Os pontos x_1 e x_8 são posições de equilíbrio estável, e x_4 é uma posição de equilíbrio instável.

As linhas horizontais desenhadas no gráfico correspondem a diferentes valores constantes da energia da partícula (a escala vertical representa energia). Os pontos onde uma dada reta horizontal de energia E corta o gráfico $U(x)$ são pontos de inversão para essa energia. A distância vertical entre essa reta e o gráfico U num ponto x, $E - U(x)$, é proporcional, pela (6.5.3), ao quadrado da velocidade de uma partícula de energia E

no ponto x: quanto maior, mais rapidamente a partícula está passando por esse ponto (na Figura 6.16, esta distância está marcada no ponto x_4).

O movimento só é possível para energias $E > E_0$. Para uma energia E compreendida entre E_0 e E_1 o movimento só é possível no poço de potencial da direita. Para $E = E_1$, além de posição de equilíbrio estável x_1, a região acessível ao movimento é $x_7 \leq x \leq x_9$; dizemos que o movimento é *limitado*. A força F é > 0 entre x_7 e x_8 e < 0 entre x_8 e x_9. No ponto de inversão x_7, a força acelera a partícula para a direita, para onde ela se move com velocidade crescente, que se torna máxima em x_8; a partir daí, ela vai sendo freada até parar instantaneamente no ponto de inversão x_9. A força para a esquerda em x_9 traz a partícula de volta, refazendo o percurso até x_7 com velocidades negativas (sinal – na (6.5.5)). Chegando a x_7, o ciclo recomeça. *O movimento limitado é portanto uma oscilação periódica entre os dois pontos de inversão.* A energia cinética é máxima em x_8.

Para E entre E_1 e E_3, há dois movimentos oscilatórios possíveis, um em cada poço de potencial. Assim para $E = E_2$, a partícula pode oscilar entre os pontos de inversão x_0 e x_2 ou entre x_6 e x_{10}.

Supomos que $E = E_3$ é uma assíntota horizontal à esquerda do gráfico de $U(x)$. Assim, a essa energia, além de oscilação entre x_5 e x_{11}, no poço da direita, a região acessível ao movimento à esquerda vai de $-\infty$ até x_3, ou seja, nessa região, o movimento é *ilimitado*. Assim, se a partícula partir de x_3, ela será acelerada para a esquerda até x_1 (velocidade máxima), continuando depois, com velocidade decrescente, até $-\infty$. Temos um comportamento análogo até atingir a energia E_4 correspondente à posição de equilíbrio instável x_4.

Para uma energia E_5 entre E_4 e E_6, não há mais movimento oscilatório possível: o movimento é *ilimitado à esquerda* e *limitado à direita* pelo ponto de inversão x_{13}.

Finalmente, acima da energia E_6, assíntota horizontal à direita do gráfico $U(x)$, o movimento é *ilimitado de ambos os lados*: a partícula se desloca de $-\infty$ a $+\infty$(ou vice versa).

Embora o gráfico de $U(x)$ se assemelhe a uma "montanha-russa", o uso de expressões como "poço" ou "barreira" não deve fazer esquecer que se trata de um movimento *unidimensional*, e que a escala vertical no gráfico da Fig. 6.16 representa *energia*, e não altura.

Exemplo: *O potencial de Lennard-Jones*: Consideremos a interação entre dois átomos que podem formar uma molécula diatômica, admitindo que seus centros se possam deslocar apenas ao longo de uma reta, afim de tornar o problema unidimensional. A força entre eles tem o aspecto mostrado na Figura 5.3, onde vamos tomar $x = r_{12}$ (distância interatômica); note que isto restringe x a tomar apenas valores ≥ 0.

Como esta força depende apenas de x, ela é conservativa, de modo que podemos representá-la em termos de uma energia potencial $U(x)$, para a qual Lennard-Jones propôs a forma

$$U(x) = D\left[\left(\frac{a}{x}\right)^{12} - 2\left(\frac{a}{x}\right)^{6}\right] \qquad \textbf{(6.5.7)}$$

dependente de dois parâmetros positivos: a (com dimensões de distância) e D (com dimensões de energia).

Lembrando que

$$\frac{d}{dx}\left(x^{-n}\right) = -nx^{-(n+1)} \tag{6.5.8}$$

resultado que supomos conhecido do curso de Cálculo, as (6.5.1) e (6.5.7) dão a força correspondente:

$$F(x) = 12\frac{D}{a}\left[\left(\frac{a}{x}\right)^{13} - \left(\frac{a}{x}\right)^{7}\right] \tag{6.5.9}$$

Note que $F = 0$ para $x = a$, que corresponde portanto ao valor r_0 na Figura 5.3, e representa a distância de equilíbrio ("raio" da molécula diatômica). O 2° termo da (6.5.9) corresponde às forças atrativas de Van der Waals, que caem como $1/x^7$; o 1° termo, em $1/x^{13}$, representa as forças repulsivas, que dominam a curtas distâncias.

O andamento de $U(x)$ está representado na Figura 6.17; $x = a$ é a posição de equilíbrio (estável). A (6.5.7) mostra que

$$U(a) = -D \tag{6.5.10}$$

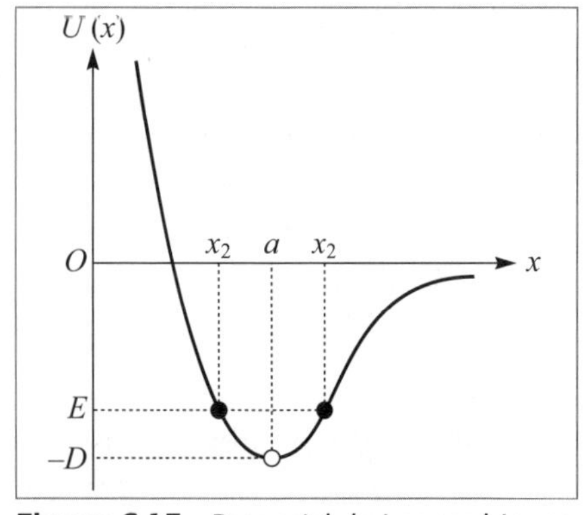

Figura 6.17 Potencial de Lennard-Jones.

correspondendo ao mínimo da energia potencial. O valor negativo é devido à escolha do nível zero da energia potencial, que na (6.5.7) corresponde a $x \to \infty$, ou seja, à situação em que os átomos se afastam indefinidamente um do outro.

Para uma energia total pouco acima do mínimo, como E na figura, temos *pequenas oscilações em torno da posição de equilíbrio*, o que corresponde às *vibrações* da molécula diatômica. A amplitude das vibrações aumenta à medida que a energia aumenta, mas o movimento permanece limitado enquanto $E < 0$. Por outro lado, para $E > 0$, o movimento é ilimitado: os átomos se afastam indefinidamente, o que significa que a molécula se *dissocia*. Partindo da situação de equilíbrio da molécula, é preciso fornecer-lhe uma energia mínima $0 - (-D) = D$ para que isto aconteça. Vemos portanto que D é a *energia de dissociação* da molécula.

Os principais aspectos *qualitativos* da discussão acima são preservados na mecânica quântica. Entretanto, a molécula diatômica só pode ser tratada quantitativamente de forma correta pela teoria quântica.

6.6 APLICAÇÃO AO OSCILADOR HARMÔNICO

Para uma partícula de massa m presa à extremidade livre de uma mola de constante k (Figura 6.12), já vimos que a energia potencial correspondente à lei de Hooke é dada pela (6.4.5):

$$U(x) = \frac{1}{2}kx^2 \tag{6.6.1}$$

O gráfico de $U(x)$ é uma parábola de vértice na origem (Figura 6.18). Para uma dada energia E, a partícula oscila entre os pontos de inversão $x = \pm A$, onde

$$E = \frac{1}{2}kA^2 = U(\pm A) \tag{6.6.2}$$

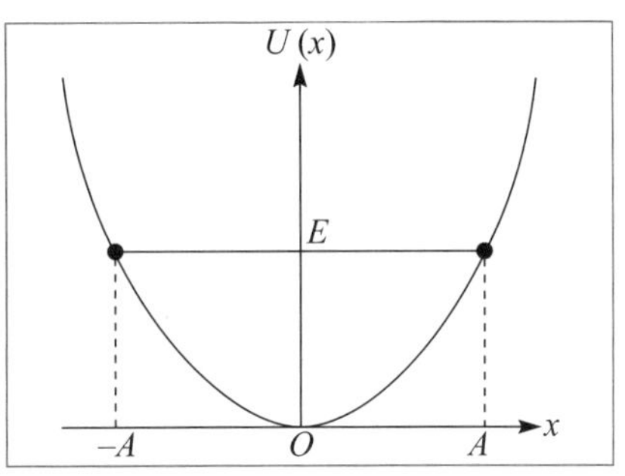

Figura 6.18 Energia potencial do oscilador harmônico.

O máximo deslocamento $|x| = A$ da partícula chama-se *amplitude* da oscilação.

Substituindo as (6.6.1) e (6.6.2) na (6.5.5), durante a parte da oscilação em que a velocidade é positiva, por exemplo, obtemos

$$v = \frac{dx}{dt} = \sqrt{(2/m)\left(\frac{1}{2}kA^2 - \frac{1}{2}kx^2\right)} = \sqrt{k/m}\sqrt{A^2 - x^2} \tag{6.6.3}$$

o que também podemos escrever como uma relação entre as diferenciais (cf. (6.3.9)) dt e dx:

$$\sqrt{k/m}\; dt = \frac{dx}{\sqrt{A^2 - x^2}} \tag{6.6.4}$$

Se a partícula se desloca de uma *posição inicial* x_0 para $t = 0$ até a posição x no instante t, obtemos, integrando os dois membros da (6.6.4) ao longo do movimento entre esses dois extremos,

$$\sqrt{k/m}\int_0^t dt' = \sqrt{k/m}\; t = \int_{x_0}^{x} \frac{dx'}{\sqrt{A^2 - x'^2}} \tag{6.6.5}$$

onde chamamos as variáveis de integração de t' e x' para evitar confusão com os extremos superiores das integrais.

A última integral da (6.6.5) pode ser calculada pela seguinte mudança de variável (cf. (6.3.10)):

$$x' = A \text{ sen } \varphi' \begin{cases} \sqrt{A^2 - x'^2} = A\sqrt{1 - \text{sen}^2\varphi'} \\ \qquad = A \cos \varphi' \end{cases} \tag{6.6.6}$$

$$\frac{dx'}{d\varphi'} = A \cos \varphi' \;\{\; dx' = A \cos \varphi' \, d\varphi' \tag{6.6.7}$$

onde supomos conhecida do curso de Cálculo a fórmula de derivação do seno. Sejam φ e φ_0 os valores de φ' correspondentes aos extremos da integral:

$$x = A \text{ sen } \varphi, \quad x_0 = A \text{ sen } \varphi_0 \tag{6.6.8}$$

As (6.6.6) a (6.6.8) dão

$$\int_{x_0}^{x} \frac{dx'}{\sqrt{A^2 - x'^2}} = \int_{\varphi_0}^{\varphi} \frac{A \cos \varphi' \, d\varphi'}{A \cos \varphi'} = \int_{\varphi_0}^{\varphi} d\varphi' = \varphi - \varphi_0 \tag{6.6.9}$$

Substituindo na (6.6.5), vem

$$\varphi - \varphi_0 = \sqrt{k/m}\, t \quad \left\{ \boxed{\varphi = \sqrt{k/m}\, t + \varphi_0} \right. \tag{6.6.10}$$

Levando este valor de φ na primeira (6.6.8), obtemos finalmente a lei horária do movimento:

$$\boxed{x = A \text{ sen } (\omega t + \varphi_0)} \tag{6.6.11}$$

onde

$$\boxed{\omega = \sqrt{k/m}} \tag{6.6.12}$$

Como o seno é uma função periódica de período 2π, a (6.6.11) dá o *período* τ de oscilação:

$$\boxed{\tau = 2\pi / \omega = 2\pi\sqrt{m/k}} \tag{6.6.13}$$

Vemos que a relação entre τ e ω é a mesma que existe entre período e frequência angular no movimento circular uniforme [cf. (3.7.10)], de forma que ω é também chamado de *frequência angular* neste caso. Veremos mais tarde que se pode de fato estabelecer uma relação entre o movimento circular uniforme e o movimento oscilatório (6.6.11), que se chama *oscilação harmônica simples.*

A partícula de massa m que descreve este movimento chama-se um *oscilador harmônico simples*, e constitui um dos sistemas dinâmicos fundamentais da física. O argumento φ da (6.6.11), que é dado pela (6.6.10), chama-se *fase* do movimento no instante t; φ_0 é a *fase inicial.*

A (6.6.12) mostra que a frequência de oscilação é tanto maior quanto mais "dura" a mola (ou seja, quanto maior for k) e quanto menor for a massa m da partícula, conforme seria de esperar.

A velocidade instantânea da partícula se obtém da (6.6.11) derivando em relação ao tempo:

$$v = \frac{dx}{dt} = \omega A \cos(\omega t + \varphi_0) \tag{6.6.14}$$

e a aceleração se obtém derivando mais uma vez:

$$a = \frac{d^2x}{dt^2} = -\omega^2 A \text{ sen } (\omega t + \varphi_0) \tag{6.6.15}$$

Comparando com a (6.6.11), vemos que

$$\boxed{\frac{d^2x}{dt^2} = -\omega^2 x} \tag{6.6.16}$$

que pela (6.6.12), equivale a

$$m\frac{d^2x}{dt^2} = ma = -kx = F(x) \tag{6.6.17}$$

ou seja, à 2ª lei de Newton para o movimento da partícula.

A amplitude A e a fase inicial φ_0 na (6.6.11) foram determinados a partir da energia total (6.6.2) e da posição inicial x_0 na (6.6.8). Entretanto, também podemos determina-los a partir das *condições iniciais* usuais, ou seja, *posição e velocidade iniciais* (cf. Seç. 2.5). Com efeito, as (6.6.11) e (6.6.14) dão

$$\begin{cases} x(0) = x_0 = A \text{ sen } \varphi_0 \\ V(0) = v_0 = \omega A \cos \varphi_0 \end{cases} \tag{6.6.18}$$

Resolvendo em relação a sen φ_0 e cos φ_0 e usando a relação sen^2 φ_0 + cos^2 φ_0 = 1, obtemos o valor de A:

$$A = \sqrt{x_0^2 + \left(v_0^2 / \omega^2\right)} \tag{6.6.19}$$

Substituindo este valor nas (6.6.18), podemos obter sen φ_0 e cos φ_0 e, por conseguinte φ_0. A (6.6.11) representa então a solução da equação diferencial de movimento (6.6.16) que satisfaz as condições iniciais dadas.

A Figura 6.19 mostra a evolução temporal de x dado pela (6.6.11), v dado pela (6.6.14), energia potencial $U = \frac{1}{2} kv^2$ e energia cinética $T = \frac{1}{2} mv^2$ durante um período de oscilação; tomamos $\varphi_0 = 0$; tomar $\varphi_0 \neq 0$ seria equivalente a deslocar a origem dos tempos. O aspecto do sistema partícula-mola a intervalos de 1/4 de período é mostrado na figura. Para $t = 0$, a mola está na posição de equilíbrio e a partícula se move para a direita com velocidade máxima. A energia é puramente cinética. Para $t = \tau/4$, a distensão da mola é máxima e a velocidade nula (energia puramente potencial). Para $t = \tau/2$, a partícula volta a passar pela posição de equilíbrio com velocidade oposta.

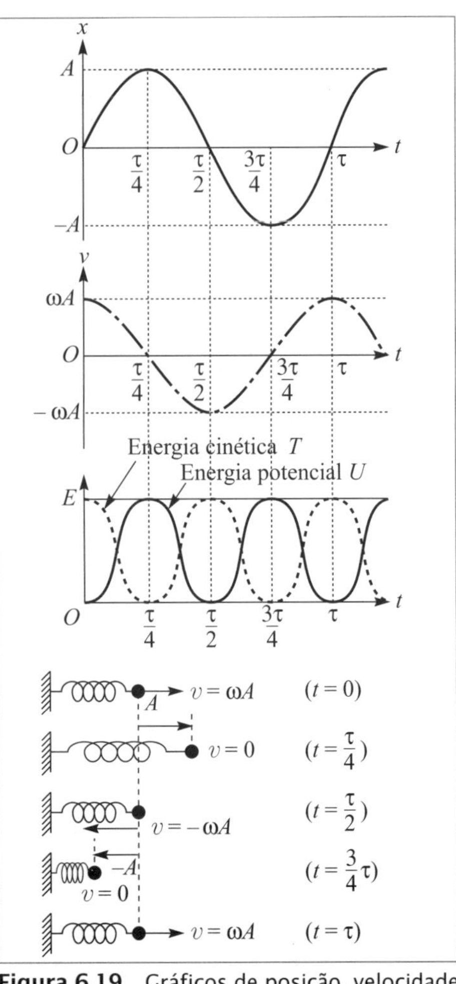

Figura 6.19 Gráficos de posição, velocidade e energia para o oscilador harmônico.

Para $t = 3\tau/4$, a compressão da mola é máxima, e em $t = \tau$ voltamos à situação inicial. A energia total E mantém-se constante, oscilando entre a forma cinética e a forma potencial.

PROBLEMAS

6.1 Resolva o problema 8 do Capítulo 4 a partir da conservação de energia.

6.2 No sistema da figura, $M = 3$ kg, $m = 1$ kg e $d = 2$ m. O suporte S é retirado num dado instante. (a) Usando conservação de energia, ache com que velocidade M chega ao chão. (b) Verifique o resultado, calculando a aceleração do sistema pelas leis de Newton.

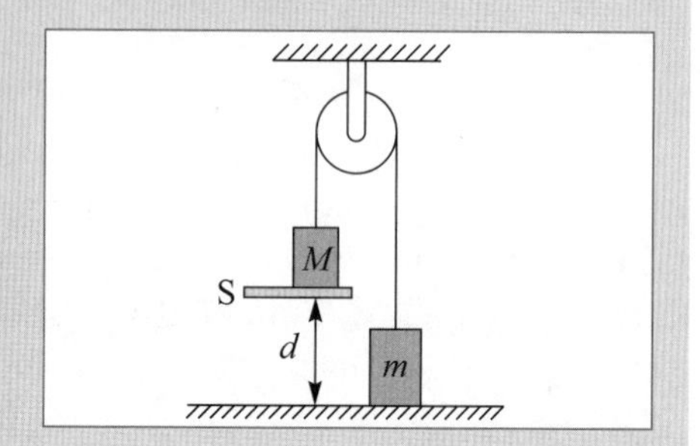

6.3 Uma partícula de massa $m = 1$ kg, lançada sobre um trilho retilíneo com velocidade de 3 m/s, está sujeita a uma força $F(x) = -a - bx$, onde $a = 4$N, $b = 1$ N/m e x é o deslocamento, em m, a partir da posição inicial. (a) Em que pontos do trilho a velocidade da partícula se anula? (b) Faça o gráfico da velocidade da partícula entre esses pontos. (c) A que tipo de lei de forças corresponde $F(x)$?

6.4 No sistema da figura, onde as polias e os fios têm massa desprezível, $m_1 = 1$ kg e $m_2 = 2$ kg. (a) O sistema é solto com velocidade inicial nula quando as distâncias ao teto são l_1 e l_2. Usando conservação da energia, calcule as velocidades de m_1 e m_2 depois que m_2 desceu uma distância x_2. (b) Calcule a partir daí as acelerações a_1 e a_2 das duas massas. (c) Verifique os resultados usando as leis de Newton.

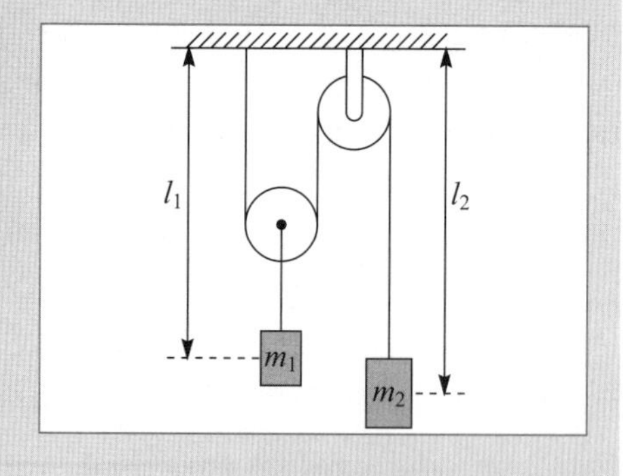

6.5 Um garoto quer atirar um pedregulho de massa igual a 50 g num passarinho pousado num galho 5 m a sua frente e 2 m acima do seu braço. Para isso, utiliza um estilingue em que cada elástico se estica de 1 cm para uma força aplicada de 1 N. O garoto aponta numa direção a 30° da horizontal. De que distância deve puxar os elásticos para acertar no passarinho?

6.6 Uma balança de mola é calibrada de tal forma que o prato desce de 1 cm quando uma massa de 0,5 kg está em equilíbrio sobre ele. Uma bola de 0,5 kg de massa fresca de pão, guardada numa prateleira 1 m acima do prato da balança, escorrega da prateleira e cai sobre ele. Não levando em conta as massas do prato e da mola, de quanto desce o prato da balança?

6.7 Uma partícula de massa igual 2 kg desloca-se ao longo de uma reta. Entre $x = 0$ e $x = 7$ m, ela está sujeita à força $F(x)$ representada no gráfico. Calcule a velocidade da partícula depois de percorrer 2, 3, 4, 6 e 7 m, sabendo que sua velocidade para $x = 0$ é de 3 m/s.

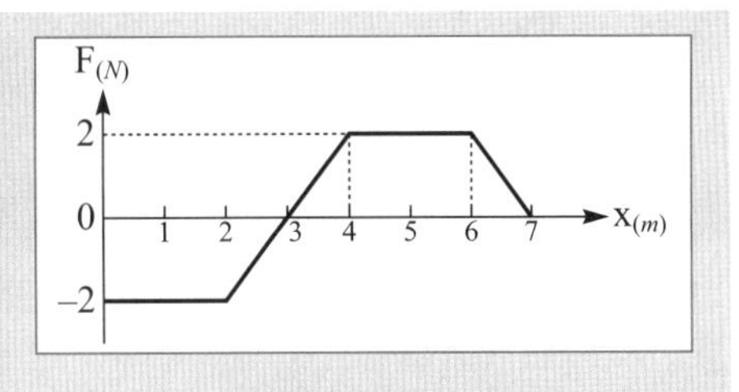

6.8 Uma partícula move-se ao longo da direção x sob o efeito de uma força $F(x) = -kx + Kx^2$, onde $k = 200$ N/m e $K = 300$ N/m². (a) Calcule a energia potencial $U(x)$ da partícula, tomando $U(0) = 0$, e faça um gráfico de $U(x)$ para $-0{,}5$ m $< x < 1$ m. (b) Ache as posições de equilíbrio da partícula e discuta sua estabilidade. (c) Para que domínio de valores de x e da energia total E a partícula pode ter um movimento oscilatório? (d) Discuta qualitativamente a natureza do movimento da partícula nas demais regiões do eixo dos x.

Dado: $\int_0^x x'^n \, dx' = x^{n+1} / (n+1)$

6.9 Um sistema formado por duas lâminas delgadas de mesma massa m, presas por uma mola de constante elástica k e massa desprezível, encontra-se sobre uma mesa horizontal (veja a Figura). (a) De que distância a mola está comprimida na posição de equilíbrio? (b) Comprime-se a lâmina superior, abaixando-a de uma distância adicional x a partir da posição de equilíbrio. De que distância ela subirá acima da posição de equilíbrio, supondo que a lâmina inferior permaneça em contato com a mesa? (c) Qual é o valor mínimo de x no item (b) para que a lâmina inferior salte da mesa?

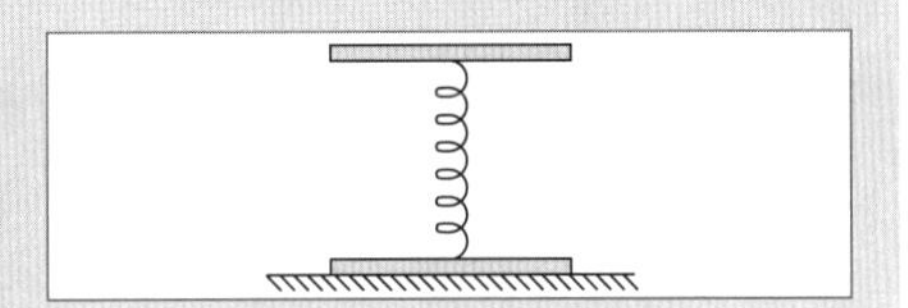

6.10 Um cabo uniforme de massa M e comprimento L, está inicialmente equilibrado sobre uma pequena polia de massa desprezível, com a metade do cabo pendente de cada lado da polia. Devido a um pequeno desequilíbrio o cabo começa a deslizar para uma de suas extremidades, com atrito desprezível. Com que velocidade o cabo está se movendo quando a sua outra extremidade deixa a polia?

6.11 Uma partícula de massa m move-se em uma dimensão com energia potencial $U(x)$ representada pela curva da figura (as beiradas abruptas são idealizações de um potencial rapidamente variável). Inicialmente, a partícula está dentro do "poço de potencial" (região entre x_1 e x_2) com energia E tal que $V_0 < E < V_1$. Mostre que o movimento subsequente será periódico e calcule o período.

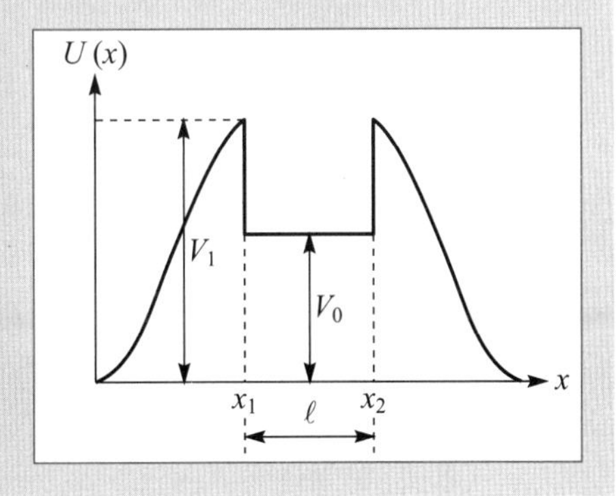

6.12 Um carrinho desliza do alto de uma montanha russa de 5 m de altura, com atrito desprezível. Chegando ao ponto A, no sopé da montanha, ele é freado pelo terreno AB coberto de areia (veja a Figura), parando em 1,25 s. Qual é o coeficiente de atrito cinético entre o carrinho e a areia?

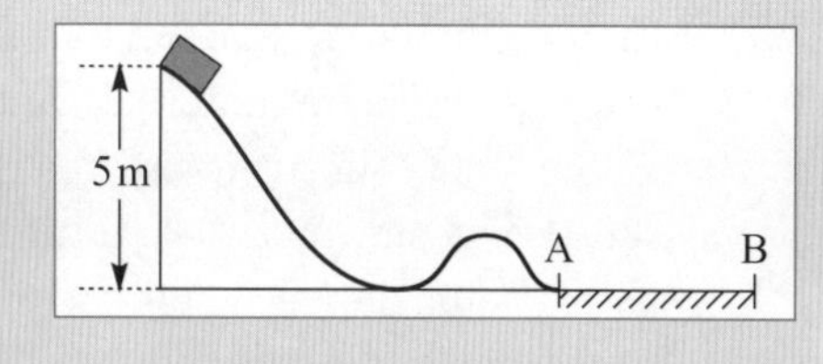

6.13 Um bloco de massa m = 5 kg, deslizando sobre uma mesa horizontal, com coeficientes de atrito cinético e estático 0,5 e 0,6, respectivamente, colide com uma mola de massa desprezível, de constante de mola k = 250 N/m, inicialmente na posição relaxada (veja Figura). O bloco atinge a mola com velocidade de 1 m/s. (a) Qual é a deformação máxima da mola? (b) Que acontece depois que a mola atinge sua deformação máxima? (c) Que fração da energia inicial é dissipada pelo atrito nesse processo?

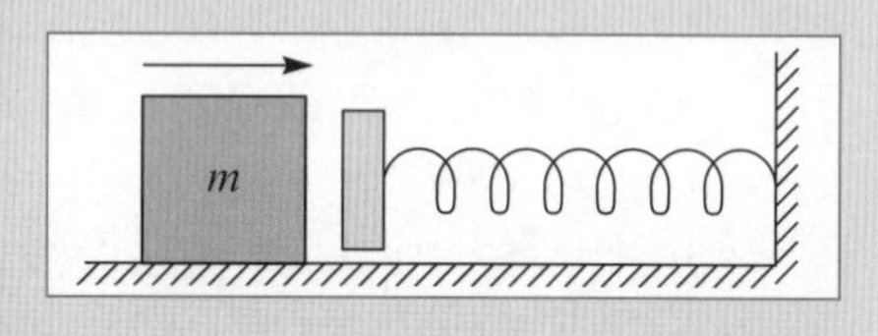

6.14 Um pêndulo é afastado da vertical de um ângulo de 60° e solto em repouso. Para que ângulo com a vertical sua velocidade será a metade da velocidade máxima atingida pelo pêndulo?

7

Conservação da energia no movimento geral

7.1 TRABALHO DE UMA FORÇA CONSTANTE DE DIREÇÃO QUALQUER

No capítulo precedente, consideramos quase exclusivamente trabalho e energia num movimento unidimensional. Queremos agora estender os resultados ao movimento em duas ou três dimensões.

Para isso, vamos começar estendendo o conceito de trabalho a situações em que a direção da força não coincide com a direção do deslocamento da partícula.

Consideremos novamente o problema de um bloco de massa m arrastado ao longo de um plano por uma força constante **F** inclinada de um ângulo θ em relação ao plano (Seç. 5.3 e Figura 7.1), mas vamos supor que o atrito é desprezível ($F_a = 0$). A (5.3.1) permanece válida, mas a (5.3.3) é substituída por

$$F \cos\theta = ma \quad \textbf{(7.1.1)}$$

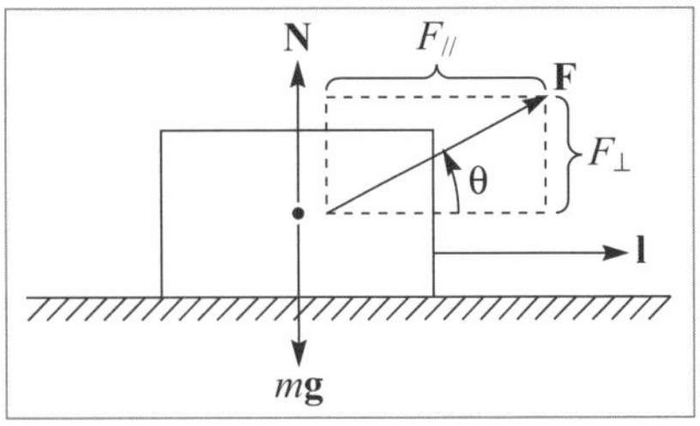

Figura 7.1 Bloco sujeito a força constante.

onde a é a aceleração ao longo do plano.

Para um deslocamento **l** ao longo do plano, a variação de velocidade do bloco obedece a

$$v_1^2 - v_0^2 = 2al = \frac{2}{m} F \cos\theta\, l$$

onde

$$l = |\mathbf{l}|$$

Logo

$$W = \frac{1}{2}mv_1^2 - \frac{1}{2}mv_0^2 = T_1 - T_0 = F\cos\theta \cdot l \quad \textbf{(7.1.2)}$$

deve corresponder ao trabalho realizado pela força **F** no deslocamento **l**, pois representa a variação de energia cinética do bloco (portanto, da capacidade do bloco de realizar trabalho).

A (7.1.2) também pode ser escrita

$$W = F_{\parallel}l \quad \textbf{(7.1.3)}$$

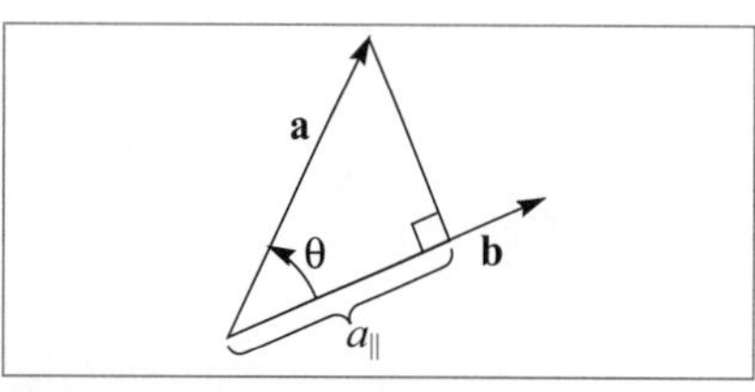

Figura 7.2 Produto escalar.

onde $F_{\parallel} = F\cos\theta$ é a *componente* da força **F** na direção *paralela* ao deslocamento (Figura 7.2). Vemos assim que a *componente perpendicular* $F_{\perp}$, bem como as demais forças $m\mathbf{g}$ e **N**, que atuam em direção perpendicular à do deslocamento, não contribuem ao trabalho realizado: *uma força perpendicular ao deslocamento não realiza trabalho.*

O trabalho realizado pela força **F** é positivo se θ for um ângulo *agudo* ($0 \leq \theta < \pi/2$), e *negativo* se θ se *for obtuso* ($\pi/2 < \theta \leq \pi$).

Digressão sobre produto escalar: Chama-se *produto escalar* de dois vetores **a** e **b**, e indica-se pela notação **a** · **b**, à grandeza escalar

$$\mathbf{a} \cdot \mathbf{b} = ab\cos\theta = \mathbf{b} \cdot \mathbf{a} \quad \textbf{(7.1.4)}$$

onde

$$a = |\mathbf{a}|, \quad b = |\mathbf{b}| \quad \textbf{(7.1.5)}$$

e θ é o ângulo entre os dois vetores ($0 \leq \theta \leq \pi$). Decorre imediatamente da definição que o produto escalar goza das propriedades usuais do produto.

Em particular

$$\boxed{\mathbf{a} \cdot \mathbf{a} = \mathbf{a}^2 = |\mathbf{a}|^2 = a^2} \quad \textbf{(7.1.6)}$$

é o quadrado do módulo do vetor **a** ($\theta = 0$ neste caso).

$$\boxed{\mathbf{a} \cdot \mathbf{b} = 0} \quad \textbf{(7.1.7)}$$

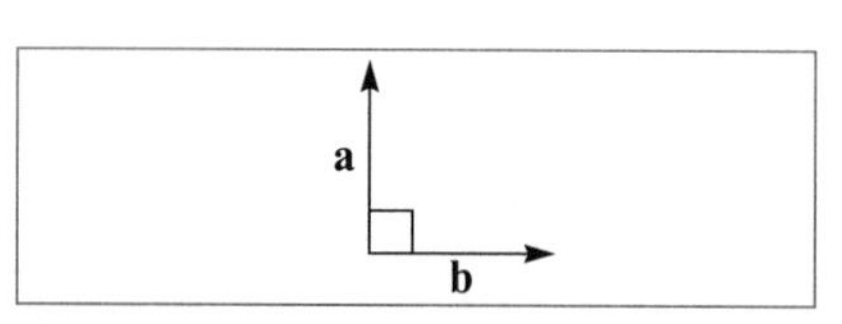

Figura 7.3 Vetores ortogonais.

para $a \neq 0$, $b \neq 0$, quando e somente quando (Figura 7.3) os vetores **a** e **b** são ortogonais (perpendiculares entre si).

Assim se **i**, **j** e **k** são vetores unitários nas direções x, y e z, respectivamente, de um sistema de coordenadas cartesianas no espaço (Figura 7.4), temos

$$\begin{array}{|l|}\hline \mathbf{i}^2 = \mathbf{j}^2 = \mathbf{k}^2 = 1 \\ \mathbf{i}\cdot\mathbf{j} = \mathbf{j}\cdot\mathbf{k} = \mathbf{k}\cdot\mathbf{i} = 0 \\ \hline\end{array} \quad \textbf{(7.1.8)}$$

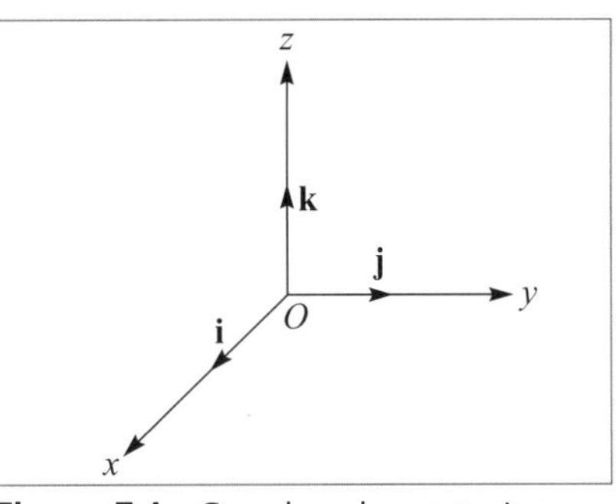

Figura 7.4 Coordenadas cartesianas.

o que exprime o fato de os vetores serem unitários ("normalizados a 1") e ortogonais entre si; diz-se que formam um *conjunto ortonormal* de vetores.

A (7.1.4) também pode ser escrita

$$\mathbf{a}\cdot\mathbf{b} = a_{\parallel} b = b_{\parallel} a \quad \textbf{(7.1.9)}$$

onde $a_{\parallel}$ é a projeção de **a** sobre a direção de **b** (Figura 7.2) e $b_{\parallel}$ é a projeção de **b** sobre a direção de **a**. Em particular, lembrando que as componentes cartesianas de um vetor representam as suas projeções sobre os eixos, temos, para

$$\mathbf{a} = a_x\mathbf{i} + a_y\mathbf{j} + a_z\mathbf{k} \quad \textbf{(7.1.10)}$$

que as componentes são dadas por

$$a_x = \mathbf{a}\cdot\mathbf{i}; \quad a_y = \mathbf{a}\cdot\mathbf{j}; \quad a_z = \mathbf{a}\cdot\mathbf{k} \quad \textbf{(7.1.11)}$$

o que também se obtém tomando o produto escalar da (7.1.10) por **i**, **j** e **k**, sucessivamente, e levando em conta as (7.1.8).

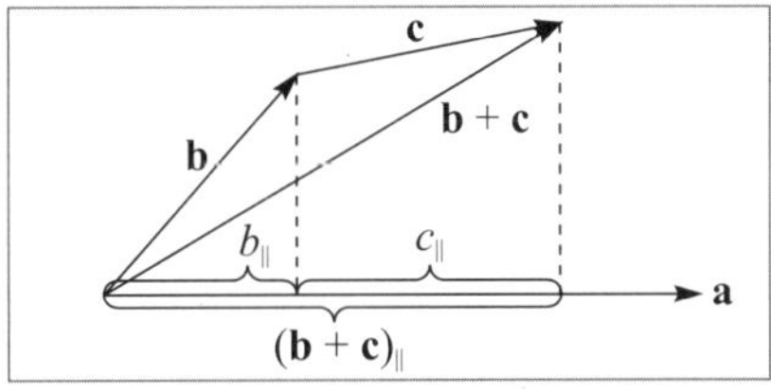

Figura 7.5 Propriedade distributiva.

A Figura 7.5 mostra como aplicar a (7.1.9) para demonstrar a propriedade distributiva do produto escalar em relação à soma de vetores

$$\mathbf{a}\cdot(\mathbf{b}+\mathbf{c}) = a(\mathbf{b}+\mathbf{c})_{\parallel} = a\left(b_{\parallel} + c_{\parallel}\right) = \mathbf{a}\cdot\mathbf{b} + \mathbf{a}\cdot\mathbf{c} \quad \textbf{(7.1.12)}$$

Daí decorrem por exemplo, propriedades como

$$(\mathbf{a}+\mathbf{b})\cdot(\mathbf{a}-\mathbf{b}) = \mathbf{a}^2 - \mathbf{b}^2 \quad \textbf{(7.1.13)}$$

Sabemos (Seç. 3.2) que **a** + **b** e **a** − **b** correspondem às duas diagonais do paralelogramo construído sobre **a** e **b**. A (7.1.13) mostra que essas diagonais são perpendiculares quando e somente quando (Figura 7.6) o paralelogramo é um losango ($a = b$).

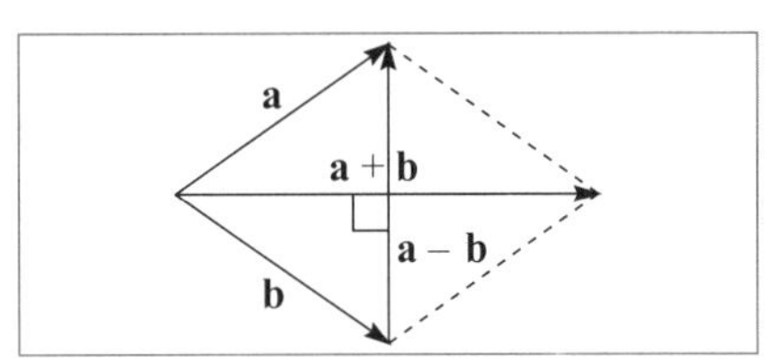

Figura 7.6 Soma de vetores perpendiculares à diferença.

A expressão do produto escalar em termos das componentes cartesianas de **a** e **b** se obtém combinando as (7.1.8) e (7.1.12). Sejam

$$\mathbf{a} = a_x\mathbf{i} + a_y\mathbf{j} + a_z\mathbf{k}; \quad \mathbf{b} = b_x\mathbf{i} + b_y\mathbf{j} + b_z\mathbf{k} \quad \textbf{(7.1.14)}$$

Temos então

$$\mathbf{a}\cdot\mathbf{b} = a_x b_x \underbrace{(\mathbf{i}\cdot\mathbf{i})}_{=1} + a_x b_y \underbrace{(\mathbf{i}\cdot\mathbf{j})}_{=0} + a_x b_z \underbrace{(\mathbf{i}\cdot\mathbf{k})}_{=0} + \ldots$$

o que leva a

$$\boxed{\mathbf{a}\cdot\mathbf{b} = a_x b_x + a_y b_y + a_z b_z} \qquad \textbf{(7.1.15)}$$

Em particular

$$\boxed{\mathbf{a}^2 = a_x^2 + a_y^2 + a_z^2} \qquad \textbf{(7.1.16)}$$

Pela sua definição (7.1.4), o produto escalar tem um significado geométrico, independentemente da escolha do referencial. Assim, se escolhermos outro sistema de coordenadas cartesianas ortogonais (x', y', z') em que os vetores **a** e **b** têm componentes (a'_x, a'_y, a'_z) e (b'_x, b'_y, b'_z), o produto escalar não se altera, ou seja, devemos ter

$$\boxed{a'_x\, b'_x + a'_y\, b'_y + a'_z\, b'_z = a_x b_x + a_y b_y + a_z b_z} \qquad \textbf{(7.1.17)}$$

A (7.1.2) pode agora ser escrita

$$\boxed{W = \mathbf{F}\cdot\mathbf{l}} \qquad \textbf{(7.1.18)}$$

ou seja, *o trabalho realizado por uma força* **F** *constante sobre uma partícula que sofre um deslocamento* **l** *é* (Figura 7.7) *o produto escalar de* **F** *por* **l**.

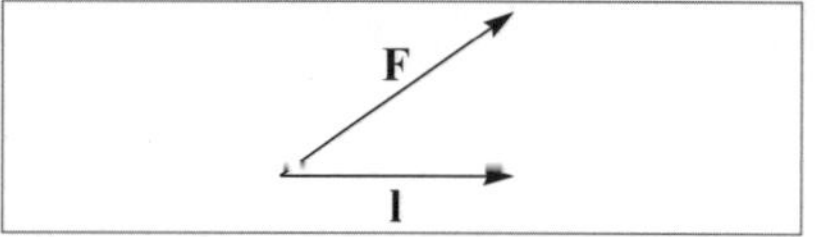

Figura 7.7 Força e deslocamento quaisquer.

7.2 TRABALHO DE UMA FORÇA NO CASO GERAL

Consideremos agora uma partícula que se move de um ponto P_1 a um ponto P_2 sobre um arco de curva C qualquer, orientado no sentido de P_1 para P_2, sob a ação de uma força **F** que pode variar em magnitude, direção e sentido de ponto a ponto da curva C. Podemos definir o trabalho realizado no deslocamento de P_1 a P_2 ao longo da curva C de forma análoga à da Seç. 6.3, aproximando o arco de curva C por uma linha poligonal inscrita cujo número de lados aumenta indefinidamente. Se os extremos P_i e P_{i+1} do i-ésimo arco parcial em que C fica subdividida forem suficientemente próximos entre si, $\mathbf{F} \approx \mathbf{F}_i$ (constante) sobre esse arco, e podemos aproximá-lo pela corda $\mathbf{P}_i\mathbf{P}_{i+1} = \Delta\mathbf{l}_i$, de modo que o trabalho correspondente a este arco será

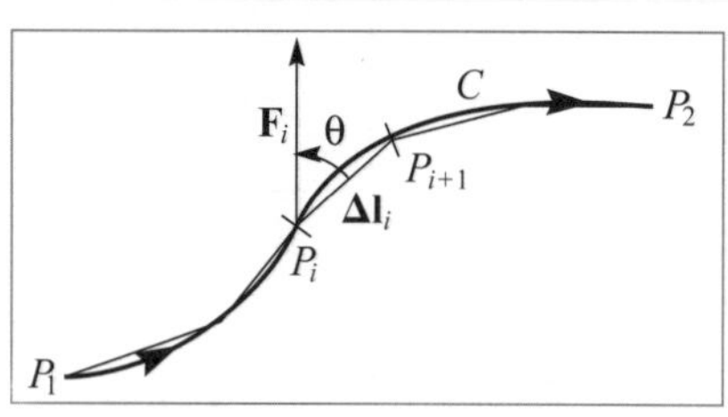

Figura 7.8 Integral de linha.

$$W_{P_1 \to P_{i+1}} \approx \mathbf{F}_i \cdot \Delta\mathbf{l}_i \qquad \textbf{(7.2.1)}$$

e o trabalho total de P_1 a P_2 ao longo de C é obtido somando sobre todos os segmentos da poligonal e fazendo $\Delta l_i \to 0$:

$$\boxed{W^{(c)}_{P_1 \to P_2} = \lim_{|\Delta \mathbf{l}_i| \to 0} \sum_i \mathbf{F}_i \cdot \Delta \mathbf{l}_i = \int_{P_1}^{P_2} \mathbf{F} \cdot d\mathbf{l}_{(C)}} \tag{7.2.2}$$

O limite na (7.2.2) define a *integral de linha* de $\mathbf{F} \cdot d\mathbf{l}$ de P_1 até P_2 ao longo da curva C. O deslocamento infinitesimal $d\mathbf{l}$ ao longo de C tem por componentes os deslocamentos infinitesimais correspondentes (projeções) sobre os eixos:

$$d\mathbf{l} = dx\mathbf{i} + dy\mathbf{j} + dz\mathbf{k} \tag{7.2.3}$$

de forma que (cf. (7.1.15))

$$\mathbf{F} \cdot d\mathbf{l} = F_x dx + F_y dy + F_z dz \tag{7.2.4}$$

e a integral curvilínea (7.2.2) se reduz à soma de três integrais ao longo dos eixos:

$$\int_{\substack{P_1 \\ (C)}}^{P_2} \mathbf{F} \cdot d\mathbf{l} = \int_{\substack{P_1 \\ (C)}}^{P_2} F_x dx + \int_{\substack{P_1 \\ (C)}}^{P_2} F_y dy + \int_{\substack{P_1 \\ (C)}}^{P_2} F_z dz \tag{7.2.5}$$

Na primeira dessas integrais, y e z são funções de x definidas pela condição de que o ponto $P(x, y, z)$ pertence à curva C; analogamente, na segunda, x e z podem ser considerados como funções de y, e na terceira x e y são funções de z.

Podemos agora generalizar a (6.3.15) por um procedimento análogo ao da Seç. 6.3 aplicado a cada componente da 2ª lei de Newton:

$$F_x dx = ma_x dx = m\frac{dv_x}{dt} \cdot \underbrace{\frac{dx}{dt}}_{v_x} dt = mv_x \frac{dv_x}{dt} dt = mv_x dv_x \tag{7.2.6}$$

ou seja,

$$\int_{\substack{P_1 \\ (C)}}^{P_2} F_x dx = m \int_{\substack{P_1 \\ (C)}}^{P_2} v_x dv_x = \frac{1}{2} mv_{2x}^2 - \frac{1}{2} mv_{1x}^2 \tag{7.2.7}$$

onde $\mathbf{v}_1$ e $\mathbf{v}_2$ são as velocidades da partícula nos pontos P_1 e P_2, respectivamente. Somando as relações análogas para as outras componentes da (7.2.5), vem

$$\int_{\substack{P_1 \\ (C)}}^{P_2} \mathbf{F} \cdot d\mathbf{l} = \frac{1}{2} m \underbrace{\left(v_{2x}^2 + v_{2y}^2 + v_{2z}^2\right)}_{v_2^2} - \frac{1}{2} m \underbrace{\left(v_{1x}^2 + v_{1y}^2 + v_{1z}^2\right)}_{v_1^2}$$

ou seja, pela (7.2.2),

$$\boxed{W^{(C)}_{P_1 \to P_2} = \int_{\substack{P_1 \\ (C)}}^{P_2} \mathbf{F} \cdot d\mathbf{l} = \frac{1}{2} m\mathbf{v}_2^2 - \frac{1}{2} m\mathbf{v}_1^2 = T_2 - T_1 = \Delta T} \tag{7.2.8}$$

que generaliza a (6.3.15) ao caso tridimensional: o *trabalho realizado sobre uma partícula é igual à variação da energia cinética da partícula entre as posições inicial e final.*

Se uma partícula se move num movimento circular uniforme, sua energia cinética não varia, de modo que o trabalho realizado ao longo de qualquer arco do círculo-trajetória tem de ser nulo, o que só é possível se a força aplicada à partícula é sempre perpendicular ao seu deslocamento infinitésimo a cada instante (ou seja, perpendicular à velocidade **v**). Sabemos que isto realmente acontece: o movimento circular uniforme é mantido por forças centrípetas, com $\mathbf{F} \perp \mathbf{v}$. Um exemplo é a força de Lorentz magnética (Seç. 5.4), que é sempre perpendicular à velocidade da partícula, e por conseguinte não realiza trabalho sobre ela; no cíclotron (Fig. 5.25), as variações de energia cinética dos íons acelerados são produzidas pelo campo elétrico no intervalo entre os "Ds".

7.3 FORÇAS CONSERVATIVAS

Consideremos uma partícula de massa m em movimento na vizinhança da superfície terrestre. Adotando um sistema de coordenadas cartesianas com eixo Oz dirigido verticalmente para cima, as componentes da força gravitacional são:

$$F_x = F_y = 0; \quad F_z = -mg \tag{7.3.1}$$

A (7.2.5) fica então:

$$\int_{\substack{P_1 \\ (C)}}^{P_2} \mathbf{F} \cdot \mathbf{dl} = -mg \int_{z_1}^{z_2} dz = -mg(z_2 - z_1) \tag{7.3.2}$$

ou seja

$$\boxed{W_{P_1 \to P_2}^{(C)} = \int_{\substack{P_1 \\ (C)}}^{P_2} \mathbf{F} \cdot \mathbf{dl} = -[U(P_2) - U(P_1)] = -(U_2 - U_1) = -\Delta U} \tag{7.3.3}$$

onde

$$\boxed{U(P) = U(x, y, z) = mgz = U(z)} \tag{7.3.4}$$

para um ponto P de coordenadas (x, y, z).

Logo, *no campo gravitacional uniforme* **g**, *o trabalho realizado num deslocamento entre dois pontos quaisquer é independente do caminho que liga esses dois pontos: só depende dos extremos, e representa a diferença de energia potencial entre eles.* A energia potencial num ponto P só depende da altura desse ponto, e é dada pela mesma expressão (7.3.4) já vista anteriormente.

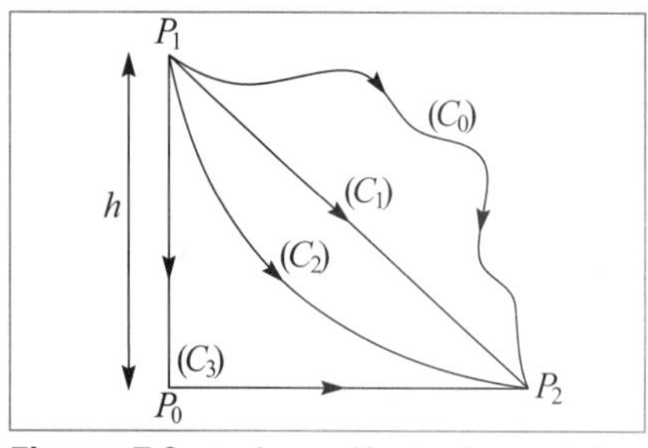

Figura 7.9 Independência do caminho.

A independência do caminho para o trabalho da força gravitacional já foi verificada em vários exemplos na Seç. 6.1. Assim, para dois pontos P_1 e P_2 separados por uma diferença de altura h, o trabalho é o mesmo ao longo do plano inclinado (C_1) (Figura 7.9), do arco de círculo (C_2) (pêndulo), do caminho (C_3) (queda livre vertical de P_1 a P_0 seguida do deslocamento horizontal P_0 P_2) ou de qualquer outro caminho (C_0).

Quando a partícula desce ao longo do plano inclinado ou pelo pêndulo, a força gravitacional não é a única a atuar sobre ela. Atua também num caso a reação de contato **N** do plano, e no outro a tensão **T** do fio. Entretanto, na *ausência de atrito*, tanto **N** como **T** são normais à trajetória da partícula e não realizam trabalho. Ambas estas forças são exemplos de *reações de vínculos:* o plano inclinado vincula a partícula a permanecer sobre ele, o fio do pêndulo obriga-a a ficar a uma distância fixa do ponto de suspensão. É um fato geral que *as reações de vínculos fixos, sem atrito, não realizam trabalho* (são sempre normais aos deslocamento), de forma que podemos ignorá-las no cálculo do trabalho.

Dizemos que uma força **F** é **conservativa** quando tem a propriedade (7.3.3), ou seja, *quando o trabalho por ela realizado entre dois pontos é independente do caminho.* Neste caso, ele depende só dos extremos e representa a diferença de energia potencial entre eles. Combinando as (7.2.8) e (7.3.3), obtém-se a *conservação da energia mecânica total* $E = T + U$,

$$\Delta E = \Delta T + \Delta U = 0 \tag{7.3.5}$$

o que justifica o nome de *força conservativa.* Como vimos, a energia potencial é definida a menos de uma constante aditiva arbitrária, correspondente à escolha do nível zero de energia. A independência do caminho da (7.3.3) leva à seguinte expressão geral da energia potencial num ponto P:

$$\boxed{U(P) = -\int_{P_0}^{P} \mathbf{F} \cdot \mathbf{dl}, \quad \text{onde} \quad U(P_0) = 0} \tag{7.3.6}$$

ou seja, uma vez escolhido o ponto P_0 correspondente ao nível zero de energia potencial, *a energia potencial é igual a menos o trabalho realizado sobre a partícula pela força* **F** *ao trazê-la desde o nível zero de energia potencial até o ponto* P (ao longo de *qualquer* caminho C, uma vez que não depende de C). É fácil verificar este resultado no caso gravitacional [cf. (7.3.4)].

Vamos mostrar agora que se pode enunciar o critério para que uma força seja conservativa sob outra forma equivalente, que corresponde à generalização da (6.4.16) ao caso tridimensional. Para isso, vamos usar a seguinte propriedade das integrais curvilíneas:

$$\int_{\substack{P_1 \\ (C)}}^{P_2} \mathbf{F} \cdot \mathbf{dl} = -\int_{\substack{P_2 \\ (C)}}^{P_1} \mathbf{F} \cdot \mathbf{dl} \tag{7.3.7}$$

ou seja, a integral muda de sinal quando percorremos o caminho de integração em sentido inverso (em cada trecho infinitesimal, **dl** → – **dl**).

Consideremos agora uma força **F** conservativa e sejam C_1 e C_2 dois caminhos diferentes ligando P_1 a P_2 (Figura 7.10 (a)). Pela (7.3.3), temos

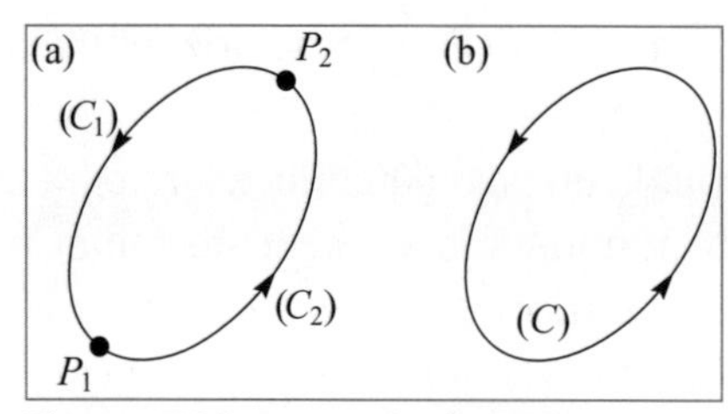

Figura 7.10 Caminho fechado.

$$\boxed{\int_{P_1 (C_1)}^{P_2} \mathbf{F} \cdot \mathbf{dl} = \int_{P_1 (C_2)}^{P_2} \mathbf{F} \cdot \mathbf{dl}} \tag{7.3.8}$$

Aplicando a (7.3.7) à integral ao longo de C_1, a (7.3.8) leva a

$$\int_{P_1 (C_2)}^{P_2} \mathbf{F} \cdot \mathbf{dl} + \int_{P_2 (C_1)}^{P_1} \mathbf{F} \cdot \mathbf{dl} = 0 \tag{7.3.9}$$

Mas percorrer o caminho C_2 de P_1 a P_2 e depois voltar de P_2 a P_1 ao longo de C_1 equivale a descrever *o caminho fechado C* da Figura 7.10 (b). Logo, a (7.3.8) implica

$$\boxed{\oint_{(C)} \mathbf{F} \cdot \mathbf{dl} = 0} \tag{7.3.10}$$

onde introduzimos a notação para uma integral curvilínea ao longo de um caminho fechado C ($\oint_C$). O primeiro membro da (7.3.9) também define a *circulação da força* **F** ao longo de C. A (7.3.9) é a generalização procurada da (6.4.16).

Reciprocamente, se a (7.3.9) vale para *qualquer* caminho fechado C, e queremos comparar o trabalho ao longo de dois caminhos diferentes C_1 e C_2 entre dois pontos P_1 e P_2, podemos inverter o raciocínio, deduzindo a (7.3.8) a partir da (7.3.9).

Concluímos que *é condição necessária e suficiente para que uma força seja conservativa que o trabalho por ela realizado ao longo de qualquer caminho fechado se anule.*

Conforme já vimos no caso da (6.4.16), isto significa que a energia potencial ganha pela partícula numa parte do ciclo (caminho fechado) é devolvida na outra parte. Caso assim não fosse, poderíamos realizar um "moto contínuo", uma fonte inesgotável de energia. Com efeito, para que a (7.3.6) defina uma função somente da posição P, é *necessário* que a força **F** só dependa da posição (embora, no caso tridimensional, ao contrário do caso unidimensional visto na (6.4.7), esta condição não seja *suficiente* para que **F** seja conservativa, conforme veremos logo). Se o trabalho associado a um circuito fechado fosse negativo, por exemplo, para forças dependentes somente da posição, bastaria inverter o sentido de percurso do circuito para que ele se tornasse positivo (note que isto não ocorre com forças dependentes da velocidade, como as de atrito). Como a partícula volta à posição inicial no fim do circuito, o ciclo se repetiria indefinidamente, fornecendo energia a cada volta.

É interessante observar que um raciocínio análogo já havia sido empregado no século XVII pelo matemático holandês Simon Stevin em sua belíssima demonstração do princípio de equilíbrio no plano inclinado. Stevin imaginou, colocado sobre os dois lados do plano, um colar de esferas idênticas atravessadas por um fio e equidistantes entre si, com uma parte pendurada, como na Figura 7.11. O peso total apoiado sobre cada lado é então proporcional ao comprimento desse lado (na figura, em que o comprimento do lado maior é o dobro do menor, há quatro esferas sobre o maior e duas sobre o menor). Para demonstrar que este sistema está em equilíbrio (o que equivale a dizer que só atua a componente tangencial da força-peso), Stevin procedeu por redução ao absurdo: se não estivesse, e o conjunto de esferas escorregasse para a esquerda, por exemplo, chegaríamos novamente à situação inicial, apenas com algumas das esferas tomando o lugar de outras, de modo que, como disse Stevin, "este movimento não terá nenhum fim, o que é absurdo". Stevin ficou tão orgulhoso de sua demonstração que colocou a figura ao lado no frontispício de seu tratado de estática, com uma legenda dizendo, em holandês, "Wonder en is gheen wonder" ("É uma maravilha e não é maravilhoso" – ou seja, não é mágica: tem uma explicação).

Figura 7.11 O argumento de Stevin.

A demonstração de Stevin também contém o germe da ideia do "princípio dos trabalhos virtuais", que teve grande importância no desenvolvimento da mecânica. Se um sistema mecânico está em equilíbrio e imaginarmos um "deslocamento virtual" do sistema, ou seja, um deslocamento infinitésimo compatível com os vínculos a que está sujeito (no exemplo acima, as esferas que estão em contato com o plano se deslocam sobre ele), a resultante das forças aplicadas a cada parte do sistema deve anular-se, de forma que o "trabalho virtual" realizado nesse deslocamento deve ser nulo. Para vínculos fixos sem atrito, basta considerarmos o trabalho das forças externas aplicadas, porque as reações dos vínculos não realizam trabalho.

Esse princípio permite obter de forma muito direta as condições de equilíbrio das chamadas "máquinas simples", onde em geral se obtém uma "vantagem mecânica" equilibrando uma força ("resistência") com outra força menor ("potência"). Assim, no exemplo 3 da Seç. 5.3, a (3.5.15) mostra que um deslocamento virtual da massa m_2 corresponde à metade do de m_1 e tem sinal oposto. Os trabalhos virtuais correspondentes das forças externas (peso) se cancelam para $m_1 = m_2/2$, que é a condição de equilíbrio (5.3.19). Aplicado às máquinas simples, o princípio se enuncia sob a forma "o trabalho da potência é igual ao trabalho da resistência".

7.4 FORÇA E GRADIENTE DA ENERGIA POTENCIAL

Vimos, no caso unidimensional, que uma força conservativa pode ser calculada se conhecermos a energia potencial correspondente como função da posição, com o auxílio da (6.4.12): $F(x) = -dU/dx$. Vamos agora estender este resultado ao caso tridimensional.

Para isso, vamos empregar um método semelhante ao da Seç. 6.4, onde calculamos a variação de energia potencial correspondente a um deslocamento de x para $x + \Delta x$. A (7.3.3) dá

$$U(x_2,y_2,z_2)-U(x_1,y_1,z_1)=-\int_{P_1}^{P_2} F_x dx-\int_{P_1}^{P_2} F_y dy-\int_{P_1}^{P_2} F_z dz \qquad \textbf{(7.4.1)}$$

onde $P_1 = P_1(x_1, y_1, z_1)$ e $P_2 = P_2(x_2, y_2, z_2)$.

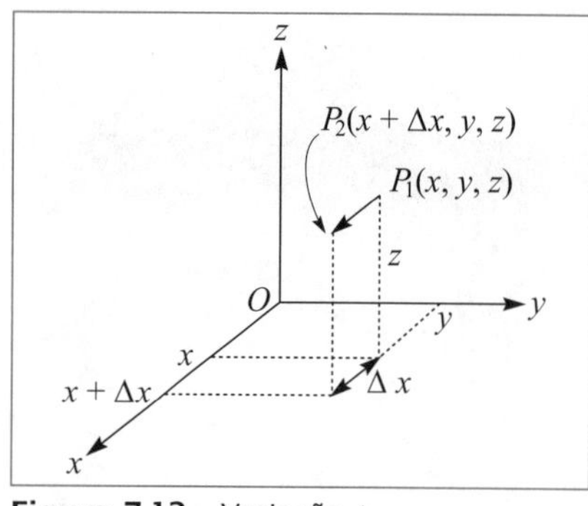

Figura 7.12 Variação Δx.

Apliquemos a (7.4.1) a uma variação de U correspondente a um deslocamento x *somente na direção* x, mantendo y e z fixos (Figura 7.12):

$$(x,y,z) \to (x+\Delta x,y,z)$$

A variação ΔU correspondente pode ser calculada tomando como caminho de integração um segmento de reta ligando os extremos, ou seja, com y e z *constantes*. Isso implica $dy = dz = 0$, ou seja, a (7.4.1) fica

$$U(x+\Delta x,y,z) - U(x,y,z) = -\int_x^{x+\Delta x} F_x(x',y,z)dx' \approx -F_x(x,y,z)\Delta x \qquad \textbf{(7.4.2)}$$

onde y e z permanecem constantes na integral e utilizamos a mesma aproximação que na (6.4.10).

A aproximação se torna exata no limite em que $\Delta x \to 0$, levando a

$$\boxed{-F_x(x,y,z) = \lim_{\Delta x \to 0}\left[\frac{U(x+\Delta x,y,z) - U(x,y,z)}{\Delta x}\right] = \frac{\partial U}{\partial x}(x,y,z)} \qquad \textbf{(7.4.3)}$$

onde o limite define a *derivada parcial de U em relação a* x, calculada no ponto (x, y, z): é uma derivada em que somente se leva em conta a variação com x, mantendo y e z constantes.

Analogamente, considerando deslocamentos somente nas direções y e z, obtemos as duas outras componentes da força, F_y e F_z. Por analogia com a (7.4.3), teremos

$$\boxed{F_x = -\frac{\partial U}{\partial x}, \quad F_y = -\frac{\partial U}{\partial y}, \quad F_z = -\frac{\partial U}{\partial z}} \qquad \textbf{(7.4.4)}$$

o que constitui a generalização procurada da (6.4.12) ao caso tridimensional (em uma dimensão, a derivada parcial se reduz à derivada ordinária).

Para ilustrar o conceito de derivadas parciais por um exemplo, calculemos as derivadas parciais de $f(x, y, z) = x\,y^2\,z^3$:

$$f(x,y,z) = xy^2z^3 \begin{cases} \partial f/\partial x = y^2z^3 \\ \partial f/\partial y = 2xyz^3 \\ \partial f/\partial z = 3xy^2z^2 \end{cases}$$

A (7.4.4) mostra que se podem calcular as três componentes da força se conhecermos a energia potencial $U(x, y, z)$ como função da posição. Vemos que a descrição em termos de energia potencial é bem mais econômica, pois em lugar de *três* funções escalares de (x, y, z) (as componentes F_x, F_y, F_z da força **F**) basta conhecermos *uma* função, ou seja, substituímos o vetor **F** pelo escalar U.

Uma variação infinitesimal dU de U correspondente à passagem de (x, y, z) para $(x + dx, y + dy, z + dz)$ pode ser obtida como resultante de três variações, fazendo passar sucessivamente para $(x + dx, y, z)$, $(x + dx, y + dy, z)$ e $(x + dx, y + dy, z + dz)$. A variação total é a soma das três, o que leva a (cf. (7.4.2), (7.4.3))

$$\boxed{dU = \frac{\partial U}{\partial x}dx + \frac{\partial U}{\partial y}dy + \frac{\partial U}{\partial z}dx = -\left(F_x dx + F_y dy + F_z dz\right) = -\mathbf{F}\cdot\mathbf{dl}} \tag{7.4.5}$$

onde **dl** é o deslocamento infinitesimal definido pela (7.2.3). Podemos considerar a (7.4.5) como a versão infinitesimal da (7.3.3).

A (7.4.5) sugere considerar dU como produto escalar de **dl** por

$$\boxed{\text{grad } U = \frac{\partial U}{\partial x}\mathbf{i} + \frac{\partial U}{\partial y}\mathbf{j} + \frac{\partial U}{\partial z}\mathbf{k}} \tag{7.4.6}$$

que se chama o *gradiente* de U. Temos então

$$\boxed{dU = \text{grad } U \cdot \mathbf{dl}} \tag{7.4.7}$$

para a variação dU de U devida a um deslocamento infinitesimal arbitrário **dl**.

Como as componentes de grad U são definidas pela (7.4.6) em relação a um dado sistema de coordenadas (x, y, z), não é óbvio pela definição (7.4.6) que grad U seja um vetor. Entretanto, se (x', y', z') for outro sistema de coordenadas e grad′ U o gradiente correspondente, e se **dl′** é o vetor representativo do deslocamento **dl** no novo sistema, devemos ter

$$dU = \text{grad}' U \cdot \mathbf{dl}'$$

pois dU tem um significado independente do referencial. Logo, comparando com a (7.4.7),

$$\text{grad } U \cdot \mathbf{dl} = \text{grad}' U \cdot \mathbf{dl}'$$

ou seja, o produto escalar de grad′ U pelo vetor **dl′** que representa **dl** no novo referencial tem de ser idêntico ao de grad U por **dl**, *qualquer que seja* o deslocamento infinitesimal **dl**. Isto implica que grad U tem um significado independente do referencial: o *gradiente é um vetor*. Também se usa a notação

$$\boxed{\text{grad } U \equiv \nabla U} \tag{7.4.8}$$

onde

$$\boxed{\nabla = \frac{\partial}{\partial x}\mathbf{i} + \frac{\partial}{\partial y}\mathbf{j} + \frac{\partial}{\partial z}\mathbf{k}} \tag{7.4.9}$$

é um "operador diferencial" (conhecido como "del" ou "nabla") cuja ação sobre uma função $U(x, y, z)$ é definida pela (7.4.6). As (7.4.4) e (7.4.6) dão

$$\boxed{\mathbf{F} = -\text{grad } U} \tag{7.4.10}$$

ou seja, *a força é menos o gradiente da energia potencial.*

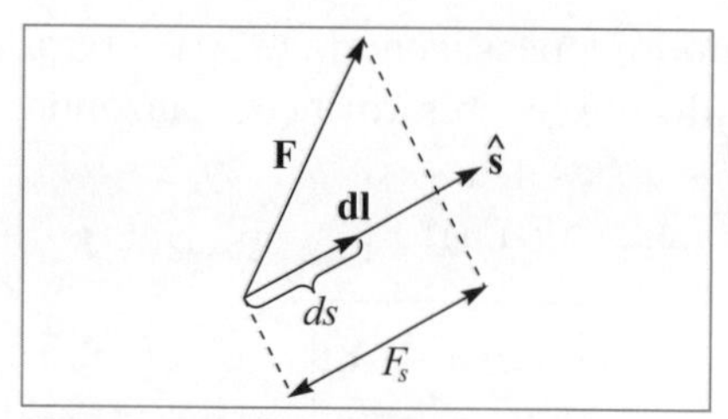

Figura 7.13 Componente da força numa direção qualquer.

Comparando a (7.4.7) com a (6.3.9), vemos que o gradiente é uma espécie de "derivada tridimensional". Seja

$$\mathbf{dl} = ds\hat{\mathbf{s}} \tag{7.4.11}$$

um deslocamento numa direção arbitrária caracterizada pelo vetor unitário $\hat{\mathbf{s}}$. As (7.4.7) e (7.4.10) dão então

$$\mathbf{F}\cdot\mathbf{dl} = (\hat{\mathbf{s}}\cdot\mathbf{F})ds = F_s ds = -\text{grad } U\cdot\mathbf{dl} = -dU \tag{7.4.12}$$

onde F_s é a componente de **F** na direção $\hat{\mathbf{s}}$ (projeção de **F** sobre $\hat{\mathbf{s}}$). Escrevemos a (7.4.12), por analogia com as (7.4.4),

$$\boxed{F_s = -\frac{\partial U}{\partial s}} \tag{7.4.13}$$

onde $\partial U/\partial s$, *a derivada direcional* de U *segundo a direção* s, é dada por

$$\boxed{\frac{\partial U}{\partial s} = \hat{\mathbf{s}}\cdot\text{grad } U} \tag{7.4.14}$$

e a variação de U nessa direção é dada por

$$\boxed{dU = \frac{\partial U}{\partial s}ds} \tag{7.4.15}$$

A equação

$$\boxed{U(x,y,z) = U_0 \text{ (constante)}} \tag{7.4.16}$$

define, no espaço tridimensional, uma superfície sobre a qual a energia potencial toma o valor constante U_0. Uma tal superfície chama-se *superfície equipotencial*. Fazendo variar U_0 de forma contínua na (7.4.16), obtemos uma *família de superfícies equipotenciais*.

Se $\hat{\mathbf{s}}$ é qualquer direção no plano tangente à superfície equipotencial num ponto dado, um deslocamento infinitésimo ao longo de $\hat{\mathbf{s}}$ se confunde com um deslocamento sobre a superfície equipotencial, para o qual $dU = 0$ (porque U não varia sobre a superfície). Logo, $\partial U/\partial s = 0$ ao longo de qualquer direção no plano tangente, ou seja,

$$\hat{\mathbf{s}}\cdot\text{grad } U = 0 \tag{7.4.17}$$

qualquer que seja $\hat{\mathbf{s}}$ no plano tangente. Isto implica que grad U é *normal à superfície equipotencial*, ou seja, a direção de grad U em cada ponto de uma superfície equipotencial é perpendicular à superfície. Pela (7.4.10), concluímos também que *a força em cada ponto é perpendicular à superfície equipotencial que passa por esse ponto*. Vemos

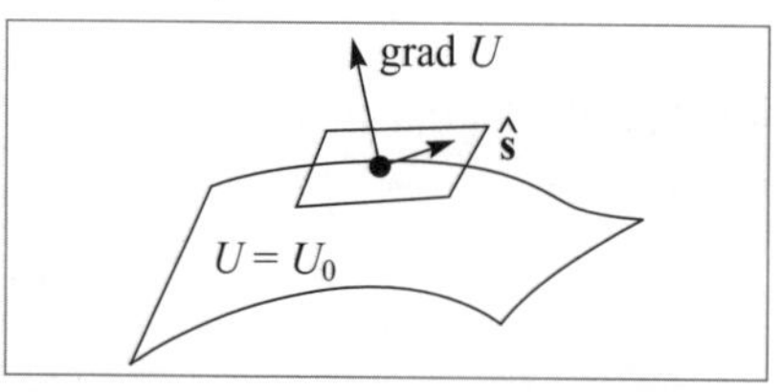

Figura 7.14 Direção do gradiente.

pela (7.4.14) que $\partial U/\partial s$ (= 0 em direções tangentes à superfície equipotencial) é *máximo* quando $\hat{\mathbf{s}}$ é paralelo a grad U (cos $\theta = 1$ no produto escalar dos dois vetores, onde θ é o ângulo entre eles), ou seja, quando $\hat{\mathbf{s}} \equiv \hat{\mathbf{n}}$, onde $\hat{\mathbf{n}}$ é o vetor unitário da *normal* à superfície equipotencial, dirigido no sentido de U crescente ($dU > 0$). Podemos dizer que grad U *tem a "direção de máximo aclive"* de U, ou seja, aquela segundo a qual U cresce mais rapidamente.

7.5 APLICAÇÕES: CAMPOS GRAVITACIONAL E ELÉTRICO

(a) Campo gravitacional uniforme

Para o campo gravitacional **g** próximo à superfície da Terra, vimos na (7.3.4) que

$$U(x,y,z) = mgz \tag{7.5.1}$$

de forma que

$$\mathbf{F} = -\text{grad } U = -\frac{\partial U}{\partial z}\mathbf{k} = -mg\mathbf{k} \tag{7.5.2}$$

As superfícies equipotenciais são *planos horizontais* ($z = z_0$), e a força gravitacional em cada ponto é perpendicular a elas (vertical). O vetor grad U está dirigido verticalmente para cima.

(b) Campo elétrico uniforme

Consideremos um campo elétrico **E** uniforme na direção x (por exemplo):

$$\mathbf{E} = E\mathbf{i} \tag{7.5.3}$$

onde E é uma constante. A força elétrica sobre uma carga q nesse campo será

$$\mathbf{F} = qE\mathbf{i} \tag{7.5.4}$$

É fácil ver, por analogia com as (7.5.1) – (7.5.2), que a função energia potencial correspondente é

$$U = -qEx \tag{7.5.5}$$

A *energia potencial por unidade de carga chama-se potencial elétrico* φ:

$$\boxed{\varphi = -Ex} \tag{7.5.6}$$

e temos

$$\boxed{\mathbf{E} = -\text{grad } \varphi} \tag{7.5.7}$$

o que equivale à (7.5.3), no caso atual.

As superfícies equipotenciais são planos perpendiculares à direção x. Materializando duas delas, $x = x_1$ e $x = x_2$, por planos condutores mantidos nos potenciais φ_1 e φ_2,

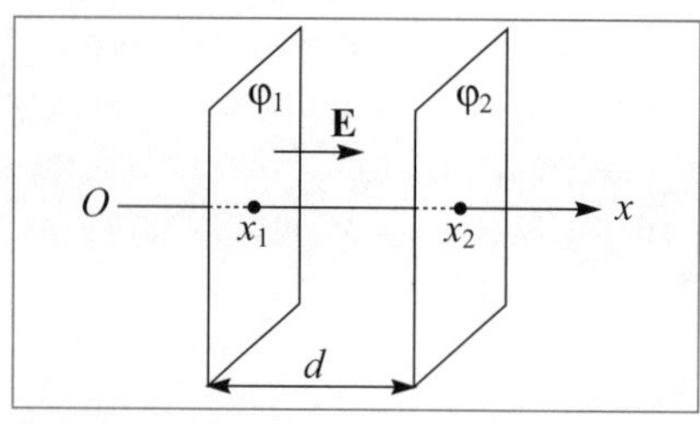

Figura 7.15 Capacitor plano.

respectivamente (capacitor plano (cf. Seç. 5.4)), temos entre elas uma *diferença de potencial*

$$V = \varphi_1 - \varphi_2 = E\left(x_2 - x_1\right) = Ed \quad \textbf{(7.5.8)}$$

o que concorda com a (5.4.6).

Pela definição do potencial, a diferença de energia potencial entre as placas, para uma carga q, é

$$\boxed{q\left(\varphi_1 - \varphi_2\right) = qV = U_1 - U_2 = T_2 - T_1 = \Delta T} \quad \textbf{(7.5.9)}$$

que representa a *energia cinética ganha* por uma carga q acelerada pelo campo elétrico entre as placas. É fácil ver que isto concorda com a (5.4.7).

A energia ganha por uma partícula de carga $q = e$ (carga do elétron) acelerada através de uma diferença de potencial de 1 V chama-se um *elétron-volt* (1 eV), e é uma unidade de energia extremamente importante em física atômica e subatômica. Como $e = 1{,}6 \times 10^{-19}$ C, temos

$$1\ \text{eV} = 1{,}6 \times 10^{-19}\,\text{J} = 1{,}6 \times 10^{-12}\,\text{erg} \quad \textbf{(7.5.10)}$$

(c) Forças centrais

Diz-se que uma partícula está sujeita a *forças centrais* numa dada região do espaço quando a força **F** exercida sobre a partícula em qualquer ponto P dessa região tem as seguintes propriedades:

(I) Está dirigida segundo a linha OP que liga P a um ponto O *fixo*, chamado *centro de forças.*

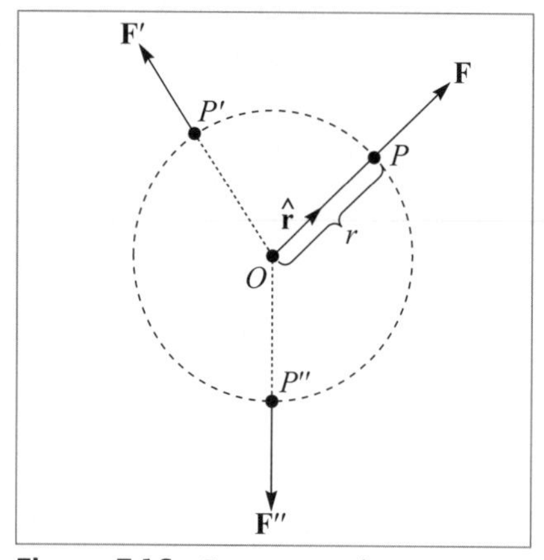

Figura 7.16 Força central.

(II) A magnitude de **F** só depende da distância $r = |\mathbf{OP}|$ ao centro de forças. Logo $|\mathbf{F}|$ tem o mesmo valor em todos os pontos de uma esfera de raio r com centro em O (Figura 7.16).

Se $\hat{\mathbf{r}}$ é o vetor unitário da direção radial **OP**, as (I) e (II) equivalem a (tomando a origem em O)

$$\mathbf{F} = F(r)\hat{\mathbf{r}} \quad \textbf{(7.5.11)}$$

onde $F(r)$ pode ser positivo (força repulsiva) ou negativo (força atrativa).

Consideremos agora um caminho C ligando dois pontos P_1 e P_2 numa região onde atuam forças centrais, e

$$W^{(C)}_{P_1 \to P_2} = \int_{\substack{P_1 \\ (C)}}^{P_2} \mathbf{F} \cdot \mathbf{dl} \quad \textbf{(7.5.12)}$$

Pela (7.5.11), temos

$$\mathbf{F} \cdot \mathbf{dl} = F(r)\,\hat{\mathbf{r}} \cdot \mathbf{dl} \qquad \textbf{(7.5.13)}$$

A Figura 7.17 mostra que

$$\hat{\mathbf{r}} \cdot \mathbf{dl} = |\mathbf{dl}|\cos\theta = dr \qquad \textbf{(7.5.14)}$$

onde dr é a variação infinitésima de r entre os extremos do arco **dl**. Logo, se $|\mathbf{OP}_1| = r_1$ e $|\mathbf{OP}_2| = r_2$, a (7.5.12) fica

$$\boxed{W^{(C)}_{P_1 \to P_2} = \int_{r_1}^{r_2} F(r)\,dr} \qquad \textbf{(7.5.15)}$$

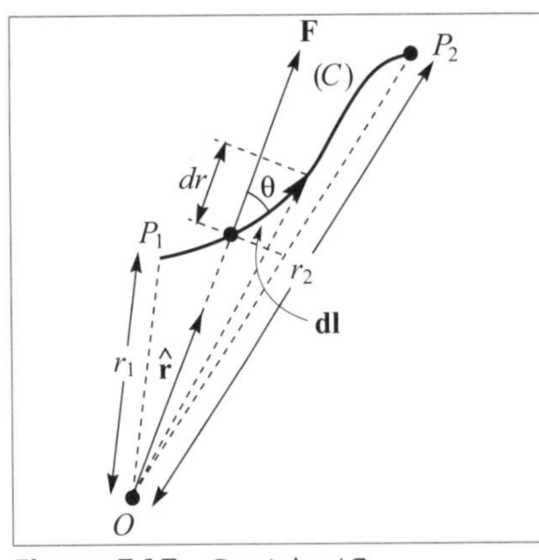

Figura 7.17 Caminho (C).

que é independente do caminho C (só depende dos extremos P_1 e P_2). Logo, *toda força central é conservativa* e a energia potencial correspondente é dada por (cf. (7.3.6))

$$\boxed{U(r) - U(r_0) = -\int_{r_0}^{r} F(r)\,dr} \qquad \textbf{(7.5.16)}$$

que só depende da distância r ao centro de forças. As superfícies equipotenciais são esferas de centro em O (centro de forças).

As (7.4.10), (7.5.11) e (7.4.14) dão

$$\hat{\mathbf{r}} \cdot \mathbf{F} = F(r) = -\hat{\mathbf{r}} \cdot \text{grad}\, U = -\frac{dU}{dr} \qquad \textbf{(7.5.17)}$$

onde dU/dr é a derivada ordinária (não parcial), porque U só depende de r. A (7.5.17) também resulta da (7.5.16), derivando ambos os membros em relação a r.

As (7.5.11) e (7.5.17) dão, finalmente,

$$\boxed{\mathbf{F} = -\text{grad}\, U(r) = -\frac{dU}{dr}\,\hat{\mathbf{r}}} \qquad \textbf{(7.5.18)}$$

(d) Energia potencial gravitacional na escala astronômica

Consideremos um objeto, por exemplo, um foguete, em queda livre na direção radial ("vertical") no campo gravitacional da Terra, que se aproxima desde uma distância inicial r_0 até uma distância r do centro O da Terra. Para r e r_0 grandes em confronto com o raio R da Terra, não podemos mais aproximar o campo gravitacional da Terra por um campo uniforme, como na (7.5.2).

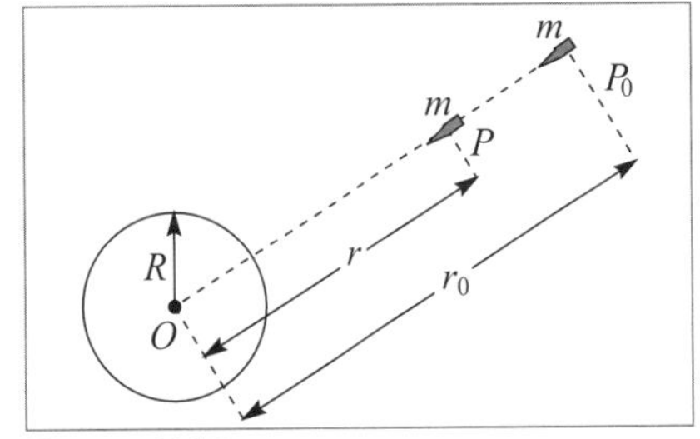

Figura 7.18

Veremos posteriormente que, devido à forma esférica da Terra, sua atração gravitacional sobre uma partícula externa de massa m é a mesma que se toda a massa M da Terra estivesse concentrada em seu centro O. Logo, pela (5.1.1), a força de atração gravitacional $\mathbf{F}$ exercida pela Terra sobre a partícula é dada por

$$\boxed{\mathbf{F} = -G\frac{mM}{r^2}\hat{\mathbf{r}}} \tag{7.5.19}$$

onde $r = |\mathbf{OP}|$ (P é a posição da partícula) e $\hat{\mathbf{r}}$ é um vetor unitário na direção de **OP**.

A (7.5.19) é uma *força central*, do tipo (7.5.11), com

$$\boxed{F(r) = -G\frac{mM}{r^2}} \tag{7.5.20}$$

Logo, a força gravitacional é conservativa, e a variação de energia potencial da partícula considerada entre as distâncias r_0 e r do centro da Terra é dada pela (7.5.16):

$$U(r) - U(r_0) = +\int_{r_0}^{r} GmM\frac{dr'}{r'^2} = GmM\left(\frac{1}{r_0} - \frac{1}{r}\right) \tag{7.5.21}$$

(o resultado da integração pode ser verificado facilmente com o auxílio das (6.4.9), (6.4.11) e (6.5.8) para $n = 1$)

Costuma-se neste caso tomar o nível zero de energia potencial no infinito, onde a interação (7.5.20) se anula. Com esta escolha, obtemos da (7.5.21), fazendo $r_0 \to \infty$,

$$\boxed{U(r) = -\int_{\infty}^{r} F(r')dr' = -\frac{GmM}{r}} \tag{7.5.22}$$

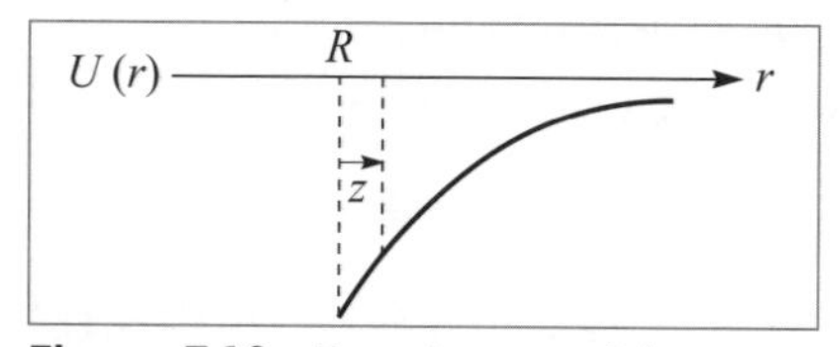

Figura 7.19 Energia potencial gravitacional.

o que vale apenas na região externa à Terra ($r > R$), porque é apenas nessa região que a força é dada pela (7.5.20) (veremos depois (Seç. 10.9) o que acontece na região interna).

O gráfico da energia potencial em função de r tem o aspecto da Figura 7.19: é uma porção de hipérbole, que temos de interromper para $r = R$, conforme acabamos de observar.

O fato de obtermos $U(r) < 0$ resulta da escolha do nível zero de energia $[U(\infty) = 0]$ e do fato de que a força é atrativa, de forma que a partícula *ganha* energia potencial à medida que se afasta da Terra, ou seja, à medida que aumenta sua "altura", o que concorda com a situação já discutida na vizinhança da superfície terrestre. A figura mostra que, nessa vizinhança, $U(r)$ varia linearmente com $z = r - R$ (para z suficientemente pequeno), o que deve corresponder à (7.5.1). Com efeito, para z suficientemente pequeno ($z << R$), temos

$$\frac{U(R+z) - U(R)}{z} \approx \left(\frac{dU}{dr}\right)_{r=R} = m\frac{MG}{R^2} = -F(R) = +mg \tag{7.5.23}$$

onde a penúltima igualdade decorre da (7.5.20), e a última da (7.5.2).

A (7.5.23) dá

$$U(R+z) = mgz + U(R) \quad (z \ll R) \tag{7.5.24}$$

o que efetivamente concorda com a (7.5.1) (a constante aditiva $U(R)$ decorre da escolha diferente do nível zero de energia). Vemos ao mesmo tempo que

$$\boxed{g = \frac{MG}{R^2}} \tag{7.5.25}$$

o que permite determinar a massa M da Terra, uma vez que g e o raio R da Terra são conhecidos:

$$\left.\begin{cases} g \approx 9{,}81\,\text{m/s}^2 \\ R \approx 6{,}37\times 10^6\,\text{m} \\ G \approx 6{,}67\times 10^{-11}\,\text{N}\,\text{m}^2/\text{kg}^2 \end{cases}\right\} \Rightarrow M \approx 5{,}97\times 10^{24}\,\text{kg}$$

A *densidade média da* Terra é então

$$\rho = \frac{M}{\frac{4}{3}\pi R^3} = 5{,}52\times 10^3\,\text{kg/m}^3 = 5{,}52\,\text{g/cm}^3$$

o que podemos comparar com as densidades da água (ρ_{H_2O} = 1 g/cm^3) e do ferro (ρ_{Fe} = 7,86 g/cm^3), que é o elemento dominante no interior da Terra.

A (7.5.25) também mostra que a (7.5.20) pode ser reescrita sob a forma

$$F(r) = -mg\left(\frac{R}{r}\right)^2 \quad (r \geq R) \tag{7.5.26}$$

que se reduz obviamente à (7.5.23) para $r = R$.

Se compararmos o gráfico da página anterior com o da Fig. 6.17 (potencial de Lennard-Jones), onde também foi adotado como nível zero $U(\infty) = 0$, vemos que

$$-U(R) = \frac{GmM}{R} = mgR \tag{7.5.27}$$

representa a "energia de dissociação" de uma partícula de massa m na superfície da Terra, ou seja, a energia mínima que precisamos comunicar-lhe para que ela escape à atração gravitacional da Terra. A energia cinética correspondente,

$$T_e = \frac{1}{2}mv_e^2 = mgR \tag{7.5.28}$$

é tal que a energia total da partícula,

$$E_e = T_e + U(R) = 0 \tag{7.5.29}$$

lhe permite "chegar a uma distância infinita com velocidade nula". Logo, v_e representa a *velocidade de escape*, velocidade mínima necessária para que a partícula se afaste indefinidamente da Terra. Seu valor numérico é

$$v_e = \sqrt{2gR} \approx \sqrt{2\times 9{,}8\times 6{,}4}\times 10^3\,\text{m/s} \approx 11{,}2\,\text{km/s} \approx 40.300\,\text{km/h} \tag{7.5.30}$$

7.6 POTÊNCIA. FORÇAS NÃO CONSERVATIVAS

(a) Potência

Não consideramos até agora, ao discutir os conceitos de trabalho e energia, o fator *tempo*, ou seja, o tempo que demora a realização de determinada quantidade de trabalho. Em muitas aplicações, tanto teóricas quanto práticas, é importante o *trabalho realizado por unidade de tempo*, que se chama *potência*.

Se um trabalho ΔW é realizado num intervalo de tempo Δt, a potência média $\overline{P}$ correspondente é definida por

$$\overline{P} = \frac{\Delta W}{\Delta t} \tag{7.6.1}$$

e a *potência instantânea* P é dada por

$$\boxed{P = \frac{dW}{dt}} \tag{7.6.2}$$

A unidade de potência no sistema SI é

$$1\,\text{Watt} = 1\,\text{W} = 1\,\text{J}/\text{s} \tag{7.6.3}$$

Reciprocamente, é comum medir o trabalho em kWh (*quilowatt-hora*), o trabalho realizado em 1h por uma potência de 1kW (quilowatt):

$$1\,\text{kW h} = 10^3\,\text{W} \times 3{,}6 \times 10^3\,\text{s} = 3{,}6 \times 10^6\,\text{J}$$

Também se emprega como unidade de potência o *cavalo-vapor* (hp: 1 hp = 746 W $\approx 3/4$ kW).

Levando em conta as (7.2.4) e (7.2.6), obtemos

$$dW = \mathbf{F} \cdot \mathbf{dl} \Rightarrow P = \frac{dW}{dt} = \mathbf{F} \cdot \frac{\mathbf{dl}}{dt} = \mathbf{F} \cdot \mathbf{v} \tag{7.6.4}$$

onde $\mathbf{v}$ é a velocidade instantânea da partícula, e

$$P = \mathbf{F} \cdot \mathbf{v} = \mathbf{m} \frac{\mathbf{dv}}{dt} \cdot \mathbf{v} = \frac{d}{dt}\left(\frac{1}{2} m\mathbf{v}^2\right) = \frac{dT}{dt} \tag{7.6.5}$$

onde T é a energia cinética da partícula. Logo, no movimento de uma partícula sob a ação de uma força, *a potência representa a taxa de variação temporal da energia cinética da partícula*, o que corresponde a uma formulação diferencial da (7.2.8).

Para *uma força conservativa*, a (7.4.10) dá

$$P = \mathbf{F} \cdot \mathbf{v} = \mathbf{F} \cdot \frac{\mathbf{dl}}{dt} = -\text{grad}\, U \cdot \mathbf{dl} / dt \tag{7.6.6}$$

ou pela (7.4.7),

$$P = -dU / dt \tag{7.6.7}$$

Combinando com a (7.6.5), obtemos neste caso

$$\frac{d}{dt}(T+U)=\frac{dE}{dt}=0 \tag{7.6.8}$$

que é uma formulação diferencial da conservação de energia.

(b) Forças não conservativas

Vimos na Seç. 6.4 que, em uma dimensão, qualquer força que só depende da posição é conservativa. É fácil ver que isto não vale mais em duas ou três dimensões; basta dar um exemplo em contrário (que não precisa corresponder a nenhuma força física conhecida). Seja, por exemplo,

$$\mathbf{F}=Cx\,\mathbf{j} \tag{7.6.9}$$

o valor da força na posição (x, y, z) numa dada região; **F** só depende da posição: mantém-se sempre na direção y, mas sua magnitude cresce perpendicularmente a essa direção.

Consideremos (Figura 7.20) dois caminhos diferentes ligando a origem O a um ponto P_0 (x_0, y_0): OP_1P_0 e OP_2P_0. Ao longo dos lados horizontais, o trabalho realizado por **F** é nulo, porque **F** é perpendicular ao deslocamento. Ao longo de OP_2, o trabalho também é nulo, porque $\mathbf{F} = 0$. Entretanto, ao longo de P_1P_0, $\mathbf{F} = Cx_0\mathbf{j}$ é constante e o trabalho correspondente é $(Cx_0) \cdot y_0$. Logo,

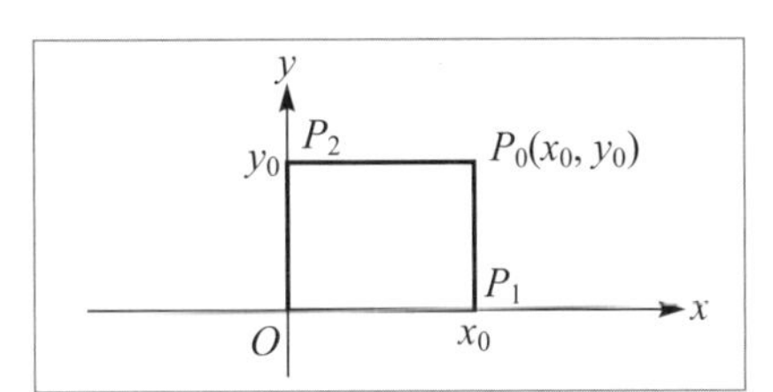

Figura 7.20 Caminhos diferentes.

$$\underset{(P_1)}{\int_0^{P_0}} \mathbf{F}\cdot\mathbf{dl}=Cx_0y_0 \neq \underset{(P_2)}{\int_0^{P_0}} \mathbf{F}\cdot\mathbf{dl}=0 \tag{7.6.10}$$

ou seja, o trabalho depende do caminho, e $\oint \mathbf{F}\cdot\mathbf{dl} \neq 0$ sobre um caminho fechado:

$$\oint_{OP_1P_0P_2O} \mathbf{F}\cdot\mathbf{dl}=Cx_0y_0 \tag{7.6.11}$$

Embora o exemplo acima tenha sido construído artificialmente, forças de tipo muito semelhante aparecem no eletromagnetismo. Conforme será visto mais tarde, o fenômeno da indução eletromagnética, descoberto por Faraday, implica no aparecimento de forças elétricas desse tipo em presença de campos magnéticos variáveis no tempo. A "força eletromotriz" associada a circuitos fechados ($\oint \mathbf{F}\cdot\mathbf{dl} \neq 0$) produz correntes elétricas em geradores e permite realizar trabalho em motores elétricos. Embora se trate de "forças não conservativas" no sentido estrito de conservação da energia *mecânica*, veremos depois que, neste exemplo, aparece outra forma de energia, a energia eletromagnética, e que se chega a uma generalização do princípio de conservação da energia: a energia *total* de um sistema isolado continua se conservando, mas ela inclui, além da energia mecânica, muitas outras formas possíveis de energia, entre as quais está a energia eletromagnética.

Outro exemplo de "forças não conservativas", já discutido à Seç. 6.4, são as forças de atrito, que tendem a *dissipar* a energia mecânica (realizar trabalho negativo). Novamente, a energia no sentido mais amplo se conserva, porque as forças de atrito convertem energia mecânica em *calor*, que, conforme veremos no curso de termodinâmica, é também uma forma de energia.

Nesse sentido mais amplo de conservação de energia *total*, podemos dizer que não se conhece nenhuma força não conservativa, ou seja, não foi descoberto até hoje nenhum fenômeno em que seja violado o princípio de conservação da energia total de um sistema isolado. Essa é uma das razões que fazem deste princípio um dos mais importantes da física. À medida que ampliamos nosso conhecimento dos fenômenos físicos, vemos surgir ampliações sucessivas do conceito de energia, inclusive, ao penetrarmos no domínio relativístico, com a célebre descoberta de Einstein da relação entre massa e energia.

O resultado (7.2.8) (relação entre trabalho e variação de energia cinética) se aplica independentemente de se as forças que atuam sobre a partícula são ou não conservativas (no sentido estritamente de conservação da energia mecânica). Assim, se uma partícula está sujeita à ação de diversas forças conservativas $\mathbf{F}_1^{(c)}$, $\mathbf{F}_2^{(c)}$, ..., e simultaneamente também a forças não conservativas $\mathbf{F}_1^{(nc)}$, $\mathbf{F}_2^{(nc)}$, ..., a (7.2.8) fica

$$\sum_i W_i^{(c)} + \sum_i W_i^{(nc)} = \Delta T \qquad \textbf{(7.6.12)}$$

onde $W_i^{(c)}$ é o trabalho realizado pela força conservativa $\mathbf{F}_i^{(c)}$, de forma que (cf. (7.3.3))

$$W_i^{(c)} = -\Delta U_i \qquad \textbf{(7.6.13)}$$

onde U_i é uma energia potencial associada a $\mathbf{F}_i^{(c)}$. A energia potencial total associada às forças conservativas é então

$$U = \sum_i U_i \qquad \textbf{(7.6.14)}$$

e a (7.6.12) dá

$$\sum_i W_i^{(nc)} = \Delta T + \sum_i \Delta U_i = \Delta(T + U)$$

ou seja

$$\boxed{\Delta E = \sum_i W_i^{(nc)}} \qquad \textbf{(7.6.15)}$$

onde $E = T + U$ é a energia mecânica total. Logo, a variação da energia mecânica total da partícula é igual ao trabalho sobre ela realizado pelas forças não conservativas.

(c) Um exemplo

Frequentemente, o princípio de conservação da energia facilita a resolução de problemas que seriam bem mais difíceis de resolver diretamente a partir das equações de movimento (2ª lei de Newton). Consideremos, por exemplo, a experiência com um pêndulo descrita por Galileu (Seç. 6.1), e procuremos responder à seguinte pergunta: para que distâncias entre o prego F e o ponto B o pêndulo, após se enroscar em F, conseguirá dar uma volta completa, descrevendo o semicírculo BPB' com centro em F (Figura 7.21) e ultrapassando o ponto diametralmente oposto B' (ver fig.)?

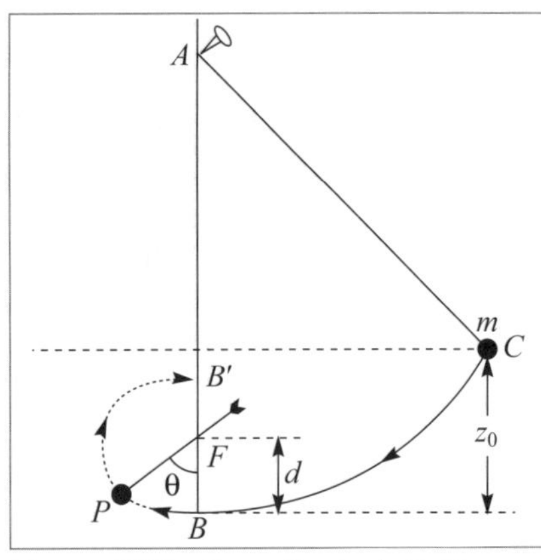

Figura 7.21 Experiência de Galileu.

Tomemos o eixo dos z dirigido verticalmente para cima, com origem no ponto mais baixo B. O pêndulo é solto em repouso no ponto C, à altura z_0, de modo que sua energia total é

$$E = mgz_0 \tag{7.6.16}$$

Ao atingir a posição P (Figura 7.21), após descrever um ângulo θ com centro em F, o pêndulo terá uma velocidade $\mathbf{v}(\theta)$ e sua energia potencial será

$$U(\theta) = mgz = mgd(1 - \cos\theta) \tag{7.6.17}$$

onde z é a altura de P em relação a B e $d = \overline{BF}$. Pela conservação da energia, teremos então

$$E = \frac{1}{2}mv^2(\theta) + mgd(1 - \cos\theta) \tag{7.6.18}$$

Ao atingir o ponto B' ($\theta = \pi$) a velocidade $v(\theta)$ passa pelo seu valor mínimo, que, pelas (7.6.16) e (7.6.18), é dado por

$$\frac{1}{2}mv^2(\pi) + 2mgd = mgz_0 \left\{ v^2(\pi) = 2g(z_0 - 2d) \right. \tag{7.6.19}$$

(Note que $d \leq z_0/2$, conforme foi observado por Galileu, para que o fio se enrosque (Seç. 6.1), de modo que o 2° membro da (7.6.19) é ≥ 0).

A 2ª lei de Newton, aplicada ao ponto B', onde a aceleração é puramente centrípeta (não há forças tangenciais), dá

$$\frac{mv^2(\pi)}{d} = mg + T \tag{7.6.20}$$

onde T é a tensão no fio, dirigida para baixo. Combinando as (7.6.19) e (7.6.20), obtemos:

$$T = \frac{2mg}{d}(z_0 - 2d) - mg = \frac{2mg}{d}\left(z_0 - \frac{5}{2}d\right) \tag{7.6.21}$$

Como o fio não pode exercer uma tensão negativa (ou seja, dirigida para cima), devemos ter $T \geq 0$, o que dá, pela (7.6.21),

$$z_0 = \frac{5}{2}d \geq 0 \left\{ 0 \leq d \leq \frac{2}{5}z_0 \right. \tag{7.6.22}$$

Para $\frac{2}{5}z_0 < d < \frac{z_0}{2}$, o fio não chega até o ponto B': a tensão se anula para $\theta < \pi$ e o fio se dobra, fazendo cair o pêndulo.

PROBLEMAS

7.1 No Exemplo 1 da Seç. 5.3, considere a situação em que |**F**| tem o valor mínimo necessário para manter o bloco deslizando sobre o plano horizontal com velocidade constante. Para um deslocamento l do bloco, exprima o trabalho W realizado pela força **F** em função de P, θ, l e do coeficiente μ_c. Que acontece com esse trabalho?

7.2 Uma partícula carregada penetra num campo magnético uniforme com velocidade inicial perpendicular à direção do campo magnético. Calcule o trabalho realizado pela força magnética sobre a partícula ao longo de sua trajetória.

7.3 Dois vetores **a** e **b** são tais que |**a** + **b**| = |**a** – **b**|. Qual é o ângulo entre **a** e **b**?

7.4 Calcule o ângulo entre duas diagonais internas (que passam por dentro) de um cubo, utilizando o produto escalar de vetores.

7.5 Uma conta de massa m enfiada num aro circular de raio R que está num plano vertical desliza sem atrito da posição A, no topo do aro, para a posição B, descrevendo um ângulo θ (Figura). (a) Qual é o trabalho realizado pela força de reação do aro sobre a conta? (b) Qual é a velocidade da conta em B?

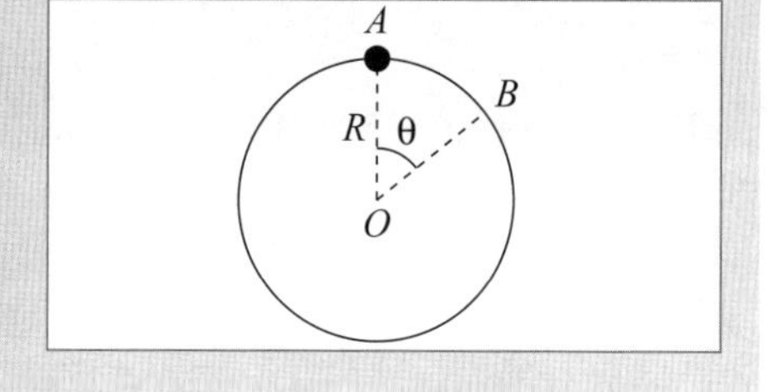

7.6 Um corpo de massa m = 300 g, enfiado num aro circular de raio R = 1 m situado num plano vertical, está preso por uma mola de constante k = 200 N/m ao ponto C, no topo do aro (Figura). Na posição relaxada da mola, o corpo está em B, no ponto mais baixo do aro. Se soltarmos o corpo em repouso a partir do ponto A indicado na figura, com que velocidade ele chegará a B?

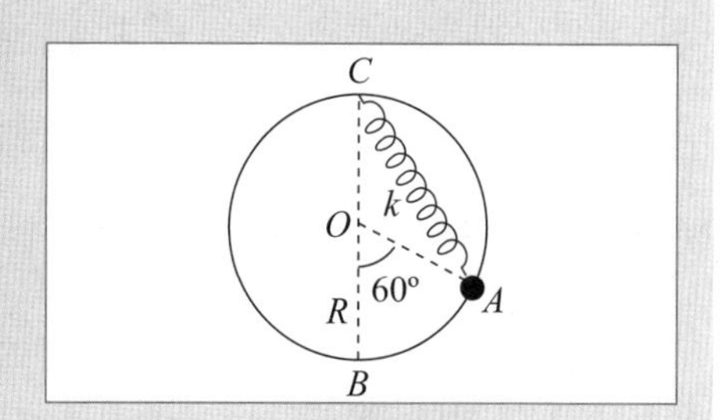

7.7 Uma partícula se move no plano xy sob a ação da força $\mathbf{F}_1 = 10\,(y\mathbf{i} - x\mathbf{j})$, onde $|\mathbf{F}_1|$ é medido em N, e x e y em m. (a) Calcule o trabalho realizado por $\mathbf{F}_1$ ao longo do quadrado indicado na figura. (b) Faça o mesmo para $\mathbf{F}_2 = 10\,(y\mathbf{i} + x\mathbf{j})$. (c) O que você pode concluir a partir de (a) e (b) sobre o caráter conservativo ou não de $\mathbf{F}_1$ e $\mathbf{F}_2$? (d) Se uma das duas forças parece ser conservativa, procure obter a energia potencial U associada, tal que $\mathbf{F} = -\,\text{grad}\,U$.

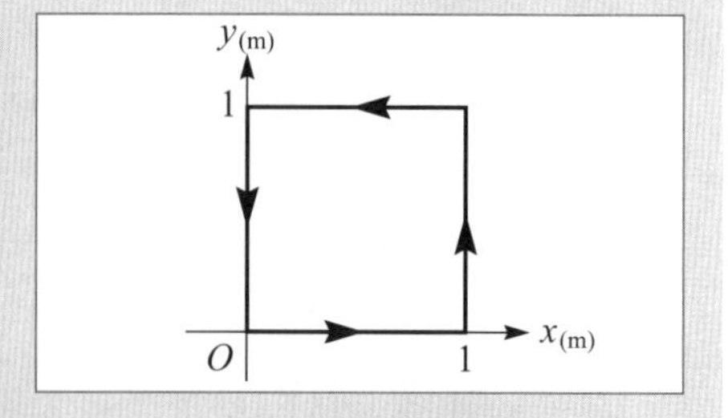

7.8 Uma partícula está confinada a mover-se no semi-espaço $z \geq 0$, sob a ação de forças conservativas, de energia potencial $U(x, y, z) = F_0 z + \frac{1}{2} k (x^2 + y^2)$, onde F_0 e k são positivas. (a) Calcule as componentes da força que atua sobre a partícula. (b) Que tipo de força atua ao longo do eixo Oz? (c) Que tipo de forças atuam no plano xy? (d) Qual é a forma das superfícies equipotenciais?

7.9 Um oscilador harmônico tridimensional isotrópico é definido como uma partícula que se move sob a ação de forças associadas à energia potencial

$$U(x, y, z) = \frac{1}{2} k \left(x^2 + y^2 + z^2\right)$$

onde k é uma constante positiva. Mostre que a força correspondente é uma força central, e calcule-a. De que tipo é a força obtida?

7.10 Uma estrutura rígida triangular é construída com três hastes iguais e seu plano é vertical, com a base na horizontal. Nos dois outros lados estão enfiadas duas bolinhas idênticas de massa m, atravessadas por um arame rígido e leve AB, de modo que podem deslizar sobre as hastes com atrito desprezível, mantendo sempre o arame na horizontal. As duas bolinhas também estão ligadas por uma mola leve de constante elástica k e comprimento relaxado l_0. (a) Mostre que uma expressão para a energia potencial do sistema em função do comprimento l da mola é $U(l) = \frac{1}{2} k (l - l_0)^2 - mg\sqrt{3}l$. (b) Para que valor de l o sistema está em equilíbrio? (c) Se soltamos o sistema na situação em que a mola está relaxada, qual é o menor e qual é o maior valor de l no movimento subsequente? (d) Que tipo de movimento o sistema realiza no caso (c)?

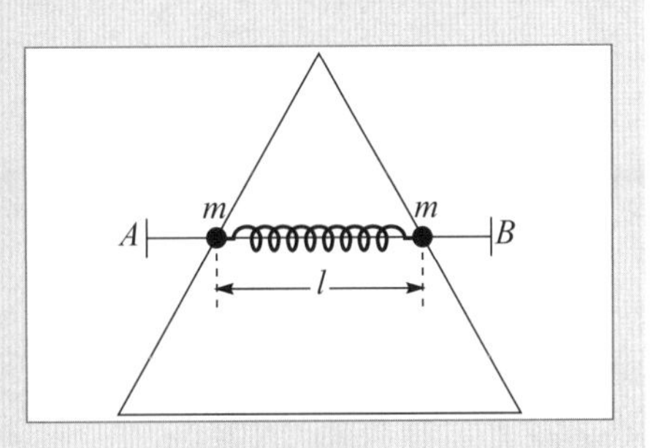

7.11 Mostre que o trabalho necessário para remover um objeto da atração gravitacional da Terra é o mesmo que seria necessário para elevá-lo ao topo de uma montanha de altura igual ao raio da Terra, caso a força gravitacional permanecesse constante e igual ao seu valor na superfície da Terra durante a escalada da montanha.

7.12 Calcule a velocidade de escape de um corpo a partir da superfície da Lua.

7.13 Um satélite síncrono da Terra é um satélite cujo período de revolução em torno da Terra é de 24 hs, de modo que permanece sempre acima do mesmo ponto da superfície da Terra. (a) Para uma órbita circular, a que distância do centro da Terra (em km e em raios da Terra) precisa ser colocado um satélite para que seja síncrono? (b) Que velocidade mínima seria preciso comunicar a um corpo na superfície da Terra para que atingisse essa órbita (desprezando os efeitos da atmosfera)?

7.14 Utilize o Princípio dos Trabalhos Virtuais enunciado na Seç. 7.3 para obter as condições de equilíbrio da alavanca [Figura (a)] e do plano inclinado [Figura (b)]. Para isto, imagine que um pequeno deslocamento, compatível com os vínculos a que estão sujeitas, é dado às massas, e imponha a condição de que o trabalho realizado nesse deslocamento (trabalho virtual) deve ser nulo.

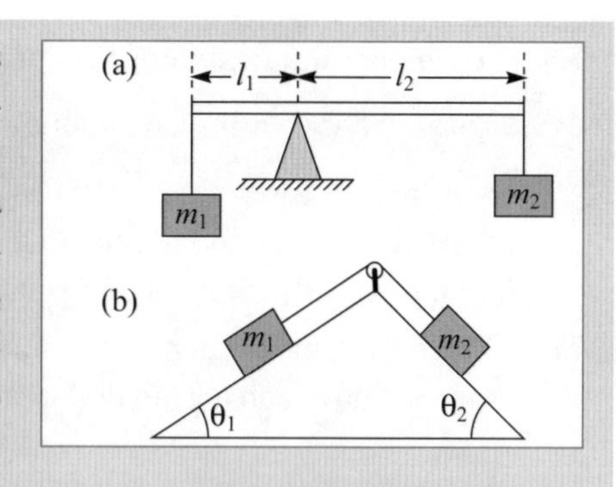

7.15 Um vagão de massa m_1 = 4 toneladas está sobre um plano inclinado de inclinação θ = 45º, ligado a uma massa suspensa m_2 = 500 kg pelo sistema de cabo e polias ilustrado na Figura. Supõe-se que o cabo é inextensível e que a massa do cabo e das polias é desprezível em confronto com as demais. O coeficiente de atrito cinético entre o vagão e o plano inclinado é μ_c = 0,5 e o sistema é solto do repouso. (a) Determine as relações entre os deslocamentos s_1 e s_2 e as velocidades v_1 e v_2 das massas m_1 e m_2, respectivamente. (b) Utilizando a conservação da energia, calcule de que distância o vagão se terá deslocado ao longo do plano inclinado quando sua velocidade atingir 4,5 km/h.

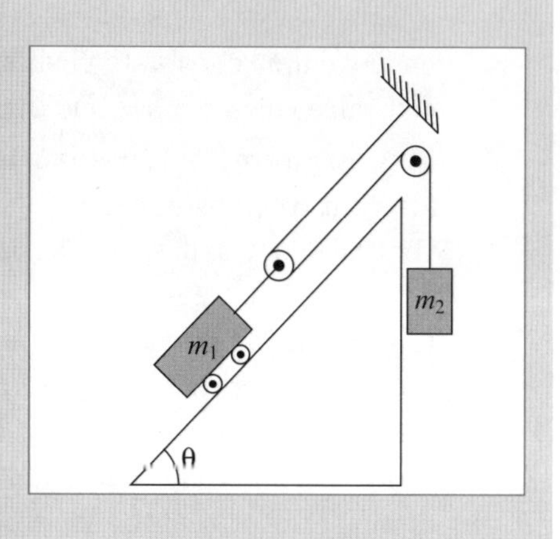

7.16 Um automóvel de massa m e velocidade inicial v_0 é acelerado utilizando a potência máxima P_M do motor durante um intervalo de tempo T. Calcule a velocidade do automóvel ao fim desse intervalo.

7.17 Um bloco de massa m = 10 kg é solto em repouso do alto de um plano inclinado de 45º em relação ao plano horizontal, com coeficiente de atrito cinético μ_c = 0,5. Depois de percorrer uma distância d = 2 m ao longo do plano, o bloco colide com uma mola de constante k = 800 N/m, de massa desprezível, que se encontrava relaxada. (a) Qual é a compressão sofrida pela mola? (b) Qual é a energia dissipada pelo atrito durante o trajeto do bloco desde o alto do plano até a compressão máxima da mola? Que fração representa da variação total de energia potencial durante o trajeto? (c) Se o coeficiente de atrito estático com o plano é μ_c = 0,8, que acontece com o bloco logo após colidir com a mola?

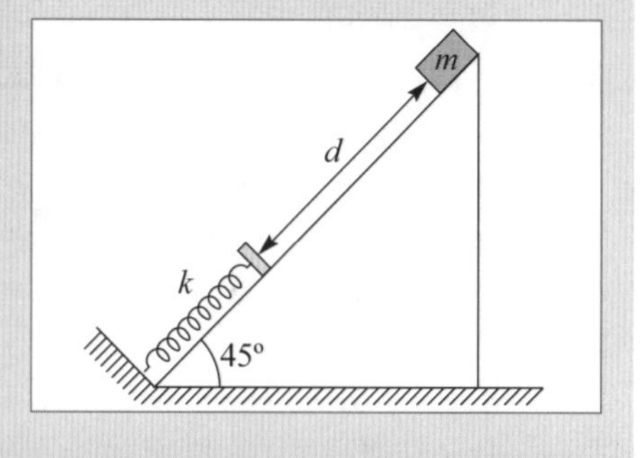

7.18 Uma bolinha amarrada a um fio de comprimento $l = 1$ m gira num plano vertical. (a) Qual deve ser a velocidade da bolinha no ponto mais baixo B (Figura) para que ela descreva o círculo completo? (b) A velocidade satisfazendo a esta condição, verifica-se que a tensão do fio quando a bolinha passa por B difere por 4,41 N da tensão quando ela passa pela posição horizontal A. Qual é a massa da bolinha?

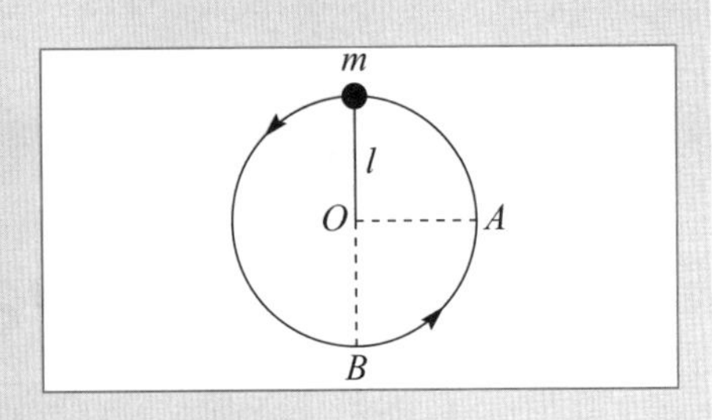

7.19 Um garotinho esquimó desastrado escorrega do alto do seu iglu, um domo hemisférico de gelo de 3 m de altura. (a) De que altura acima do solo ele cai? (b) A que distância da parede do iglu ele cai?

7.20 Num parque de diversões, um carrinho desce de uma altura h para dar a volta no "loop" de raio R indicado na figura. (a) Desprezando o atrito do carrinho com o trilho, qual é o menor valor h_1 de h necessário para permitir ao carrinho dar a volta toda? (b) Se $R < h < h_1$, o carrinho cai do trilho num ponto B, quando ainda falta percorrer mais um ângulo θ para chegar até o topo A (Figura). Calcule θ. (c) Que acontece com o carrinho para $h < R$?

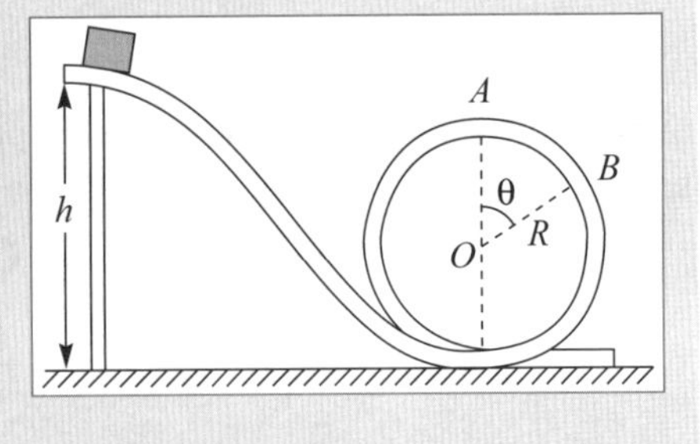

7.21 Uma escada rolante liga um andar de uma loja com outro situado a 7,5 m acima. O comprimento da escada é de 12 m e ela se move a 0,60 m/s. (a) Qual deve ser a potência mínima do motor para transportar até 100 pessoas por minuto, sendo a massa média de 70 kg? (b) Um homem de 70 kg sobe a escada em 10 s. Que trabalho o motor realiza sobre ele? (c) Se o homem, chegando ao meio, põe-se a descer a escada, de tal forma a permanecer sempre no meio dela, isto requer que o motor realize trabalho? Em caso afirmativo, com que potência?

8

Conservação do momento

8.1 SISTEMAS DE DUAS PARTÍCULAS. CENTRO DE MASSA

Já consideramos, na Seç. 4.5, alguns exemplos de sistemas de duas partículas, em que as partículas interagiam entre si através de forças de contato (colisão entre dois discos). As equações de movimento correspondentes eram dadas por

$$\begin{cases} \dfrac{d\mathbf{p}_1}{dt} = \mathbf{F}_{1(2)} \\ \dfrac{d\mathbf{p}_2}{dt} = \mathbf{F}_{2(1)} \end{cases} \qquad \textbf{(8.1.1)}$$

onde $\mathbf{p}_1$ e $\mathbf{p}_2$ são os momentos das partículas 1 e 2, respectivamente, e $\mathbf{F}_{1(2)}$ é a força sobre a partícula 1 devida à partícula 2 (analogamente para $\mathbf{F}_{2(1)}$).

Somando membro a membro as (8.1.1), obtemos

$$\frac{d\mathbf{P}}{dt} = \mathbf{F}_{1(2)} + \mathbf{F}_{2(1)} \qquad \textbf{(8.1.2)}$$

onde

$$\boxed{\mathbf{P} = \mathbf{p}_1 + \mathbf{p}_2} \qquad \textbf{(8.1.3)}$$

é, por definição, *o momento total do sistema de duas partículas*. Vimos que, nas experiências descritas na Seç. 4.5,

$$\frac{d\mathbf{P}}{dt} = 0 = \mathbf{F}_{1(2)} + \mathbf{F}_{2(1)} \qquad \textbf{(8.1.4)}$$

ou seja, o *momento total se conserva*, o que equivale neste caso à 3ª lei de Newton: as forças $\mathbf{F}_{1(2)}$ e $\mathbf{F}_{2(1)}$, que constituem um par ação-reação, são iguais e contrárias. Já foi mencionado na Seç. 4.4 que o princípio da ação e reação deixa de valer em casos mais gerais, embora o princípio de conservação do momento, devidamente generalizado, permaneça válido. Forças internas ao sistema que obedecem ao princípio da ação e reação, como $\mathbf{F}_{1(2)}$ e $\mathbf{F}_{2(1)}$ no exemplo acima (forças de contato numa colisão), serão chamadas *de forças internas newtonianas*, e vamos considerar, por enquanto, somente forças internas desse tipo.

Consideremos agora o caso mais geral, em que, além das forças internas ao sistema, também atuam sobre as partículas *forças externas* (que poderiam ser forças gravitacionais, atrito, campos elétricos e magnéticos externos etc.). Se $\mathbf{F}_1^{(\text{ext})}$ é a força externa total que atua sobre a partícula 1 e $\mathbf{F}_2^{(\text{ext})}$ é a força externa total sobre a partícula 2, as (8.1.1) são substituídas por

$$\boxed{\begin{aligned} \frac{d\mathbf{p}_1}{dt} &= \mathbf{F}_{1(2)} + \mathbf{F}_1^{(\text{ext})} \\ \frac{d\mathbf{p}_2}{dt} &= \mathbf{F}_{2(1)} + \mathbf{F}_2^{(\text{ext})} \end{aligned}} \qquad \textbf{(8.1.5)}$$

Somando membro a membro, obtemos agora

$$\frac{d}{dt}(\mathbf{p}_1 + \mathbf{p}_2) = \mathbf{F}_{1(2)} + \mathbf{F}_{2(1)} + \mathbf{F}_1^{(\text{ext})} + \mathbf{F}_2^{(\text{ext})}$$

Como só estamos considerando forças internas newtonianas, $\mathbf{F}_{1(2)} + \mathbf{F}_{2(1)} = 0$, de modo que fica

$$\boxed{\frac{d\mathbf{P}}{dt} = \mathbf{F}^{(\text{ext})}} \qquad \textbf{(8.1.6)}$$

onde o momento total $\mathbf{P}$ do sistema já foi definido na (8.1.3) e

$$\boxed{\mathbf{F}^{(\text{ext})} = \mathbf{F}_1^{(\text{ext})} + \mathbf{F}_2^{(\text{ext})}} \qquad \textbf{(8.1.7)}$$

é a *resultante das forças externas* que atuam sobre o *sistema* (note que cada uma delas atua sobre uma partícula diferente).

A (8.1.6) mostra que, para que valha a conservação do momento do sistema de duas partículas, não é necessário que ele seja um sistema isolado, ou seja, que não atuem forças externas (como no caso da (8.1.4)). *A condição necessária e suficiente para que o momento total de um sistema de duas partículas se conserve é que a resultante das forças externas aplicadas ao sistema se anule*, ou seja, que

$$\mathbf{F}^{(\text{ext})} = \mathbf{F}_1^{(\text{ext})} + \mathbf{F}_2^{(\text{ext})} = 0 \qquad \textbf{(8.1.8)}$$

Isto equivale a $\mathbf{F}_1^{(\text{ext})} = -\mathbf{F}_2^{(\text{ext})}$, de modo que as forças externas, se não são nulas, devem formar um *binário* (ou *conjugado*), ou seja, um par de forças de mesma magnitude, porém antiparalelas (Figura 8.1). Veremos depois que forças deste tipo produzem um movimento de rotação, mas não afetam o movimento de translação do sistema (de que depende a conservação do momento).

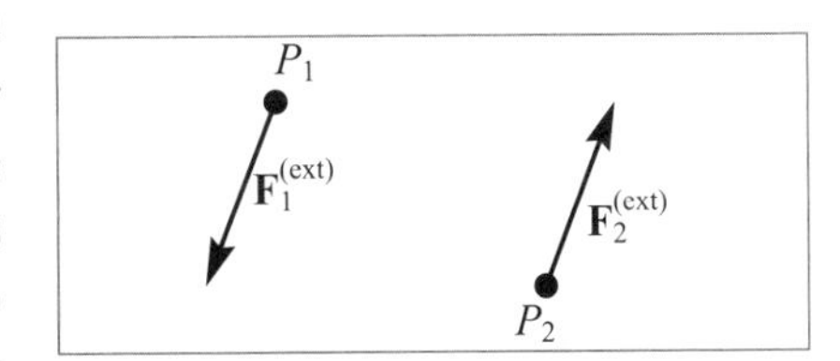

Figura 8.1 Binário.

A (8.1.6) é também a equação de movimento de uma partícula única de momento **P** sujeita a uma força $\mathbf{F}^{(ext)}$. Neste sentido, portanto, podemos tratar o sistema de duas partículas, *como um todo*, como se fosse uma só partícula, de momento igual ao momento total do sistema, sobre a qual atua a resultante das forças externas. É natural então perguntar também se é possível associar uma posição bem definida a essa "partícula representativa do sistema como um todo". Vamos ver que isto realmente ocorre, e essa posição é o que se chama *o centro de massa* do sistema.

Para isto, consideremos inicialmente, para simplificar, um sistema de duas partículas de mesma massa m, nas posições $\mathbf{r}_1$ e $\mathbf{r}_2$ em relação a um referencial inercial. Temos então

$$\left.\begin{cases} \mathbf{p}_1 = m\dfrac{d\mathbf{r}_1}{dt} \\ \mathbf{p}_2 = m\dfrac{d\mathbf{r}_2}{dt} \end{cases}\right\} \mathbf{P} = \mathbf{p}_1 + \mathbf{p}_2 = m\frac{d}{dt}(\mathbf{r}_1 + \mathbf{r}_2) \tag{8.1.9}$$

Se queremos representar o movimento do sistema como um todo por uma única partícula, essa partícula deve ter uma massa igual à *massa total* M do sistema,

$$M = 2m \tag{8.1.10}$$

As (8.1.6), (8.1.9) e (8.1.10) dão

$$M\frac{d^2\mathbf{R}}{dt^2} = \mathbf{F}^{(ext)} \tag{8.1.11}$$

com

$$\mathbf{R} = \frac{1}{2}(\mathbf{r}_1 + \mathbf{r}_2) \tag{8.1.12}$$

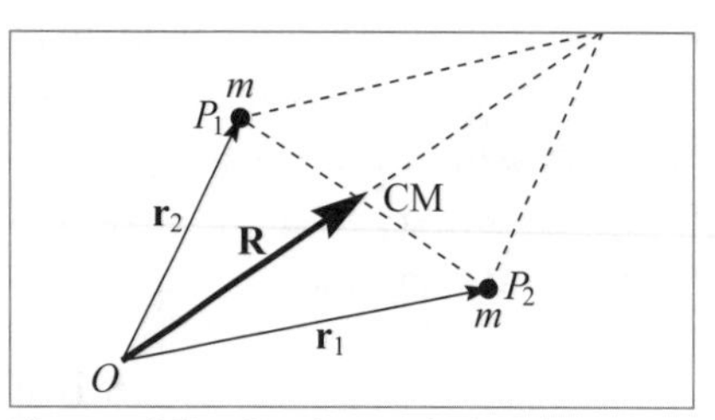

Figura 8.2 CM de partículas de mesma massa.

Conforme mostra a Figura 8.2, **R** é o vetor de posição do ponto médio do segmento P_1P_2, designado na figura por CM *(centro de massa)*. Logo, para um sistema de duas partículas da mesma massa de posições instantâneas $\mathbf{r}_1(t)$ e $\mathbf{r}_2(t)$ sob a ação de forças internas (newtonianas) e de forças externas quaisquer, o ponto médio do segmento que une as posições instantâneas das duas partículas se move, de acordo com a (8.1.11), como uma partícula única de massa igual à massa total do sistema, sobre a qual agiria uma força igual à resultante das forças externas.

É importante notar que P_1 e P_2 podem ter um movimento arbitrário *em relação ao* CM, que chamaremos de *movimento interno* do sistema: podem estar girando em torno dele, aproximando-se ou afastando-se (mantendo-se naturalmente, sempre equidistantes do CM, neste caso de massa iguais), sem alterar em nada o fato de que o CM se move sob a ação unicamente da força externa total.

Consideremos, por exemplo, um sistema formado por um par de bolinhas de mesma massa ligadas por uma mola de massa desprezível, que são arremessadas para cima numa certa direção. O CM (centro da mola) descreverá uma parábola, embora as pontas P_1 e P_2 tenham um movimento bem mais complicado, correspondendo a oscilações da mola e rotação em torno do CM (Figura 8.3). As "bolas" (pedras amarradas entre si) lançadas pelo vaqueiro gaúcho para derrubar gado são um sistema análogo. Esse exemplo ilustra bem a separação entre o movimento do CM, representativo do sistema como um todo, e o movimento interno, relativo ao CM. Analogamente, num gás formado de moléculas diatômicas, o movimento do CM de cada molécula representa a translação da molécula como um todo; o movimento interno também compreende as vibrações e rotações dos dois átomos em torno do CM da molécula.

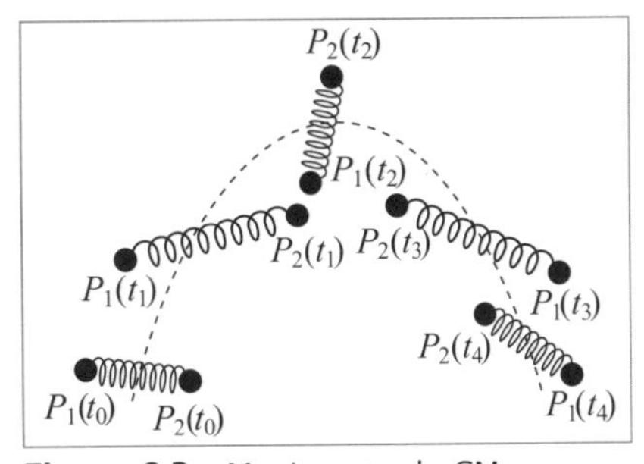

Figura 8.3 Movimento do CM e movimento relativo.

Consideremos agora um sistema de duas partículas de massas quaisquer, m_1 e m_2. Em lugar das (8.1.9) e (8.1.10), teremos

$$\mathbf{P} = m_1 \frac{d\mathbf{r}_1}{dt} + m_2 \frac{d\mathbf{r}_2}{dt} = \frac{d}{dt}\left(m_1\mathbf{r}_1 + m_2\mathbf{r}_2\right) = M\frac{d\mathbf{R}}{dt} \tag{8.1.13}$$

$$\boxed{M = m_1 + m_2} \tag{8.1.14}$$

onde

$$\boxed{\mathbf{R} = \frac{m_1\mathbf{r}_1 + m_2\mathbf{r}_2}{m_1 + m_2}} \tag{8.1.15}$$

é agora o *vetor de posição do CM do sistema. Se* $\mathbf{R} = X\,\mathbf{i} + Y\,\mathbf{j} + Z\,\mathbf{k}$, as coordenadas do CM são dadas por

$$X = \frac{m_1x_1 + m_2x_2}{m_1 + m_2}, \quad Y = \frac{m_1y_1 + m_2y_2}{m_1 + m_2}, \quad Z = \frac{m_1z_1 + m_2z_2}{m_1 + m_2} \tag{8.1.16}$$

onde $\mathbf{r}_j = x_j\,\mathbf{i} + y_j\,\mathbf{j} + z_j\,\mathbf{k}$ $(j = 1,2)$.

Em lugar da média aritmética, como na (8.1.12), temos agora uma média ponderada dos vetores de posição das duas partículas, com pesos correspondentes às massas.

O movimento interno do sistema é descrito pelos *deslocamentos relativos* das duas partículas em relação ao CM, que são dados por (cf. (3.3.10))

$$\mathbf{r}'_1 = \mathbf{r}_1 - \mathbf{R} = \frac{m_1\mathbf{r}_1 + m_2\mathbf{r}_1 - m_1\mathbf{r}_1 - m_2\mathbf{r}_2}{m_1 + m_2} = \frac{m_2}{m_1 + m_2}\left(\mathbf{r}_1 - \mathbf{r}_2\right)$$

$$\mathbf{r}'_2 = \mathbf{r}_2 - \mathbf{R} = \frac{m_1\mathbf{r}_2 + m_2\mathbf{r}_2 - m_1\mathbf{r}_1 - m_2\mathbf{r}_2}{m_1 + m_2} = \frac{m_1}{m_1 + m_2}\left(\mathbf{r}_2 - \mathbf{r}_1\right)$$

ou seja,

$$\mathbf{r}_1' = \mathbf{r}_1 - \mathbf{R} = \frac{m_2}{M} = (\mathbf{r}_2 - \mathbf{r}_1); \quad \mathbf{r}_2' = \mathbf{r}_2 - \mathbf{R} = \frac{m_1}{M} = (\mathbf{r}_2 - \mathbf{r}_1) \tag{8.1.17}$$

o que dá

$$\mathbf{r}_2' = -\frac{m_1}{m_2}\mathbf{r}_1' \left\{ m_1\mathbf{r}_1' + m_2\mathbf{r}_2' = 0 \right. \tag{8.1.18}$$

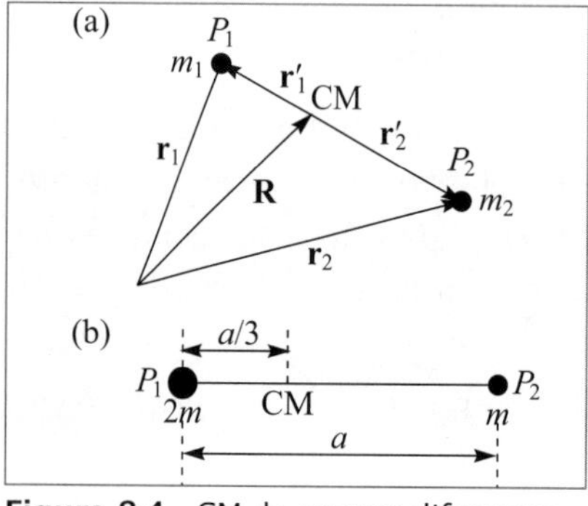

Figura 8.4 CM de massas diferentes.

A (8.1.18) mostra que $\mathbf{r}_2'$ e $\mathbf{r}_1'$ são antiparalelos, ou seja, que o CM continua sendo um ponto interno ao segmento P_1P_2 (Figura 8.4(a)). Como, pela (8.1.18), $|\mathbf{r}_2'| / |\mathbf{r}_1'| = m_1/m_2$, vemos que *esse ponto divide o segmento na razão inversa das massas*, estando sempre mais próximo da massa maior.

Assim, o CM de uma partícula de massa $2m$ e uma de massa m separadas por uma distância a está a uma distância $a/3$ da massa $2m$ (figura 8.4 (b)).

Como a (8.1.18) vale a cada instante, podemos derivar os dois membros em relação ao tempo,

$$\boxed{m_1\frac{d\mathbf{r}_1'}{dt} + m_2\frac{d\mathbf{r}_2'}{dt} = m_1\mathbf{v}_1' + m_2\mathbf{v}_2' = \mathbf{p}_1' + \mathbf{p}_2' = 0} \tag{8.1.19}$$

onde $\mathbf{P}_1'$ e $\mathbf{P}_2'$ são os momentos das duas partículas *relativos ao* CM. A (8.1.19) mostra que *o momento total do sistema relativo ao* CM é nulo. Este resultado é compatível com a (8.1.13), significando que *o momento total do sistema se concentra no movimento do* CM. Por esta razão, o CM também é chamado de *centro de momento* do sistema.

8.2 EXTENSÃO A SISTEMAS DE VÁRIAS PARTÍCULAS

Consideremos um sistema formado por um número qualquer N de partículas, de massas $m_1, m_2, ..., m_N$, cujos vetores de posição num dado instante t são, respectivamente, $\mathbf{r}_1(t)$, $\mathbf{r}_2(t), ..., \mathbf{r}_N(t)$. Qualquer partícula i do sistema está sujeita a *forças internas*, representando sua interação com as demais partículas do sistema, bem como pode estar sujeita também a *forças externas*. Seja $\mathbf{F}_{i(j)}$ a força interna sobre a partícula i devida a sua interação com a partícula j (i e j variam de 1 a N), e seja $\mathbf{F}_i^{(\text{ext})}$ a resultante das forças externas que atuam sobre a partícula i. Consideraremos apenas forças internas newtonianas, que satisfazem ao princípio da ação e reação:

$$\boxed{\mathbf{F}_{i(j)} + \mathbf{F}_{j(i)} = 0 \quad (i, j = 1, 2, \ldots, N)} \tag{8.2.1}$$

As equações de movimento do sistema de partículas se obtêm aplicando a 2ª lei de Newton a cada partícula do sistema:

$$\begin{cases} m_1 \dfrac{d^2\mathbf{r}_1}{dt^2} = \mathbf{F}_{1(2)} + \mathbf{F}_{1(3)} + \ldots + \mathbf{F}_{1(N)} + \mathbf{F}_1^{(\text{ext})} \\ m_2 \dfrac{d^2\mathbf{r}_2}{dt^2} = \mathbf{F}_{2(1)} + \mathbf{F}_{2(3)} + \ldots + \mathbf{F}_{2(N)} + \mathbf{F}_2^{(\text{ext})} \\ \ldots\ldots\ldots\ldots\ldots\ldots\ldots\ldots\ldots\ldots\ldots\ldots \\ m_N \dfrac{d^2\mathbf{r}_N}{dt^2} = \mathbf{F}_{N(1)} + \mathbf{F}_{N(2)} + \ldots + \mathbf{F}_{N(N-1)} + \mathbf{F}_N^{(\text{ext})} \end{cases} \tag{8.2.2}$$

ou, em forma abreviada,

$$\boxed{m_i \frac{d^2\mathbf{r}_i}{dt_2} = \sum_{\substack{j=1 \\ (j\neq i)}}^{N} \mathbf{F}_{i(j)} + \mathbf{F}_i^{(\text{ext})} \quad (i = 1,2,\ldots,N)} \tag{8.2.3}$$

Note a restrição $j \neq i$ na soma das forças internas: ela implica que a partícula não "interage consigo mesma".

Somando membro a membro todas as equações, obtemos, analogamente às (8.1.5),

$$\sum_{i=1}^{N} m_i \frac{d^2\mathbf{r}_i}{dt^2} = \frac{d^2}{dt^2} \sum_{i=1}^{N} m_i \mathbf{r}_i = \sum_{i=1}^{N} \sum_{\substack{j=1 \\ (j\neq i)}}^{N} \mathbf{F}_{i(j)} + \sum_{i=1}^{N} \mathbf{F}_i^{(\text{ext})} \tag{8.2.4}$$

Na soma dupla sobre as forças internas, cada força interna comparece uma e uma só vez, e todas comparecem, de forma que podemos agrupá-las em pares $\mathbf{F}_{i(j)} + \mathbf{F}_{j(i)}$ e aplicar a (8.2.1).

Concluímos que

$$\boxed{\sum_{i=1}^{N} \sum_{\substack{j=1 \\ (i\neq j)}}^{N} \mathbf{F}_{i(j)} = 0} \tag{8.2.5}$$

ou seja, *a resultante de todas as forças internas do sistema se anula* (porque somamos todos os pares ação-reação).

A *resultante das forças externas* que atuam sobre o sistema é definida por (cf. (8.1.7)

$$\boxed{\mathbf{F}^{(\text{ext})} = \sum_{i=1}^{N} F_i^{(\text{ext})}} \tag{8.2.6}$$

e a *massa total* do sistema é

$$\boxed{M = \sum_{i=1}^{N} m_i} \tag{8.2.7}$$

Substituindo a (8.2.5) a (8.2.7) na (8.2.4), podemos finalmente reescrevê-la sob a forma

$$\boxed{M = \frac{d^2\mathbf{R}}{dt^2} = \mathbf{F}^{(\text{ext})}} \tag{8.2.8}$$

onde

$$\boxed{\mathbf{R} = \frac{1}{M}\sum_{i=1}^{N} m_i \mathbf{r}_i = \frac{m_1\mathbf{r}_1 + m_2\mathbf{r}_2 + \ldots + m_N\mathbf{r}_N}{m_1 + m_2 + \ldots + m_N}} \quad \textbf{(8.2.9)}$$

define o vetor de posição do *centro de massa do sistema de N partículas*. A (8.1.15) é um caso particular ($N = 2$). Vemos que $\mathbf{R}$ é a média ponderada de $\mathbf{r}_1$, $\mathbf{r}_2$, ..., $\mathbf{r}_N$, com pesos dados pelas massas das partículas.

Podemos também obter o análogo da (8.1.18), introduzindo os vetores de posição

$$\mathbf{r}'_i = \mathbf{r}_i - \mathbf{R} \quad (i = 1, 2, \ldots, N) \quad \textbf{(8.2.10)}$$

das partículas do sistema em relação ao CM. A (8.2.9) dá

$$\mathbf{R}\underbrace{\sum_{i=1}^{N} m_i}_{M} = \sum_{i=1}^{N} m_i \mathbf{R} = \sum_{i=1}^{N} m_i \mathbf{r}_i \quad \left\{ \sum_{i=1}^{N} m_i (\mathbf{r}_i - \mathbf{R}) = \sum_{i=1}^{N} m_i \mathbf{r}'_i = 0 \right. \quad \textbf{(8.2.11)}$$

o que se reduz à (8.1.18) para $N = 2$.

Derivando em relação ao tempo ambos os membros da (8.2.11), obtemos

$$\boxed{\sum_{i=1}^{N} m_i \frac{d\mathbf{r}_i}{dt} = \sum_{i=1}^{N} m_i \mathbf{v}_i = \sum_{i=1}^{N} \mathbf{p}_i = \mathbf{P} = M\frac{d\mathbf{R}}{dt}} \quad \textbf{(8.2.12)}$$

o que generaliza a (8.1.13), ou seja: o CM é também o *centro de momento*. Move-se como se o momento total $\mathbf{P}$ do sistema estivesse concentrado nele. Obtemos ainda da (8.2.11)

$$\sum_{i=1}^{N} m_i \frac{d\mathbf{r}'_i}{dt} = \sum_{i=1}^{N} \mathbf{p}'_i = 0 \quad \textbf{(8.2.13)}$$

que é a generalização da (8.1.19): o momento total do *movimento interno* do sistema (relativo ao CM) é nulo.

8.3 DISCUSSÃO DOS RESULTADOS

(a) O Princípio de Conservação do Momento

As (8.2.8) e (8.2.12) dão

$$\boxed{\frac{d\mathbf{P}}{dt} = \mathbf{F}^{(\text{ext})}} \quad \textbf{(8.3.1)}$$

ou seja, *a taxa de variação com o tempo do momento total de um sistema de partículas é igual à resultante das forças externas que atuam sobre o sistema.*

Por conseguinte, a anulação da resultante das forças externas é equivalente à *conservação do momento total do sistema:*

$$\boxed{\mathbf{F}^{(\text{ext})} = 0 \leftrightarrow \mathbf{P} = \text{constante}} \quad \textbf{(8.3.2)}$$

Em particular, isto sempre vale na ausência de forças externas, ou seja, para um *sistema isolado*.

Demonstramos assim o *princípio de conservação do momento total* para um sistema de partículas. Entretanto, a demonstração baseou-se na hipótese de que as forças internas sejam newtonianas, o que levou ao cancelamento da força interna resultante (cf. (8.2.5)). Conforme já foi mencionado, o resultado permanece válido em situações bem mais gerais.

A (8.3.2) leva a uma generalização da lei da inércia: *se a resultante das forças externas que atuam sobre o sistema se anula, o CM do sistema permanece em repouso ou em movimento retilíneo uniforme.*

Exemplo: Consideremos um par de partículas de massas m_1 e m_2 ligadas por uma mola e colocadas sobre uma superfície horizontal (Figura 8.5). Inicialmente, o sistema é mantido em repouso, com a mola comprimida. Que acontece quando soltamos as partículas?

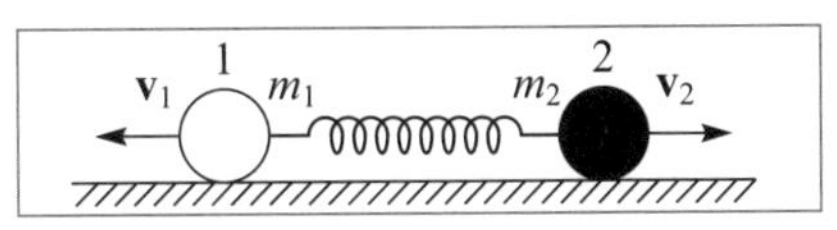

Figura 8.5 Partículas ligadas por mola sobre uma superfície.

Podemos nos limitar apenas às forças horizontais (na direção vertical, as forças-peso são equilibradas pelas reações normais da superfície).

(i) Suponhamos primeiro que o atrito com a superfície horizontal é desprezível. Neste caso, não há forças externas horizontais, e as forças internas (interação entre as partículas através da mola) são newtonianas. Logo, podemos aplicar os resultados acima: o CM do sistema, inicialmente em repouso, permanecerá em repouso. As partículas se deslocarão em sentidos opostos, com velocidades $\mathbf{v}_1$ e $\mathbf{v}_2$ tais que

$$\mathbf{P} = m_1\mathbf{v}_1 + m_2\mathbf{v}_2 = 0 \quad \left\{ \mathbf{v}_1 = -\frac{m_2}{m_1}\mathbf{v}_2 \right. \tag{8.3.3}$$

ou seja, as magnitudes das velocidades adquiridas são inversamente proporcionais às massas: a partícula de massa maior se move com velocidade menor.

Qual é a relação entre as energias cinéticas das duas partículas? Usando a (8.3.3), obtemos

$$\frac{T_1}{T_2} = \frac{\frac{1}{2}m_1\mathbf{v}_1^2}{\frac{1}{2}m_2\mathbf{v}_2^2} = \frac{m_1}{m_2} \cdot \left(\frac{m_2}{m_1}\right)^2 = \frac{m_2}{m_1} \tag{8.3.4}$$

Logo, as energias cinéticas também são inversamente proporcionais às massas.

Como não há atrito, a energia total se conserva, e o sistema de duas partículas permanecerá em oscilação (movimento interno), aproximando-se e afastando-se do CM enquanto este permanece em repouso.

(ii) Suponhamos agora que o coeficiente de atrito μ com a superfície horizontal seja o mesmo para as duas partículas e $\neq 0$. Neste caso, a energia se dissipa e as partículas vão-se freando. Que acontece com o momento total?

As forças de atrito sobre 1 e 2 têm sentidos opostos (porque $\mathbf{v}_1$ e $\mathbf{v}_2$ têm sentidos opostos), e suas magnitudes respectivas são $\mu m_1 g$ e $\mu m_2 g$. Logo, se $m_1 = m_2$, a resultante das forças externas continua se anulando, e o CM ainda se mantém em repouso: as duas partículas vão sendo freadas simetricamente, com $\mathbf{v}_1 = -\mathbf{v}_2$ a cada instante.

Entretanto, se $m_1 \neq m_2$, isto não mais aconteceria. $\mathbf{F}^{(ext)} \neq 0$, e o CM do sistema de duas partículas se deslocaria sobre a superfície horizontal.

Por outro lado, convém observar que ainda poderíamos aplicar a conservação do momento se o sistema fosse devidamente ampliado. Suponhamos, por exemplo, que a superfície sobre a qual se deslocam as partículas seja a superfície da Terra. Neste caso, poderíamos tomar como sistema total aquele formado pelas duas partículas mais a Terra. As forças de atrito são internas a este sistema, e poderíamos desprezar quaisquer forças externas. Isto mostra que, no último caso tratado ($m_1 \neq m_2$), se o CM do sistema de duas partículas se desloca para a direita (por exemplo), a Terra sofre um correspondente recuo para a esquerda, porque o CM do sistema total não é afetado. É claro que a velocidade e energia cinética associadas ao recuo da Terra são extremamente pequenas, devido a sua enorme massa (cf. (8.3.3.), (8.3.4)).

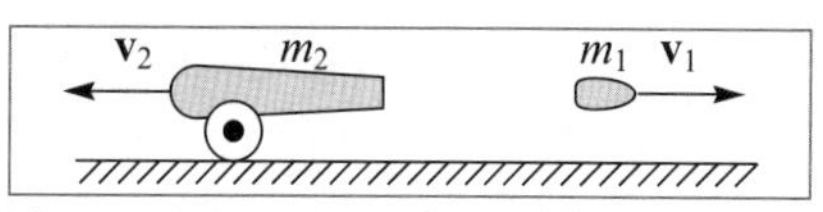

Figura 8.6 Recuo de canhão.

Considerações análogas se aplicam ao recuo de uma arma de fogo, por exemplo, um canhão de massa m_2 que dispara uma bala de massa m_1 (Figura 8.6). Neste caso, as forças internas são forças de origem química, associadas à combustão da pólvora, que atuam no instante da explosão.

A (8.3.2) implica que *um sistema não pode deslocar o seu* CM *sob a ação puramente de forças internas*. Cyrano de Bergerac, precursor da ficção científica com sua "Viagem à Lua", que data do século XVII, propôs nessa obra como método de propulsão espacial sentar-se sobre uma placa de ferro e lançar "para cima" um ímã muito poderoso, que atrairia a placa, fazendo-a subir até encontrar-se com ele, quando poderia ser novamente lançado... e assim sucessivamente! Que aconteceria com um viajante espacial que tentasse adotar este sistema?

Se o CM não se desloca sob a ação apenas de forças internas, como conseguimos andar? Isto se deve exclusivamente ao atrito com o solo, única força externa capaz de nos impelir na direção horizontal. Já vimos como o atrito é responsável pelo deslocamento do CM de um sistema no exemplo 6 da Seç. 4.4 (exemplo de Newton do cavalo puxando a carroça) e no exemplo acima. Mudamos nossa posição relativa à Terra "empurrando-a para trás" e é o chão que nos impele para a frente. Sobre uma superfície muito lisa (gelo), podemos deslocar braços e pernas em relação ao CM de nosso corpo (movimentos internos ao sistema), mas andar se torna bem mais difícil (e seria impossível na ausência de atrito).

A conservação do momento, como a conservação da energia, é um dos princípios fundamentais da física, que se estende a situações muito mais gerais do que as consideradas até aqui. Ambos permanecem válidos, inclusive, na mecânica quântica.

(b) O movimento do CM

Os resultados obtidos acima sobre o movimento do CM de um sistema de partículas, que o caracterizam como ponto representativo do movimento do sistema como um todo, têm grande importância na justificação da consistência do tratamento dado anteriormente, onde tratamos objetos de tamanho apreciável como partículas.

O fato de que o "movimento interno" é independente do movimento do CM permite-nos ignorar a estrutura interna do sistema e trata-lo como partícula única, por mais complicado que seja o movimento relativo ao CM. Um exemplo clássico, análogo ao da Fig. 8.3, é a explosão de uma granada lançada no ar, antes de atingir o solo: o CM dos fragmentos (que não precisa coincidir com a posição ocupada por nenhum deles) continua descrevendo uma trajetória parabólica, porque a explosão representa o efeito puramente de forças internas. A energia mecânica não se conserva: sofre um aumento, devido à conversão da energia química armazenada na granada em energia mecânica, mas a resultante das forças externas e o movimento do CM não se alteram.

Se observarmos uma estrela dupla num telescópio cuja resolução não é suficiente para separar as duas estrelas que compõem o par, os resultados serão compatíveis com a interpretação em termos de uma partícula única. Aumentando a resolução, perceberemos os movimentos internos, mas eles não afetam a descrição anterior, que continua se aplicando ao CM. O mesmo valeria para um aglomerado de estrelas.

É graças a este resultado, expresso pela (8.2.8) ou (8.3.1), que podemos tratar corpos macroscópicos como partículas mesmo quando suas dimensões não são desprezíveis no contexto considerado, como foi feito em vários exemplos discutidos anteriormente.

As leis da mecânica clássica têm a propriedade de não definirem nenhuma "escala de tamanho" absoluta. Se imaginarmos que um corpo é composto de um número arbitrário de partículas de tamanho menor, as (8.2.8) ou (8.3.1) mostram que esse corpo como um todo, tratado por sua vez como uma partícula, obedece às mesmas leis de movimento que cada uma das partículas que o constituem. Esta "invariância de escala" mostra que os conceitos de "grande" e "pequeno" são puramente relativos na mecânica clássica. Conforme foi observado por Dirac, a introdução da mecânica quântica levou de certa forma a dar um sentido mais absoluto a esses conceitos, pois permitiu introduzir as dimensões do átomo, dando assim um sentido bem definido à distinção entre "escala macroscópica" e "escala microscópica".

Embora a separação entre movimento do CM e movimento relativo ao CM (interno) tenha grande importância e utilidade, é preciso ter cuidado ao tratar o movimento relativo ao CM. Se $\mathbf{F}^{(ext)} = 0$, o CM está em repouso ou em movimento retilíneo e uniforme com respeito a um sistema inercial, de forma que um referencial ligado ao CM é também inercial. Entretanto, isto não é mais verdade quando $\mathbf{F}^{(ext)} \neq 0$ (como no exemplo da Fig. 8.3): neste caso, se adotássemos um referencial ligado ao CM para descrever o movimento interno, teríamos de levar em conta os efeitos que aparecem em referenciais não inerciais, que vamos discutir posteriormente (Cap. 13).

8.4 DETERMINAÇÃO DO CENTRO DE MASSA

A determinação do CM de um sistema é grandemente facilitada pelo resultado que discutiremos a seguir.

Suponhamos que um sistema de N partículas seja subdividido em duas partes: I (com N_I partículas) e II (com N_{II} partículas); temos então $N = N_I + N_{II}$. A (8.2.11) dá

$$M\mathbf{R} = (M_1 + M_{II})\mathbf{R} = \sum_{i=1}^{N} m_i \mathbf{r}_i = \sum_{j=1}^{N_I} m_j \mathbf{r}_j + \sum_{k=1}^{N_{II}} m_k \mathbf{r}_k \tag{8.4.1}$$

onde a primeira soma é estendida às partículas do subsistema I (massa total M_I) e a segunda às do subsistema II (massa total M_{II}). Por outro lado, se $\mathbf{R}_I$ é o CM do subsistema I e $\mathbf{R}_{II}$ o CM do subsistema II, temos

$$M_I \mathbf{R}_I = \sum_{j=1}^{N_I} m_j \mathbf{r}_j, \quad M_{II} \mathbf{R}_{II} = \sum_{k=1}^{N_{II}} m_k \mathbf{r}_k \tag{8.4.2}$$

de forma que a (8.4. 1) dá

$$\mathbf{R} = \frac{M_I \mathbf{R}_I + M_{II} \mathbf{R}_{II}}{M_I + R_{II}} \tag{8.4.3}$$

Logo, podemos substituir o subsistema I pela sua massa M_I concentrada em $\mathbf{R}_I$, o subsistema II pela sua massa M_{II} concentrada em $\mathbf{R}_{II}$, e calcular depois o CM deste sistema de duas partículas equivalentes. Como cada subsistema pode por sua vez ser subdividido em outros, o resultado se aplica à subdivisão de um dado sistema em um número qualquer de subsistemas: *na determinação do* CM *de um sistema qualquer parte dele pode* ser *substituída por uma partícula de massa igual à dessa parte, colocada no* CM *da parte considerada.*

Exemplo: Vamos determinar o CM de um sistema de três partículas de mesma massa m não alinhadas.

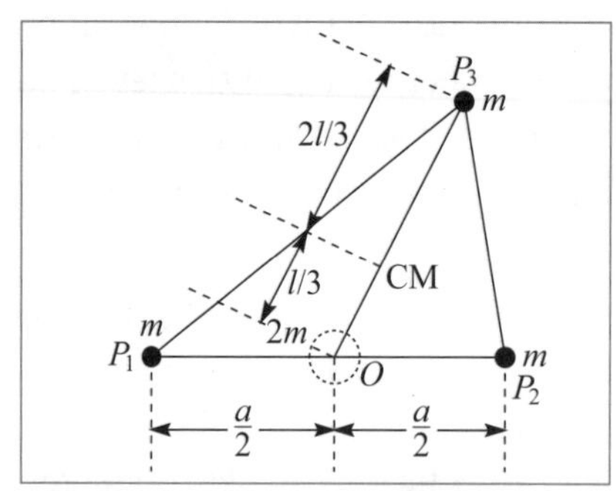

Figura 8.7 CM de três partículas de mesma massa.

As partículas ocupam vértices de um triângulo $P_1\ P_2\ P_3$. Podemos substituir o par (P_1, P_2) por uma partícula de massa $2m$ no centro O do lado $P_1\ P_2$ (Figura 8.7). O CM desta massa $2m$ em O e da massa m restante em P_3 está sobre o segmento P_3O, a uma distância $l/3$ de O, onde l é o comprimento de P_3O (veja o exemplo no final da Seç. 8.1).

Note que P_3O é a mediana relativa ao lado P_1P_2. O CM também tem de estar sobre as medianas relativas aos outros dois lados (por quê?). Logo, ele é o ponto de intersecção das três medianas, que está situado nos 2/3 de cada uma a partir do vértice correspondente, o que concorda com um teorema de geometria bem conhecido.

Distribuição contínua de matéria: Podemos pensar numa distribuição contínua de matéria como caso limite de um sistema de partículas, decompondo-a primeiro em um número finito de porções, tais que a porção i tem volume ΔV_i e massa Δm_i (Figura 8.8). Para ΔV_i suficientemente pequeno, podemos representar esse volume por uma "partícula equivalente" de vetor de posição $\mathbf{r}_i$, e o vetor de posição do CM é dado por

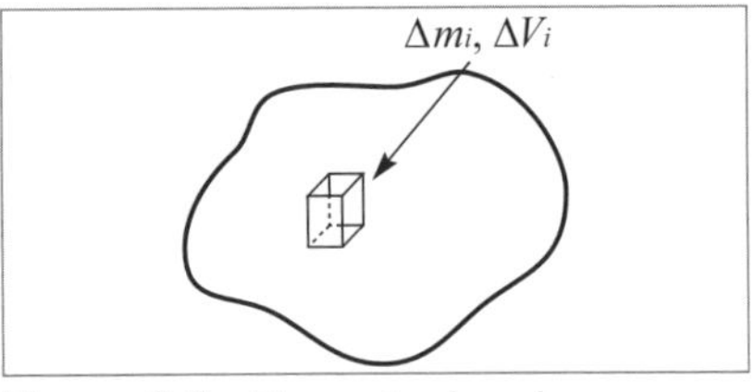

Figura 8.8 Elemento de volume.

$$\mathbf{R} = \frac{\sum_i (\Delta m_i)\mathbf{r}_i}{\sum_i \Delta m_i} \qquad \textbf{(8.4.4)}$$

Passando ao limite em que o número de subdivisões cresce indefinidamente e cada $\Delta m_i \to 0$, vem

$$\boxed{\mathbf{R} = \frac{\int \mathbf{r}\,dm}{\int dm}} \qquad \textbf{(8.4.5)}$$

onde as integrais são estendidas a toda a distribuição ($\int dm = M$, a massa total). A (8.4.5) também se escreve

$$\int \mathbf{R}\,dm = \int \mathbf{r}\,dm \quad \Big\{ \int \mathbf{r}'\,dm = 0 \qquad \textbf{(8.4.6)}$$

onde $\mathbf{r}' = \mathbf{r} - \mathbf{R}$ é o vetor de posição do elemento de massa dm situado no ponto $\mathbf{r}$ em relação ao CM (Figura 8.9). A (8.4.6) é a generalização da (8.2.11) a uma distribuição contínua de massa.

Se ΔV_i é um pequeno volume em torno do ponto $\mathbf{r}$ e Δm_i a massa correspondente,

$$\lim_{\Delta V_i \to 0} \left(\frac{\Delta m_i}{\Delta V_i} \right) = \frac{dm}{dV} = \rho(\mathbf{r}) \qquad \textbf{(8.4.7)}$$

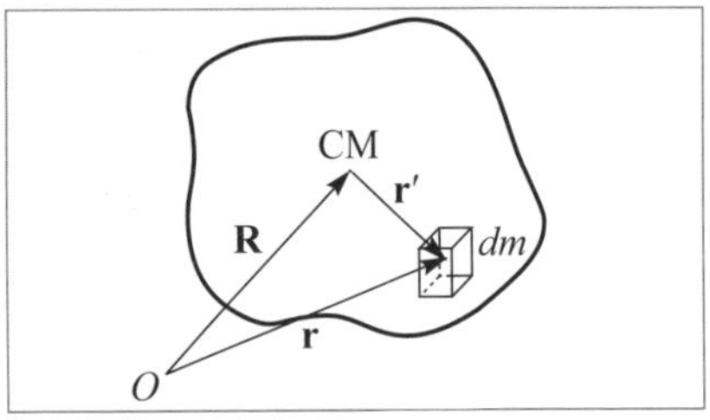

Figura 8.9 CM de distribuição contínua de massa.

é a *densidade* do corpo no ponto $\mathbf{r}$. Vamo-nos limitar em geral a corpos *homogêneos* ou seja, de densidade ρ = *constante*. Neste caso, a massa de um volume qualquer do corpo é diretamente proporcional a esse volume.

Um caso particular é uma placa de espessura constante e delgada, que podemos tratar praticamente como uma distribuição superficial de massa, em que (para uma placa homogênea) a massa de uma porção qualquer da placa é diretamente proporcional à sua área. Podemos também considerar um *fio* de secção transversal constante e pequena como uma distribuição linear de massa: a massa de uma porção de um fio homogêneo é proporcional ao seu comprimento.

Elementos de simetria: Se uma distribuição homogênea de massa tem um *centro de simetria*, ele é também o CM da distribuição. Com efeito, pela definição de centro de simetria, para cada elemento de massa da distribuição existe outro elemento da mesma massa simétrico em relação ao centro. Logo, se $\mathbf{r}'$ é o vetor de posição de um elemento de massa dm em relação ao centro de simetria, existe outro de mesma massa e vetor de posição $-\mathbf{r}'$, o que leva ao cancelamento da integral (8.4.6), propriedade característica do CM.

Exemplos.: O CM de um segmento de reta (fio) homogêneo é o seu ponto médio; para um anel circular, é o centro do anel (este é mais um exemplo de que o CM de um corpo não precisa ser um ponto desse corpo).

O CM de uma placa retangular ou circular homogênea é o centro da placa. O CM de um paralelepípedo retângulo ou esfera homogênea é o centro.

Mas geralmente, se uma distribuição de massa tem qualquer elemento de simetria, como um *eixo* ou *plano* de simetria, o CM está situado sobre esse elemento. Note que não é a *figura geométrica* que corresponde ao corpo que precisa ser simétrica, e sim a *distribuição das massas*: para cada porção de massa, tem de haver outra idêntica e simetricamente situada.

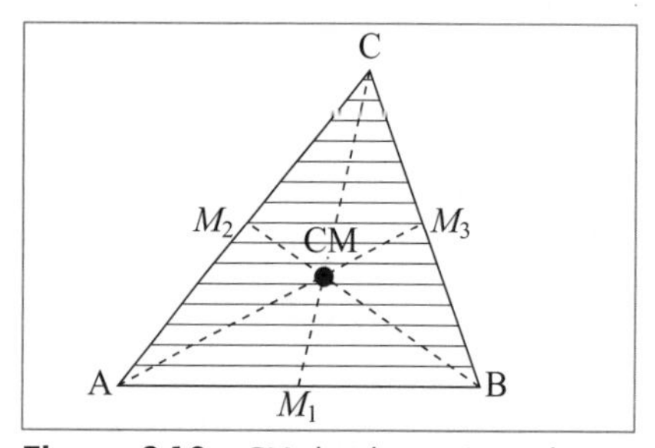

Figura 8.10 CM de placa triangular.

Exemplos: 1) *Placa triangular*: O CM de uma placa triangular homogênea tem de estar sobre a mediana CM_1 relativa ao lado AB (Figura 8.10). Com efeito, essa mediana é um eixo de simetria da *distribuição de massa* (embora não seja um eixo de simetria do triângulo como figura geométrica!). Para ver isso, basta imaginar o triângulo subdividido em um número muito grande de fitas paralelas à base AB (fig. ao lado): a mediana CM_1 divide ao meio a massa de cada fita, de modo que é um eixo de simetria da distribuição. Analogamente, o CM tem de estar sobre as outras duas medianas BM_2 e AM_3, de modo que é o ponto de intersecção das medianas, situado nos 2/3 de cada uma delas.

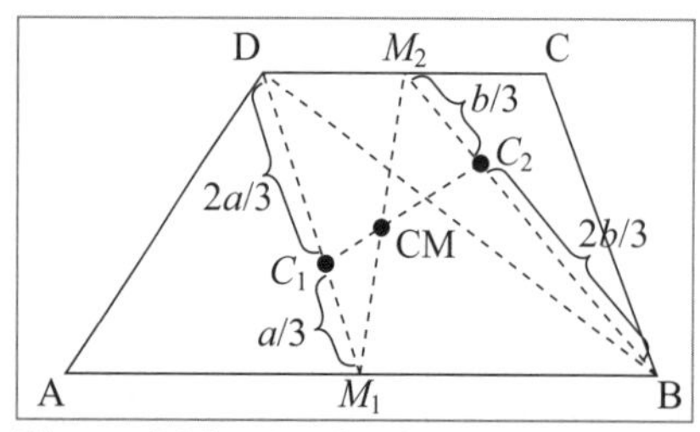

Figura 8.11 CM de placa trapezoidal.

2) *Placa trapezoidal*: O CM de um trapézio ABCD tem de estar sobre o segmento M_1M_2 que une os pontos médios das bases do trapézio (Figura 8.11), porque ele é um eixo de simetria da distribuição. Por outro lado, se C_1 é o CM do triângulo ABD (situado aos 2/3 de DM_1), e C_2 é o CM do triângulo BCD (situado aos 2/3 de BM_2), o CM do trapézio tem de estar sobre o segmento C_1C_2 (por que?). O CM é portanto a intersecção de C_1C_2 com M_1M_2.

8.5 MASSA VARIÁVEL

Os resultados da Seç. 8.3 parecem implicar que o deslocamento de um corpo só é possível se existem forças externas capazes de impulsioná-lo Assim, somos capazes de caminhar porque empurramos o solo para trás e o atrito com o solo nos impele para a frente; o atrito com a estrada impele o automóvel; o atrito com os trilhos impulsiona o trem etc.... Entretanto, existe outro método de propulsão de grande importância prática, exemplificado pelo recuo do canhão (Fig. 8.5): mesmo na ausência de atrito com o solo, o canhão se deslocaria para trás ao disparar a bala. Isto é possível porque a massa inicial (canhão + bala) diminui após o disparo, e só consideramos o deslocamento do canhão (o CM do sistema canhão + bala permanece em repouso). Assim, *se a massa de um corpo é variável*, ele pode ser impulsionado sob a ação puramente de forças internas. É o que acontece com um balão que sobe descartando lastro.

Suponhamos que num instante t, um astronauta esteja flutuando no espaço, longe da ação de qualquer campo gravitacional ($\mathbf{F}^{(\text{ext})} = 0$). Ele se desloca com movimento retilíneo uniforme de velocidade $\mathbf{v}$ em relação a um referencial inercial (Figura 8.12) $Oxyz$. O astronauta segura um revólver, e no instante t dispara uma bala de massa δm. Se a massa do astronauta + revólver (vazio) é m, a massa inicial do sistema é

$$M(t) = m + \delta m \quad \textbf{(8.5.1)}$$

Seja $-\mathbf{v}_e$ a velocidade em que a bala escapa *em relação ao revólver*. A velocidade $\mathbf{v}_2$ em relação ao referencial inercial se obtém aplicando a (3.9.2), onde $\mathbf{v}_1 = \mathbf{v}$ e $\mathbf{v}_{12} = -\mathbf{v}_e$, o que dá

$$\mathbf{v}_2 = \mathbf{v}_1 + \mathbf{v}_{12} = \mathbf{v} - \mathbf{v}_e \quad \textbf{(8.5.2)}$$

Num instante $t + \Delta t$ após o disparo, a massa do astronauta + revólver é

$$M(t + \Delta t) = m \quad \textbf{(8.5.3)}$$

e sua velocidade é

$$\mathbf{v}(t + \Delta t) = \mathbf{v} + \mathbf{\Delta v} \quad \textbf{(8.5.4)}$$

Na Figura 8.12, todas as velocidades foram tomadas como colineares, e os sinais nas definições acima são tais que v, δm, v_e e Δv são todos positivos.

Como $\mathbf{F}^{(\text{ext})} = 0$ por hipótese, o momento *total do sistema*, $\mathbf{P}$, se conserva. Temos

$$\mathbf{P}(t) = (m + \delta m)\mathbf{v} \quad \textbf{(8.5.5)}$$

$$\mathbf{P}(t + \Delta t) = m(\mathbf{v} + \mathbf{\Delta v}) + \delta m(\mathbf{v} - \mathbf{v}_e) \quad \textbf{(8.5.6)}$$

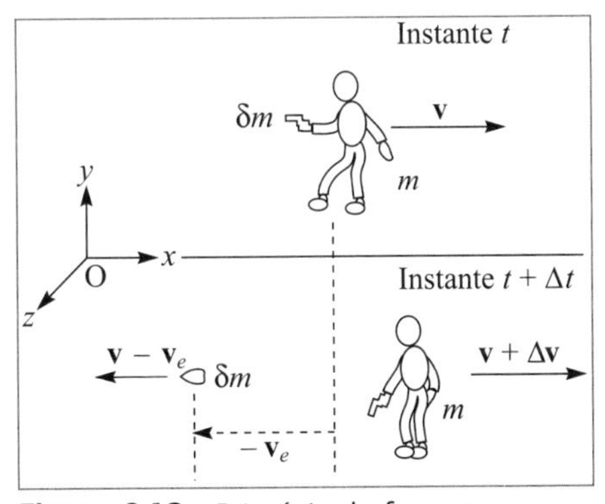

Figura 8.12 Princípio do foguete.

de forma que a conservação do momento implica

$$0 = \mathbf{\Delta P} = \mathbf{P}(t + \Delta t) - \mathbf{P}(t) = m\mathbf{\Delta v} - \delta m \mathbf{v}_e \quad \textbf{(8.5.7)}$$

o que dá

$$\mathbf{\Delta v} = \frac{\delta m}{m}\mathbf{v}_e \tag{8.5.8}$$

Pelas (8.5.1) e (8.5.3), a variação de massa do sistema, cuja velocidade variou de $\mathbf{\Delta v}$, é

$$m(t + \Delta t) - m(t) = \Delta m = -\delta m \tag{8.5.9}$$

ou seja, é negativa (o sistema do astronauta perdeu a massa da bala). A (8.5.8) pode então ser reescrita:

$$\boxed{\mathbf{\Delta v} = -\frac{\Delta m}{m}\mathbf{v}_e} \tag{8.5.10}$$

Num referencial ligado ao astronauta no instante t, a (8.5.10) corresponde exatamente à (8.3.3): $\mathbf{\Delta v}$ é a "velocidade de recuo", como no caso do canhão (Fig. 8.5).

A velocidade de ejeção da bala em relação ao revólver, v_e, é uma característica do revólver (carga de pólvora). Assim, se o astronauta disparasse mais uma bala no instante $t + \Delta t$, a velocidade da bala em relação ao revólver continuaria sendo $-v_e$, embora sua velocidade em relação ao referencial inercial, em lugar da (8.5.2), passasse a ser $\mathbf{v} + \mathbf{\Delta v} - \mathbf{v}_e$.

Suponhamos agora que o astronauta substitua o revólver por uma pistola de jato, que ejete material (água ou um gás) continuamente. Neste caso, a massa do astronauta (nela compreendida a da pistola) variaria continuamente com o tempo, e poderíamos chamar de $m(t)$ *a massa no instante* t. Supomos que a *velocidade de ejeção* $-\mathbf{v}_e$ em relação à pistola é uma característica da mesma, que permanece constante.

A (8.5.10), que se aplica à variação de velocidade $\mathbf{\Delta v}$ do astronauta durante um intervalo de tempo Δt, permite chegar a equação de movimento do astronauta:

$$m\frac{\mathbf{\Delta v}}{\Delta t} = -\frac{\Delta m}{\Delta t}\mathbf{v}_e \tag{8.5.11}$$

Passando ao limite em que $\Delta t \to 0$, obtemos finalmente

$$\boxed{m\frac{d\mathbf{v}}{dt} = m\mathbf{a} = -\frac{dm}{dt}\mathbf{v}_e = \frac{dm}{dt}\mathbf{v}_{\text{rel}}} \tag{8.5.12}$$

onde lembramos que $-\mathbf{v}_e = \mathbf{v}_{\text{rel}}$ é a *velocidade relativa* do jato de material em relação à pistola.

A taxa de variação da massa com o tempo dm/dt (< 0) é um dado do problema. Se, por exemplo, dm/dt é constante durante um certo período e $\mathbf{v}_e$ também é constante, o 2° membro da (8.5.12) equivale (no sentido de $\mathbf{F} = m\mathbf{a}$) a uma força constante exercida sobre o astronauta. Esta "força" chama-se o *empuxo* devido à ejeção de massa.

Entretanto, como $m = m\ (t)$ é variável na (8.5.12), o 2° membro não corresponde à taxa de variação temporal do momento do astronauta. Com efeito, como $\mathbf{p}(t) = m(t)\ \mathbf{v}(t)$ é a expressão do momento, temos

$$\frac{d\mathbf{p}}{dt} = \frac{d}{dt}(m\mathbf{v}) = m\frac{d\mathbf{v}}{dt} + \frac{dm}{dt}\mathbf{v} \quad \textbf{(8.5.13)}$$

usando a regra de cálculo da derivada de um produto de funções. Logo, a (8.5.12) leva a

$$\boxed{\frac{d\mathbf{p}}{dt} = \frac{dm}{dt}(\mathbf{v} - \mathbf{v}_e) = \frac{dm}{dt}(\mathbf{v} + \mathbf{v}_{\text{rel}})} \quad \textbf{(8.5.14)}$$

onde a expressão entre parênteses, pela (8.5.2), representa a velocidade da massa ejetada em relação ao referencial inercial adotado. Neste referencial, o 2º membro da (8.5.14) também equivale a uma força, no sentido de $\mathbf{F} = d\mathbf{p}/dt$.

Se, além das forças internas já consideradas, existem também forças externas $\mathbf{F}^{(\text{ext})}$ agindo sobre o sistema de massa variável, basta acrescentá-las às (8.5.12) e (8.5.14):

$$\boxed{\begin{aligned} m\frac{d\mathbf{v}}{dt} &= \frac{dm}{dt}\mathbf{v}_{\text{rel}} + \mathbf{F}^{(\text{ext})} \\ \frac{d\mathbf{p}}{dt} &= \frac{dm}{dt}\left(\mathbf{v} + \mathbf{v}_{(\text{rel})}\right) + \mathbf{F}^{(\text{ext})} \end{aligned}} \quad \textbf{(8.5.15)}$$

Embora deduzida no caso particular do astronauta, a equação de movimento de um sistema de massa variável, em qualquer das duas formas (8.5.15), se aplica a situações bem mais gerais. Nestas expressões, $\mathbf{v}_{\text{rel}}$ sempre representa a velocidade, relativa ao sistema de massa variável, dos elementos de massa dm dele removidos (ou a ele acrescentados, num caso em que a massa esteja crescendo).

8.6 APLICAÇÃO AO MOVIMENTO DE UM FOGUETE

As equações de movimento acima se aplicam ao movimento de um foguete: $m(t)$ representa a massa total do foguete (incluindo o combustível) no instante t, $\mathbf{v}_{\text{rel}} = -\mathbf{v}_{\text{e}}$ a velocidade de ejeção dos gases em relação ao foguete, que é constante para um dado tipo de combustível.

Vamos considerar apenas o movimento do foguete na região bem acima da atmosfera, onde a resistência do ar é desprezível, admitindo também que as forças gravitacionais são desprezíveis, de modo que

$$\mathbf{F}^{(\text{ext})} = 0 \quad \textbf{(8.6.1)}$$

Suponhamos que o foguete começa a queimar combustível quando sua velocidade é $\mathbf{v}_i$ e a massa m_i (valores iniciais), e queima até atingir uma massa final m_f. Qual é a velocidade final $\mathbf{v}_f$ correspondente?

Para obter o resultado, basta conhecer a taxa de variação da velocidade com a massa instantânea, que é dada pela (8.5.12):

$$d\mathbf{v} = -\frac{dm}{m}\mathbf{v}_e \quad \textbf{(8.6.2)}$$

Como $\mathbf{v}_e$ é constante durante o período de ignição, obtemos, integrando ambos os membros entre os valores inicial e final,

$$\int_{v_i}^{v_f} d\mathbf{v} = \mathbf{v}_f - \mathbf{v}_i = -\mathbf{v}_e \int_{m_i}^{m_f} \frac{dm}{m} = -\mathbf{v}_e \ln m \Big|_{m_i}^{m_f} = \mathbf{v}_e \left(\ln m_i - \ln m_f\right) \tag{8.6.3}$$

ou seja, finalmente,

$$\boxed{\mathbf{v}_f - \mathbf{v}_i = \mathbf{v}_e \ln\left(\frac{m_i}{m_f}\right)} \tag{8.6.4}$$

Como $m_i > m_f$, o logaritmo (ln indica o logaritmo natural ou neperiano) é positivo, ou seja, a variação de velocidade devida à ignição tem a direção e sentido de $\mathbf{v}_e$ (opostos à velocidade de ejeção dos gases), correspondendo ao recuo.

Suponhamos, para simplificar, que $\mathbf{v}_i$ é paralelo a $\mathbf{v}_e$, o que, pela (8.6.4), implica que o mesmo vale para $\mathbf{v}_f$ (subida vertical do foguete, por exemplo). A (8.6.4) dá então

$$\frac{v_f - v_i}{v_e} = \ln\left(\frac{m_i}{m_f}\right) \left\{ \boxed{\frac{m_i}{m_f} = e^{(v_f - v_i)/v_e}} \right. \tag{8.6.5}$$

onde $e \approx 2{,}71828$ é a base do sistema de logaritmos naturais.

A diferença $m_i - m_f$ representa a massa de combustível queimado, e m_f é a "massa útil" após a ignição; o quociente m_i/m_f da massa total inicial pela massa útil final chama-se "relação de massas", e a (8.6.5) mostra que essa relação cresce exponencialmente à medida que se procura aumentar a velocidade final atingida, ou seja, quanto maior v_f, menor a carga útil m_f que atinge esta velocidade final.

Assim, para obter um incremento de velocidade igual à velocidade de escape dos gases, $v_f - v_i = v_e$, a (8.6.5) mostra que a relação de massas é igual a $e \approx 2{,}72$, ou seja, a carga útil é ~1 /3 da total. Para $v_f - v_i = 2\,v_e$, a relação é de $e^2 \approx 7{,}4$, e para $v_f - v_i = 3\,v_e$, ela é de $e^3 \approx 20$, ou seja, neste último caso, apenas 1/20 da massa do foguete apresenta carga útil.

Na prática, procura-se obter um compromisso entre os objetivos de maximizar a velocidade atingida e a carga útil. É muito difícil construir uma estrutura capaz de armazenar as imensas quantidades de combustível necessárias e resistir aos impactos da aceleração da partida para valores da relação de massas superiores a ~10, de modo que usualmente esta relação corresponde a $v_f - v_i = 2\,v_e$.

Os combustíveis mais empregados são o querosene (com oxigênio líquido como agente oxidante), que dá $v_e \approx 2{,}7$ km/s ≈ 10.000 km/h, e o hidrogênio líquido (com oxigênio líquido), que dá $v_e \approx 3{,}2$ km/s ≈ 13.000 km/h. Estes valores de v_e correspondem à combustão na atmosfera; para combustão no espaço (em alto vácuo), atingem-se valores de v_e de 10% a 20% maiores, aproximadamente.

Para chegar até a Lua, é necessário atingir uma velocidade muito próxima da velocidade de escape (7.5.30), que é mais de 3 vezes maior que o valor máximo de v_e alcançável com os combustíveis acima. Logo, isto não teria sido praticável com um foguete de um só estágio.

A vantagem de construir um foguete de vários estágios é que isso permite, na passagem de um estágio ao seguinte, descartar a carcaça do estágio anterior, que constitui um peso morto considerável (tanques de combustível e motores), partindo de uma nova massa inicial bem menor e de uma nova velocidade inicial igual à velocidade final do estágio anterior.

Assim, para um foguete de 2 estágios, o ganho de velocidade no 1º estágio é, pela (8.6.4)

$$v_{f1} - v_{i1} = v_e \ln\left(\frac{m_{i1}}{m_{f1}}\right) \quad \textbf{(8.6.6)}$$

onde m_{i1} é a massa total inicial e m_{f1} a massa após a queima do combustível. Se m_0 é a massa da carcaça do 1º estágio, que é descartada, a massa inicial do 2º estágio é

$$m_{i2} = m_{f1} - m_0 \quad \textbf{(8.6.7)}$$

e sua velocidade inicial é $v_{i2} = v_{f1}$, de modo que

$$v_{f2} - v_{f1} = v_e \ln\left(\frac{m_{i2}}{m_{f2}}\right) \quad \textbf{(8.6.8)}$$

onde m_{f2} é a massa final do 2º estágio.

O ganho total de velocidade nos dois estágios é obtido somando membro a membro as (8.6.7) e (8.6.8),

$$v_{f2} - v_{i1} = v_e \ln\left(\frac{m_{i1}}{m_{f1}} \cdot \frac{m_{i2}}{m_{f2}}\right) \quad \textbf{(8.6.9)}$$

Se a massa m_0 não tivesse sido descartada, teríamos, pela (8.6.7), para o argumento do ln, em lugar da (8.6.9),

$$\frac{m_{i1}}{m_{f1}} \cdot \left(\frac{m_{i2} + m_0}{m_{f2} + m_0}\right) = \frac{m_{i1}}{m_{f1}} \cdot \frac{m_{f1}}{m_{f2} + m_0} = \frac{m_{i1}}{m_{f2} + m_0} \quad \textbf{(8.6.10)}$$

o mesmo resultado que se obteria num foguete de um só estágio de mesmas massas inicial e final. Comparando as (8.6.9) e (8.6.10), vemos que a vantagem de ter dois estágios resulta de ser

$$\frac{m_{i2}}{m_{f2}} > \frac{m_{i2} + m_0}{m_{f2} + m_0} > 1 \quad \textbf{(8.6.11)}$$

e ela é apreciável, porque m_0 representa uma fração apreciável da massa total.

A tabela a seguir dá os valores de várias grandezas relevantes para o sistema Saturno V-Apolo empregado nas missões lunares.

Componente	Massa, kg (vazio)	Massa de combustível (kg)	Massa total (kg)	Tempo de ignição (s)	Empuxo (kgf)	Função
1º estágio	140.000	2.000.000 (querosene + O_2 líquido)	2.140.000	140	3.400.000	De 0 até 8.000 km/h a 65 km de altitude
2º estágio	36.000	420.000 (H_2 líquido + O_2 líquido)	456.000	370	450.000	De 8.000 a 24.000 km/h a 180 km de altitude
3º estágio	10.000	105.000 (H_2 líquido + O_2 líquido)	115.000	475	90.000	Injeção em órbita lunar a 40.000 km/h.
Apolo (módulo lunar, módulo de comando e módulo de serviço)	12.000	11.000 (combustíveis líquidos e sólidos)	23.000		10.000	Missões lunares; retorno à Terra

Figura 8.13 Lançamento da missão lunar Apollo 11.

A massa total do sistema é de ≈ 2.700.000 kg; o foguete tem 120 m de altura e 5 m de raio. A Fig. 8.13 mostra o foguete da missão lunar Apollo 11 ao ser lançado em 16 de janeiro de 1969.

É instrutivo verificar a consistência da tabela acima com as fórmulas obtidas (faça isso!). Os valores de dm/dt podem ser calculados dividindo a massa de combustível de cada estágio pelo tempo de ignição correspondente. O empuxo $(dm/dt)\ v_e$ (cf. (8.5.12)) se obtém levando em conta os valores de v_e dados acima para os diferentes combustíveis, bem como a variação de v_e conforme a altitude em que a combustão ocorre, também já mencionada.

A velocidade final atingida pelo 1º estágio é muito inferior à que resultaria da (8.6.8). Isto se deve, naturalmente, ao fato de que na (8.6.8) não foram levadas em conta forças externas (cf. (8.6.1)). A resistência do ar, bem como a força-peso gravitacional, reduzem consideravelmente a velocidade atingida antes que o foguete alcance altitudes maiores.

■ PROBLEMAS

8.1 Dois veículos espaciais em órbita estão acoplados. A massa de um deles é de 1.000 kg e a do outro 2.000 kg. Para separá-los, é detonada entre os dois uma pequena carga explosiva, que comunica uma energia cinética total de 3.000 J ao conjunto dos dois veículos, em relação ao centro de massa do sistema. A separação ocorre segundo a linha que une os centros de massa dos dois veículos. Com que velocidade relativa ele se separam um do outro?

8.2 Um atirador, com um rifle de 2 kg apoiado ao ombro, dispara uma bala de 15 g, cuja velocidade na boca da arma (extremidade do cano) é de 800 m/s. (a) Com que velocidade inicial a arma recua? (b) Que impulso transmite ao ombro do atirador? (c) Se o recuo é absorvido pelo ombro em 0,05 s, qual é a força média exercida sobre ele, em N e em kgf?

8.3 Um canhão montado sobre uma carreta, apontado numa direção que forma um ângulo de 30° com a horizontal, atira uma bala de 50 kg, cuja velocidade na boca do canhão é de 300 m/s. A massa total do canhão e da carreta é de 5 toneladas. (a) Calcule a velocidade inicial de recuo da carreta. (b) Se o coeficiente de atrito cinético é 0,7, de que distância a carreta recua?

8.4 Uma patinadora e um patinador estão se aproximando um do outro, deslizando com atrito desprezível sobre uma pista de gelo, com velocidades de mesma magnitude, igual a 0,5 m/s. Ela tem 50 kg, carrega uma bola de 1 kg e patina numa direção 10° a leste da direção norte. Ele tem 51 kg, dirige-se para 10° a oeste da direção norte. Antes de colidirem, ela lança a bola para ele, que a apanha. Em consequência, passam a afastar-se um do outro. Ela se move agora com velocidade de 0,51 m/s, numa direção 10° a oeste da direção norte. (a) Em que direção se move o patinador depois de apanhar a bola? (b) Com que velocidade? (c) Qual foi o momento transferido da patinadora para o patinador? (d) Com que velocidade e em que direção a bola foi lançada? [Note que a deflexão das trajetórias produzida pela troca da bola é análoga ao efeito de uma força repulsiva entre os dois patinadores. Na física das partículas elementares, a interação entre duas partículas é interpretada em termos de troca de uma terceira partícula entre elas].

8.5 Um remador de 75 kg, sentado na popa de uma canoa de 150 kg e 3 m de comprimento, conseguiu traze-la para uma posição em que está parada perpendicularmente à margem de um lago, que nesse ponto forma um barranco, com a proa encostada numa estaca onde o remador quer amarrar a canoa. Ele se levanta e caminha até a proa, o que leva a canoa a afastar-se da margem. Chegando à proa, ele consegue, esticando o braço, alcançar até uma distância de 80 cm da proa.

Conseguirá agarrar a estaca? Caso contrário, quanto falta? Considere o centro de massa da canoa como localizado em seu ponto médio e despreze a resistência da água.

8.6 No fundo de uma mina abandonada, o vilão, levando a mocinha como refém, é perseguido pelo mocinho. O vilão, de 70 kg, leva a mocinha, de 50 kg, dentro de um carrinho de minério de 540 kg, que corre com atrito desprezível sobre um trilho horizontal, à velocidade de 10 m/s. O mocinho, de 60 kg, vem logo atrás, num carrinho idêntico, à mesma velocidade. Para salvar a mocinha, o mocinho pula de um carrinho para o outro, com uma velocidade de 6 m/s em relação ao carrinho que deixa para trás. Calcule a velocidade de cada um dos carrinhos depois que o mocinho já atingiu o carrinho da frente.

8.7 Um gafanhoto, pousado na beirada superior de uma folha de papel que está boiando sobre a água de um tanque, salta, com velocidade inicial de 4 m/s, em direção à beirada inferior da folha, no sentido do comprimento. As massas do gafanhoto e da folha são de 1g e de 4g, respectivamente, e o comprimento da folha é de 30 cm. Em que domínio de valores pode estar compreendido o ângulo θ entre a direção do salto e a sua projeção sobre a horizontal para que o gafanhoto volte a cair sobre a folha?

8.8 Um rojão, lançado segundo um ângulo de 45°, explode em dois fragmentos ao atingir sua altura máxima, de 25 m; os fragmentos são lançados horizontalmente. Um deles, de massa igual a 100 g, cai no mesmo plano vertical da trajetória inicial, a 90 m de distância do ponto de lançamento. O outro fragmento tem massa igual a 50 g. (a) A que distância do ponto de lançamento cai o fragmento mais leve? (b) Quais são as velocidades comunicadas aos dois fragmentos em consequência da explosão? (c) Qual é a energia mecânica liberada pela explosão?

8.9 Uma mina explode em três fragmentos, de 100 g cada um, que se deslocam num plano horizontal: um deles para oeste e os outros dois em direções 60° ao norte e 30° ao sul da direção leste, respectivamente. A energia cinética total liberada pela explosão é de 4.000 J. Ache as velocidades iniciais dos três fragmentos.

8.10 Uma barra cilíndrica homogênea de 3 m de comprimento é dobrada duas vezes em ângulo reto, a intervalos de 1 m, de modo a formar três arestas consecutivas de um cubo (Figura). Ache as coordenadas do centro de massa da barra, no sistema de coordenadas da figura.

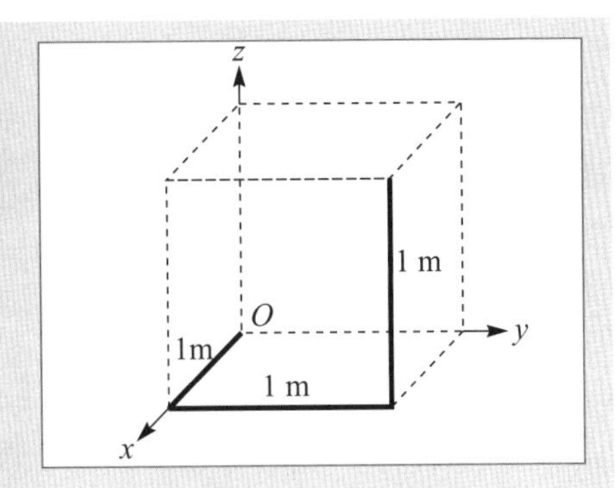

8.11 (a) Ache as coordenadas do CM (centro de massa) da placa homogênea OABCD indicada na figura, dividindo-a em três triângulos iguais. (b) Mostre que se obtém o mesmo resultado calculando o CM do sistema formado pelo quadrado OABD e pelo triângulo BCD que dele foi removido, atribuindo massa negativa ao triângulo.

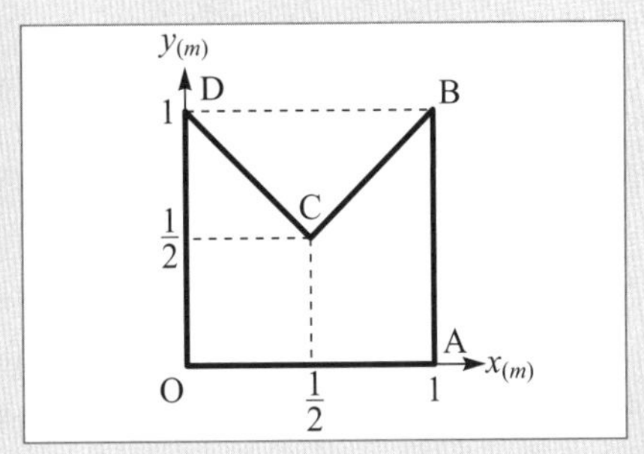

8.12 Calcule as coordenadas do CM da placa homogênea indicada na figura, um círculo de 1,0 m de raio do qual foi removido um círculo de 0,5 m de raio, com uma separação de 0,25 m entre os centros O e O′ dos dois círculos.

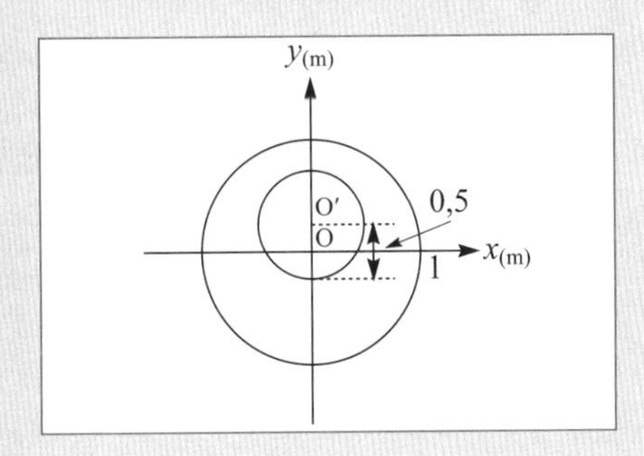

8.13 Num lançamento do foguete Saturno V (veja tabela da Seç. 8.6) são queimadas 2.100 toneladas de combustível em 2,5 min, gerando um empuxo de $3{,}4 \times 10^7$N. A massa total do foguete com sua carga é de 2.800 toneladas. (a) Calcule a velocidade de escape do combustível empregado. (b) Calcule a aceleração inicial do foguete na rampa de lançamento.

8.14 Utilizando os dados da tabela da Seç. 8.6, calcule, para o 3º estágio do sistema Saturno V – Apolo: (a) a velocidade de escape dos gases de combustão; (b) o incremento de velocidade produzido por este estágio, na ausência de forças externas. A diferença entre o resultado e os valores da tabela pode ser atribuída a essas forças (gravidade e resistência atmosférica residuais).

8.15 Um avião a jato viaja a 900 km/h. Em cada segundo, penetram nos jatos 150 m^3 de ar que, após a combustão, são ejetados com uma velocidade de 600 m/s em relação ao avião. Tome a densidade do ar como 1,3 kg/ m^3. (a) Calcule o empuxo exercido sobre o avião em N e em kgf. (b) Calcule a potência dos jatos, em W e em hp.

8.16 Uma corrente de massa igual a 750 g e 1,5 m de comprimento está jogada no chão. Uma pessoa segura-a por uma das pontas e suspende-a verticalmente, com velocidade constante de 0,5 m/s. (a) Calcule a razão entre a força exercida pela pessoa no instante final, em que está terminando de tirar a corrente do chão, e a força que teve de exercer no instante inicial. (b) Qual é o trabalho realizado?

8.17 Um encantador de serpentes, tocando sua flauta, faz uma serpente de comprimento l e massa m, inicialmente enrodilhada no chão, elevar gradualmente a cabeça até uma altura $h < l$ do chão. Supondo a massa da serpente uniformemente distribuída pelo seu corpo, quanto trabalho foi realizado pela serpente?

8.18 Uma gotícula de água começa a formar-se e vai-se avolumando na atmosfera em torno de um núcleo de condensação, que é uma partícula de poeira, de raio desprezível. A gota cai através da atmosfera, que supomos saturada de vapor de água, e vai aumentando de volume continuamente pela condensação, que faz crescer a massa proporcionalmente à superfície da gota. A taxa λ de crescimento da massa por unidade de tempo e de superfície da gota é constante. (a) Mostre que o raio r da gota cresce linearmente com o tempo. (b) Mostre que a aceleração da gota, decorrido um tempo t desde o instante em que ela começou a se formar, é dada por

$$\frac{dv}{dt} = -g - 3\frac{v}{t}$$

onde v é a velocidade da gota no instante t (desprezando o efeito da resistência do ar). (c) Mostre que esta equação pode ser resolvida tomando $v = at$, e determine a constante a. Que tipo de movimento resulta para a gota?

8.19 Um caminhão-tanque cheio de água, de massa total M, utilizado para limpar ruas com um jato de água, trafega por uma via horizontal, com coeficiente de atrito cinético μ_c. Ao atingir uma velocidade v_0, o motorista coloca a marcha no ponto morto e liga o jato de água, que é enviada para trás com a velocidade v_e relativa ao caminhão, com uma vazão de λ litros por segundo. Ache a velocidade $v(t)$ do caminhão depois de um tempo t.

8.20 Uma nave espacial cilíndrica de massa M e comprimento L está flutuando no espaço sideral. Seu centro de massa, que podemos tomar como o seu ponto médio, é adotado como origem O das coordenadas, com Ox ao longo do eixo do cilindro. (a) No instante $t = 0$, um astronauta dispara uma bala de revólver de massa m e velocidade v ao longo do eixo, da parede esquerda até a parede direita, onde fica encravada. Calcule a velocidade V de recuo da nave espacial. Suponha que $m << M$, de modo que $M \pm m \approx M$. (b) Calcule o recuo total ΔX da nave, depois que a bala atingiu a parede direita. Exprima-o em função do momento p transportado pela bala, eliminando da expressão a massa m. (c) Calcule o deslocamento Δx do centro de massa do sistema devido à transferência da massa m da extremidade esquerda para a extremidade direita da nave. (d) Mostre que $\Delta X + \Delta x = 0$, e explique por que este resultado tinha necessariamente de ser válido. (e) Suponha agora que o astronauta, em lugar de um revólver, dispara um canhão de luz laser. O pulso de radiação laser, de energia E, é absorvido na parede direita, convertendo-se em outras formas de energia (térmica, por exemplo). Sabe-se que a radiação eletromagnética, além de transportar energia E, também transporta momento p, relacionado com E por: $p = E/c$, onde c é a velocidade da luz. Exprima a resposta do item (b) em termos de E e c, em lugar de p. (f) Utilizando os itens (c) e (d), conclua que a qualquer forma de energia E deve estar associada uma massa inercial m, relacionada com E por $E = mc^2$. Um argumento essencialmente idêntico a este, para ilustrar a inércia da energia, foi formulado por Einstein (veja *Física Básica*, vol. 4).

9

Colisões

9.1 INTRODUÇÃO

Uma colisão entre duas partículas é um processo em que uma é lançada contra a outra, podendo trocar energia e momento em consequência de sua interação. As "partículas" podem ser corpos macroscópicos ou pertencer à escala atômica ou subatômica. O resultado da colisão pode ser extremamente variado. Podem emergir as mesmas duas partículas, caso em que o processo é chamado de *espalhamento*. Por outro lado, pode emergir um sistema muito diferente: uma só partícula (como no exemplo da experiência 3, Secç. 4.5), duas partículas diferentes das iniciais (reações químicas, reações nucleares) ou mais de duas partículas (fragmentação, colisões de alta energia entre "partículas elementares").

Estudando os parâmetros que caracterizam os produtos da colisão e sua dependência dos parâmetros característicos (tais como energia e momento) das partículas incidentes, obtêm-se informações importantes sobre a natureza das interações entre as partículas, interações estas responsáveis pelo próprio processo de colisão. Quase tudo que sabemos sobre as interações entre partículas subatômicas resultou do estudo de processos de colisão entre elas. Experimentalmente, prepara-se um feixe de partículas num acelerador e com elas se bombardeia um "alvo" que contém o outro parceiro na colisão, estudando-se os produtos da colisão com o auxílio de detectores. Recentemente, também foram desenvolvidas novas técnicas que permitem lançar um feixe de partículas aceleradas contra outro feixe. O estudo das colisões tornou-se hoje em dia um dos campos centrais de atividade em toda a física.

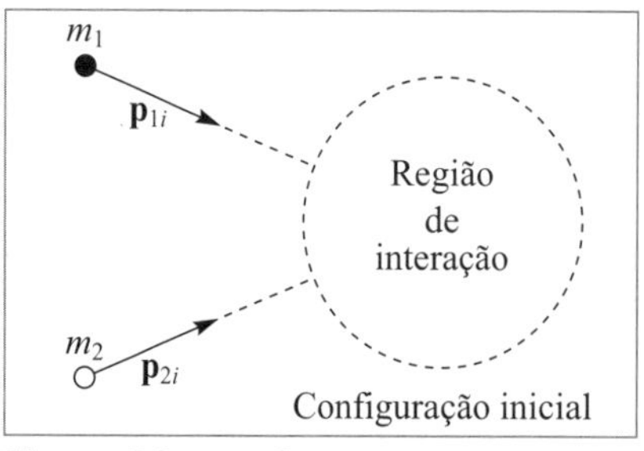

Figura 9.1 Configuração inicial de uma colisão.

Além de ser praticamente o único método disponível de investigação experimental das interações entre partículas subatômicas, o tratamento teórico dessas interações também é formulado atualmente, em grande parte, em termos de colisões.

O que caracteriza um processo de colisão? O ponto de partida é uma *configuração inicial* (Figura 9.1), ou seja, "antes da colisão", em que as duas partículas ainda não entraram em colisão, de forma que a interação entre elas é desprezível. Por conseguinte, elas se movem como partículas livres (supomos que não há forças externas ao sistema), com movimento retilíneo uniforme, sendo caracterizadas pelas suas massas m_1 e m_2 e momentos iniciais $\mathbf{p}_{1i}$ e $\mathbf{p}_{2i}$, respectivamente (ou velocidades $\mathbf{v}_{1i} = \mathbf{p}_{1i}/m_{1i}$ e $\mathbf{v}_{2i} = \mathbf{p}_{2i}/m_{2i}$). Está implícita nessa descrição a ideia de que as forças de interação entre as partículas decrescem com suficiente rapidez quando aumenta a distância entre elas para que a interação seja desprezível na configuração inicial, mesmo que para isso esta configuração tenha de ser extrapolada a distâncias muito grandes ("infinitas"). O processo de colisão tem lugar numa etapa intermediária, quando as partículas penetram na "região de interação" (Figura 9.2).

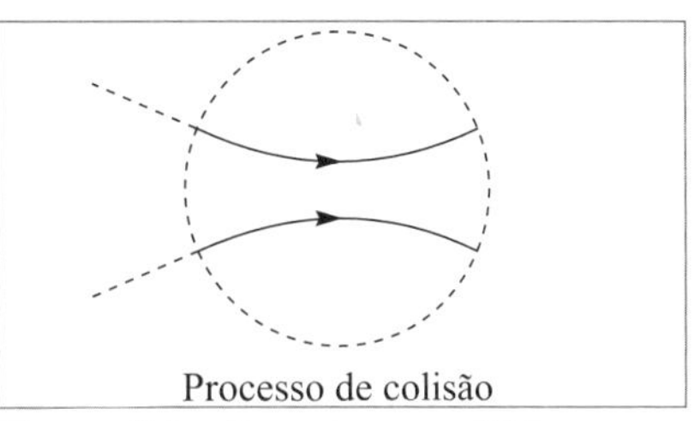

Figura 9.2 Etapa intermediária.

Na *configuração final* (Figura 9.3), ou seja, "depois da colisão", as partículas resultantes já se afastaram suficientemente da região de colisão para que sua interação seja novamente desprezível, movendo-se como partículas livres, caracterizadas por suas massas e momentos finais. O problema fundamental da teoria das colisões consiste em obter a configuração final a partir da configuração inicial. Para isto, é necessário, em princípio, conhecer as forças de interação entre as partículas. Na prática, se essas forças não são bem conhecidas, tem-se muitas vezes o problema inverso, de obter informação sobre as interações a partir dos resultados da colisão.

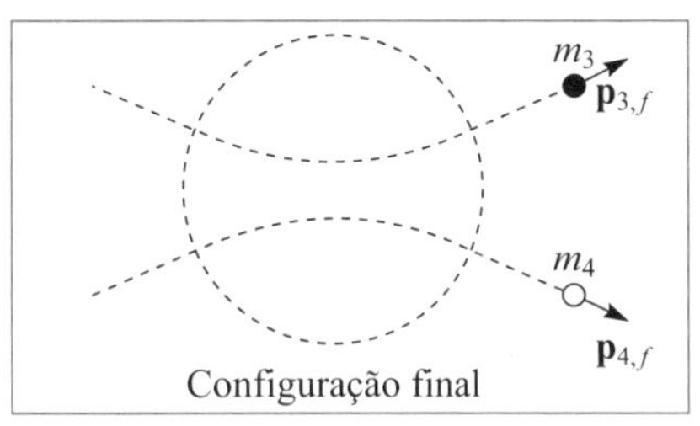

Figura 9.3 Configuração final da colisão.

Historicamente, o estudo dos processos de colisão foi proposto pela Royal Society de Londres em 1668, poucos anos após a sua fundação. Resultados importantes, tanto experimentais como teóricos, foram obtidos pouco depois por John Wallis, Sir Christopher Wren e Christian Huygens.

Para fixar ideias, podemos pensar em processos de colisão em que as interações são devidas a forças de contato (como nos exemplos da Seç. 4.5), mas isto não é de forma alguma necessário (as deflexões podem ser produzidas por forças elétricas ou gravitacionais, por exemplo). Conforme vamos ver, muitos resultados podem ser obtidos exclusivamente a partir dos princípios de conservação de momento e energia, independentemente do conhecimento das forças de interação. É também por esta razão que tais resultados permanecem válidos para partículas atômicas ou subatômicas, às quais os princípios de conservação também se aplicam.

9.2 IMPULSO DE UMA FORÇA

Já vimos que as forças de contato que atuam durante uma colisão (de dois discos ou bolas de bilhar, de uma raquete de tênis com a bola, de um bate-estacas com a estaca) são forças extremamente intensas, que atuam durante um intervalo de tempo extrema-

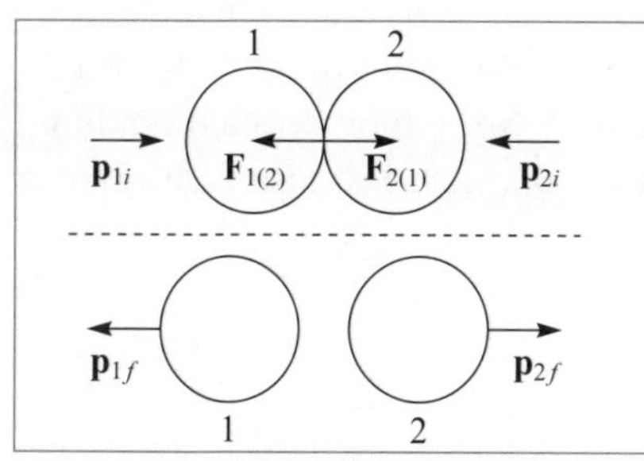

Figura 9.4 Colisão frontal.

mente curto, o "tempo de colisão". O efeito de uma tal força *impulsiva* pode ser medido por meio do impulso que produz. Para defini-lo, consideremos o exemplo de uma colisão frontal entre duas bolas de bilhar (Figura 9.4). As equações de movimento são

$$\frac{d\mathbf{p}_1}{dt} = \mathbf{F}_{1(2)} = -\mathbf{F}_{2(1)} = -\frac{d\mathbf{p}_2}{dt} \qquad \textbf{(9.2.1)}$$

onde as forças de contato $\mathbf{F}_{1(2)}$ e $\mathbf{F}_{2(1)}$, que obedecem à 3ª lei de Newton, atuam durante o intervalo de tempo extremamente curto (t_i, t_f) (t_i = instante inicial; t_f = instante final).

Integrando ambos os membros da (9.2.1) em relação ao tempo desde t_i até t_f, obtemos

$$\int_{t_i}^{t_f} \frac{d\mathbf{p}_1}{dt}dt = \int_{\mathbf{p}_{1i}}^{\mathbf{p}_{1f}} d\mathbf{p}_1 = \mathbf{p}_{1f} - \mathbf{p}_{1i} = \mathbf{\Delta p}_1 = \int_{t_i}^{t_f} \mathbf{F}_{1(2)}dt = -\int_{t_i}^{t_f} \mathbf{F}_{2(1)}dt = -\mathbf{\Delta p}_2 \qquad \textbf{(9.2.2)}$$

De forma geral, para uma força $\mathbf{F}$ qualquer, a integral

$$\boxed{\int_{t_i}^{t_f} \mathbf{F}dt = \int_{t_i}^{t_f} \frac{d\mathbf{p}}{dt}dt = \int_{\mathbf{p}_i}^{\mathbf{p}_f} d\mathbf{p} = \mathbf{p}_f - \mathbf{p}_i = \mathbf{\Delta p}} \qquad \textbf{(9.2.3)}$$

chama-se *impulso da força* $\mathbf{F}$ durante o intervalo de tempo (t_i, t_f). Vemos pela (9.2.3) que *o impulso de uma força aplicada a uma partícula durante* (t_i, t_f) *é igual à variação do momento da partícula durante esse intervalo.* Podemos comparar este resultado com a (7.2.8), onde o trabalho (integral espacial da força) aparece em lugar do impulso (integral temporal), e a variação de energia cinética em lugar da variação de momento (cf. a observação na Seç. 6.2 sobre as diferentes medidas de uma força).

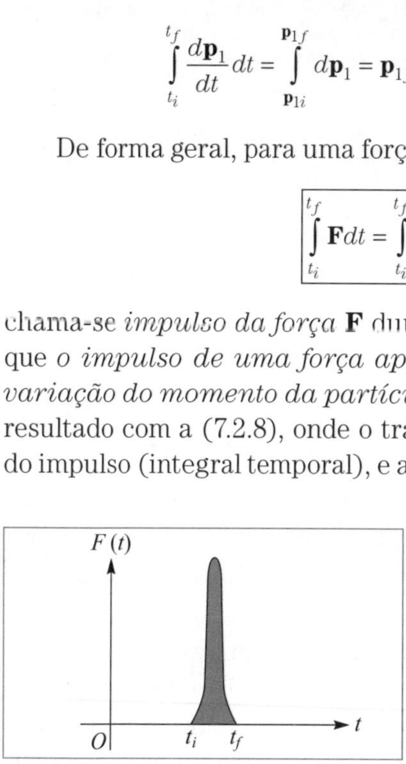

Figura 9.5 Força impulsiva.

A variação temporal da magnitude característica de uma força impulsiva está ilustrada na Figura 9.5. Se $\mathbf{F}(t)$ tem direção e sentido constantes, a área debaixo dessa curva (área sombreada) representa o impulso da força. Como já vimos na (4.5.1), a (9.2.2) corresponde à *conservação do momento* na colisão:

$$\mathbf{\Delta p}_1 = \mathbf{p}_{1f} - \mathbf{p}_{1i} = \Delta\mathbf{p}_2 = -\left(\mathbf{p}_{2f} - \mathbf{p}_{2i}\right) \Rightarrow \boxed{\mathbf{P}_i = \mathbf{p}_{1i} + \mathbf{p}_{2i} = \mathbf{p}_{1f} + \mathbf{p}_{2f} = \mathbf{P}_f} \qquad \textbf{(9.2.4)}$$

onde $\mathbf{P}_i$ é o *momento inicial total* e $\mathbf{P}_f$ o *momento final total.* No caso considerado, ela decorre imediatamente do fato de se tratar de um sistema isolado: as forças responsáveis pela colisão são forças internas. Entretanto, o resultado ainda seria válido em boa aproximação neste caso, mesmo que levássemos em conta forças externas como a gravidade e o atrito, simplesmente porque tais forças têm usualmente magnitude desprezível em confronto com as forças de contato extremamente intensas desenvolvidas durante a colisão de duas bolas de bilhar.

Exemplo: Suponhamos que o bate-estacas da Figura 6.7 tenha uma massa m = 1 ton (10^3 kg) e sua altura inicial seja z_0 = 5 m. Qual o impulso transmitido à estaca pela sua queda?

A velocidade v com que a estaca à atingida é dada pela fórmula de Torricelli:

$$\left.\begin{cases} v = \sqrt{2gz_0} \\ g \approx 10\,\text{m/s}^2 \end{cases}\right\} v \approx \sqrt{2 \times 10 \times 5}\,\text{m/s} = 10\,\text{m/s}$$

Logo, na (9.2.3), temos $p_i = mv$, $p_f = 0$ (a colisão com a estaca freia o bloco), o que dá para o impulso transmitido à estaca (igual e contrário ao que é perdido pelo bloco)

$$\Delta p = 10^3\,\text{kg} \times 10\,\text{m/s} = 10^4\,\text{kg}\cdot\text{m/s}$$

Podemos estimar a duração da colisão como $\Delta t = t_f - t_i \sim 10^{-2}$ s. Qual é a força de contato média $\overline{F}$ exercida pelo bloco sobre a estaca durante a colisão? Temos

$$\Delta p = \overline{F}\Delta t \quad \left\{ \overline{F} = \frac{\Delta p}{\Delta t} = \frac{10^4}{10^{-2}}\ \text{N} = 10^6\ \text{N} \right.$$

Como 1 kgf ≈ 10 N, vemos que $\overline{F} \approx 10^5$ kgf, ou seja, a força de contato é equivalente ao peso de uma massa de ~100 toneladas!

9.3 COLISÕES ELÁSTICAS E INELÁSTICAS

A *energia total* do sistema sempre se conserva numa colisão, como em qualquer processo físico, embora parte da energia *mecânica* possa converter-se em outras formas de energia, como o calor. Entretanto, mesmo nas colisões em que a energia mecânica se conserva (forças de interação conservativas), parte da energia cinética pode converter-se em energia potencial, ou vice-versa.

No exemplo de dois discos ou bolas de bilhar que colidem frontalmente com velocidades opostas (experiência 1, Seç. 4.5), que acontece? Durante o tempo de colisão, que é uma fração de segundo, a energia cinética das partículas se converte em *energia potencial elástica* associada à deformação da superfície de contato, como numa mola comprimida. Terminado esse período, a energia potencial elástica acumulada volta a converter-se em energia cinética – como numa mola comprimida que volta a se distender – separando os dois corpos. No caso limite ideal da Seç. 4.5, as partículas voltam a se afastar com velocidades opostas, de mesma magnitude que as iniciais. Logo, a *energia cinética final é igual à energia cinética inicial.* Uma colisão em que isto acontece chama-se *colisão elástica.* Qualquer outra colisão é uma *colisão inelástica.* Note que, numa colisão inelástica, a energia cinética final pode ser menor ou maior que a inicial. Um exemplo em que é maior é a explosão de uma granada ao colidir com o solo. Neste caso, energia química armazenada no explosivo se converte cm energia cinética dos fragmentos.

A colisão entre duas bolas de bilhar não é perfeitamente elástica. Quando elas se chocam, ouvimos um som: logo, parte da energia é convertida em vibrações, que dão origem a ondas sonoras. Há também um (ligeiro) aquecimento da superfície de contato, ou seja, conversão parcial de energia mecânica em calor. Entretanto, a perda total de energia cinética é pequena – tipicamente, da ordem de 3% ou 4%, e podemos desprezá-la com boa aproximação, tratando a colisão como se fosse elástica.

9.4 COLISÕES ELÁSTICAS UNIDIMENSIONAIS

Consideremos duas partículas que se movem ao longo de uma reta e colidem elasticamente (por exemplo, colisões frontais entre dois discos ou bolas de bilhar). Sejam m_1 e m_2 as massas, e v_{1i} e v_{2i} as velocidades iniciais antes da colisão. A velocidade relativa deve satisfazer à condição

$$v_{1i} - v_{2i} > 0 \tag{9.4.1}$$

para que haja colisão; supomos que esta condição é satisfeita.

Supomos ainda em todos os problemas de colisão que vamos tratar que as partículas estão sujeitas apenas às forças internas de interação que atuam durante a colisão, de modo que o momento total do sistema se conserva:

$$\boxed{P_i = p_{1i} + p_{2i} = p_{1f} + p_{2f} = P_f} \tag{9.4.2}$$

Como por hipótese a colisão é *elástica, a energia cinética total também se conserva*. Convém exprimi-la em termos dos momentos das partículas. Para isto, notamos que, não apenas no caso unidimensional, mas de forma geral, temos, para uma partícula,

$$\left.\begin{array}{l} \mathbf{p} = m\mathbf{v} \; \{ \mathbf{v} = \mathbf{p}/m \\ T = \frac{1}{2} m\mathbf{v}^2 \end{array}\right\} T = \frac{1}{2} m \frac{\mathbf{p}^2}{m^2}$$

ou seja,

$$\boxed{T = \frac{\mathbf{p}^2}{2m}} \tag{9.4.3}$$

é a expressão da energia cinética de uma partícula em função de seu momento e massa.

A *conservação da energia cinética* na colisão dá então

$$\boxed{T_i = \frac{p_{1i}^2}{2m_1} + \frac{p_{2i}^2}{2m_2} = \frac{p_{1f}^2}{2m_1} + \frac{p_{2f}^2}{2m_2} = T_f} \tag{9.4.4}$$

Dada a configuração inicial (p_{1i}, p_{2i}), as (9.4.2) e (9.4.4) são duas equações nas duas incógnitas (p_{1f}, p_{2f}), que determinam a configuração final.

Para resolvê-las, reescrevemos a (9.4.2) sob a forma

$$p_{2f} - p_{2i} = p_{2i} - p_{2f} \tag{9.4.5}$$

e a (9.4.4) sob a forma

$$p_{2f}{}^2 - p_{2i}{}^2 = \lambda\left(p_{1i}{}^2 - p_{1f}{}^2\right) \tag{9.4.6}$$

onde introduzimos o parâmetro adimensional

$$\boxed{\lambda = \frac{m_2}{m_1}} \tag{9.4.7}$$

Dividindo membro a membro a (9.4.6) pela (9.4.5), obtemos

$$p_{2f} + p_{2i} = \lambda\left(p_{1i} + p_{1f}\right) \tag{9.4.8}$$

As (9.4.5) e (9.4.8) constituem um sistema de duas equações lineares nas duas incógnitas (p_{2i}, p_{2f}). Antes de resolvê-las, notemos que a (9.4.8), expressa em termos das velocidades das partículas, dá

$$m_2\left(v_{2f} + v_{2i}\right) = \frac{m_2}{m_1} m_1\left(v_{1f} + v_{1i}\right)$$

ou seja

$$\boxed{v_{2f} - v_{1f} = -\left(v_{2i} - v_{1i}\right)} \tag{9.4.9}$$

Isto significa que a *velocidade relativa entre as duas partículas se inverte* em consequência da colisão, o que é característico de uma colisão elástica em uma dimensão.

Resolvendo o sistema de equações (9.4.5) – (9.4.8), obtemos

$$\boxed{\begin{aligned} p_{1f} &= \left(\frac{1-\lambda}{1+\lambda}\right) p_{1i} + \frac{2}{1+\lambda} p_{2i} \\ p_{2f} &= \frac{2\lambda}{1+\lambda} p_{1i} - \left(\frac{1-\lambda}{1+\lambda}\right) p_{2i} \end{aligned}} \tag{9.4.10}$$

Vemos que a configuração final, neste caso, é inteiramente determinada pela configuração inicial e pela conservação do momento e da energia cinética, não dependendo da natureza das forças de interação (desde que correspondam a um processo elástico).

Também podemos escrever as (9.4.10) em termos das velocidades (bastando usar $p = mv$):

$$\left\{\begin{aligned} v_{1f} &= \left(\frac{m_1 - m_2}{m_1 + m_2}\right) v_{1i} + \frac{2m_2}{m_1 + m_2} v_{2i} \\ v_{2f} &= \frac{2m_1}{m_1 + m_2} v_{1i} - \left(\frac{m_1 - m_2}{m_1 + m_2}\right) v_{2i} \end{aligned}\right. \tag{9.4.11}$$

Casos particulares:

(i) *Massas iguais* – Neste caso, pela (9.4.7), $\lambda = 1$, e as (9.4.10) e (9.4.11) dão:

$$\begin{cases} p_{1f} = p_{2i} \\ p_{2f} = p_{1i} \end{cases} \begin{cases} v_{1f} = v_{2i} \\ v_{2f} = v_{1i} \end{cases} \tag{9.4.12}$$

ou seja, as *partículas trocam entre si os momentos e as velocidades*. As experiências 1 e 2 da Seç. 4.5 são casos particulares desta situação.

(ii) *Alvo em repouso* – Conforme já foi dito, esta é uma situação comum, correspondendo a

$$v_{2i} = 0 = p_{2i} \tag{9.4.13}$$

o que elimina os últimos termos do 2º membro nas (9.4.11). Vejamos o que acontece, nesta situação, em dois casos extremos.

(a) $m_1 << m_2$: As (9.4.11) dão, neste caso,

$$\begin{cases} v_{1f} \approx -v_{1i} \\ v_{2f} \approx 2\dfrac{m_1}{m_2} v_{1i} \ll v_{1i} \end{cases} \tag{9.4.14}$$

Logo, quando uma partícula muito leve colide com outra muito pesada em repouso, a partícula leve é praticamente *refletida* para trás com velocidade igual e contrária à incidente, ao passo que a partícula pesada sofre um recuo com velocidade muito pequena (tanto menor quanto menor a razão das massas). Um exemplo é a colisão elástica de uma bola em queda livre com a superfície da Terra: o recuo sofrido pela Terra é desprezível.

A 2ª das (9.4.14) dá também

$$p_{2f} \approx 2p_{1i} \tag{9.4.15}$$

ou seja, o momento transferido ao recuo da partícula alvo é aproximadamente o dobro do momento incidente. Isto decorre da conservação do momento e de ser $p_{1f} \approx -p_{1i}$, ou seja, $\Delta p_1 \approx -2\, p_{1i}$.

(b) $m_1 >> m_2$: Neste caso, as (9.4.11) dão

$$\begin{cases} v_{1f} \approx v_{1i} \\ v_{2f} \approx 2v_{1i} \end{cases} \tag{9.4.16}$$

Logo, na colisão elástica de uma partícula muito pesada com outra muito leve em repouso, a partícula pesada quase não é freada ("ignora" a presença da outra partícula), mas a leve é lançada para a frente com aproximadamente o dobro da velocidade da partícula incidente. Um exemplo é o que ocorre quando uma bola bate num dos pinos no jogo de boliche.

Aplicação à moderação de nêutrons: Num reator nuclear, núcleos de U^{235} sofrem um processo de *fissão* (fragmentação em núcleos mais leves), com a liberação de energia, quando capturam nêutrons, e alguns nêutrons também são emitidos pelo próprio processo da fissão, o que permite, em princípio, produzir uma reação em cadeia. O problema é que os nêutrons produzidos na fissão são *rápidos*, com uma energia média ~ 1 MeV, ao passo que os nêutrons mais eficazes na produção de novas fissões (captura pelo urânio) são *lentos*. As velocidades de agitação térmica dos nêutrons correspondem a energias de ~ 10^{-2} a 10^{-1} eV. Logo, para que um reator possa funcionar, é preciso *moderar* (ou "termalizar") os nêutrons, reduzindo-os às velocidades de equilíbrio térmico, através de colisões com algum tipo de partículas-alvo, que podemos tratar como praticamente em repouso. Quais são os alvos ideais para este fim?

Pela (9.4.16), colisões de nêutrons rápidos com partículas muito mais leves, como elétrons, não moderam os nêutrons: só aceleram os elétrons. Por outro lado, pela (9.4.14), colisões com alvos muito mais pesados, como núcleos de urânio, também não moderam os nêutrons: eles se "refletem", sem alterar praticamente a magnitude de sua velocidade.

A situação mais eficiente do ponto de vista de moderação corresponde a uma colisão frontal do nêutron rápido com uma partícula de massa aproximadamente igual, como o próton, em repouso. Neste caso, pela (9.4.12), o nêutron transferiria quase toda a sua velocidade para o próton. Deste ponto de vista, o moderador ideal pareceria ser o hidrogênio. Infelizmente, isto não é verdade, porque o hidrogênio também *captura* com grande eficácia nêutrons lentos, removendo-os do ciclo de fissão. Os moderadores empregados na prática são então núcleos de elementos leves que não capturam os nêutrons lentos de forma excessiva: deutério (contido na água pesada), berílio e carbono (sob forma de grafite ou na parafina).

Força média (pressão) exercida por um jato de areia:

Consideremos um jato horizontal de areia, com n grãos por segundo, todos de mesma velocidade v, que incide sobre um bloco pesado vertical (Figura 9.6). Seja m a massa de cada grão.

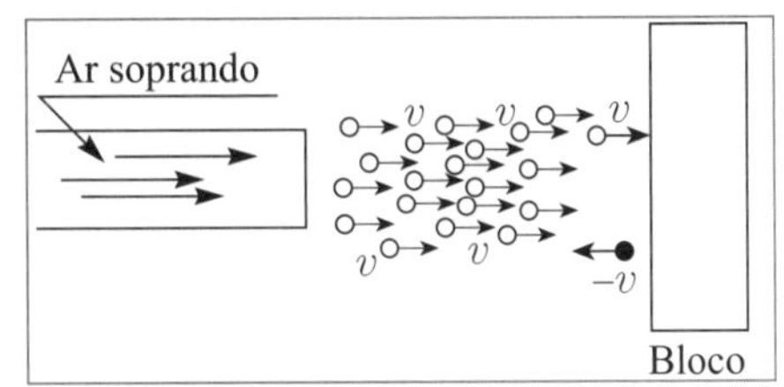

Figura 9.6 Pressão de um jato de areia.

Suponhamos que a colisão entre cada grão de areia e o bloco seja elástica. Temos então a situação da (9.4.14), ou seja, cada grão é totalmente refletido para trás com velocidade $-v$.

Conforme vimos na (9.4.15), cada colisão transfere ao bloco um momento

$$\Delta p = 2mv \qquad \textbf{(9.4.17)}$$

Como n é o número médio de colisões por segundo, a *força média* $\overline{F}$ exercida pelo jato de areia sobre o bloco é a taxa de transferência de momento por unidade de tempo, ou seja,

$$\overline{F} = n\Delta p = 2mnv \qquad \textbf{(9.4.18)}$$

Note que este é o *valor médio temporal* da força. A força instantânea como função do tempo sofre pequenas flutuações em torno do valor médio a cada colisão, conforme ilustrado na Figura 9.7. Veremos depois (Vol. 2), ao estudar a teoria cinética dos gases, que a pressão exercida por um gás sobre as paredes do recipiente pode ser interpretada de forma análoga à discutida neste exemplo.

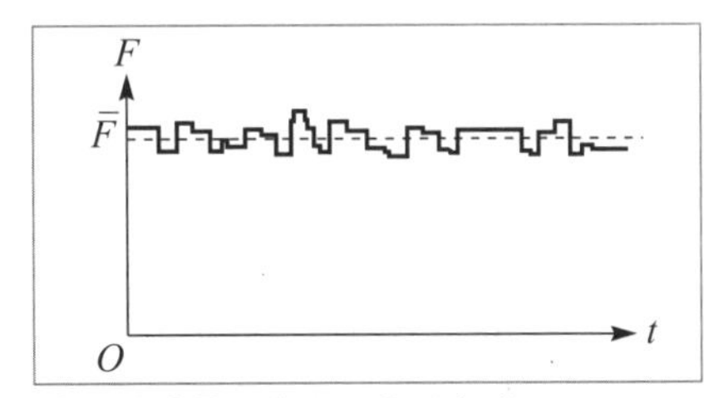

Figura 9.7 Flutuações da força.

9.5 COLISÕES UNIDIMENSIONAIS TOTALMENTE INELÁSTICAS

Como exemplo de colisão inelástica em uma dimensão, vamos considerar apenas uma colisão *totalmente inelástica*. Isto não quer dizer que a energia cinética final se anula, o que seria impossível, mas que ela assume o menor valor possível, que é o valor da energia cinética associada ao *movimento do centro de massa*. Com efeito, as forças que atuam na colisão sendo forças internas, o CM tem de permanecer em movimento retilíneo e uniforme, e o valor mínimo da energia cinética é aquele correspondente a esse movimento.

Vemos assim que numa colisão totalmente inelástica não pode haver movimentos internos (ou seja, relativos ao CM) após a colisão: as partículas têm de se mover juntas, seu movimento coincidindo com o do CM. Logo, o protótipo da colisão totalmente inelástica é a experiência 3 da Seç. 4.4: duas partículas de massas (m_1, m_2) e velocidades iniciais (v_{1i}, v_{2i}) passam a mover-se juntas após a colisão, formando uma única partícula de massa m_1 + m_2 e velocidade final v_f.

A *conservação do momento* dá agora

$$\boxed{P_i = m_1 v_{1i} + m_2 v_{2i} = (m_1 + m_2) v_f = P_f} \tag{9.5.1}$$

o que determina v_f

$$v_f = \frac{m_1 v_{1i} + m_2 v_{2i}}{m_1 + m_2} = v_{CM} \tag{9.5.2}$$

onde a última igualdade decorre da (8.1.15). Logo, a conservação do momento basta para determinar a configuração final de uma colisão totalmente inelástica, e o resultado concorda com as considerações acima.

Aplicação ao pêndulo balístico:

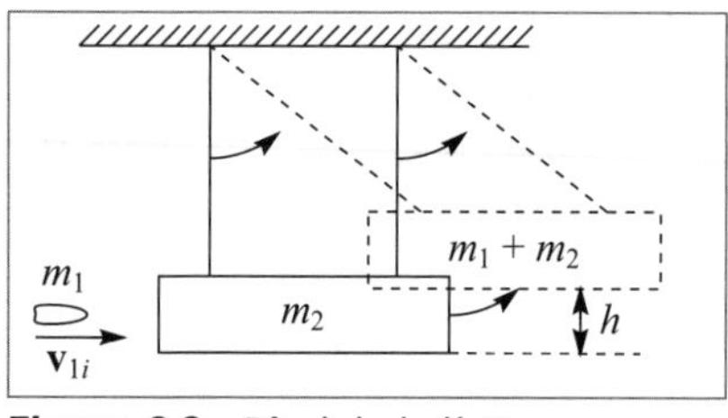

Figura 9.8 Pêndulo balístico.

Este aparelho, utilizado para medir a velocidade de balas de arma de fogo, consiste num bloco de madeira (massa m_2) suspenso por fios, de forma que possa oscilar como um pêndulo. A bala (massa m_1) é disparada contra o bloco com velocidade v_{1i} horizontal a determinar. Aloja-se nele e o bloco sobe a uma altura de oscilação máxima h, que é medida. O problema consiste em determinar v_{1i} a partir destes dados.

A colisão totalmente inelástica da bala com o bloco dura um tempo tão curto que não dá tempo para o pêndulo se elevar apreciavelmente nesse intervalo, de modo que podemos tratá-la como um processo unidimensional. A (9.5.2), com v_{2i} = 0, dá então a velocidade do bloco + bala logo após a colisão:

$$v_f = \frac{m_1}{m_1 + m_2} v_{1i} \tag{9.5.3}$$

A altura máxima a que o bloco se eleva em consequência da velocidade adquirida é dada pela "fórmula de Torricelli"

$$v_f = \sqrt{2gh} \tag{9.5.4}$$

As (9.5.3) e (9.5.4) permitem determinar v_{1i}:

$$v_{1i} = \frac{m_1 + m_2}{m_1}\sqrt{2gh} \tag{9.5.5}$$

Exemplo: Para uma bala de massa m_1 = 10 g e um bloco de madeira de 4 kg, a altura h medida é de 5 cm. Qual a velocidade da bala?

$$v_{1i} \approx \frac{4.010}{10} \cdot \sqrt{2 \times 10 \times 5 \times 10^{-2}} \text{ m/s} \approx 400 \text{ m/s}$$

9.6 COLISÕES ELÁSTICAS BIDIMENSIONAIS

No tratamento de colisões em mais de uma dimensão, vamo-nos restringir ao caso em que o alvo está em repouso. Já vimos que é este o caso mais frequente na prática, nas experiências com aceleradores. Além disso, se $\mathbf{v}_{2i}$ é a velocidade do alvo antes da colisão, basta passar para um referencial em movimento com essa velocidade (que é também inercial) para reduzir a situação à anterior, de forma que ela não envolve restrição de generalidade.

Para fixar as ideias, vamos ilustrar a situação através da colisão de duas bolas de bilhar, com o alvo (massa m_2) inicialmente em repouso e a partícula incidente (massa m_1) tendo uma velocidade inicial $\mathbf{v}_{1i}$. O momento do sistema na configuração inicial é então

$$\mathbf{P}_i = \mathbf{p}_{1i} = m_1\mathbf{v}_{1i} \tag{9.6.1}$$

Entretanto, para caracterizar a configuração inicial, os dados acima não são mais suficientes. É preciso especificar ainda a que distância a partícula incidente passaria da outra se não houvesse colisão. Essa distância b chama-se o *parâmetro de choque* (ou *parâmetro de impacto*). Na Figura 9.9, é a distância entre a linha de movimento inicial do centro da partícula incidente e o centro O do alvo. O resultado da colisão é muito diferente conforme o valor de b. Por exemplo, para b = 0, temos uma *colisão frontal*, que é essencialmente unidimensional; no exemplo acima, se b é maior que a soma dos raios das duas bolas, não há colisão.

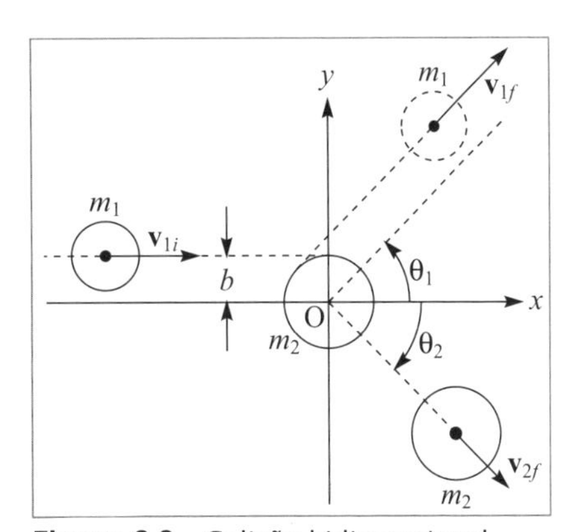

Figura 9.9 Colisão bidimensional.

Se $\mathbf{p}_{1f}$ e $\mathbf{p}_{2f}$ são os momentos finais das duas partículas, o momento do sistema na configuração final é

$$\mathbf{P}_f = \mathbf{p}_{1f} + \mathbf{p}_{2f} \tag{9.6.2}$$

e a *conservação do momento*, $\mathbf{P}_i = \mathbf{P}_f$, juntamente com as (9.6.1) e (9.6.2), leva a

$$\mathbf{P}_{1i} = \mathbf{p}_{1f} + \mathbf{p}_{2f} \tag{9.6.3}$$

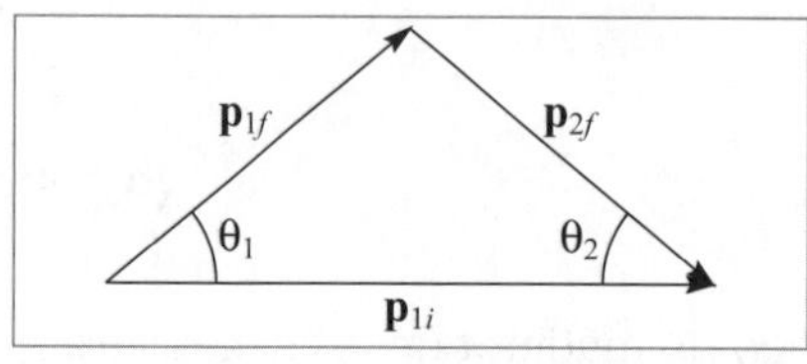

Figura 9.10 Momentos inicial e final.

Esta relação mostra que os três vetores pertencem ao mesmo plano, que se chama *plano de colisão*. Vamos adotar neste plano um sistema de coordenadas cartesianas Oxy com origem na posição inicial do alvo e eixo $Ox//\mathbf{p}_{1i}$ (Figura 9.9). A configuração final é então caracterizada pelas magnitudes p_{1f}, p_{2f} de $\mathbf{p}_{1f}$ e $\mathbf{p}_{2f}$ e pelos ângulos θ_1 e θ_2 que as direções desses vetores, respectivamente, fazem com Ox (Figuras 9.9 e 9.10).

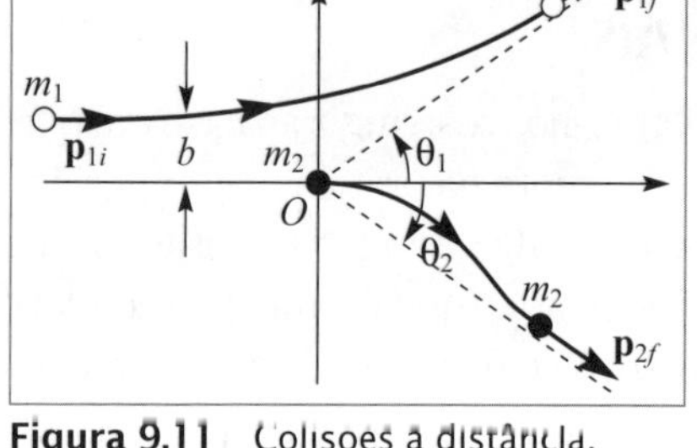

Figura 9.11 Colisões à distância.

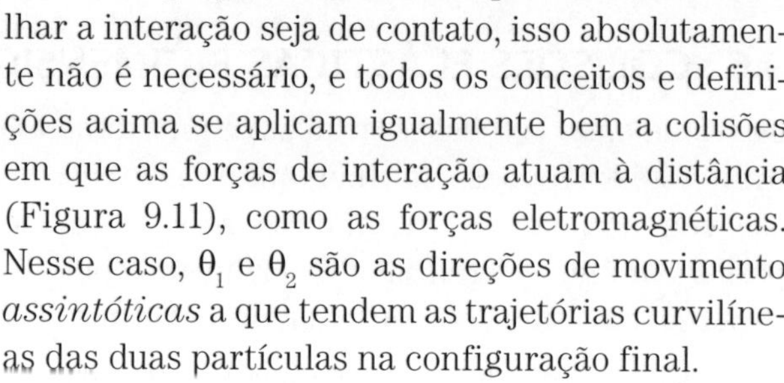

Note que, embora no exemplo das bolas de bilhar a interação seja de contato, isso absolutamente não é necessário, e todos os conceitos e definições acima se aplicam igualmente bem a colisões em que as forças de interação atuam à distância (Figura 9.11), como as forças eletromagnéticas. Nesse caso, θ_1 e θ_2 são as direções de movimento *assintóticas* a que tendem as trajetórias curvilíneas das duas partículas na configuração final.

A (9.6.3) equivale a duas equações escalares para as componentes x e y dos vetores:

$$\begin{cases} p_{1f}\cos\theta_1 + p_{2f}\cos\theta_2 = p_{1i} \\ p_{1f}\,\mathrm{sen}\,\theta_1 - p_{2f}\,\mathrm{sen}\,\theta_2 = 0 \end{cases} \tag{9.6.4}$$

As energias cinéticas inicial e final são dadas por

$$T_i = \frac{\mathbf{p}_{1i}^{\;2}}{2m_1} \tag{9.6.5}$$

$$T_f = \frac{\mathbf{p}_{1f}^{\;2}}{2m_1} + \frac{\mathbf{p}_{2f}^{\;2}}{2m_2} \tag{9.6.6}$$

Como estamos supondo a colisão *elástica*, temos $T_i = T_f$, ou seja,

$$\boxed{\frac{p_{1i}^{\;2}}{2m_1} = \frac{p_{1f}^{\;2}}{2m_1} + \frac{p_{2f}^{\;2}}{2m_2}} \tag{9.6.7}$$

As (9.6.4) e (9.6.7) são *três* equações escalares nas *quatro* incógnitas p_{1f}, p_{2f}, θ_1 e θ_2. Isto confirma o que dissemos acima: não é possível, em geral, determinar a configuração final sem fornecer mais um dado (isto foi possível no caso unidimensional porque $\theta_1 = 0$ ou π e $\theta_2 = 0$ neste caso). O dado extra pode ser o parâmetro de choque b, se as forças de interação são conhecidas, pois isto permite, em princípio, calcular as trajetórias.

Podemos também definir a configuração final considerada dando o valor de uma das incógnitas, por exemplo θ_1, o que permite determinar as outras.

Vamos considerar primeiro o caso particular de uma colisão elástica entre partículas de mesma massa.

(a) Massas iguais

Seja $m_1 = m_2 = m$. A (9.6.7) dá então

$$p_{1i}^2 = p_{1f}^2 + p_{2f}^2 \tag{9.6.8}$$

Por outro lado, elevando ao quadrado ambos os membros da (9.6.3) (ou seja, tomando o produto escalar dos vetores por eles mesmos), vem

$$p_{1i}^2 = (\mathbf{p}_{1f} + \mathbf{p}_{2f}) \cdot (\mathbf{p}_{1f} + \mathbf{p}_{2f}) = p_{1f}^2 + p_{2f}^2 + 2\mathbf{p}_{1f} \cdot \mathbf{p}_{2f} \tag{9.6.9}$$

o que, pela (7.1.4), não passa da lei dos cossenos aplicada ao triângulo da segunda Figura 9.10. Comparando as (9.6.8) e (9.6.9), concluímos que (Figura 9.9)

$$\mathbf{p}_{1f} \cdot \mathbf{p}_{2f} = 0 \;\left\{ \theta_1 + \theta_2 = \frac{\pi}{2} \right. \tag{9.6.10}$$

(a (9.6.8) é o teorema de Pitágoras aplicado ao triângulo da Figura 9.10, que é retângulo). Logo, *as direções de movimento de duas partículas de massas iguais, após uma colisão elástica com uma delas inicialmente em repouso, são perpendiculares.* É fácil verificar isto em fotos estroboscópicas de colisões entre bolas de bilhar ou nas trilhas deixadas por prótons em emulsões fotográficas em colisões próton-próton.

Este resultado pode ser compreendido de forma bastante simples através da análise da colisão *no referencial do centro de massa.* Como o CM se move com movimento retilíneo e uniforme, este é um referencial inercial, e veremos que uma colisão de duas partículas (não necessariamente de massas iguais) é descrita de forma particularmente simples nele. O referencial usado até aqui, em que o alvo está em repouso antes da colisão, é chamado de *referencial do laboratório.* Vamos indicar por linhas (′) as grandezas referidas ao referencial do CM.

Como o CM é também o *centro de momento*, temos (cf. (8.1.19))

$$\mathbf{p}'_{1i} + \mathbf{p}'_{2i} = \mathbf{p}'_{1f} + \mathbf{p}'_{2f} = 0 \tag{9.6.11}$$

Logo, na configuração inicial, vista do CM, as partículas se aproximam uma da outra ao longo do eixo x, com momentos iguais e contrários, $\mathbf{p}'_{1i} = -\mathbf{p}'_{2i}$. Na configuração final, vista do CM, elas se afastam uma da outra, também com momentos iguais e contrários, $\mathbf{p}'_{1f} = -\mathbf{p}'_{2f}$. Logo, se θ'_1 é o ângulo entre $\mathbf{p}'_{1f}$ e o eixo dos x (Figura 9.12), o ângulo θ'_2 entre $\mathbf{p}'_{2f}$ e esse eixo vale $\pi - \theta'_1$, ou seja,

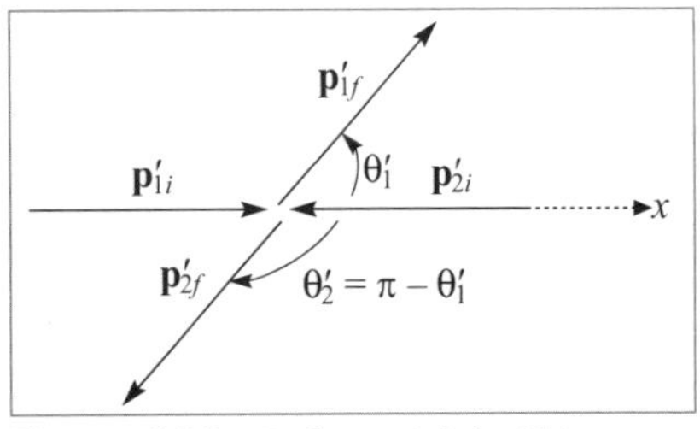

Figura 9.12 Referencial do CM.

$$\theta_1' + \theta_2' = \pi \qquad \textbf{(9.6.12)}$$

Por conseguinte, a descrição da colisão no referencial do CM é bem mais simples, quaisquer que sejam m_1 e m_2.

Voltemos agora ao caso de $m_1 = m_2 = m$ e vejamos como passar do referencial do CM ao referencial do laboratório. Para simplificar, chamemos $\mathbf{v}_{1i}$ de $\mathbf{v}_1$. A (9.5.2) mostra então que

$$\mathbf{v}_{CM} = \frac{\mathbf{v}_1}{2} \qquad \textbf{(9.6.13)}$$

Logo, as velocidades $\mathbf{v}'$ relativas ao CM estão relacionadas com as velocidades $\mathbf{v}$ correspondentes no laboratório por

$$\mathbf{v}' = \mathbf{v} - \mathbf{v}_{CM} = \mathbf{v} - \frac{\mathbf{v}_1}{2} \quad \left\{ \mathbf{v} = \mathbf{v}' + \frac{1}{2}\mathbf{v}_1 \right. \qquad \textbf{(9.6.14)}$$

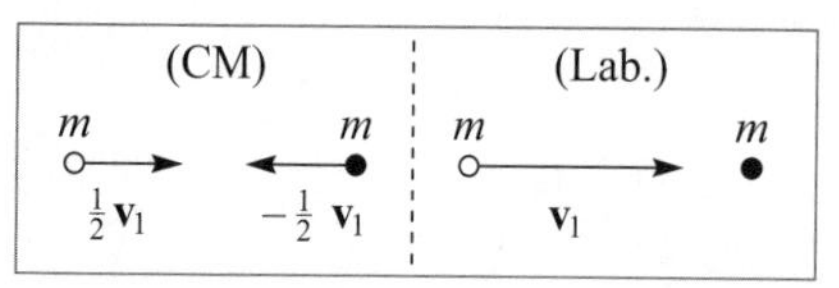

Figura 9.13 Velocidades iniciais nos dois referenciais.

A Figura 9.13 ilustra o efeito desta transformação sobre a configuração inicial.

A Figura 9.14 mostra o efeito da mesma transformação sobre a configuração final.

Como $\left|\mathbf{v}'_{1f}\right| = \left|\mathbf{v}'_{2f}\right| = \frac{1}{2}v_1$, o triângulo formado por $\mathbf{v}'_{1f}$, $\mathbf{v}_{CM}$ e $\mathbf{v}_{1f}$ é isósceles. Logo, seus ângulos da base são iguais, e a Figura 9.14 mostra que o valor comum desses ângulos é θ_1. Analogamente, no triângulo isósceles formado por $\mathbf{v}'_{2f}$, $\mathbf{v}_{CM}$ e $\mathbf{v}_{2f}$, os ângulos da base têm o valor comum θ_2. A figura mostra então que

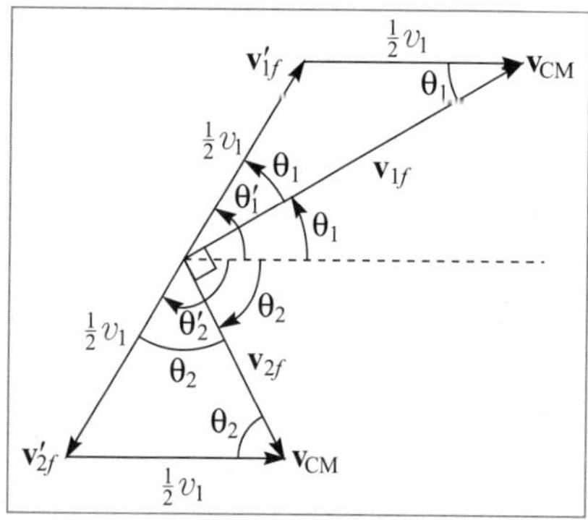

Figura 9.14 Velocidades finais nos dois referenciais.

$$\theta_1 = \frac{1}{2}\theta_1' \quad \theta_2 = \frac{1}{2}\theta_2' \qquad \textbf{(9.6.15)}$$

é a relação entre os ângulos de desvio no laboratório e no referencial do CM. As (9.6.15) e (9.6.12) dão então $\theta_1 + \theta_2 = \pi/2$, o que coincide com a (9.6.10).

Para uma colisão com ângulo de desvio θ_1, as magnitudes dos momentos finais se obtém imediatamente do triângulo retângulo formado por $\mathbf{p}_{1i}$, $\mathbf{p}_{1f}$ e $\mathbf{p}_{2f}$ (Figura 9.15):

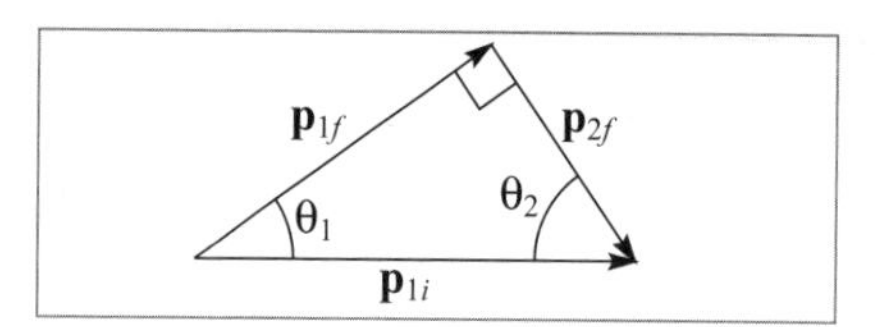

Figura 9.15 Momento para massas iguais.

$$\begin{cases} p_{1f} = p_{1i}\cos\theta_1 \\ p_{2f} = p_{1i}\,\text{sen}\,\theta_1 \end{cases} \qquad \textbf{(9.6.16)}$$

(b) Caso geral

No caso geral em que m_1 e m_2 podem ser desiguais, a (9.6.7) se escreve

$$p_{2f}^{\,2} = \lambda\left(p_{1i}^{\,2} - p_{1f}^{\,2}\right) \tag{9.6.17}$$

onde λ é novamente definido pela (9.4.7).

Por outro lado, a (9.6.3) dá

$$p_{2f}^{\,2} = \left(\mathbf{p}_{1i} - \mathbf{p}_{1f}\right)^2 = p_{1i}^{\,2} + p_{1f}^{\,2} - p_{1i}p_{1f}\cos\theta_1 \tag{9.6.18}$$

o que também corresponde à lei dos cossenos no triângulo da Figura 9.10. Igualando as (9.6.17) e (9.6.18), obtemos

$$(1+\lambda)\,p_{1f}^{\,2} - 2p_{1i}\cos\theta_1 p_{1f} + (1-\lambda)\,p_{1i}^{\,2} = 0 \tag{9.6.19}$$

Se definirmos a colisão dando o valor de θ_1 (veja discussão após a (9.6.7)), a (9.6.19) é uma equação do 2º grau para a determinação da incógnita p_{1f}. Como $p_{1f} = |\mathbf{p}_{1f}|$, a solução só é aceitável se for real e ≥ 0. Para que as raízes da (9.6.19) sejam reais, devemos ter

$$b^2 - 4ac = 4p_{1i}^{\,2}\cos^2\theta_1 - 4\left(1-\lambda^2\right)p_{1i}^{\,2} = 4p_{1i}^{\,2}\left[\cos^2\theta_1 - \left(1-\lambda^2\right)\right] \geq 0 \tag{9.6.20}$$

ou seja,

$$\cos^2\theta_1 - 1 + \lambda^2 = \lambda^2 - \operatorname{sen}^2\theta_1 \geq 0 \tag{9.6.21}$$

As raízes da (9.6.19) são

$$p_{1f} = \frac{p_{1i}}{1+\lambda}\left[\cos\theta_1 \pm \sqrt{\cos^2\theta_1 - \left(1-\lambda^2\right)}\right] \tag{9.6.22}$$

mas só corresponde a uma solução aceitável uma raiz tal que $p_{1f} \geq 0$.

(i) Se $m_2 > m_1$, ou seja, $\lambda > 1$, a (9.6.21) é sempre satisfeita, qualquer que seja θ_1, $0 \leq \theta_1 \leq \pi$. Por outro lado, o radical da (9.6.22) é sempre $> \cos\theta_1$, para $\lambda > 1$, de modo que só é aceitável a solução com sinal +.

(ii) Se $m_2 < m_1$, ou seja, $\lambda < 1$, a (9.6.21) leva a

$$\operatorname{sen}\theta_1 \leq \operatorname{sen}\theta_{1\,\text{máx}} = \lambda = m_2 / m_1 < 1 \tag{9.6.23}$$

ou seja, existe um valor máximo do ângulo θ_1: $\theta_1 \leq \theta_{1\text{máx}}$. Em particular, se $\lambda << 1$, também é $\theta_{1\text{máx}} << 1$, ou seja, uma partícula pesada que colide elasticamente com uma partícula leve em repouso quase não sofre deflexão.

Para $\lambda < \lambda_{1\text{máx}} < 1$, as duas raízes na (9.6.22) são aceitáveis (dão $p_{1f} \geq 0$); pode-se verificar que elas correspondem a valores diferentes de θ_2 (colisões com parâmetros de choque diferentes).

Para $m_1 = m_2$ ($\lambda = 1$), a (9.6.15) mostra que qualquer colisão leva ambas as partículas somente ao hemisfério dianteiro ($0 \leq \theta_1 \leq \pi/2$; $0 \leq \theta_2 \leq \pi/2$).

9.7 COLISÕES INELÁSTICAS BIDIMENSIONAIS

Consideremos agora uma colisão *inelástica* entre uma partícula de massa m_1 e momento inicial $\mathbf{p}_1$ e um alvo de massa m_2 em repouso. Vamos supor que a configuração final também contém duas partículas, mas que podem ser diferentes das iniciais, o que ocorre frequentemente, por exemplo em muitas reações nucleares. Sejam m_3 e m_4 as massas das partículas finais, e $\mathbf{p}_3$ e $\mathbf{p}_4$ os momentos finais respectivos.

Em lugar da (9.6.3), a conservação do momento dá agora

$$\mathbf{p}_1 = \mathbf{p}_3 + \mathbf{p}_4 \qquad \textbf{(9.7.1)}$$

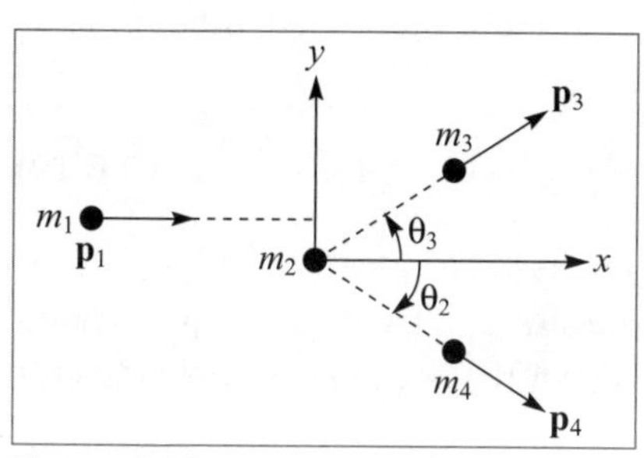

Figura 9.16 Colisão inelástica.

O raciocínio da Seç. 9.6 permanece válido: temos ainda um *plano de colisão*, e o problema é bidimensional Sejam θ_3 e θ_4 os ângulos entre as direções de movimento correspondentes a $\mathbf{p}_3$ e $\mathbf{p}_4$ e o eixo dos x, tomado na direção de $\mathbf{p}_1$ (Figura 9.16).

Uma vez que a colisão é inelástica, a grandeza

$$Q = T_f - T_i = T_3 + T_4 - T_1 \qquad \textbf{(9.7.2)}$$

é $\neq 0$. Esta grandeza se chama o "*fator Q*" associado à colisão. Se $Q < 0$, parte da energia cinética inicial é *perdida*, convertendo-se em outra forma de energia, e o processo se diz *endoérgico*; se $Q > 0$, há um ganho de energia cinética, e o processo é *exoérgico*.

A medida do "Q" de uma reação nuclear é um dado importante sobre a mesma. Em confronto com a situação da Seç. 9.6, temos agora uma incógnita adicional (Q), de modo que é preciso dar duas grandezas associadas à configuração final para que as leis de conservação de momento e energia a definam. É comum medir a energia cinética de um dos produtos da reação, por exemplo, T_3, e o ângulo de desvio θ_3 correspondente, utilizando estes dados para determinar Q.

O análogo da (9.6.18) é agora

$$p_4^2 = (\mathbf{p}_1 - \mathbf{p}_3)^2 = p_1^2 + p_3^2 - 2p_1p_3\cos\theta_3 \qquad \textbf{(9.7.3)}$$

ao passo que a (9.6.7) é substituída pela (9.7.2). Vamos exprimir os resultados em termos de energias cinéticas, usando a (9.4.3), que dá

$$p = \sqrt{2mT} \qquad \textbf{(9.7.4)}$$

Note que temos de fazer a hipótese de que os produtos da reação têm velocidades não relativísticas para que o tratamento seja válido; nas reações nucleares, esta hipótese é violada em muitos casos, mas pode ser aplicada a diversas reações.

Substituindo a (9.7.4) na (9.7.3), obtemos

$$T_4 = \frac{p_4^2}{2m_4} = \frac{m_1}{m_4}T_1 + \frac{m_3}{m_4}T_3 - 2\frac{\sqrt{m_1m_3T_1T_3}}{m_4}\cos\theta_3 \qquad \textbf{(9.7.5)}$$

e a (9.7.2) dá então

$$\boxed{Q = \left(1 + \frac{m_3}{m_4}\right)T_3 - \left(1 - \frac{m_1}{m_4}\right)T_1 - 2\frac{\sqrt{m_1 m_3 T_1 T_3}}{m_4}\cos\theta_3} \qquad \textbf{(9.7.6)}$$

que dá o valor de Q em função dos dados obtidos na medida (T_3, θ_3).

Exemplo: Consideremos a reação nuclear

$$d + d \to p + t \qquad \textbf{(9.7.7)}$$

onde d é o dêuteron (núcleo do hidrogênio pesado, H^2, de massa $m_1 \approx 2$ u.m.a.. (unidades de massa atômica), p é o próton (massa $m_3 \approx 1$ u.m.a.) e t é o tríton (núcleo do trítio, H^3, isótopo instável do hidrogênio de massa $m_4 \approx 3$ u.m.a.).

Bombardeando um alvo de deutério (em repouso) com um feixe de dêuterons de energia $T_1 = 4$ MeV, verifica-se que os prótons que emergem a 90° da direção do feixe incidente têm uma energia de 4 MeV. Qual é o Q da reação (9.7.7)?

Para obtê-lo, basta substituir os dados na (9.7.6)

$$\left\{\begin{bmatrix} \theta_3 = 90° \Rightarrow \cos\theta_3 = 0 \\ T_1 = T_3 = 4 \text{ MeV} \\ \frac{m_3}{m_4} \approx \frac{1}{3}; \quad \frac{m_1}{m_4} \approx \frac{2}{3} \ldots \end{bmatrix}\right\} \quad Q = \left(\frac{4}{3} - \frac{1}{3}\right) \times 4 \text{ MeV} = 4 \text{ MeV}$$

Consideremos ainda uma reação *de captura*, que é uma colisão totalmente inelástica, como as da Seç. 9.5, na qual as partículas emergem "grudadas" (por exemplo, $n + p \to d$). Para um alvo em repouso, a conservação do momento dá

$$m_1\mathbf{v}_i = (m_1 + m_2)\mathbf{v}_f \quad \left\{ \mathbf{v}_f = \frac{m_1}{m_1 + m_2}\mathbf{v}_i \right. \qquad \textbf{(9.7.8)}$$

como na (9.5.3). A energia cinética final é portanto

$$T_f = \frac{1}{2}(m_1 + m_2)\mathbf{v}_f^2 = \frac{1}{2}\frac{m_1^2}{m_1 + m_2}\mathbf{v}_i^2 = \frac{m_1}{m_1 + m_2}T_i \qquad \textbf{(9.7.9)}$$

onde $T_i = \frac{1}{2}m_1\mathbf{v}_i^2$ é a energia cinética inicial.

Logo, o Q da reação é dado por

$$Q = T_f - T_i = \left(\frac{m_1}{m_1 + m_2} - 1\right)T_i$$

ou seja,

$$Q = -\frac{m_2}{m_1 + m_2}T_i = -\frac{1}{2}\left(\frac{m_1 m_2}{m_1 + m_2} - 1\right)\mathbf{v}_i^2 \qquad \textbf{(9.7.10)}$$

Vemos que uma reação deste tipo é sempre *endoérgica* (há perda de energia cinética), como seria de se esperar.

Conforme foi mencionado na Seç. 9.5, a (9.7.10) representa a maior perda possível de energia cinética, numa colisão entre duas partículas, compatível com a conservação da energia cinética do centro de massa do sistema, ou seja, deve representar a energia cinética *interna* (do movimento relativo ao CM). Vemos na (9.7.10) que é a energia cinética que teria uma partícula de velocidade $\mathbf{v}_1$ e massa igual a $m_1 m_2/(m_1 + m_2)$, que se chama a *massa reduzida* do sistema.

PROBLEMAS

9.1 Calcule a magnitude (em kgf) da força impulsiva que atua em cada um dos exemplos seguintes: (a) Num saque de jogo de tênis, a bola, de massa igual a 60 g, é lançada com uma velocidade de 40 m/s; o tempo de contato com a raquete é da ordem de 0,005 s. (b) Um jogador de futebol cobra um pênalti, chutando a bola com uma velocidade de 20 m/s. A massa da bola é de 450 g e a duração do chute da ordem de 0,01 s. (c) Uma pessoa de 80 kg pula do alto de um muro de 2,5 m de altura, caindo em pé (sem dobrar os joelhos). A duração do impacto é de 0,01 s. É melhor dobrar os joelhos! (d) Um carro de 1,5 tonelada, a 60 km/h, bate num muro. A duração do choque é de 0,1 s.

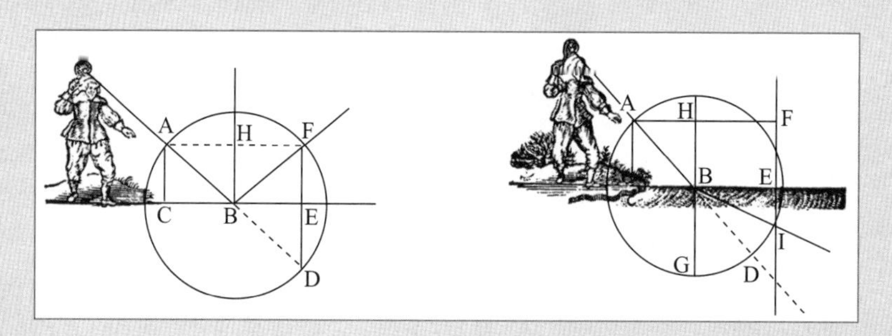

9.2 Na teoria corpuscular da luz, no século XVII, imaginava-se um feixe de luz como constituído de corpúsculos muito pequenos, movendo-se com velocidade muito elevada. A figura acima, reproduzida do célebre "Discurso sobre o método" de René Descartes, mostra a explicação corpuscular da reflexão e da refração da luz. A reflexão seria análoga à colisão elástica de uma bola de tênis com uma parede impenetrável. Ao atravessar a superfície de separação entre dois meios transparentes distintos (ar e água, por exemplo), um corpúsculo luminoso teria sua velocidade alterada pelo efeito de uma força impulsiva normal à superfície de separação, prosseguindo depois em seu movimento livre da ação de forças, como uma bola de tênis que penetra na água. Sejam θ_1, θ_1' e θ_2 os ângulos de incidência, reflexão, e refração respectivamente. Mostre que este modelo explicaria as leis da reflexão e da refração: raios refletido e refratado estão no plano de incidência, com $\theta_1' = \theta_1$, sen θ_1 /sen $\theta_2 = n_{12}$, e calcule o índice de refração relativo n_{12} do segundo meio em relação ao primeiro em função das velocidades v_1 e v_2 dos corpúsculos nos meios 1 e 2. A velocidade dos corpúsculos seria maior no ar ou na água?

9.3 Considere a colisão elástica entre duas partículas de massas m_1 e m_2 que se movem em uma dimensão. (a) Verifique, a partir das (9.4.11), que a velocidade do CM se conserva na colisão. (b) Calcule as velocidades iniciais v'_{1i}, v'_{2i} das duas partículas em relação ao CM do sistema, exprimindo-as em função da velocidade relativa inicial v_{ri} da partícula 2 em relação à partícula 1 e da massa total $M = m_1 + m_2$. Qual é a relação entre v'_{ri} e v_{ri}? (c) Faça o mesmo para as velocidades finais v'_{1f} e v'_{2f} em relação ao CM, com auxílio das (9.4.11). Qual é a relação entre v'_{rf} e v_{rf} (a velocidade relativa final)? E entre v'_{rf} e v'_{ri}? (d) Interprete os resultados de (a) a (c), descrevendo como ocorre a colisão vista do referencial do CM.

9.4 Considere um sistema qualquer de duas partículas, de massas m_1 e m_2 e velocidades $\mathbf{v}_1$ e $\mathbf{v}_2$. Sejam T_1 e T_2 as energias cinéticas das duas partículas, e $\mathbf{v}_r$ a velocidade relativa da partícula 2 em relação à partícula 1. (a) Mostre que os momentos das duas partículas em relação ao CM são dados por: $\mathbf{p}'_1 = -\mu\mathbf{v}_r = -\mathbf{p}'_2$, onde $\mu = m_1m_2/M$ (com $M = m_1 + m_2$) chama-se a *massa reduzida* do sistema de duas partículas. Note que $1/\mu = (1/m_1) + (1/m_2)$. (b) Mostre que a energia cinética total é dada por $T_1 + T_2 = T'_1 + T'_2 + \frac{1}{2}M\mathbf{v}^2_{CM}$, onde T'_1 e T'_2 são as energias cinéticas relativas ao CM e $\mathbf{v}_{CM}$ é a velocidade do CM. (c) Mostre que a energia cinética relativa ao CM (energia cinética interna) é dada por $T'_1 + T'_2 + \frac{1}{2}\mu\mathbf{v}^2_r$. Combinando os resultados de (b) e (c), vemos que a *energia cinética total é a soma da energia cinética associada ao movimento do* CM, *com massa igual à massa total, mais a energia cinética do movimento relativo, equivalente à de uma partícula de massa igual à massa reduzida e velocidade igual à velocidade relativa.* Mostre que, para um sistema isolado de duas partículas, a energia cinética interna se conserva numa colisão elástica entre elas. Mostre que o fator Q de uma colisão inelástica (Seç. 9.7) é igual a variação da energia cinética interna.

9.5 Uma partícula de massa m desloca-se com velocidade v em direção a duas outras idênticas, de massa m', alinhadas com ela, inicialmente separadas e em repouso (veja Figura). As colisões entre as partículas são todas elásticas. (a) Mostre que, para $m \leq m'$ haverá duas colisões, e calcule as velocidades finais das três partículas. (b) Mostre que, para $m > m'$, haverá três colisões, e calcule as velocidades finais das três partículas. (c) Verifique que, no caso (a), o resultado para a primeira e a terceira partícula é o mesmo que se a partícula intermediária não existisse.

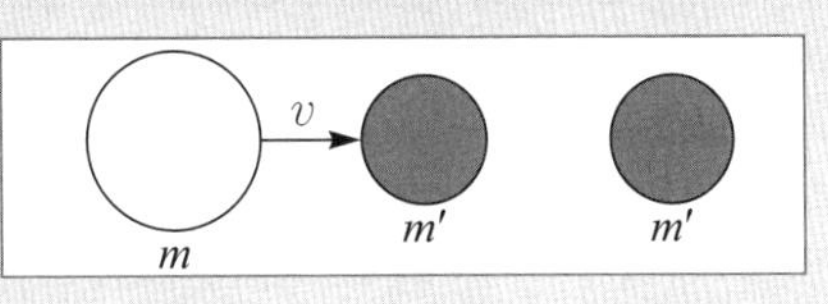

9.6 (a) Que fração f da energia cinética é transferida por uma partícula de massa m, que se move com velocidade v, numa colisão frontal elástica com uma partícula de massa m' inicialmente em repouso? Exprima o resultado em função da razão $\lambda = m'/m$. Para que valor de λ a transferência é máxima, e quanto vale? (b) Coloca-se entre as duas partículas uma terceira, de massa m'', *em repouso, alinhada com m e m'. Mostre que a transferência de energia cinética de m para m' é*

máxima quando $m'' = \sqrt{mm'}$. Mostre que, para $m \neq m'$, a presença da partícula intermediária possibilita transferir mais energia cinética de m para m' do que no caso (a).

9.7 Num brinquedo bem conhecido, uma série de bolinhas metálicas idênticas, suspensas por fios idênticos presos a um suporte, estão inicialmente todas em contato. Se um determinado número n de bolas é deslocado conjuntamente da posição de equilíbrio e solto (Figura), o efeito da colisão com as demais é transferir a velocidade v com que colidem a um igual número de bolas na outra extremidade, suspendendo-as. (a) Supondo que o efeito da colisão fosse transferir uma velocidade v' a n' bolas adjacentes situadas na outra extremidade, as colisões sendo todas elásticas, mostre que se tem, necessariamente, $n' = n$ e $v' = v$. (b) Tomando $n = 2$, e supondo que o efeito da colisão seja transferir velocidades v_1 e v_2 às duas bolas situadas mais à direita (Figura), mostre que, necessariamente $v_1 = v_2 = v$.

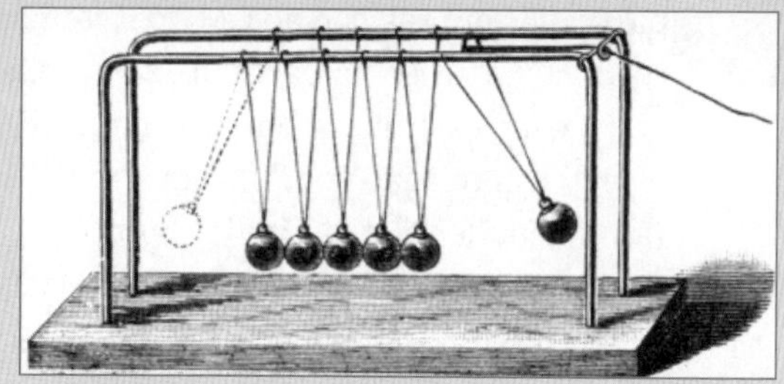

9.8 Uma bala de 5 g incide sobre um pêndulo balístico de massa igual a 2 kg com uma velocidade de 400 m/s, atravessa-o e emerge do outro lado com uma velocidade de 100 m/s. Calcule a altura de elevação do pêndulo, desprezando a elevação durante o tempo que a bala leva para atravessá-lo. Verifique a validade desta aproximação.

9.9 Durante a madrugada, um carro de luxo, de massa total igual a 2.400 kg, bate na traseira de um carro de massa total 1.200 kg, que estava parado num sinal vermelho. O motorista do carro de luxo alega que o outro estava com as luzes apagadas, e que ele vinha reduzindo a marcha ao aproximar-se do sinal, estando a menos de 10 km/h quando o acidente ocorreu. A perícia constata que o carro de luxo arrastou o outro de uma distância igual a 10,5 m, e estima o coeficiente de atrito cinético com a estrada no local do acidente em 0,6. Calcule a que velocidade o carro de luxo vinha realmente.

9.10 O balconista de uma mercearia, para atender a um cliente que pediu 200 g de creme de leite fresco, coloca o recipiente vazio sobre uma balança de mola, acerta o zero e despeja o creme sobre o recipiente desde uma altura de 75 cm. Depois de 2 s, com a balança marcando 200 g, o balconista, mais que depressa, retira o recipiente de cima da balança. Que quantidade de creme de leite o cliente realmente leva?

9.11 Um caminhão carregado, de massa total 3 toneladas, viajando para o norte a 60 km/h, colide com um carro de massa total 1 tonelada, trafegando para leste a 90 km/h, num cruzamento. Calcule em que direção e de que distância o carro é arrastado pelo caminhão, sabendo que o coeficiente de atrito cinético no local do acidente é 0,5.

9.12 Uma partícula de velocidade v_0 colide elasticamente com outra idêntica em repouso. No referencial do CM, a direção de movimento é desviada de 60° em virtude da colisão. Calcule os ângulos de deflexão, em relação à direção de movimento da partícula incidente, e as magnitudes das velocidades das duas partículas após a colisão, no referencial do laboratório.

9.13 Um átomo de hidrogênio, movendo-se com velocidade v, colide elasticamente com uma molécula de hidrogênio em repouso, sofrendo uma deflexão de 45°. Calcule: (a) a magnitude da velocidade do átomo após a colisão; (b) a direção de movimento da molécula (com respeito à direção inicial de movimento do átomo) e a magnitude de sua velocidade.

9.14 Uma partícula de massa m e velocidade inicial $\mathbf{u}$ colide elasticamente com outra de massa M, inicialmente em repouso no referencial do laboratório. Após a colisão, a partícula de massa m foi defletida de um ângulo de 90°, e a magnitude da sua velocidade foi reduzida para $u / \sqrt{3}$, onde $u = |\mathbf{u}|$. A partícula de massa M emerge da colisão com velocidade de magnitude v, numa direção que faz um ângulo θ com $\mathbf{u}$. (a) Determine θ; (b) Calcule a razão $\lambda = M/m$ e o valor de v. (c) Determine os ângulos θ'_m e θ'_M entre as direções de movimento finais de m e M, respectivamente, e a direção de $\mathbf{u}$, no referencial do CM.

9.15 A descoberta do nêutron pelo físico inglês James Chadwick em 1932 baseou-se na seguinte observação: o berílio, quando bombardeado por partículas alfa, produzia partículas neutras, de massa e velocidade desconhecidas. Quando estas partículas colidiam elasticamente com prótons, a velocidade máxima de recuo dos prótons era de $3{,}3 \times 10^7$ m/s. Quando colidiam elasticamente com núcleos de nitrogênio (de massa ≈ 14 vezes a do próton), a velocidade máxima de recuo dos núcleos de nitrogênio era de $4{,}7 \times 10^6$ m/s ± 10%. Que podemos concluir destes dados sobre: (a) a razão da massa das partículas neutras desconhecidas para a massa de próton? (b) a velocidade das partículas desconhecidas?

9.16 Qual é o ângulo máximo de espalhamento elástico de uma partícula alfa por um nêutron em repouso? (massa da alfa ≈ 4 × massa do nêutron). Neste ângulo, que fração da energia cinética incidente vai para o nêutron de recuo, e qual é o ângulo entre a direção do recuo e a de incidência?

9.17 Na reação $d + d \rightarrow p + t$, cujo fator Q é de 4 MeV (Seç. 9.7), tem-se um feixe de d de 3 MeV incidente sobre um alvo contendo d em repouso. Tome as massas como sendo $m_p = 1$ u.m.a. (unidade de massa atômica), $m_d = 2$ u.m.a. e $m_t = 3$ u.m.a. (a) Qual é a energia (em MeV) dos p emergentes a 45° da direção de incidência? (b) Qual é a energia dos t associados a esses p? (c) Em que direção emergem estes t, relativamente à direção de incidência?

9.18 O espalhamento elástico de um próton por um núcleo alvo desconhecido em repouso é observado numa câmara de bolhas, onde existe um campo magnético perpendicular ao plano de movimento do próton. Verifica-se que o próton é desviado de 60° e que o raio de curvatura da sua trajetória é reduzido por um fator de 0,946 em consequência da colisão. Identifique o núcleo alvo.

9.19 Um disco circular de raio a, que se desloca sobre um colchão de ar com velocidade v e atrito desprezível, colide com um disco idêntico em repouso. O parâmetro de choque é b (cf. Figura e Seç. 9.6). (a) Considere a colisão no referencial do CM. Levando em conta que a força de contato entre os discos no instante da colisão está dirigida segundo a linha que une os dois centros O e O', determine o ângulo de que se desviam os momentos dos dois discos neste referencial. (b) Determine as direções e magnitudes das velocidades dos dois discos após a colisão, no referencial do laboratório.

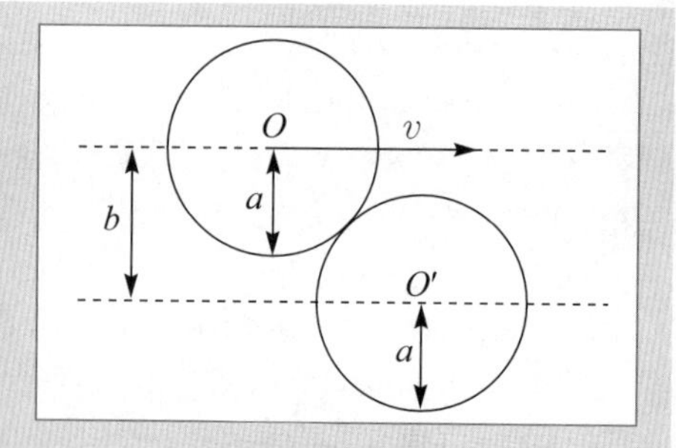

9.20 Para explicar a resistência do ar (mais geralmente, de qualquer fluido) ao movimento de um corpo através dele, Newton propôs o seguinte modelo. O fluido é imaginado como sendo composto de um grande número (n por unidade de volume) de partículas em repouso, de massa m (muito pequena) cada uma. Quando o corpo, de massa $M >> m$, se desloca com velocidade $\mathbf{v}$ através do fluido, ele vai colidindo com as partículas e vai-lhes transferindo momento dessa forma. A força $\mathbf{F}$ de resistência do fluido resultante é proporcional ao quadrado da velocidade. Calcule essa força, se o corpo é uma placa de área A que se desloca perpendicularmente ao plano da placa, como função de A, $\mathbf{v}$ e da densidade $\rho = n\,m$ do fluido.

10

Gravitação

Ao abordar o estudo da gravitação, estamos considerando uma das quatro únicas interações fundamentais conhecidas. Como vimos (Seç. 5.1), é de todas a mais fraca; usualmente, só se manifesta de forma perceptível na escala astronômica. Por isto, a evolução da teoria da gravitação sempre esteve diretamente ligada à história da astronomia. A evolução das ideias sobre o sistema solar desempenhou um papel especialmente importante. Vamos descrevê-la sucintamente, a partir da mais remota antiguidade.

10.1 AS ESFERAS CELESTES

Há dois aspectos das observações astronômicas que complicam consideravelmente sua interpretação. Um deles é o fato de que os corpos celestes observados são muito distantes da Terra (mesmo os mais próximos), de modo que usualmente só os vemos como pontinhos luminosos, e quando falamos de sua "posição" referimo-nos em geral à *direção* em que são observados, sem que possamos estimar a sua *distância*. É natural projetar essas direções sobre a "abóbada celeste", uma esfera imaginária de raio muito grande, como se se tratasse de pontos sobre a superfície dessa esfera.

A outra complicação é devida ao movimento de rotação da Terra em torno do seu eixo. Somos observadores sobre uma espécie de plataforma girante, como um carrossel, e os movimentos aparentes dos corpos celestes vistos da Terra refletem esse movimento de rotação.

A Figura 10.1 mostra a *esfera celeste*, que é a esfera de raio muito grande (muito maior que o raio da Terra) sobre a qual projetamos as posições observadas dos corpos celestes, com seus *polos norte* (PN) e *sul* (PS), projeções dos polos

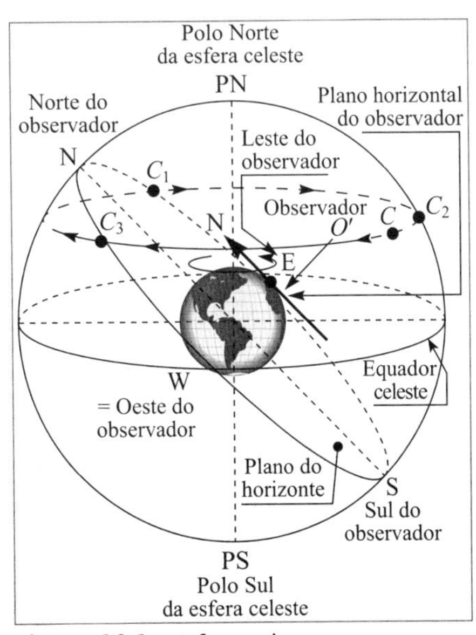

Figura 10.1 Esfera celeste.

correspondentes da Terra, e o *equador celeste*, projeção do equador da Terra sobre a esfera celeste. Consideremos um observador O' na Europa, a cerca de 45° de latitude norte, e o plano horizontal correspondente (tangente à Terra em O'), bem como sua projeção sobre a esfera celeste, o *plano do horizonte*. A figura mostra os pontos cardeais do observador nesse plano, N, S, E e W. A direção N, por exemplo, é aquela em que O' se deslocaria para ir em direção ao polo norte da Terra. A Terra gira em torno de seu eixo (direção PS – PN) no sentido *anti-horário*. Isto produz um movimento aparente do corpo celeste C (Figura 10.1) sobre um círculo $C_1\ C_2\ C_3$ na esfera celeste em sentido oposto, ou seja, *horário*. São círculos deste tipo que aparecem numa fotografia de longa exposição do céu noturno (Fig. 1.8). O observador O' só vê C quando está acima do seu plano do horizonte. Assim, se C é o Sol, por exemplo, O' o veria nascer em C_1, descrever $C_1\ C_2\ C_3$, e pôr-se em C_3; a porção $C_3\ C_1$, abaixo do horizonte, não é vista. Note que somente corpos celestes situados sobre o equador celeste se erguem ao leste verdadeiro do observador e se põem exatamente a oeste.

Em seu movimento circular aparente diário sobre a esfera celeste, o Sol não retorna exatamente ao ponto de partida após 24 horas. Isto pode ser observado a cada pôr de Sol, quando as estrelas aparecem: cada noite, o Sol se terá deslocado de aproximadamente 1° (cerca de duas vezes seu diâmetro aparente) em relação às estrelas vizinhas no horizonte, descrevendo outro círculo (360°) na esfera celeste em um ano.

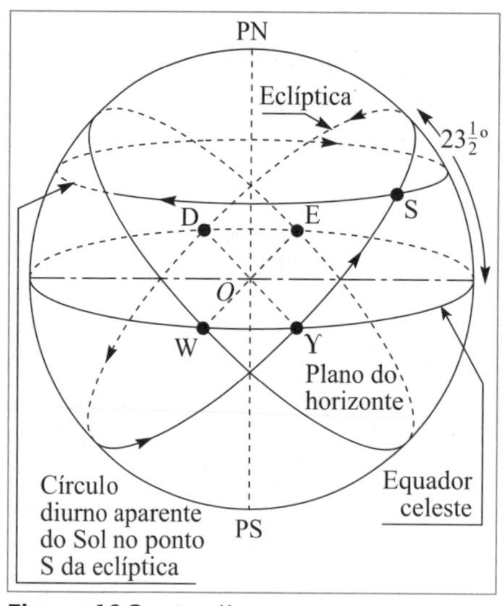

Figura 10.2 A eclíptica.

Este círculo, que representa a órbita aparente do Sol na esfera celeste quando descontamos seu movimento diurno aparente, chama-se a *eclíptica*, e é descrito no sentido *anti-horário* (oposto ao do movimento aparente diurno), ou seja, cada dia o Sol se põe um pouco mais ao leste. O plano da eclíptica (Figura 10.2) está inclinado de $\approx 23\frac{1}{2}^{\circ}$ em relação ao do equador celeste, e corta o plano do equador nos pontos D e Y. Os dias em que o Sol está nesses pontos da eclíptica são os dois únicos dias do ano em que ele se ergue exatamente a leste e se põe exatamente a oeste. São também os dias em que o Sol passa tempos exatamente iguais acima e abaixo do horizonte, ou seja, em que a duração do dia é igual à da noite. São os dias 21 de março (Y) e 22 de setembro (D), que correspondem aos *equinócios* (no hemisfério norte, o primeiro é o de primavera e o segundo o de outono; no hemisfério sul, é o contrário).

O ponto Y, que se chama o 1° *ponto de Áries* (a notação corresponde ao símbolo do Zodíaco), define o análogo do meridiano de Greenwich para a esfera celeste. O análogo da latitude chama-se *declinação* e varia de 0° a + 90° (PN) ou – 90° (PS); o análogo da longitude chama-se *ascensão reta*, e varia de 0° a 360° a partir de ϒ.

Há 5 planetas visíveis a olho nu, conhecidos desde a mais remota antiguidade: Mercúrio, Vênus, Marte, Júpiter e Saturno. A palavra "planeta" se origina de uma palavra grega que significa "errante"; a razão é que, como o Sol e a Lua, os planetas descrevem órbitas aparentes adicionais sobre a esfera celeste depois de descontado o movimento diurno. Essas órbitas, que em geral não se afastam muito do plano da eclíptica, são também descritas geralmente em direção ao leste, ou seja, no sentido contrário ao do movimento diurno (como no caso do Sol). São órbitas fechadas, e o tempo que o planeta leva para voltar ao ponto de partida (visto da Terra!) chama-se o *período sinódico* correspondente: para Mercúrio, é da ordem de 3 meses; para Júpiter e Saturno, é de pouco mais de um ano.

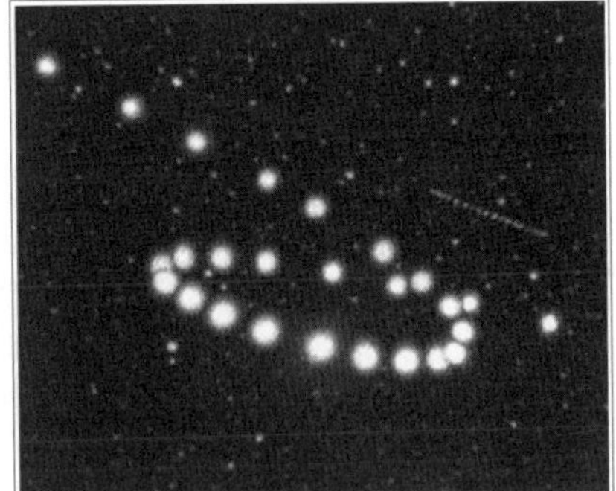

Figura 10.3 Movimento retrógrado de Marte (foto composta de muitas observações).

Ao contrário da eclíptica, as órbitas aparentes dos planetas podem se afastar bastante de órbitas circulares descritas com movimentos aproximadamente uniformes. Em certas épocas (para Mercúrio, 3 vezes por ano), o planeta tem um *movimento retrógrado*, ou seja, "volta para trás" (oeste), descrevendo uma espécie de laço (Figura 10.3).

A ideia mais simples e provavelmente a mais antiga sobre o movimento aparente das estrelas é imaginar que a esfera celeste seja uma esfera material, à qual estão presos os corpos celestes, e que se encontra em rotação uniforme em torno da Terra. Entretanto, este modelo não explicaria o movimento irregular dos planetas.

No princípio do século IV a.C., Platão propôs a seus discípulos um problema que teve grande influência no desenvolvimento posterior das teorias sobre o sistema solar: "Quais são os movimentos uniformes e ordenados cuja existência é preciso supor para explicar os movimentos aparentes dos planetas?" A ideia de Platão era de que todo o universo deveria ser explicável em termos de formas e figuras "perfeitas", como círculos e esferas, e de movimentos uniformes.

Enquanto se tratava somente do movimento aparente diurno das estrelas, bastava imaginar uma "esfera terrestre" fixa e uma "esfera celeste" concêntrica, girando uniformemente em torno da primeira. Entretanto, para explicar ao mesmo tempo os movimentos aparentes diurno e anual, por exemplo para o Sol, segundo o programa platônico, isso não bastava. Eudoxo, discípulo de Platão, imaginou um sistema muito engenhoso; em lugar de duas esferas apenas, haveria diversas "esferas celestes" homocêntricas, presas umas às outras de tal forma que lhes permitisse girar em torno de eixos diferentes (inclinados entre si) com movimentos uniformes de velocidades diferentes, como no sistema de suspensão de um giroscópio. Assim, para o Sol, a esfera externa poderia representar o movimento de rotação diurno; a interna, à qual o Sol estaria preso, giraria solidariamente com a externa, com seu eixo inclinado em relação ao dela, mas ao mesmo tempo giraria em torno dele, correspondendo à rotação anual (eclíptica). Para um planeta, haveria 3 ou 4 esferas, com eixos de inclinação diferentes e com velocidades diferentes, o que permitia reproduzir inclusive os movimentos retrógrados.

Eudoxo aparentemente não pensava nas suas esferas como objetos físicos reais, considerando-as apenas como artefatos matemáticos. Entretanto, Aristóteles interpretou-as como objetos materiais ("esferas cristalinas"), chegando finalmente a um gigantesco mecanismo formado por 55 esferas, todas movidas pela mais externa (o "Motor Primário"). Um sistema deste tipo serviu de base ao esquema do universo descrito por Dante na "Divina Comédia".

10.2 PTOLOMEU

O modelo das esferas celestes continha uma contradição séria com a experiência: o brilho aparente dos planetas varia no decurso de suas órbitas, particularmente quando retrogridem, sugerindo que eles se aproximam e se afastam da Terra, o que seria incompatível com estarem se deslocando sobre uma esfera a distância fixa da Terra.

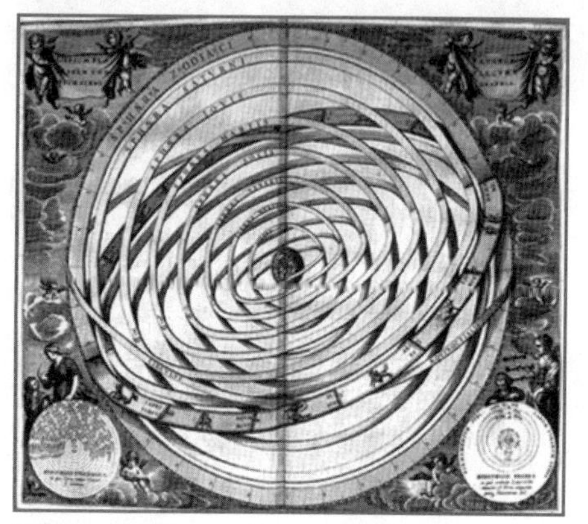

Figura 10.4 O sistema de Ptolomeu: Lua, Sol, planetas e estrelas giram em torno da Terra.

Os próprios astrônomos gregos propuseram um outro modelo que não sofria deste defeito. Ele foi proposto originalmente pelo grande astrônomo grego Hiparco de Rodes, no século II a.C., e depois elaborado por Cláudio Ptolomeu de Alexandria (século II a.D.). O modelo permanece fiel ao programa platônico, empregando somente figuras "perfeitas" – círculos – e movimentos uniformes. O modelo geocêntrico de Ptolomeu (Fig. 10.4) permitiu reproduzir com muito boa aproximação mesmo os aspectos mais complicados observados no movimento dos planetas.

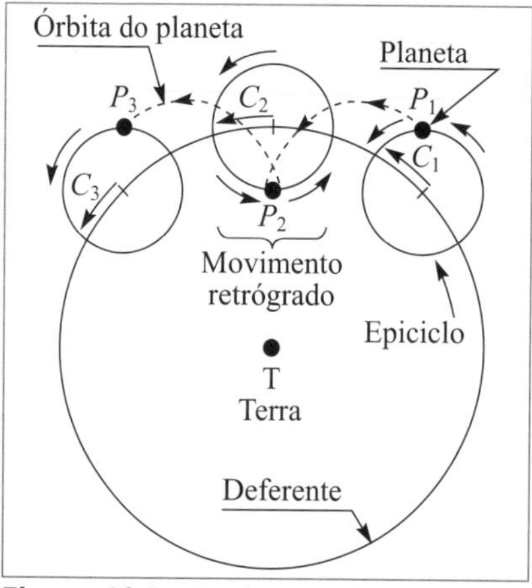

Figura 10.5 Explicação de Ptolomeu do movimento retrógrado.

Como explicar o movimento retrógrado (Fig. 10.3) em termos de movimentos circulares uniformes? A ideia básica é que a órbita do planeta em torno da Terra é a resultante de dois movimentos circulares uniformes acoplados. O planeta (mostrado nas posições sucessivas P_1, P_2, P_3 na Figura 10.5) tem um movimento circular uniforme sobre um círculo ("epiciclo") cujo centro (C_1, C_2, C_3 na figura), por sua vez, se move com movimento circular uniforme sobre outro círculo ("deferente") com centro na Terra. Órbitas deste tipo seriam descritas por um ponto preso na periferia de um disco em rotação se transportássemos o toca-discos como um todo ao longo de uma trajetória circular, com movimento uniforme. A figura mostra como se podem obter assim órbitas de planetas com movimento retrógrado. Vemos ainda que este ocorre na porção do epiciclo interna ao deferente, ou seja, quando o planeta está mais próximo da Terra, devendo então seu brilho aparente ser maior durante o movimento retrógrado. Isto é precisamente o que se observa – o que constituiu um novo sucesso do modelo de Ptolomeu.

Ptolomeu ainda teve de introduzir outras modificações nesse esquema para explicar anomalias adicionais em alguns casos: a velocidade angular do centro do epiciclo em torno da Terra sofre pequenas variações, e o movimento retrógrado não tem sempre o mesmo aspecto e duração.

Ptolomeu mostrou que estas irregularidades podiam ser reproduzidas deslocando a Terra para uma posição T *excêntrica*, isto é, não coincidente com o centro O do círculo deferente, e supondo que o centro C do epiciclo tem velocidade angular uniforme não em relação a O ou T, mas com respeito a outro ponto E chamado "equante" (Figura 10.6).

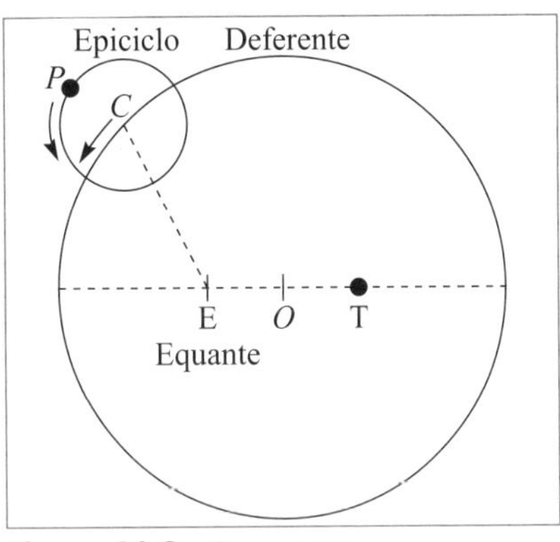

Figura 10.6 O equante.

Com essas adaptações, o modelo de Ptolomeu permitia descrever e prever as posições dos planetas com precisão notável para a época: dentro de aproximadamente 2°. A sua obra, que representa o apogeu da astronomia antiga, pôde assim prevalecer durante mais de 15 séculos. Entre os árabes, a obra de Ptolomeu tornou-se conhecida como o "Almagesto", o que significa "o maior dos livros".

10.3 COPÉRNICO

Nikolaus Koppernik (1473-1543) viveu na época do Renascimento e da Reforma, um período turbulento de grandes inovações em muitos campos, em que muitas autoridades anteriormente aceitas foram questionadas. As explorações dos grandes navegadores exigiam dados mais precisos e mostravam que havia erros na geografia de Ptolomeu – por que não no resto de sua obra? Erros acumulados durante séculos demandavam uma reforma do calendário, tornando necessários melhores conhecimentos de astronomia.

A ideia de um sistema heliocêntrico, ou seja, com o centro das órbitas circulares colocado no Sol, em lugar da Terra, já havia também sido proposta pelos astrônomos gregos – em particular por Aristarco de Samos no século 3 a.C. A rotação diurna aparente da esfera celeste em torno da Terra se explicaria pela rotação da Terra, em sentido oposto, em torno de seu eixo (Fig. 10.1). Analogamente, seria a Terra que descreveria uma órbita circular em torno do Sol, e não a recíproca. Entretanto, os astrônomos gregos contemporâneos haviam refutado a teoria heliocêntrica com base num argumento muito convincente: ausência de qualquer observação de paralaxe estelar (cf. Fig. 1.4). Se a Terra se movesse em torno do Sol, o ângulo θ_1 entre as direções aparentes de duas

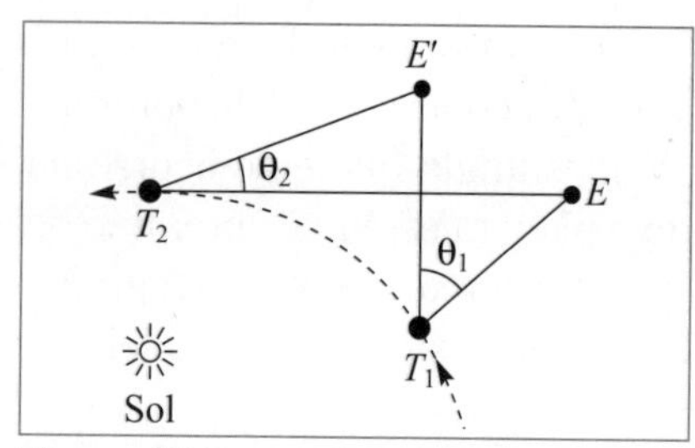

Figura 10.7 Paralaxe estelar.

estrelas fixas E e E' vistas da Terra na posição T_1 (Figura 10.7) seria diferente em diferentes épocas do ano ($\theta_1 \neq \theta_2$ na figura), e esse efeito de paralaxe nunca fora observado. Não se concebia, naturalmente, que as estrelas, mesmo as mais próximas da Terra, estão tão distantes que o efeito é inobservável a olho nu; mesmo com telescópios, só foi detectado em 1838.

O grande tratado de Copérnico "De Revolutionibus Orbium Celestium" ("Sobre as Revoluções das Esferas Celestes", 1543), como o título indica, era conceitualmente ainda bastante próximo da astronomia grega. O que ele procurou demonstrar foi que a principal vantagem do ponto de vista heliocêntrico seria a de *simplificar* a descrição, explicando as mesmas observações anteriores por meio de movimentos ainda mais próximos do ideal platônico, sem utilizar, por exemplo, o artifício dos equantes de Ptolomeu.

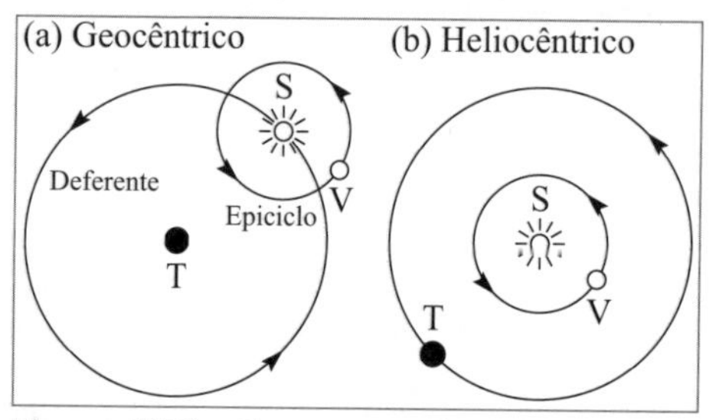

Figura 10.8 Sistema geocêntrico e heliocêntrico.

A passagem da descrição geocêntrica à heliocêntrica está ilustrada na Figura 10.8 para a órbita de Vênus (V), que é um dos planetas *internos*, ou seja, situado entre a Terra (T) e o Sol (S). Vemos que, neste caso, o deferente é substituído pela órbita da Terra em redor do Sol, e o epiciclo pela órbita de Vênus em redor do Sol. É fácil ver (verifique!) que, para um planeta *externo*, como Júpiter, os papéis do epiciclo e do deferente são trocados. Aí já aparece uma das vantagens da descrição heliocêntrica: no sistema de Ptolomeu, os períodos associados ao deferente para os planetas internos e ao epiciclo para os externos eram todos iguais a um ano solar. Essa aparente coincidência é imediatamente explicada pelo sistema heliocêntrico: esses períodos nada mais são do que a descrição geocêntrica do período da Terra em sua órbita em torno do Sol.

Outra grande vantagem do sistema heliocêntrico é que ele permitiu a Copérnico deduzir pela primeira vez a escala relativa das distâncias dentro do sistema solar. No sistema geocêntrico, a escala das distâncias era arbitrária: só importava a razão entre os raios do epiciclo e do deferente, e não os valores absolutos desses raios. Já para Copérnico os deferentes dos planetas internos e os epiciclos dos externos se transformavam todos na órbita da Terra em torno do Sol, cujo raio médio r_T é hoje chamado de unidade astronômica (U.A., cf. Seç. 1.5), e se tornava possível determinar os raios das demais órbitas planetárias com respeito a essa unidade. Vejamos como isto se faz.

Os planetas internos nunca são observados muito afastados do Sol, permanecendo sempre dentro de um ângulo máximo θ da linha que vai da Terra (T) ao Sol (S), onde θ é da ordem de 22,5° para Mercúrio e de 46° para Vênus. A Figura 10.9, onde TA e TB são tangentes à órbita do planeta (P), dá a explicação heliocêntrica desse fato, e mostra que

$$\text{sen}\,\theta = r_p / r_T \qquad \textbf{(10.3.1)}$$

onde r_p é o raio da órbita do planeta e r_T o da Terra. Conhecendo θ, isto permite determinar r_p / r_T: para Vênus, por exemplo, como sen(46°) ≈ 0.72, obtemos $r_p \approx 0{,}72$ U.A. Para os planetas externos, é r_T / r_p que se obtém por um método análogo.

A Tabela I abaixo compara os raios médios das órbitas planetárias (em U.A.) obtidos por Copérnico com os valores aceitos atualmente.

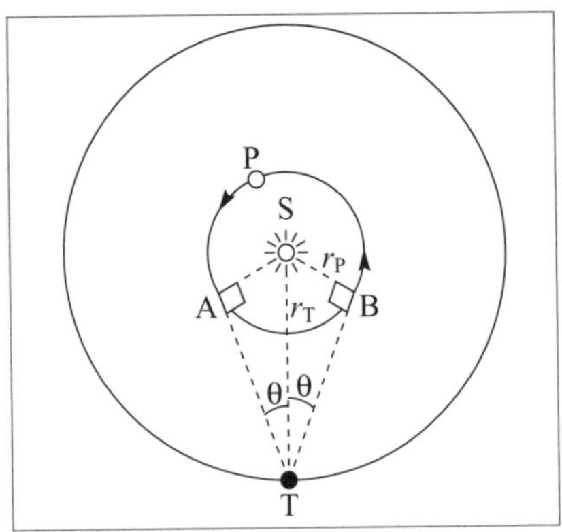

Figura 10.9 Determinação do raio da órbita de um planeta.

Tabela I

Planeta	Raio médio da órbita em U.A. (r_T = 1U.A.)	
	Copérnico	**Atual**
Mercúrio	0,3763	0,3871
Vênus	0,7193	0,7233
Marte	1,5198	1,5237
Júpiter	5,2192	5,2028
Saturno	9,1743	9,5388

Como vemos, os valores são notavelmente próximos.

O passo seguinte de Copérnico foi obter, a partir dos períodos sinódicos (vistos da Terra – cf. Seç. 10.1) dos planetas, seus *períodos siderais*, ou seja, os períodos heliocêntricos (das órbitas em torno do Sol). Para os planetas internos, que se movem mais rapidamente do que a Terra, deixando-a para trás, o número aparente (visto da Terra) de revoluções por ano é menor do que o número real (sideral) de uma unidade, correspondente à revolução da Terra em torno do Sol no mesmo período. Considerações análogas se aplicam a um planeta externo. A tabela II abaixo compara os períodos obtidos por Copérnico com os valores aceitos atualmente.

Tabela II

Planeta	Período sinódico (em dias) – Copérnico	Período sideral	
		Copérnico	**Moderno**
Mercúrio	115,88	87,97 dias	87,97 dias
Vênus	538,92	224,70 dias	224,70 dias
Terra	-	365,26 dias	365,26 dias
Marte	779,04	1,882 anos	1,881 anos
Júpiter	398,96	11,87 anos	11,862 anos
Saturno	378,09	29,44 anos	29,457 anos

Estes resultados ilustram a precisão dos dados de Copérnico – baseados nas observações dos astrônomos da antiguidade. Comparando-os com os da tabela I, mostram também que o período sideral (ao contrário do sinódico) cresce regularmente com o raio médio da órbita.

A explicação da eclíptica (cf. Fig. 10.2) e das estações segundo o sistema heliocêntrico decorre de não ser o eixo de rotação da Terra perpendicular ao plano de sua órbita em redor do Sol.

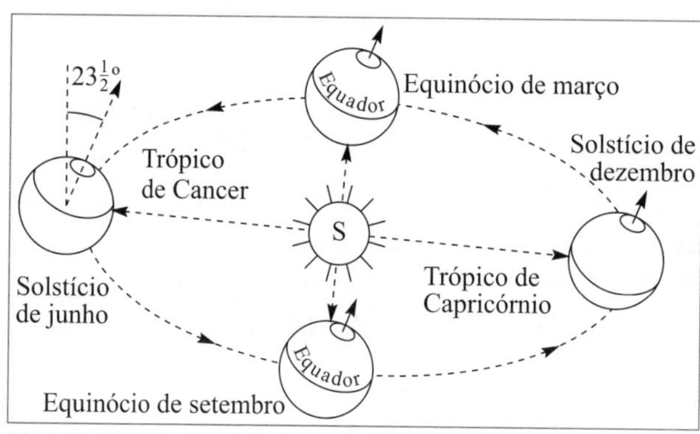

Figura 10.10 Equinócios e solstícios.

O eixo da Terra tem uma direção fixa no espaço, a de Poláris, a Estrela Polar (a menos da precessão dos equinócios, que estudaremos mais adiante). Essa direção, que é transportada ao longo do plano da órbita, faz um ângulo de 23,5° com a normal a esse plano (Fig. 10.10), que é o mesmo da eclíptica (Fig. 10.2). É verão no hemisfério sul quando, em razão da obliquidade do eixo, os raios diretos do Sol atingem a Terra no Trópico de Capricórnio, a 23,5° ao sul do Equador.

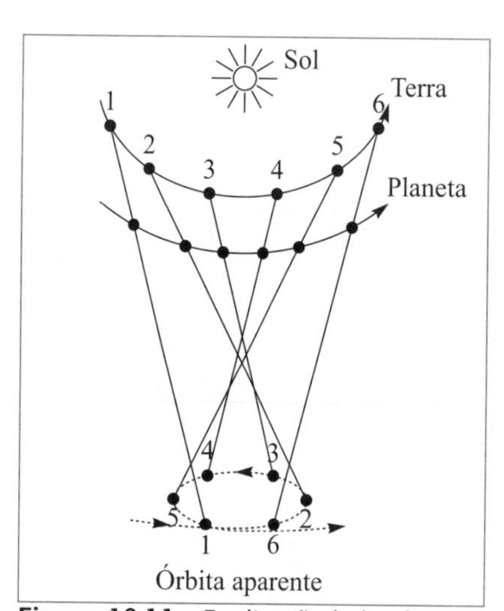

Figura 10.11 Explicação heliocêntrica do movimento retrógrado.

A explicação heliocêntrica do movimento retrógrado de um planeta externo está ilustrada na Figura 10.11. O planeta se move mais lentamente do que a Terra. Em consequência, quando a Terra passa entre o Sol e o planeta, ela o ultrapassa com maior rapidez, e a órbita aparente do planeta, projetada sobre a esfera celeste, mostra um movimento retrógrado. Como isto sucede quando o planeta está mais próximo da Terra, seu brilho é maior.

A obra de Copérnico atingia não apenas dogmas científicos, mas também religiosos. Em 1600, Giordano Bruno, que havia defendido a doutrina de Copérnico, bem como a ideia de que o universo é infinito e eterno, e o Sol uma estrela como as outras, foi queimado em Roma por ordem da Igreja. Seu comentário final no julgamento foi: "Espero vossa sentença com menos medo do que a promulgais. Chegará o tempo em que todos verão como eu vejo". Em 1616, o tratado de Copérnico foi colocado no Index (proibido) pela Igreja.

10.4 TYCHO BRAHE E KEPLER

A obra de Copérnico, que se havia baseado em dados obtidos na Antiguidade, trouxe um novo impulso à astronomia de observação. As primeiras observações novas de grande valor foram feitas no final do século XVI, pelo dinamarquês Tycho Brahe (1546-1601).

Graças ao apoio do rei Frederico II, Tycho conseguiu montar em Uraniborg um grande observatório, um projeto comparável na época ao que seria um grande acelerador em nossos dias. Todas as observações eram feitas a olho nu (não havia telescópios), mas com instrumentos de grandes proporções, cuidadosamente calibrados e utilizando dotes incríveis de observação. Tycho dedicou toda a sua vida à coleta de dados sobre o movimento dos planetas, conseguindo atingir uma precisão pelo menos duas vezes superior à das melhores observações da Antiguidade.

Tycho propôs um modelo intermediário entre os de Ptolomeu e Copérnico, em que todos os planetas com exceção da Terra se moveriam em torno do Sol, mas o Sol se moveria em redor da Terra. Tycho não percebeu que seu modelo só diferia do de Copérnico por uma mudança trivial do sistema de referência.

Johannes Kepler (1571-1630) foi assistente de Tycho Brahe e seu sucessor no observatório. Kepler foi uma personalidade extremamente curiosa, motivado por uma firme convicção de tipo platônico-pitagórico de que o universo é construído de acordo com um plano matemático, cuja estrutura pode ser deduzida por argumentos de perfeição e da "harmonia das esferas". Entretanto, ele aliava a essa atitude um grande respeito pelos dados experimentais, não se satisfazendo com qualquer modelo enquanto não levasse a uma concordância praticamente perfeita com a experiência.

Desde o início de sua carreira, Kepler foi guiado por uma ideia fantástica, de que os raios das órbitas planetárias deviam ter alguma explicação geométrico-mística em termos de figuras perfeitas. Entre os 6 planetas então conhecidos havia 5 distâncias a explicar, número igual ao dos sólidos regulares ou "perfeitos", os sólidos platônicos: tetraedro, cubo, octaedro, dodecaedro e icosaedro. No seu livro "Mysterium Cosmo graphicum" (1597), Kepler construiu um modelo utilizando os 5 sólidos regulares inscritos e circunscritos em esferas (Figura 10.12), procurando mostrar que as proporções assim obtidas seriam as mesmas que aquelas entre os raios das órbitas planetárias obtidos por Copérnico (Seç. 10.3). Entretanto, a concordância não era das melhores.

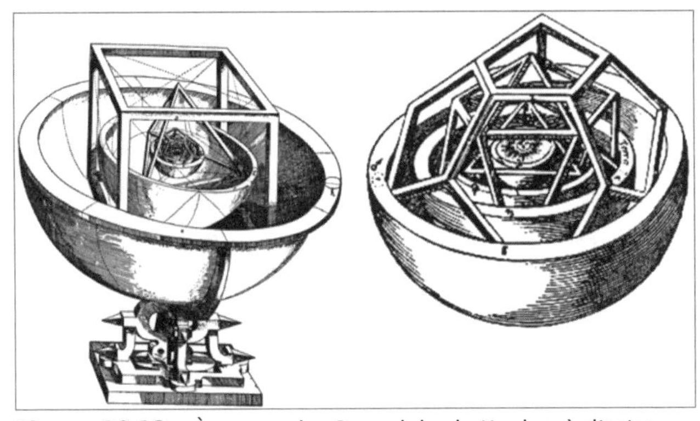

Figura 10.12 À esquerda: O modelo de Kepler; à direita: detalhe da parte interna (Sol no centro).

Para tentar salvar o seu modelo dos sólidos regulares, Kepler se perguntou então se o centro das órbitas planetárias seria realmente o centro da órbita da Terra em torno do

Sol, este ocupando uma posição excêntrica (conforme Copérnico havia suposto), ou se o centro estaria no Sol. Foi para resolver esta questão que ele resolveu tornar-se assistente de Brahe, a fim de obter dados mais precisos sobre a órbita da Terra e dos demais planetas.

Tycho Brahe morreu depois de apenas um ano de colaboração, deixando a Kepler o legado de suas observações. Após quatro anos de árduo trabalho, Kepler conseguiu mostrar que, corrigindo a teoria de Copérnico no sentido de dar ao Sol a posição central, obtinha-se melhor acordo com a experiência.

Para a órbita de Marte, porém, persistia um desvio de 8 minutos de arco. Embora muito pequeno, e compatível com a precisão das observações utilizadas por Copérnico, esse desvio estava em desacordo com a extraordinária precisão das observações de Tycho Brahe, que Kepler sabia serem confiáveis dentro de pelo menos 4 minutos de arco. Este ângulo é da ordem daquele subtendido pela ponta de uma agulha à distância da vista de um braço estendido! "Construirei uma teoria do universo baseada nesta discrepância de 8 minutos de arco", afirmou Kepler. Para isto, resolveu abandonar qualquer ideia preconcebida – inclusive o programa platônico de explicar tudo em termos de movimentos circulares uniformes – e determinar novamente a órbita de Marte. Depois de mais dois anos de trabalho, o resultado obtido foi uma órbita oval em lugar de circular, com o Sol no eixo mas não no centro. Após inúmeras tentativas infrutíferas de identificação da curva, Kepler acabou descobrindo que a órbita de Marte era uma *elipse*, com o Sol situado num dos focos – e que o mesmo valia para os demais planetas. Obteve assim a primeira de suas três grandes leis:

1ª lei de Kepler (lei das órbitas):

"As órbitas descritas pelos planetas em redor do Sol são elipses com o Sol num dos focos"

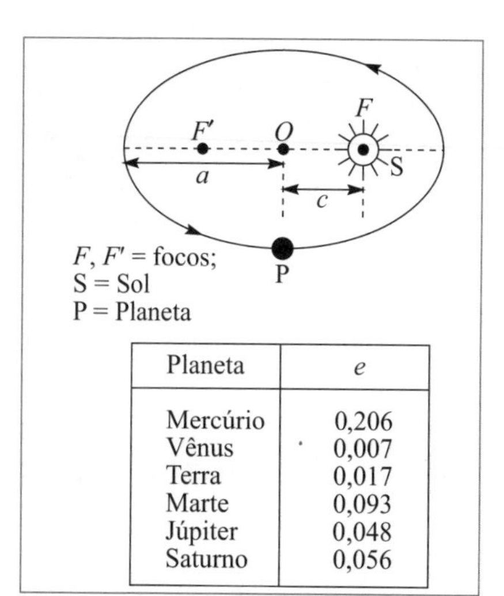

Planeta	e
Mercúrio	0,206
Vênus	0,007
Terra	0,017
Marte	0,093
Júpiter	0,048
Saturno	0,056

Figura 10.13 Órbitas elípticas.

Se a é o semieixo maior de uma elipse e c a semidistância focal (Figura 10.13), a razão $e = c/a$ chama-se *excentricidade* da elipse. Para $e = 0$, a elipse degenera num círculo; quanto maior for e, mais "achatada" a elipse. A tabela da Fig. 10.13 dá os valores de e para as órbitas dos planetas conhecidos na época de Kepler. Embora a de Mercúrio seja mais excêntrica, havia poucas observações de Mercúrio disponíveis. A órbita de Marte, utilizada por Kepler, era a mais excêntrica depois da de Mercúrio.

Além de verificar que a órbita de Marte não é circular, Kepler também percebeu através de suas observações que o movimento do planeta ao longo da órbita não é uniforme: a velocidade é maior quando ele está mais próximo do Sol. Kepler procurou entender estes resultados em termos de uma ação do Sol como causa dos movimentos dos planetas. Para isto, imaginou um modelo extremamente peculiar, em que o Sol teria uma rotação em torno de seu eixo e emitiria raios, confinados somente ao plano da órbita, que atuariam lateralmente sobre o planeta, "varrendo-o" em torno da órbita. Imaginou assim uma "força" que teria todas as características erradas: confinada ao plano da órbita, tangencial à órbita em lugar de central, e supôs ainda que variasse inversamente com a distância. Partindo desse modelo inteiramente errado, Kepler fez um cálculo também errado das áreas varridas pelo raio vetor que liga cada planeta ao Sol, e acabou chegando, miraculosamente, à lei certa:

2ª lei de Kepler (lei das áreas):

"O raio vetor que liga um planeta ao Sol descreve áreas iguais em tempos iguais"

Assim, num dado intervalo de tempo t, o planeta descreve uma porção maior da órbita quando está no periélio (posição mais próxima do Sol) do que no afélio (posição mais distante do Sol; cf. Figura 10.14). Kepler acabou percebendo que tinha cometido erros que se cancelavam, e procurou explicar por que. A explicação que deu também estava errada!

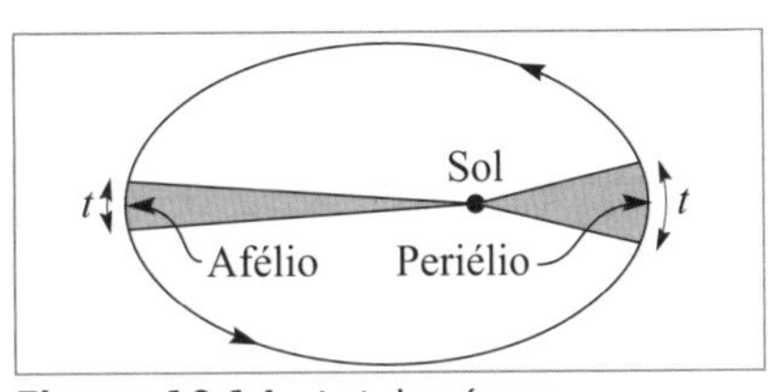

Figura 10.14 Lei das áreas.

Kepler publicou as duas primeiras leis em seu livro "Astronomia Nova" (1609). Foi só muitos anos mais tarde que chegou à formulação de sua 3ª lei. Desde sua juventude, ele havia procurado correlacionar umas com as outras as órbitas planetárias, por meio de alguma regularidade ligando os raios médios das órbitas, bem como seus períodos de revolução. Foi só perto do fim de sua vida, em 1618, após inúmeras tentativas infrutíferas, que ele acabou descobrindo a regularidade que buscava, na forma de sua 3ª lei:

3ª lei de Kepler (lei dos períodos):

"Os quadrados dos períodos de revolução de dois planetas quaisquer estão entre si como os cubos de suas distâncias médias ao Sol".

Assim, se T_1 e T_2 são períodos de revolução de dois planetas cujas órbitas têm raios médios R_1 e R_2 respectivamente, a 3ª lei afirma que

$$(T_1 / T_2)^2 = (R_1 / R_2)^3 \tag{10.4.1}$$

Kepler exultou com sua descoberta: "A 8 de março deste ano de 1618, ... a (solução) apareceu-me na cabeça. Mas eu estava sem sorte, e quando a testei pelo cálculo rejeitei-a como falsa. Afinal, a ideia voltou-me em 15 de maio, e em novo ataque conquistou a obscuridade da minha mente; concordava tão perfeitamente com os dados obtidos em meus dezessete anos de trabalho sobre as observações de Tycho que pensei primeiro estar sonhando..."

A tabela III ilustra o teste feito por Kepler com os dados de Copérnico e os valores atuais:

Tabela III Verificação da 3ª lei de Kepler.

Planeta	Valores de Copérnico			Valores atuais		
	T (anos)	R (U.A.)	T^2/R^3	T (anos)	R (U.A.)	T^2/R^3
Mercúrio	0,241	0,38	1,06	0,241	0,387	1,00
Vênus	0,614	0,72	1,01	0,615	0,723	1,00
Marte	1,881	1,52	1,01	1,881	1,524	1,00
Júpiter	11,8	5,2	0,99	11,862	5,203	1,00
Saturno	29,5	9,2	1,12	29,457	9,539	1,00

Note-se que para a Terra, por definição, $T = 1$ ano e $R = 1$ U.A., de modo que $T^2/R^3 = 1$.

Kepler publicou sua 3ª lei em 1619, no prefácio de seu livro "Harmonices Mundi", onde também escreveu: "Os dados estão lançados; estou escrevendo este livro – não importa se para ser lido pelos meus contemporâneos ou pela posteridade. Ele pode esperar 100 anos por um leitor, já que Deus pôde esperar 6.000 anos pelo aparecimento de um contemplador da sua obra". O título do livro se refere a uma interpretação literal por Kepler da "harmonia das esferas", procurando demonstrar que os planetas, em seu movimento, executam uma espécie de música celeste. Cada planeta emitiria uma ou mais notas musicais conforme suas variações de velocidade na órbita. Vênus, com a menor excentricidade, emitiria sempre a mesma nota; Marte, cuja excentricidade na órbita leva a maiores variações de velocidade, emitiria várias notas diferentes, correspondendo à melodia ilustrada (Figura 10.15). Kepler também foi o autor de uma das primeiras obras de ficção científica, "Somnium", onde descreve uma viagem à Lua!

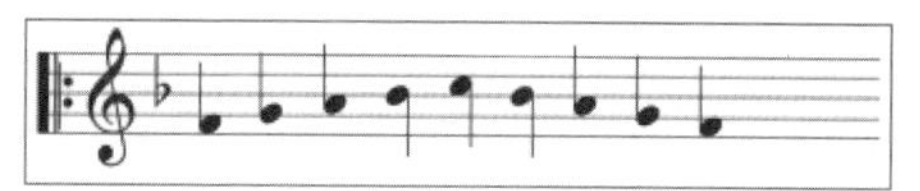

Figura 10.15 A melodia de Marte segundo Kepler.

10.5 GALILEU

Depois da invenção do telescópio, usualmente atribuída ao holandês Lippershey, alguns desses instrumentos (utilizados como brinquedos) foram levados por viajantes para a Itália. Em 1609, Galileu construiu uma versão aperfeiçoada, que ampliava a área dos objetos por um fator da ordem de 1.000, reduzindo sua distância aparente por um fator da ordem de 30, e apontou-o pela primeira vez para o céu. Foi um dos grandes momentos da história da ciência: Galileu fez logo toda uma série de descobertas sensacionais. Olhando para a Lua, verificou que não era uma esfera perfeita como pretendiam os aristotélicos, mas tinha vales profundos e cadeias de montanhas elevadas, cuja altura conseguiu estimar, a partir da sombra projetada pelos raios solares, como sendo comparável à das montanhas terrestres. As estrelas visíveis a olho nu eram apenas uma pequena parte das que apareciam no telescópio, "incrivelmente numerosas".

Observando Júpiter, Galileu teve sua curiosidade despertada pelo que pareciam ser três "estrelinhas, pequeninas mas muito brilhantes", alinhadas com o planeta. Repetindo as observações em noites sucessivas, durante algumas semanas, percebeu que as "estrelinhas" (*) mudavam de posição com respeito a Júpiter (O), e que na verdade eram quatro, das quais uma ou duas se ocultavam por vezes atrás do planeta, o que registrou numa série de esboços: *** O *, ** O *, ** O, * O ***, ... Galileu concluiu que se tratava de quatro satélites de Júpiter, cujos períodos de revolução mediu. Era um caso claro de corpos celestes girando em torno de um planeta diferente da Terra, em contradição com o sistema geocêntrico.

Estudando Vênus com seu telescópio, Galileu fez outra importante descoberta: observou que Vênus mostrava "fases", como a lua: ora aparecia como um círculo, ora como semicírculo, em "quarto minguante" etc. Por conseguinte, não tinha luz própria: refletia a luz do sol. Mas essas observações também contradiziam frontalmente o modelo de Ptolomeu, segundo o qual a órbita de Vênus deveria ser um epiciclo inteiramente contido entre o Sol e a Terra, o que levaria Vênus a aparecer sempre da mesma forma, como um crescente iluminado (Fig. 10.16 à esq.), sem mostrar "fases" (Fig. 10.16 à dir.).

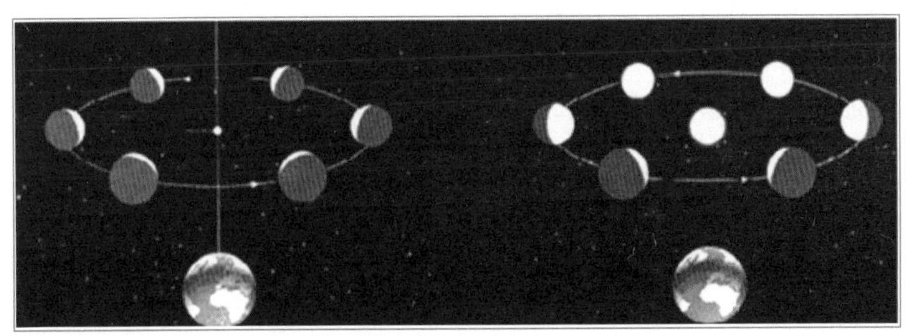

Figura 10.16 As fases de Vênus segundo Ptolomeu (esq.) e observadas (dir.).

Galileu publicou essas observações em 1610, em seu livro "Sidereus Nuncius" ("O Mensageiro das Estrelas"), causando grande sensação, ao mesmo tempo em que provocava uma controvérsia apaixonada. As observações foram postas em dúvida; quando Galileu quis demonstrá-las, alguns de seus colegas professores recusaram-se até mesmo a olhar pelo telescópio. Um deles, Libri, morreu pouco depois, levando Galileu a comentar: "Libri não quis observar minhas novidades celestes enquanto estava na terra; talvez o faça agora que foi para o céu".

Com a ascensão do novo Papa Urbano VIII, que tinha demonstrado interesse pela astronomia e pelas descobertas de Galileu, este acabou decidindo-se a publicar, em 1632, seu "Diálogo sobre os Dois Principais Sistemas do Mundo, o Ptolomaico e o Copernicano", defendendo o ponto de vista de Copérnico. Isto violava uma proibição do papa anterior. Galileu também colocou o argumento predileto de Urbano VIII em defesa de Ptolomeu na boca do personagem Simplício, cujo nome era bem representativo do papel que desempenhava na obra (Seç. 4.2).

Em 1633, Galileu foi julgado pelo Santo Ofício e obrigado a abjurar seus "erros e heresias". Condenado ao equivalente da prisão domiciliar perpétua, aproveitou os nove anos que lhe restaram para escrever e fazer publicar clandestinamente sua grande obra "Diálogos sobre Duas Novas Ciências". Para mais informações sobre a vida de Galileu, veja "Galileu" no Portal.

Na margem de uma página do seu próprio exemplar dos "Diálogos sobre os Dois Principais Sistemas do Mundo" encontra-se a seguinte anotação de Galileu:

> "Quanto à introdução de novidades. Quem pode duvidar que leve às piores desordens quando mentes que Deus criou livres são compelidas à submissão escrava a uma vontade externa? Quando nos dizem que devemos negar a evidência de nossos sentidos e sujeitá-los ao capricho de outros? Quando pessoas sem qualquer competência são tornadas juízes de peritos e se lhes outorga autoridade para tratá-los como lhes aprouver? São essas as novidades capazes de levar à ruína das comunidades e à subversão do Estado".

10.6 NEWTON E A LEI DA GRAVITAÇÃO UNIVERSAL

Isaac Newton nasceu em 1642, no dia de Natal. Filho póstumo de um fazendeiro, teve de custear seus estudos trabalhando, e foi graças à ajuda de um tio que conseguiu entrar em Cambridge em 1661. Quando se bacharelou em 1665, Isaac Barrow, seu professor de matemática, encorajou-o a permanecer em Cambridge.

Naquela época, Londres era uma cidade muito poluída e com péssimo saneamento. Num livro onde se propunha um plano para reduzir a poluição atmosférica produzida por chaminés de indústrias, "Fumifugium", de John Evelyn, publicado em 1661, lê-se: "O viajante fatigado, a muitas milhas de distância, reconhece a cidade pelo olfato antes que pela vista". No verão de 1665, a peste se alastrou rapidamente por Londres, dizimando cerca de 70.000 pessoas, a sétima parte da população. Um ano mais tarde sobreveio o Grande Incêndio de Londres, que arrasou dois terços da cidade.

A peste provocou o fechamento da universidade, e Newton refugiou-se em sua fazenda de Woolsthorpe. A melhor descrição do que fez nesse período foi dada por ele próprio cinquenta anos mais tarde.

"No princípio de 1665, achei o método para aproximar séries e a regra para reduzir qualquer potência de um binômio a uma tal série" (binômio de Newton e série binomial). "No mesmo ano, em maio, achei o método das tangentes de Gregory e Slusius" (fórmula de interpolação de Newton) e em novembro o método direto das fluxões" (cálculo diferencial); "no ano seguinte, em janeiro, a teoria das cores" (experiências com o prisma sobre decomposição da luz branca), "e em maio os princípios do método inverso das fluxões" (cálculo integral), "e no mesmo ano comecei a pensar na gravidade como se estendendo até a órbita da Lua, e... da lei de Kepler sobre os períodos dos planetas... deduzi que as forças que mantêm os planetas em suas órbitas devem variar inversamente com os quadrados de suas distâncias aos centros em torno dos quais as descrevem: tendo então comparado a força necessária para manter a Lua em sua órbita com a força da gravidade na superfície da Terra, e encontrado que concordavam bastante bem.

Tudo isso foi feito nos dois anos da peste, 1665 e 1666, pois naqueles dias eu estava na flor da idade para invenções, e me ocupava mais de matemática e filosofia" (física) "do que em qualquer época posterior."

Para efetuar o cálculo da força gravitacional a que Newton se refere, ele já devia dispor da formulação dos princípios fundamentais da dinâmica, embora não se refira explicitamente a isso. Todos esses resultados foram obtidos por Newton em sua fazenda, entre 23 e 24 anos de idade! Compreende-se que ele tenha sido considerado por Hume como o maior gênio já produzido pela espécie humana.

A lei da gravitação para órbitas circulares

Como vemos pela tabela da Fig. 10.13, para diversos planetas a excentricidade da órbita elíptica é muito pequena, de modo que podemos tomar a órbita como circular com muito boa aproximação – o que também se aplica à Lua. A órbita circular é bem mais fácil de tratar do que a elíptica, de modo que vamos reconstruir o argumento de Newton para esse caso.

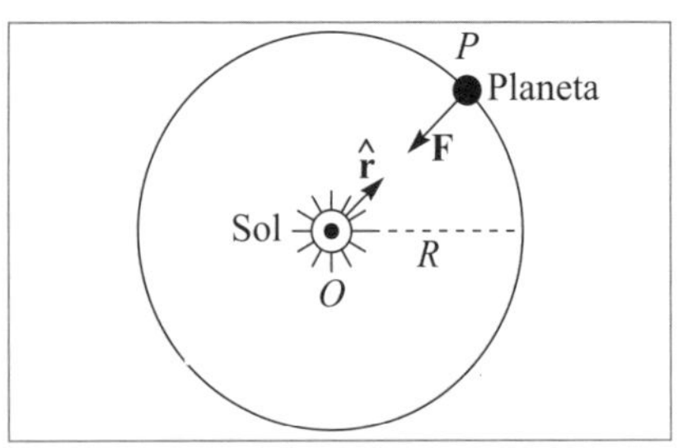

Figura 10.17 Órbita circular.

Para uma órbita circular, a 2ª lei de Kepler implica que o movimento é *uniforme*. Como vimos na Seç. 3.7, a aceleração neste caso é centrípeta, e é dada, para uma órbita circular de raio R e de velocidade angular $\omega = 2\pi/T$ (T = período) por

$$\mathbf{a} = -\omega^2 R\hat{\mathbf{r}} = -4\pi^2 \frac{R}{T^2}\hat{\mathbf{r}} \tag{10.6.1}$$

onde $\hat{\mathbf{r}}$ é o vetor unitário na direção radial. Se m é a massa do planeta, a força que atua sobre ele é dada pela 2ª lei de Newton,

$$\mathbf{F} = m\mathbf{a} = -4\pi^2 m \frac{R}{T^2}\hat{\mathbf{r}} \tag{10.6.2}$$

que é uma força atrativa central (dirigida para o Sol).

Pela 3ª lei de Kepler (Seç. 10.4), temos

$$\frac{R^3}{T^2} = C = \text{constante} \tag{10.6.3}$$

onde C tem o mesmo valor para todos os planetas. Logo, podemos reescrever a (10.6.2) como

$$\mathbf{F} = -4\pi^2 C \frac{m}{R^2}\hat{\mathbf{r}} \tag{10.6.4}$$

Vemos assim que a lei dos períodos de Kepler leva à conclusão de que a força gravitacional varia inversamente com o quadrado da distância do planeta ao Sol, como Newton afirmou no trecho acima. A (10.6.4) mostra que ela é também proporcional à massa do planeta. Pela 3ª lei de Newton, o planeta exerce uma força igual e contrária sobre o Sol, a qual deve também ser proporcional à massa M do Sol. Newton foi assim levado à expressão

$$\boxed{\mathbf{F} = -G\frac{mM}{R^2}\hat{\mathbf{r}}} \tag{10.6.5}$$

onde G seria agora uma "constante universal", característica da força gravitacional. Esta é a *lei de Newton da gravitação* já citada na (5.1.1). Uma vez inferida a forma da lei, vejamos o que Newton fez para testá-la.

A Lua e a maçã

Em sua "Philosophie de Newton" (1738), Voltaire conta: "Um dia, no ano de 1666, Newton, então em sua fazenda, vendo uma fruta cair de uma árvore, segundo me disse sua sobrinha, Mme. Conduit, começou a meditar profundamente sobre a causa que atrai todos os corpos na direção do centro da Terra". A Lua, como a maçã, está "caindo" em direção à Terra ao longo de sua órbita.

A história provavelmente é apócrifa, mas o próprio Newton confirma, no trecho acima citado, que comparou naquele ano "a força necessária para manter a Lua em sua órbita com a força da gravidade na superfície da Terra". Vamos fazer essa comparação para o caso da maçã, adotando a notação: T = Terra; L = Lua, C = maçã.

Os módulos das forças mencionadas obtêm-se aplicando a (10.6.5):

$$|\mathbf{F}_{TC}| = G\frac{M_T m_C}{R_{TC}^2}; \quad |\mathbf{F}_{TL}| = G\frac{M_T m_L}{R_{TL}^2}$$

Sejam a_L e a_C os módulos das acelerações da Lua e da maçã; esta última é igual a g (aceleração da gravidade na superfície da Terra). Além disso, $R_{TC} = R_T$ (raio da Terra). Temos então:

$$a_L = \frac{|\mathbf{F}_{TL}|}{m_L} = \frac{GM_T}{R_{TL}^2}; \quad a_C = g = \frac{GM_T}{R_T^2} \tag{10.6.6}$$

onde a última expressão coincide com a (7.5.25). Portanto

$$\boxed{a_L / a_C = a_L / g = (R_T / R_{TL})^2} \tag{10.6.7}$$

onde G se cancela. Por outro lado, pela (10.6.1), $a_L = 4\pi^2 R_{TL} / T_L^2$, onde T_L é o período de rotação da Lua em torno da Terra, que é $\approx$ 27,3 d. A verificação da (10.6.7) depende portanto apenas do conhecimento de R_T e de R_{TL}. Já vimos (Fig. 1.3) como Eratóstenes havia medido R_T no século III A.C. Outro astrônomo grego, Hiparco de Rodes, conseguira calcular a distância Terra-Lua R_{TL} por volta de 130 a.C.

A distância Terra-Lua

Hiparco baseou-se em observações da duração de um eclipse total da Lua. Essa duração é o tempo decorrido entre a entrada (em A) e a saída (em B) da Lua no cone de sombra projetado pela Terra (Figura 10.18). A abertura angular do cone de sombra coincide com o diâmetro angular aparente α do Sol visto da Terra (que, por coincidência, é quase exatamente o mesmo que o da Lua). Hiparco mediu o valor de α e obteve

$$\alpha = 0{,}553° \approx \frac{1}{103{,}5}\,\text{rad} \tag{10.6.8}$$

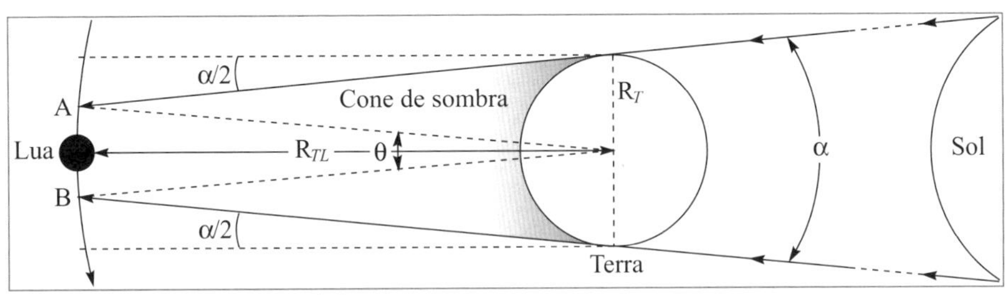

Figura 10.18 Eclipse total da Lua.

Hiparco observou que o ângulo θ descrito pela Lua durante o eclipse total é de aproximadamente 2,5 vezes o diâmetro angular aparente da Lua, ou seja, $\theta \approx 2{,}5\alpha$. Por outro lado, levando em conta que $R_{TL} >> R_T$, a figura mostra que, com muito boa aproximação,

$$2R_T = R_{TL}\left(\theta + 2\frac{\alpha}{2}\right) \approx R_{TL}\,(2{,}5\alpha + \alpha) = 3{,}5\alpha R_{TL}$$

o que, levando em conta a (10.6.8), dá

$$\frac{R_T}{R_{TL}} \approx \frac{3{,}5\alpha}{2} \approx \frac{3{,}5}{207} \approx \frac{1}{59} \tag{10.6.9}$$

levando Hiparco a concluir que a distância da Terra à Lua é de 59 vezes o raio da Terra. Na época de Newton, outras determinações já haviam sido feitas, levando a valores entre 60 e 60.5 (o valor atualmente aceito é ≈ 60.3). Newton usou o valor 60, obtendo assim na (10.6.7)

$$a_L / g \approx 1/3.600$$

o que concorda com o valor calculado da aceleração centrípeta da Lua (cf. (3.7.16)). Daí a afirmação de Newton acima citada de que "concordavam bastante bem".

Newton realizou assim uma das mais notáveis sínteses da história da ciência, relacionando a queda dos corpos na superfície da Terra com a órbita da Lua – primeiro passo no tratamento da mecânica celeste.

10.7 OS "PRINCÍPIOS MATEMÁTICOS DA FILOSOFIA NATURAL"

Em 1669, Newton tornou-se o sucessor de Barrow na cátedra de matemática em Cambridge. Em 1672, apresentou à Royal Society (que havia sido fundada 10 anos antes) seu primeiro trabalho, sobre a natureza da luz branca e sua decomposição espectral. Entretanto, essa publicação provocou uma disputa com Robert Hooke sobre prioridades, e Newton, que era um recluso, profundamente tímido e desconfiado, ficou tão desgostoso que não teria publicado mais nada se não o forçassem a fazê-lo.

No início de 1684, Robert Hooke, Sir Christopher Wren (o arquiteto da St Paul's Cathedral, que também era astrônomo) e Edmund Halley tiveram uma discussão conjunta em Londres sobre qual seria a órbita de um planeta atraído pelo Sol com uma força que variasse com o inverso do quadrado da distância. Seria uma elipse, conforme descrito pela 1ª lei de Kepler? Hooke acreditava que sim, e Wren ofereceu-lhe 40 shillings (cerca de US$ 100 atuais) se o provasse dentro de um tempo prefixado – o que Hooke não conseguiu fazer. Alguns meses mais tarde, Halley foi a Cambridge e perguntou a Newton (sem explicar por que) qual seria a forma da órbita. Newton respondeu imediatamente: "Uma elipse". – "Como sabe? Tem a prova?" perguntou Halley, ao que Newton respondeu: "Ora, já sei isso há muitos anos. Se me der alguns dias, certamente reconstruirei a prova".

Com efeito, Newton havia resolvido esse problema em 1676 ou 1677, e logo enviou a Halley duas provas diferentes. Com muito esforço, Halley conseguiu persuadi-lo a preparar um tratado em que exporia suas investigações sobre gravidade e mecânica celeste. Newton escreveu-o em 18 meses, e Halley, embora não tivesse muitos recursos, subvencionou a publicação.

"Philosophiae Naturalis Principia Mathematica" ("Os Princípios Matemáticos da Filosofia Natural", usualmente citado como "Principia"), publicado em 1687, é muitas vezes considerado como a obra científica mais importante e de maior influência até hoje escrita.

O que teria levado Newton a aguardar tantos anos antes de publicar os seus resultados? Em parte, isso foi devido a seu caráter e aos revezes anteriores. Entretanto, havia uma dificuldade mais fundamental. Ao calcular, na 10.6.6), a força da gravidade sobre uma maçã, admitimos que toda a massa da Terra estivesse concentrada no seu centro. Como justificar isso? Foi só em 1685 que Newton conseguiu demonstrar (usando o cálculo integral que ele próprio havia inventado) que, para uma força central inversamente proporcional ao quadrado da distância (aliás, isto só vale para uma tal força!), a atração exercida por uma distribuição esfericamente simétrica de massa sobre uma partícula externa é a mesma que se toda a massa da esfera estivesse concentrada em seu centro, o que está muito longe de ser óbvio para uma partícula na superfície. Veremos a demonstração mais adiante (Seç. 10.9).

No livro I dos "Principia", Newton formula os princípios fundamentais da dinâmica (as 3 leis de Newton) e estuda os diferentes tipos de órbitas possíveis de uma partícula sob a ação de uma força do tipo da gravitacional (variando com o inverso do quadrado da distância): órbitas elípticas, hiperbólicas e parabólicas; mostra também a relação com as leis de Kepler. Inclui ainda o tratamento da ação de uma esfera sobre um corpo externo. No livro II, discute o movimento de corpos num meio resistente e problemas de mecânica dos fluidos, inclusive a propagação de ondas num fluido. Finalmente, no livro III, intitulado "O Sistema do Mundo", aplica a lei da gravitação para discutir o movimento dos satélites em torno dos planetas e dos planetas em torno do Sol; mostra como calcular as massas dos planetas em termos da massa da Terra; calcula o achatamento da Terra devido a sua rotação; calcula o efeito, conhecido como precessão dos equinócios, produzido sobre a órbita da Terra por esse achatamento; discute as perturbações do movimento da Lua devidas à ação do Sol; explica as marés; calcula as órbitas dos cometas. Conforme comentou Einstein, foi "uma realização dedutiva de magnificência única" (para mais detalhes, veja "Newton" no Portal).

Vejamos apenas alguns exemplos dos resultados obtidos por Newton.

(a) Cometas

Os cometas exemplificam órbitas elípticas extremamente alongadas, com excentricidade próxima da unidade. Assim, embora seus periélios (Fig. 10.14) tenham de penetrar usualmente para dentro da órbita de Marte a fim de que o cometa seja visível, e alguns penetrem até dentro da órbita de Mercúrio, as afélios estão por vezes além da órbita de Plutão.

O mais célebre dos cometas é o cometa Halley, cuja aparição em 1682 foi identificada por Halley com aparições anteriores em 1607 e 1531, tendo pois um período de aproximadamente 75 a 76 anos (a aparição mais recente foi em 1986, seguindo-se à de 1910).

Aplicando a 3ª lei de Kepler, Newton pôde concluir então que a órbita do cometa de Halley é uma elipse cuja distância média do Sol é de $(75)^{2/3}$ U.A. $\approx$ 17,8 U.A.. No periélio ($\approx$ 0.6 U.A.), o cometa penetra dentro da órbita de Vênus; no afélio, vai além da órbita de Netuno (Figura 10.19).

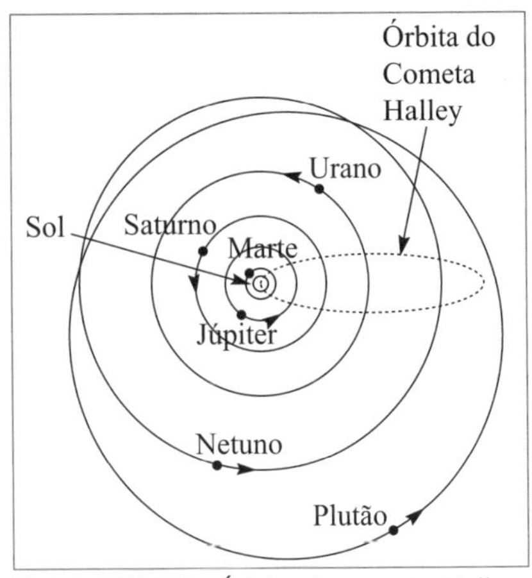

Figura 10.19 Órbita do cometa Halley.

(b) A forma da Terra

Newton calculou o efeito da rotação da Terra sobre sua forma: na ausência de rotação, ou seja, somente sob o efeito da gravidade, os planetas deveriam ter forma esférica; entretanto, as "forças centrífugas" produzidas pela rotação levam a um achatamento nos polos e alargamento no equador, conduzindo a uma forma de esferóide oblato, como mostra a Figura 10.20 (onde o efeito foi grandemente exagerado).

Segundo o cálculo de Newton, o diâmetro polar da Terra deve estar para o equatorial como 229/230, levando a uma elipticidade de 1/230. Maupertuis confirmou os resultados de Newton após sua morte, numa expedição geodésica (plena de incidentes) ao norte da Escandinávia, levando Voltaire a escrever-lhe:

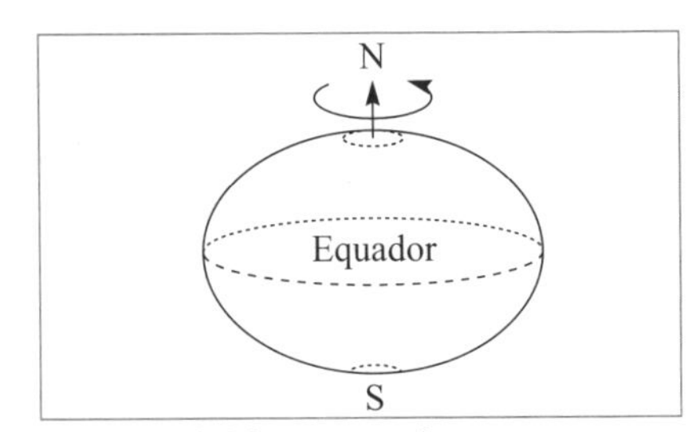

Figura 10.20 Forma da Terra.

"*Vous avez confirmé dans des lieux pleins d'ennui*
Ce que Newton connut sans sortir de chez lui"

As determinações experimentais mais recentes dão uma elipticidade de $\approx$ 1/297. Newton também calculou as variações locais da aceleração da gravidade devidas à forma da Terra, e discutiu ainda a forma de outros planetas.

(c) A precessão dos equinócios

Cerca de 130 a.C., Hiparco, comparando suas observações da posição do Sol nos equinócios em relação às estrelas fixas com as que haviam sido feitas muitos séculos antes por astrônomos babilônios, chegou à conclusão de que havia um deslocamento extremamente lento dos equinócios, que estimou em 36° por ano. Copérnico, em "De Revolutionibus", corrigiu esse valor para 50,2° por ano, em bom acordo com o atual, e interpretou corretamente o efeito: embora o eixo da Terra mantenha um ângulo constante de 23,5° com a normal $\hat{\mathbf{n}}$ ao plano da eclíptica (Figura 10.21), ele descreve um cone em torno dessa normal, num movimento de precessão análogo ao de um pião em rotação rápida. A taxa de precessão corresponde a uma volta completa em 26.000 anos. Assim, como mostra a figura, em lugar de apontar para a atual estrela Poláris, o eixo da Terra apontará para uma direção deslocada de 47° na esfera celeste daqui a 13.000 anos, e o verão no hemisfério sul ocorrerá na parte da órbita da Terra onde agora ocorre o inverno.

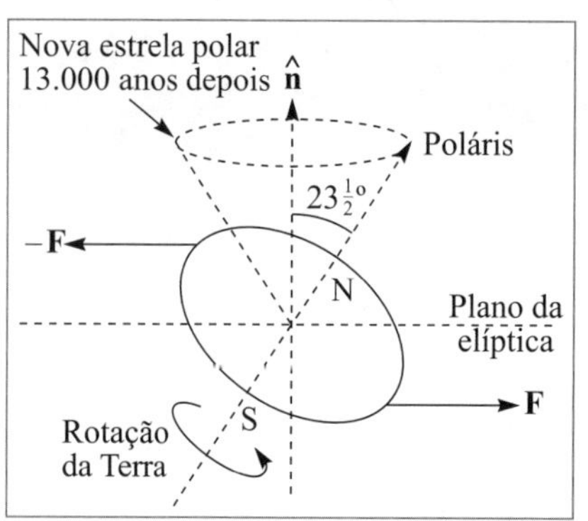

Figura 10.21 Precessão dos equinócios.

Newton deu a explicação da precessão: por ser a Terra um esferóide oblato, a atração da Lua, e, com menor intensidade, a do Sol, produzem um torque (indicado pelas forças **F** e **–F** na Figura 10.21) que é responsável pela precessão. Newton tratou o problema (que discutiremos mais tarde) e calculou a taxa de precessão, obtendo 50° por ano, em excelente acordo com o valor experimental. Este é um dos resultados mais notáveis que se encontram nos "Principia".

(d) As marés

Newton foi o primeiro a explicar a causa das marés como sendo devida à atração gravitacional da Lua (e, em menor escala, do Sol) sobre os oceanos. À primeira vista, poderia parecer que isso causaria apenas uma protuberância da massa líquida do lado da Terra num dado momento voltado para a Lua. Entretanto, um pouco de reflexão adicional mostra que deve haver duas protuberâncias, localizadas em extremos opostos da Terra (Figura 10.22). Com efeito, a distância da Lua ao centro da Terra sendo de aproximadamente 60 R_T (Seç. 10.6), o lado mais próximo está a cerca de 59 R_T e o mais distante 61 R_T. Do lado mais próximo, a atração da Lua sobre o ponto 1 da superfície do oceano é mais forte do que sobre um ponto 2 da superfície da Terra (figura) e a água é puxada para fora. Do lado mais distante, a superfície do oceano (ponto 4) é menos atraída do que a da Terra (ponto 3), o que causa a protuberância do lado oposto. Em 12 horas,

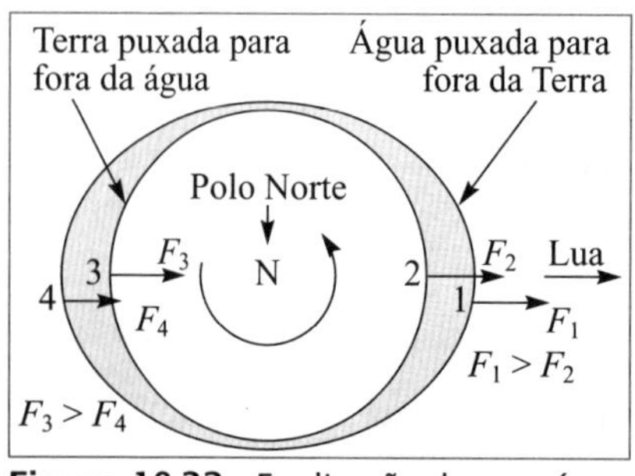

Figura 10.22 Explicação das marés.

devido à rotação da Terra, o ponto 2 vai parar na posição 3, de modo que se produzem *duas* marés altas por dia, conforme é observado.

(e) Satélites artificiais da Terra

Newton considerou explicitamente a possibilidade da existência de satélites artificiais da Terra. Conforme ilustrado na Figura 10.23, reproduzida de seu "Sistema do Mundo", ele discutiu o que aconteceria se, do topo V de uma montanha muito alta, projéteis fossem lançados horizontalmente com velocidades iniciais crescentes. A princípio, teríamos trajetórias parabólicas como VD, VE na figura (as parábolas são na verdade aproximações de pequenas porções de elipses keplerianas). Entretanto, para uma velocidade inicial suficientemente grande, Newton observa que o projétil descreveria uma órbita fechada em torno da Terra, voltando ao ponto de partida. E se os lançamentos fossem feitos de altitudes crescentes, diz ele, os corpos "descreveriam arcos concêntricos com a Terra, ou de excentricidades várias, e continuariam circulando nos céus nessas órbitas como fazem os planetas em suas órbitas".

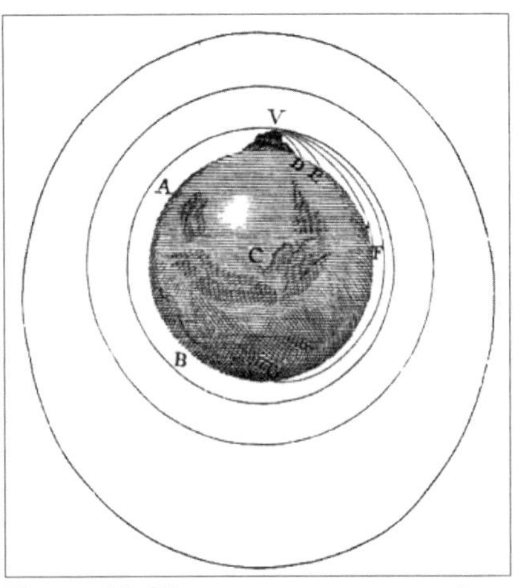

Figura 10.23 Newton, precursor da NASA (figura reproduzida dos "Principia").

Qual seria o período T de revolução de um satélite artificial em órbita a uma distância R do centro da Terra? Pela discussão da Seç. 10.6 (onde m é a massa do satélite e $M = M_T$ a massa da Terra), podemos aplicar a 3ª lei de Kepler sob a forma

$$\frac{R^3}{T^2} = C = \frac{GM_T}{4\pi^2} = \frac{gR_T^2}{4\pi^2} \tag{10.7.1}$$

onde empregamos a (10.6.6). Resolvendo em relação a T, com $g = 9{,}8$ m/s^2 e $R_T = 6{,}4 \times 10^6$ m, obtemos

$$T \approx 3{,}14 \times 10^{-7} \left(R_{\text{metros}}\right)^{3/2} \quad \text{(segundos)} \tag{10.7.2}$$

Note que o resultado independe da massa m do satélite.

O primeiro satélite artificial, Sputnik 1 (1957), tinha uma órbita de altitude média ≈ 550 km, ou seja, $R \approx 6,95 \times 10^6$ m. Levando esse valor na (10.7.2), obtém-se $T \approx 96$ min, que era o período observado. Se fizermos $T = 24$ h na (10.7.2), obtemos $R \approx 42.000$ km $\approx 6{,}5\, R_T$. Um satélite a essa altitude é síncrono, ou seja, como tem período orbital igual ao de rotação da Terra, permanece sempre acima do mesmo ponto da Terra, o que é importante na transmissão de comunicações. O primeiro satélite desse tipo, Syncom II, foi lançado em 1963.

No final dos "Principia", Newton diz: "Até aqui explicamos os fenômenos celestes e dos oceanos pelo poder da gravidade, mas não determinamos a causa deste poder. Ele certamente provém de uma causa que penetra até o âmago do sol e dos planetas, sem que sua força sofra a menor diminuição; que opera... proporcionalmente à quantidade de matéria das partículas, e propaga sua virtude em todas as direções até distâncias imensas, decrescendo sempre como o inverso do quadrado das distâncias". Esta é a formulação mais explícita que aparece nos "Principia" da lei da gravitação universal.

Depois da publicação dos "Principia", Newton recebeu inúmeras honrarias. De 1703 até sua morte em 1727, foi presidente da Royal Society. Foi enterrado na Abadia de Westminster.

Referindo-se à contribuição de seus precursores, ele disse: "Se fui capaz de ver mais longe, é porque me apoiei sobre os ombros de gigantes". Pouco antes de sua morte, disse: "Não sei como apareço aos olhos do mundo; aos meus próprios, pareço ter sido apenas como um menino, brincando na praia, e divertindo-me em encontrar de vez em quando um seixo mais roliço ou uma concha mais bela que de ordinário, enquanto o grande oceano da verdade jazia todo inexplorado à minha frente".

10.8 O TRIUNFO DA MECÂNICA NEWTONIANA

A era pós-newtoniana foi marcada por uma série crescente de sucessos na aplicação dos princípios da dinâmica e da lei da gravitação ao Sistema Solar e mesmo além dele.

(a) O valor de *G* e a massa da Terra

Para determinar o valor da constante gravitacional G na (10.6.5), é preciso medir a força de atração gravitacional entre duas massas conhecidas, o que é muito difícil no laboratório por ser muito fraca a interação gravitacional. A primeira medida foi feita por Cavendish em 1798, utilizando um aparelho extremamente sensível, a balança de torção.

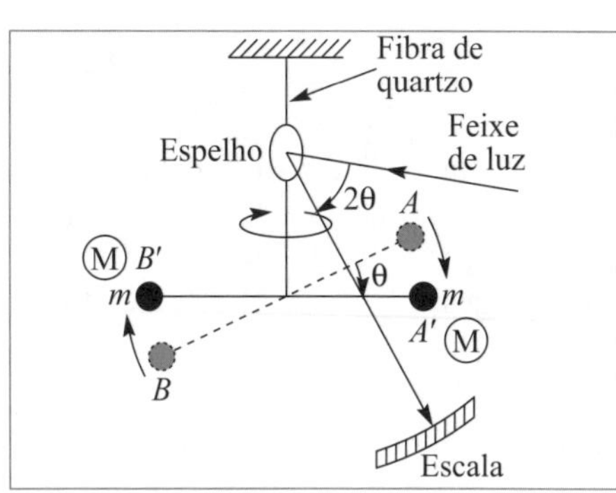

Figura 10.24 Experimento de Cavendish.

Um par de esferas de massa m nas extremidades de uma barra é suspenso de um suporte pelo centro da barra, ligado ao suporte por uma fibra fina de quartzo, numa posição de equilíbrio AB (Figura 10.24). Trazem-se então duas outras esferas de massas M à mesma distância das esferas de massa m (figura), o que produz um torque, pelas forças gravitacionais entre cada par de esferas. Esse torque faz girar a barra de um ângulo θ, produzindo uma torção correspondente da fibra, que é calibrada de forma a poder medir o torque, e por conseguinte as forças gravitacionais, pelo ângulo de torção. Este ângulo é medido pelo desvio de um feixe de luz refletido por um espelhinho preso à fibra (alavanca ótica).

Cavendish obteve $G = 6{,}71 \times 10^{-11}$ N m²/kg², que é bastante próximo do valor atualmente aceito, $G = 6{,}6739 \times 10^{-11}$ N m²/kg² (cf. (5.1.2)).

Cavendish chamou a sua experiência de "pesagem da Terra". Já vimos na Seç. 7.5 a razão de ser desse nome: a relação (10.6.6) ou (7.5.25) com g, R_T e M_T permite determinar a massa M_T da Terra. Vimos também que o valor correspondente da densidade média da Terra é $\rho_T \approx 5{,}52$ g/cm^3. O valor de Cavendish, $\rho_T \approx 5{,}48$ g/cm^3 foi obtido bem depois da morte de Newton, mas Newton havia feito, nos "Principia", a seguinte estimativa célebre de ρ_T: "Como ... a matéria comum da Terra em sua superfície é cerca de duas vezes mais pesada que a água, e um pouco abaixo, em minas, verifica-se ser três, quatro, ou mesmo cinco vezes mais pesada, é provável que a quantidade total de matéria da Terra seja cinco ou seis vezes maior do que se consistisse toda de água...".

(b) A massa do Sol

O análogo da (10.7. 1) aplicado à órbita da Terra em torno do Sol é

$$\frac{R^3}{T^2} = \frac{GM_S}{4\pi^2} \tag{10.8.1}$$

onde T é o período da órbita (= 1 ano sideral), R é a distância média da Terra ao Sol e M_S a massa do Sol. O único dado que falta para determinar esta massa é o valor de R.

A distância da Terra ao Sol já havia sido estimada no século III a.C. por Aristarco, usando um método de triangulação que tomava como base a distância da Terra à Lua quando o ângulo Lua-Terra-Sol é reto, o que corresponde a metade da face da Lua iluminada (quadratura). Entretanto, o ângulo oposto a essa base é tão pequeno que a medida é difícil, e o valor obtido por Aristarco, de que o Sol estaria 20 vezes mais distante do que a Lua, era muito inferior ao valor real (cerca de 400 vezes).

Kepler e depois Flamsteed obtiveram R indiretamente, medindo a distância da Terra a Marte através da determinação da paralaxe de Marte visto simultaneamente de diferentes pontos da Terra (ou do mesmo ponto em horas diferentes, transportado pela rotação da Terra). Como a escala *relativa* do Sistema Solar era conhecida desde Copérnico (Seç. 10.3), bastava medir *uma* distância absoluta para determinar qualquer outra – em particular R.

A primeira medida de maior precisão (~ 5%) de R foi feita em 1761 usando um método que havia sido proposto por Halley, por meio de observações do trânsito de Vênus, ou seja, sua passagem cruzando o disco solar, vista de diferentes pontos da Terra. Determinações de paralaxes se tornaram mais fáceis e precisas quando a simultaneidade das observações de pontos diferentes pôde ser garantida pela sincronização de cronômetros.

O valor atualmente aceito de R, que corresponde a 1 U.A. (Seç. 1.5) é $R \approx 1.49 \times 10^{11}$ m. Substituindo na (10.8.1), obtém-se para a massa do Sol o valor $M_S = 2 \times 10^{30}$ kg ($\approx$ 333.000 vezes a massa da Terra).

(c) Os satélites de Júpiter e a velocidade da luz

O mais interno dos 4 satélites de Júpiter descobertos por Galileu, Io, tem um período de $\approx$ 42,5h, e é fácil determinar os instantes em que é eclipsado pelo planeta. Em 1675, o astrônomo dinamarquês Olaf Römer verificou que o intervalo entre dois eclipses consecutivos crescia quando a Terra estava se afastando de Júpiter e diminuía quando se aproximava.

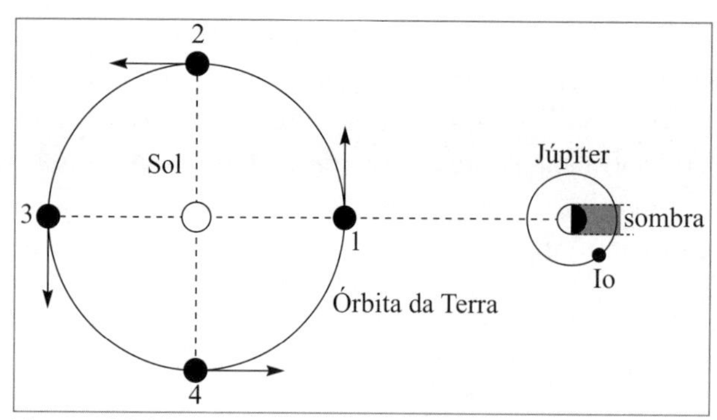

Figura 10.25 Determinação da velocidade da luz.

Tendo confiança nas leis de Newton, segundo as quais o período real deveria ser invariável, Römer atribuiu as variações aparentes do período a uma velocidade finita de propagação da luz, e determinou o seu valor, pela primeira vez, com o auxílio dessas observações.

O argumento de Römer está ilustrado esquematicamente na Figura 10.25. Nas posições 1 e 3 em sua órbita, quando a Terra se move mantendo-se aproximadamente equidistante de Júpiter, o atraso na observação do eclipse, devido ao tempo que a luz leva para vir de Júpiter à Terra é o mesmo para dois eclipses consecutivos, de modo que medimos o período verdadeiro de Io. Na posição 2, porém, a Terra se terá afastado de Júpiter entre dois eclipses consecutivos e o intervalo aparente entre eles será maior, porque a luz tem de percorrer uma distância maior até atingir a Terra assinalando o 2° eclipse; analogamente, em 4, quando a Terra está se aproximando de Júpiter, o intervalo aparente diminui. A variação fracionária do período orbital de Io observada é igual à razão da velocidade da Terra em sua órbita à velocidade da luz, o que permitiu a Römer estimar essa velocidade, tendo obtido um valor cerca de 25% inferior ao atualmente aceito, $c = 3 \times 10^8$ m/s.

Uma vez estabelecido o valor de c por métodos independentes, foi possível empregá-lo em sentido inverso, para estabelecer distâncias absolutas no sistema solar, seja em termos de efeitos como os atrasos de eclipses de satélites de Júpiter, seja através dos modernos métodos de radar.

(d) Outros planetas

Até aqui, consideramos cada planeta como se ele se movesse apenas sob a ação da atração gravitacional do Sol. Na realidade, o movimento de um planeta também é afetado pelas forças de atração exercidas pelos demais planetas (além de seus satélites, se os tiver), que *perturbam* as órbitas elípticas keplerianas.

Felizmente, estas perturbações são pequenas, porque a massa do Sol é muitíssimo maior do que a massa de qualquer planeta (o mais pesado, Júpiter, tem menos de um centésimo da massa do Sol). Mas tiveram de ser levadas em conta à medida que a precisão das observações astronômicas foi aumentando.

Uma solução exata do problema do movimento de mais de dois corpos em interação gravitacional uns com os outros é tão difícil que, mesmo no caso de três corpos, o problema só pôde ser resolvido em casos especiais extremamente restritivos. Por outro lado, soluções aproximadas utilizando o fato de que as perturbações exercidas pelos demais planetas são muito menores do que a força atrativa do Sol podem ser desenvolvidas de forma sistemática, constituindo o objeto do cálculo *das perturbações*. Este complicado problema de mecânica celeste foi tratado durante a segunda metade do século XVIII e primeira metade do século XIX por Euler, Lagrange e Laplace. Os resultados foram um sucesso, particularmente a explicação por Laplace de irregularidades observadas nos movimentos de Júpiter e Saturno. Atualmente a resolução numérica de problemas de mecânica celeste é grandemente facilitada pela utilização de computadores.

Na noite de 13 de março de 1781, William Herschel, músico de profissão e astrônomo amador, descobriu com seu telescópio um objeto que obviamente não era uma estrela, pois seu diâmetro aparente aumentava incrementando o aumento do telescópio. Pensou a princípio que se tratasse de um cometa, mas cerca de um ano mais tarde se havia tornado claro que se tratava de um novo planeta, o primeiro descoberto desde a antiguidade. A descoberta teve grande impacto. O novo planeta, que foi chamado de Urano, tem uma órbita de raio médio $\approx$ 19,2 U.A., aproximadamente o dobro do de Saturno. Verificou-se depois que já havia aparecido em observações bem anteriores (desde 1690), embora não reconhecido como planeta.

Entretanto, as novas observações que foram sendo feitas, juntamente com as anteriores, levavam a desvios da órbita predita pelas leis de Newton. Essas irregularidades e desvios sistemáticos, embora pequenos (da ordem de 20″ de arco, em média), não podiam ser explicados por perturbações devidas aos demais planetas conhecidos.

Tamanho era o grau de confiança nas leis de Newton, nessa época, que, em 1820, Bessel já sugeriu que os desvios talvez fossem devidos a um novo planeta ainda não descoberto, mais distante que Urano.

Entretanto, para provar um tal resultado e determinar os elementos da órbita do novo planeta, era preciso resolver um problema matemático muito mais difícil do que o tratado por Lagrange e Laplace, o problema inverso de perturbações.

O primeiro a obter uma solução foi John Couch Adams, jovem matemático de Cambridge recém-formado, em setembro de 1845. Comunicou seus resultados a John Challis, diretor do observatório de Cambridge, e ao Astrônomo Real, George Airy, prevendo a posição do novo planeta em 1/10/1845 (com erro < 2° nessa data). Entretanto, Airy não ficou convencido pelos resultados e houve uma série de quiproquós, em consequência da qual nenhuma tentativa de observação foi feita.

Enquanto isso, em Paris, Le Verrier, um astrônomo de reputação já estabelecida, começou a se interessar pelo problema e publicou, em junho de 1846, um trabalho contendo conclusões semelhantes (se bem que menos completas) às de Adams. Airy recomendou então a Challis que procurasse o planeta hipotético no observatório de Cambridge. Challis fez observações nas noites de 29/7, 30/7, 4/8 e 12/8, mas só efetuou uma comparação parcial entre os resultados de 30/7 e 12/8, parando na estrela n° 39. Se tivesse ido 10 estrelas mais adiante, teria percebido que "uma estrela de 8ª grandeza" observada em 12/8 não aparecia nos dados de 30/7 e teria descoberto o novo planeta. Mas não o fez.

Em 31/8, Le Verrier publicou outro trabalho e escreveu a Galle, astrônomo do observatório de Berlim, sugerindo que procurasse o planeta. Galle descobriu-o, a cerca de 1° da posição predita, na mesma noite em que recebeu a carta, a 23/9/1846. Verificou-se depois que o planeta já havia sido registrado em observações feitas por Lalande no observatório de Paris 50 anos antes, mas sem que ele percebesse não se tratar de uma estrela.

A predição da existência de Netuno foi um dos grandes triunfos da história da ciência e foi aclamado como tal. Entretanto, além da "dedução pura", interveio também um forte elemento de sorte. Com efeito, tanto Adams como Le Verrier usaram em seus cálculos uma hipótese que se revelou "a posteriori" injustificada, a "lei de Bode" (descoberta por Titius, mas publicada por Bode em 1772). Segundo essa "lei", o raio médio da órbita do n-ésimo planeta (n = 1, 2, 3, ...), em U.A., seria dado, para $n > 2$, por

$$R_n = 0,4 + 0,3 \times 2^{n-2} \text{ U.A.} \quad \textbf{(10.8.2)}$$

A tabela abaixo compara os resultados da (10.8.2) com os valores observados:

Planeta	Mercúrio	Vênus	Terra	Marte	(Ceres)	Júpiter	Saturno	Urano	(Netuno)	(Plutão)
n	1	2	3	4	5	6	7	8	9	10
Lei de Bode	0,4	0,7	1,0	1,6	2,8	5,2	10,0	19,6	38,8	77,2
Observado	0,39	0,72	1,0	1,52	2,77	5,20	9,54	19,2	30,1	39,5

Quando Bode publicou sua regra empírica, Urano ainda não havia sido descoberto, e sua descoberta 9 anos depois estava em muito bom acordo com a lei. Nenhum planeta havia sido observado na posição n° 5 da série, mas em 1801 Piazzi descobriu o "planetoide" Ceres, parte da faixa de cerca de 2.000 asteróides existentes entre Marte e Júpiter, supostamente resultantes da fragmentação de um planeta.

Assim, o valor de 38,8 U.A. usado por Adams e Le Verrier para o raio da órbita de Netuno estava errado de mais de 20% em relação ao valor real. Por coincidência, em 1846, Netuno estava na única parte de sua órbita para a qual esse erro não tinha grande importância, mas 75 anos antes ou depois ele teria invalidado totalmente os resultados.

Em 1930, C. Tombaugh descobriu Plutão, com base em irregularidades observadas na órbita de Netuno. O desvio em relação à lei de Bode é ainda maior. Até hoje não se sabe se o bom acordo com a lei de Bode até Urano tem alguma explicação ou se se trata de mera coincidência. Os raios das órbitas dos planetas, que Kepler também havia querido deduzir, dependem das condições de sua formação, e talvez estejam ligados ao problema matemático extremamente difícil e ainda não resolvido da estabilidade do Sistema Solar.

Em 2005, foi descoberto Eris, cerca de 30% mais massivo que Plutão. No ano seguinte, a União Astronômica Internacional resolveu reclassificar Plutão, incluindo-o, juntamente com Eris, na nova categoria de "planetas anões".

(e) Além do Sistema Solar

Como se poderia testar a validade da lei da gravitação além do Sistema Solar? Isto se tornou possível depois que William Herschel e seu filho John descobriram que as estrelas "fixas" não o são realmente, tendo observado vários movimentos estelares; em particular, o Sol se desloca em direção a um ponto da constelação de Hércules, com velocidade comparável à da Terra em sua órbita.

Os Herschels descobriram inúmeras *estrelas duplas*: um par de estrelas em órbita uma em torno da outra. Um exemplo é Sirius, que tem uma "companheira" bem menos luminosa, descoberta em 1862, denominada Sirius B.

A Figura 10.26 mostra a órbita de Sirius B em torno de Sirius A (que é a estrela Sirius mais visível), projetada contra a esfera celeste. É claramente uma elipse Kepleriana (a projeção distorce a posição do foco), com período T = 50 anos. Sirius está a uma distância de 8,7 anos-luz da Terra, mostrando assim que a lei da gravitação permanece válida a essa distância; o mesmo se observou para outras estrelas binárias mais distantes.

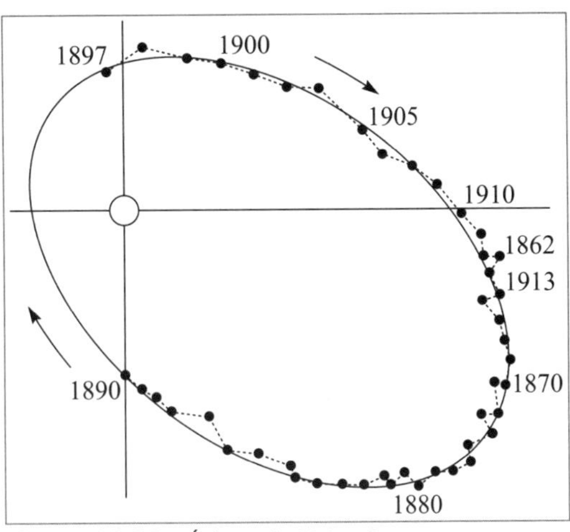

Figura 10.26 Órbita de Sirius B.

A distâncias bem maiores, da ordem de 10^4 anos-luz, observam-se aglomerados de estrelas de forma aproximadamente esférica e dimensões da ordem de 10^5 vezes as do sistema solar. Esses aglomerados devem ser mantidos pela atração gravitacional.

A nossa galáxia (comumente chamada de Via Láctea) é uma galáxia espiral, como a nebulosa de Andrômeda. "Vista de lado" ela teria aproximadamente a forma esboçada na Figura 10.27, com um núcleo central e um disco em rotação, contendo os braços espirais. Podemos interpretar esta forma como resultante da condensação por atração gravitacional de uma vasta nuvem de gás em rotação lenta. À medida que a nuvem se condensava, sua velocidade de rotação aumentaria até impedir a contração em direção ao eixo, permitindo apenas contração paralela ao eixo.

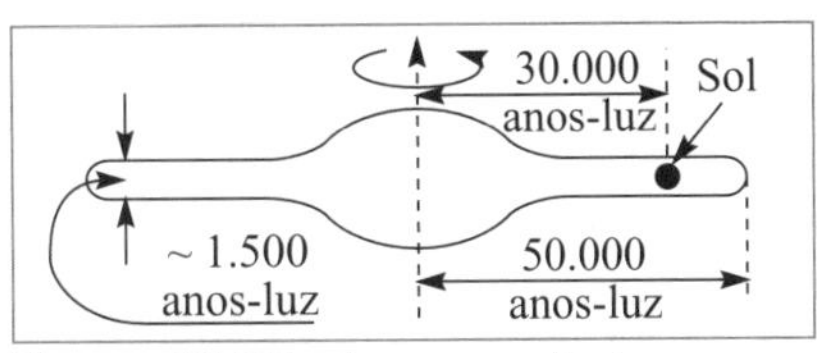

Figura 10.27 A nossa galáxia.

O sistema solar como um todo e estrelas vizinhas estão num dos braços espirais, a cerca de 30.000 anos-luz do centro, e giram em torno dele com uma velocidade orbital da ordem de 200 km/s e um período de rotação da ordem de $2{,}5 \times 10^8$ anos. Se tratarmos esse movimento como uma órbita kepleriana sob a ação da massa total M da galáxia concentrada em seu centro, podemos estimar essa massa a partir dos dados acima como fizemos para o Sol usando a (10.8.1). O resultado que obtemos é $M \sim 3 \times 10^{41}$ kg. Como o Sol é uma estrela típica e tem massa $\sim 2 \times 10^{30}$ kg, como vimos, concluímos que há da ordem de 10^{11} estrelas em nossa galáxia.

Numa escala ainda mais vasta, observamos aglomerados de galáxias, o que também atribuímos à atração gravitacional entre elas. A nossa galáxia faz parte do "Grupo Local", que contém cerca de uma vintena de galáxias, inclusive a galáxia de Andrômeda e as nuvens de Magalhães. Foram observados aglomerados de até $\sim 10^5$ galáxias e há observações de aglomerados de galáxias até a distâncias da ordem de 10^9 anos-luz, ou seja,

~ 1/10 do raio do universo. Podemos portanto corroborar a audaz hipótese de Newton, de que a lei da gravitação é realmente universal.

O sucesso imenso da Mecânica Newtoniana em sua aplicação à astronomia levou a um grau de confiança muito grande no esquema da física por ela sugerido. O próprio Newton formulou esse esquema no prefácio dos "Principia": "Ofereço este trabalho como os princípios matemáticos da filosofia, pois toda a tarefa da filosofia parece consistir nisto – a partir dos fenômenos de movimento investigar as forças da natureza, e depois a partir destas forças demonstrar os demais fenômenos...".

Laplace, em seu "Ensaio Filosófico sobre as Probabilidades" (1814), enunciou claramente o programa associado a esse concepção mecanicista, em termos do que se tornou conhecido como o "determinismo Laplaciano":

> "Devemos ... considerar o presente estado do universo como o efeito de seu estado anterior e causa do que se vai seguir. Se imaginarmos por um instante uma inteligência que pudesse conhecer todas as forças de que a Natureza é animada e as posições respectivas dos corpos que a compõem – uma inteligência suficientemente vasta para submeter estes dados à análise – ela compreenderia na mesma fórmula os movimentos dos maiores corpos do universo e os do átomo mais minúsculo; para ela, nada seria incerto e o futuro, bem como o passado, estariam presentes à sua visão. A mente humana oferece, na perfeição que foi capaz de dar à astronomia, um exemplo modesto do que seria essa inteligência."

Quando Laplace presenteou Napoleão com um exemplar de sua monumental "Mecânica Celeste" (5 vols., 1799-1825), o imperador lhe perguntou se era verdade que Deus não era mencionado em parte alguma do tratado. Laplace respondeu: "Sire, je n'ai pas eu besoin de cette hypothèse-là".

(f) O Caos determinístico

Sabemos hoje que Laplace estava errado: mesmo para a "inteligência suprema" que imaginou, ainda que auxiliada pelo mais poderoso dos supercomputadores, e admitindo que as leis 'determinísticas' da mecânica newtoniana, nas quais acreditava, fossem válidas, mesmo assim, o futuro seria incerto.

A razão disso foi claramente enunciada pelo grande matemático Henri Poincaré, no início do século XX:

> "Quando uma causa muito pequena, que não percebemos, produz um efeito considerável, bem perceptível, dizemos que o efeito é obra do acaso. Se conhecêssemos exatamente as leis da natureza e a situação do universo num momento inicial, poderíamos predizer exatamente a situação do universo num instante posterior. Mas, mesmo que as leis da natureza não tivessem mais nenhum segredo para nós, só poderíamos conhecer a situação inicial *aproximadamente*. Se isso nos permitisse predizer a situação posterior com o mesmo grau de aproximação, isso bastaria, e diríamos que o fenômeno havia sido predito. Mas nem sempre é assim: pode suceder que pequenas diferenças nas condições iniciais produzam diferenças muito grandes nos fenômenos finais. Um erro inicial muito pequeno pode levar a desvios enormes nos resultados. As predições se tornam impossíveis, e temos um fenômeno aleatório (fortuito)."

As ideias de Poincaré foram redescobertas em 1963 pelo meteorologista Edward Lorenz. É notório que as previsões meteorológicas, baseadas nas leis que regem a dinâmica da atmosfera, tornam-se incertas em períodos de semanas, embora atualmente se utilizem poderosos supercomputadores para obtê-las. A razão disso é a "sensibilidade a condições iniciais" descrita por Poincaré. Lorenz deu um exemplo que se tornou conhecido como "efeito borboleta", num artigo intitulado: "O bater das asas de uma borboleta no Brasil poderia provocar um furacão no Texas?". A ideia é que esse desvio ínfimo das condições locais dos ventos, inacessível às estações meteorológicas, poderia ser suficiente para alterar totalmente as previsões a mais longo prazo.

O estudo do caos determinístico tomou um grande impulso a partir dos anos 60. O seu tratamento detalhado faz parte de um dos ramos mais vigorosos da matemática contemporânea, a teoria dos sistemas dinâmicos. Sabemos hoje que não se trata de um efeito raro: pelo contrário, tem grande generalidade. Ele não ocorre para os sistemas mecânicos que serão analisados ao longo deste curso, mas, embora esses sistemas tenham grande importância teórica e muitas aplicações práticas, eles não representam a situação típica mais geral.

10.9 A ATRAÇÃO GRAVITACIONAL DE UMA DISTRIBUIÇÃO ESFERICAMENTE SIMÉTRICA DE MASSA

Vamos demonstrar nesta Seção o resultado que Newton obteve em 1685 (cf. Seç. 10.7): que uma distribuição esfericamente simétrica de massa (como a Terra) atrai uma partícula externa como se toda a massa da distribuição estivesse concentrada em seu centro.

(a) Energia potencial e princípio de superposição

As forças gravitacionais Newtonianas obedecem ao *princípio de superposição* mencionado na Seç. 4.4: quando várias massas atuam sobre uma partícula, a força gravitacional sobre a partícula é a resultante (soma vetorial!) das atrações exercidas por cada uma dessas massas. Para calcular o efeito de uma distribuição contínua de massa, como a da Terra, sobre uma partícula externa, poderíamos então subdividir essa distribuição em um grande número de elementos de volume (suficientemente pequenos para que cada um pudesse ser tratado como uma partícula), calcular pela (5.1.1) a atração gravitacional sobre a partícula exercida por cada um desses elementos, e depois efetuar a soma vetorial de todas essas forças de direções diferentes.

Esse cálculo pode ser grandemente simplificado usando o fato (Seç. 7.5) de que a força gravitacional é *conservativa* e substituindo o cálculo da força pelo da *energia potencial* da partícula na presença da distribuição de massa. A força pode ser calculada a partir da energia potencial pela (7.4.10).

É fácil ver que o princípio de superposição se aplica também à energia potencial. Com efeito, decorre imediatamente da definição (7.4.6) do gradiente que

$$\text{grad}(U_1 + U_2 + \ldots) = \text{grad}\, U_1 + \text{grad}\, U_2 + \ldots \qquad \textbf{(10.9.1)}$$

Logo, se cada uma das forças que atuam sobre uma partícula é conservativa, a sua resultante é

$$\mathbf{F} = -\text{grad } U_1 - \text{grad } U_2 - \ldots = -\text{grad } U \qquad \textbf{(10.9.2)}$$

onde

$$U = U_1 + U_2 + \ldots = \sum_j Uj \qquad \textbf{(10.9.3)}$$

o que já utilizamos na (7.6.14). É bem mais simples efetuar uma soma de grandezas escalares do que calcular a resultante de vetores, o que é uma das grandes vantagens de trabalhar com a energia potencial.

Já vimos (cf. (7.5.22)) que a energia potencial associada a duas partículas de massas m_1 e m_2 separadas pela distância r_{12}, correspondente à força gravitacional (5.1.1), é

$$U = -G\frac{m_1 m_2}{r_{12}} \qquad \textbf{(10.9.4)}$$

(b) Camada esférica

O truque básico que vamos usar consiste em decompor a distribuição de massa em camadas esféricas concêntricas delgadas, como uma cebola é constituída de camadas, e calcular inicialmente o potencial devido a uma dessas "cascas de cebola".

Consideremos então uma camada esférica de raio a e espessura h muito pequena sobre a qual, pela simetria esférica da distribuição, a massa estará distribuída uniformemente, e calculemos a energia potencial resultante sobre uma partícula de massa m num ponto P à distância r do centro (Figura 10.28). Devido à forma da (10.9.4), é mais simples para isso decompor a camada em *anéis* infinitesimais como aquele mostrado na figura, cujos pontos são todos equidistantes de P (distância s). Pela (10.9.4), a contribuição de um tal anel para a energia potencial em P é

$$dU_{(\text{anel})} = -G\frac{m}{s}dM \qquad \textbf{(10.9.5)}$$

onde dM é a massa (infinitésima) do anel.

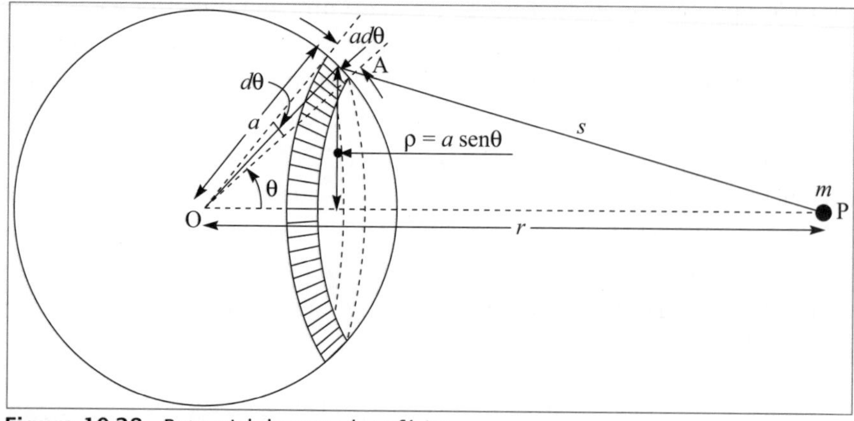

Figura 10.28 Potencial de camada esférica.

Se M é a massa total da camada esférica uniforme, temos

$$\frac{dM}{M} = \frac{\text{área do anel}}{4\pi a^2} \tag{10.9.6}$$

Como vemos pela Figura 10.28, o raio do anel é $\rho = a$ sen θ, e sua largura é $a\, d\theta$, de modo que

$$\text{área do anel} = 2\pi\rho \cdot a d\theta = 2\pi a^2 \,\text{sen}\,\theta d\theta$$

e a (10.9.6) fica

$$dM = \frac{1}{2} M \,\text{sen}\,\theta \; d\theta$$

Substituindo na (10.9.5), obtemos

$$dU_{(\text{anel})} = -G\frac{Mm}{2}\frac{\text{sen}\,\theta}{s}d\theta \tag{10.9.7}$$

A energia potencial total se obtém somando sobre todos os anéis, o que equivale, pela Figura 10.28, a integrar sobre θ, fazendo esse ângulo variar de 0 a π:

$$U = -G\frac{Mm}{2}\int_{\theta=0}^{\theta=\pi}\frac{\text{sen}\,\theta}{s}d\theta \tag{10.9.8}$$

onde s varia com θ. Podemos relacionar s com θ aplicando a lei dos cossenos ao triângulo OAP da Figura 10.28:

$$s^2 = a^2 + r^2 - 2ar\cos\theta \tag{10.9.9}$$

Derivando ambos os membros em relação a θ (note que a e r são constantes), obtemos

$$2s\frac{ds}{d\theta} = -2ar\frac{d}{d\theta}(\cos\theta) = 2ar\;\text{sen}\,\theta$$

ou seja,

$$ar \cdot \frac{\text{sen}\,\theta}{s}d\theta = ds$$

Comparando esta expressão com o integrando da (10.9.8), vemos que é mais fácil mudar a variável de integração de θ para s e integrar sobre s. Pela (10.9.9), os limites de integração se obtêm a partir das relações

$$\theta = 0 \Rightarrow s^2 = s_{\text{min}}^2 = (r-a)^2;\quad \theta = \pi \Rightarrow s^2 = s_{\text{máx}}^2 = (r+a)^2 \tag{10.9.10}$$

correspondendo aos valores mínimo e máximo, respectivamente, da distância do ponto P à camada esférica. Logo, substituindo na (10.9.8), obtemos

$$U = -\frac{GMm}{2ar}\int_{s_{\text{min}}}^{s_{\text{máx}}} ds = -\frac{GMm}{2ar}\left(s_{\text{máx}} - s_{\text{min}}\right) \tag{10.9.11}$$

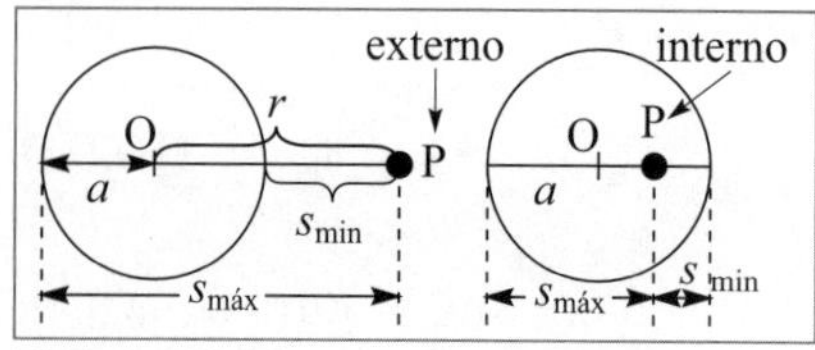

Figura 10.29 Pontos externo e interno.

Embora tenhamos desenhado a Figura 10.28 para um ponto P *externo* à camada esférica, nenhum dos resultados acima se altera quando o ponto P é interno (verifique!). Logo, podemos aproveitar o cálculo para tratar os dois casos. A única diferença surge no sinal da raiz quadrada das relações (10.9.10); como s é uma distância, $s \geq 0$, temos sempre $s_{máx} = r + a$, mas $s_{min} = r - a$ para $r > a$ (ponto P externo) e $s_{min} = a - r$ para $r < a$ (ponto interno):

Logo, para $r > a$, $s_{máx} - s_{min} = (r + a) - (r - a) = 2a$ e para $r < a$ é $s_{máx} - s_{min} = (r + a) - (a - r) = 2r$, de modo que a (10.9.11) dá, finalmente,

$$\boxed{U(r) = -\frac{GMm}{r} \quad (r \geq a)} \qquad \textbf{(10.9.12)}$$

e

$$\boxed{U(r) = -\frac{GMm}{a} \quad (r < a)} \qquad \textbf{(10.9.13)}$$

Note-se que, em ambos os casos, $U(\mathbf{r}) = U(|\mathbf{r}|)$ só depende de $r = |\mathbf{r}|$ e não da direção, o que é óbvio "a priori" pela simetria esférica da camada.

A (10.9.12) mostra que a energia potencial de interação entre a camada esférica e uma partícula externa é a mesma que se toda a massa M da camada estivesse concentrada em seu centro. A (10.9.13) mostra que, para uma partícula *interna* à camada, a energia potencial é *constante* (independente da distância ao centro).

A força gravitacional correspondente a cada um dos dois casos se obtém da (7.5.18):

$$\mathbf{F}(r) = -\text{grad}\, U = -\frac{dU}{dr}\hat{\mathbf{r}} = \mathbf{F}(r)\hat{\mathbf{r}} \qquad \textbf{(10.9.14)}$$

onde

$$\boxed{F(r) = -\frac{GMm}{r^2} \quad (r > a)} \qquad \textbf{(10.9.15)}$$

é a mesma que se toda a massa da camada estivesse concentrada em seu centro, ao passo que, pela (10.9.13),

$$\boxed{F(r) = 0 \quad (r < a)} \qquad \textbf{(10.9.16)}$$

ou seja, *a força gravitacional sobre uma partícula interna a uma camada esférica uniforme oca (cavidade esférica) é nula!*

Este resultado de aparência tão surpreendente tem uma explicação bastante simples.

Com efeito, consideremos uma reta qualquer que passa pelo ponto P interno à camada, cortando a esfera nos pontos A e B (Figura 10.30). Um cone infinitésimo de vértice P e eixo AB intercepta a esfera em duas áreas infinitésimas dA e dB, cujas projeções no plano da figura são $A'A''$ e $B'B''$. Os triângulos infinitésimos $PA'A''$ e $PB'B''$ são semelhantes, pela igualdade dos ângulos correspondentes, de modo que

$$\frac{A'A''}{B'B''} = \frac{PA''}{PB''} = \frac{PA}{PB} = \frac{r_A}{r_B} \quad \textbf{(10.9.17)}$$

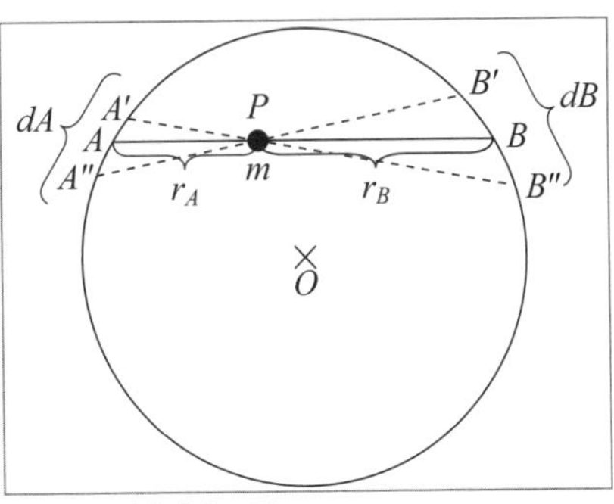

Figura 10.30 Elementos opostos.

Logo, segmentos correspondentes dos elementos de área dA e dB estão entre si na razão constante r_A/r_B, e as áreas desses elementos estarão uma para a outra como o quadrado dessa razão:

$$\frac{dA}{r_A^2} = \frac{dB}{r_B^2} \quad \textbf{(10.9.18)}$$

O 1º e o 2º membro dessa igualdade dão, a menos de um fator comum (= densidade de massa × espessura da camada × Gm), as magnitudes das forças de atração exercidas sobre P pelos elementos de área dA e dB, as quais têm sentidos opostos. Logo, essas forças são iguais e contrárias, e se cancelam. Como a superfície da camada pode toda ela ser subdividida em pares de elementos opostos de forma análoga, isto explica o resultado (10.9.16). Este resultado só é válido por ser a lei de forças do tipo r^{-2}, como vemos pela (10.9.18); se fosse $r^{-2+\varepsilon}$, com $\varepsilon \neq 0$, deixaria de valer.

As (10.9.12) e (10.9.13), bem como as (10.9.15) e (10.9.16), estão representadas graficamente na Figura 10.31. Note-se que as expressões obtidas são válidas dentro ou fora da camada esférica, cuja espessura h supusemos muito pequena. Se extrapolássemos essas expressões até $r = a$ (limite quando $h \to 0$), veríamos que a energia potencial $U(r)$ seria uma função contínua, mas a força $F(r)$ seria descontínua, saltando bruscamente do valor 0 para $r < a$ ao valor $-G\,M\,m/a^2$ para um ponto externo muito próximo à superfície. Na realidade, quando levamos em conta que $h \neq 0$, há uma transição contínua entre esses dois valores da força dentro e fora, transição essa que ocorre no interior da camada, conforme indicado pela curva em linha pontilhada na Figura 10.31. O cálculo de $U(r)$ e $F(r)$ dentro da camada pode ser feito de forma análoga ao que indicaremos a seguir.

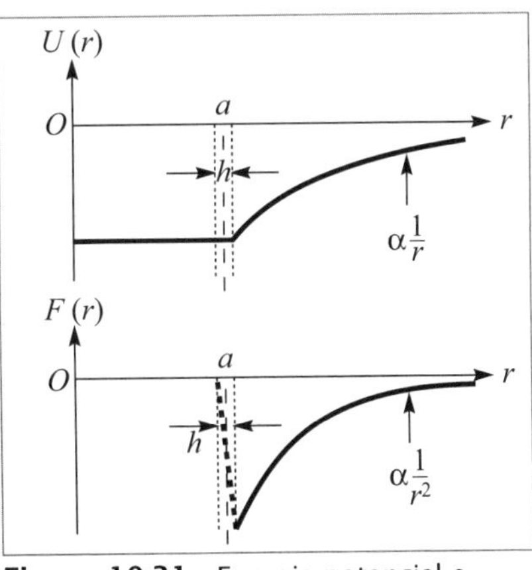

Figura 10.31 Energia potencial e força.

(c) Esfera maciça

Dizer que uma distribuição de massa é esfericamente simétrica significa que a densidade ρ dessa distribuição (massa por unidade de volume) só depende da distância r ao centro da esfera e não da direção, ou seja,

$$\rho = \rho(r) \tag{10.9.19}$$

Não é preciso que a esfera seja homogênea, o que corresponderia a ρ = constante (distribuição uniforme). Isto é importante, porque no caso da Terra sabemos, pelo estudo das ondas sísmicas, que a distribuição de massa está longe de ser uniforme: a densidade média tende a crescer com a profundidade, conforme indica o gráfico da Fig. 10.32, que representa a distribuição radial de densidade (em kg/m^3 × 10^{-3}) em função da distância (em km) ao centro da Terra. As descontinuidades representam transições bruscas entre camadas.

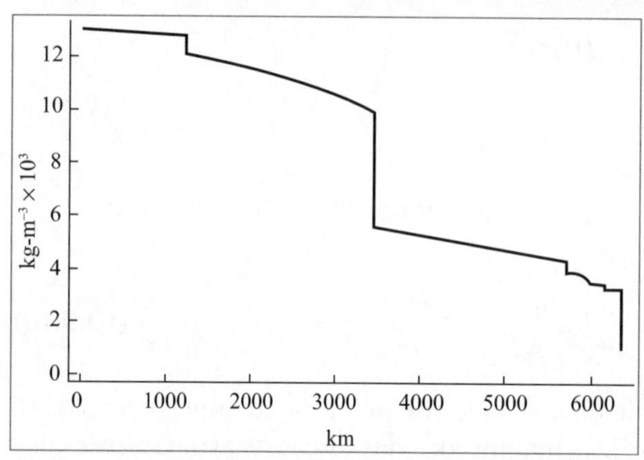

Figura 10.32 Distribuição radial de densidade da Terra.

Considerando o caso geral de uma esfera maciça de raio R com uma distribuição esfericamente simétrica de massa, os resultados precedentes permitem calcular a energia potencial e a força sobre uma partícula de massa m imaginando a esfera decomposta em camadas concêntricas delgadas. Seja r a distância da partícula ao centro da esfera.

Um *ponto externo* à esfera ($r > R$) é externo a todas as camadas, de modo que a energia potencial resultante é a mesma que se a soma das massas das camadas (igual à massa total M da esfera) estivesse concentrada no centro, ou seja,

$$\boxed{U(r) = -\frac{GMm}{r} \quad (r > R)} \tag{10.9.20}$$

e a força resultante é $F(r)\,\hat{\mathbf{r}}$, onde

$$\boxed{F(r) = -\frac{GMm}{r^2} \quad (r > R)} \tag{10.9.21}$$

Estes são os resultados de Newton. Vemos que sua validade só depende da simetria esférica da distribuição, e não de sua homogeneidade, aplicando-se portanto ao caso da Terra.

Consideremos agora um ponto interno à esfera ($r < R$). Neste caso, pela (10.9.16), as camadas esféricas concêntricas de raio $> r$ não exercem nenhuma força sobre ele, e as demais camadas (de raio $< r$) atuam como se sua massa estivesse concentrada no centro, de modo que a força resultante é

$$F(r) = -Gm\frac{\tilde{M}(r)}{r^2} \quad (r > R) \tag{10.9.22}$$

onde $\tilde{M}(r)$ é a massa total contida *dentro* de uma esfera de raio r (Figura 10.33):

Para calcular $\tilde{M}(r)$ é preciso conhecer a distribuição de densidade.

O caso mais simples é o de uma esfera *homogênea*, em que $\rho(r) = \rho_0$ = constante. Neste caso

$$\tilde{M}(r) = \frac{4}{3}\pi r^3 \rho_0 = M\frac{r^3}{R^3}$$

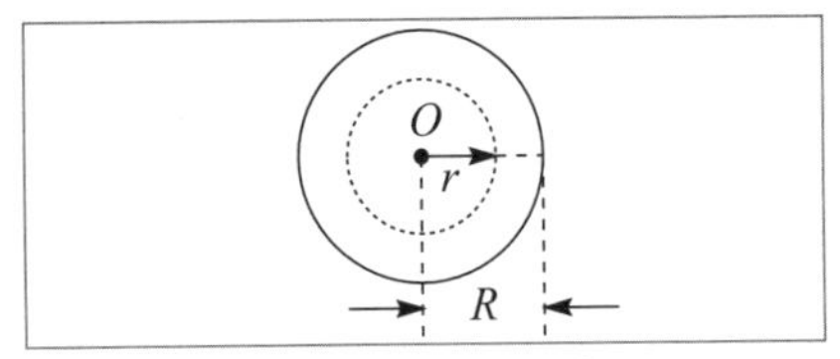

Figura 10.33 Esfera concêntrica interna.

de modo que a (10.9.22) dá

$$\boxed{F(r) = -\frac{GmM}{R^3}r, \quad (r < R), \quad \rho = \rho_0} \qquad \textbf{(10.9.23)}$$

Neste caso, portanto, temos uma força radial atrativa de que varia *linearmente* com a distância r ao centro, como na lei de Hooke (5.2.1).

Se fosse possível escavar um túnel atravessando a Terra até os antípodas, e se a Terra fosse homogênea, uma partícula dentro do túnel se comportaria então como se houvesse uma mola ideal prendendo-a ao centro da Terra (Figura 10.34). Evidentemente, nenhuma dessas duas hipóteses é verdadeira.

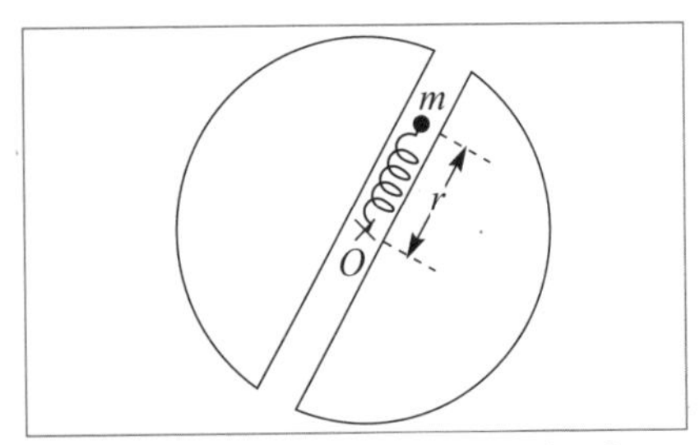

Figura 10.34 Força interna e lei de Hooke.

A energia potencial $U(r)$ associada à (10.9.23) pode ser calculada com o auxílio da (7.5.16), relacionando-a com $U(R)$, que pode ser obtido da (10.9.20):

$$U(r) - U(R) = -\int_R^r F(r')dr' = \frac{GmM}{R^3}\int_R^r r'dr' = \frac{GMm}{R^3}\left.\frac{r'^2}{2}\right|_R^r = \frac{GMm}{2R^2}\left(r^2 - R^2\right)$$

Logo

$$U(r) = \underbrace{U(R) - \frac{GMm}{2R}}_{\text{constante}} + \frac{GMm}{2R^3}r^2 \quad (r < R) \qquad \textbf{(10.9.24)}$$

que tem um comportamento parabólico como função de r. A Figura 10.35 dá os gráficos de $U(r)$ e $F(r)$ para *uma esfera homogênea*, representando as (10.9.20), (10.9.24), (10.9.21) e (10.9.23). Para uma distribuição inomogênea como a da Terra, as porções para $r > R$ dessas figuras permanecem inalteradas, mas o comportamento para $r < R$ seria modificado.

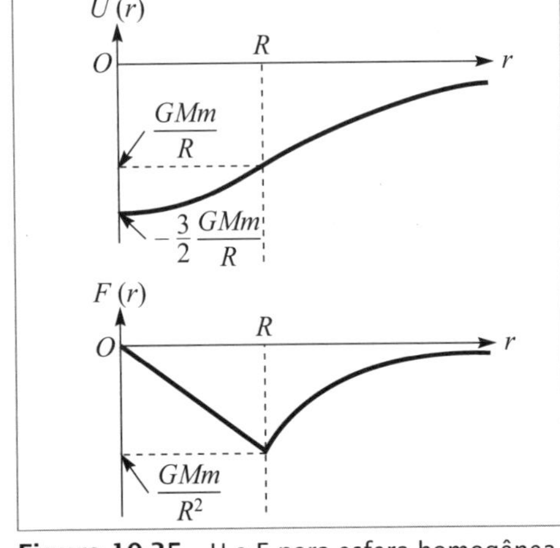

Figura 10.35 U e F para esfera homogênea.

(d) Duas esferas

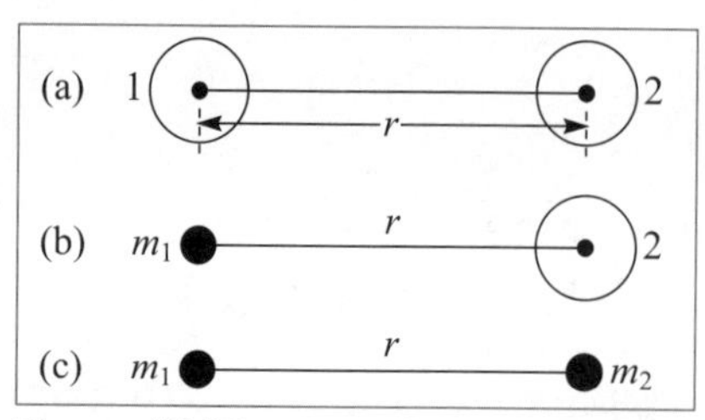

Figura 10.36 Interação gravitacional entre duas esferas.

Consideremos finalmente (Figura 10.36 (a)) a força de interação gravitacional entre duas esferas 1 e 2 (massas m_1 e m_2) cujos centros estão separados por uma distância r:

A esfera 1 atua sobre 2 (Figura 10.36 (b)) como se toda a sua massa m_1 estivesse concentrada em seu centro.

Mas, pelo princípio da ação e reação, a atração da partícula de massa m_1 sobre a esfera 2 é igual e contrária à exercida pela esfera 2 sobre m_1, e esta pode ser calculada (Figura 10.36 (c)) substituindo a esfera 2 por uma partícula de massa m_2 em seu centro:

Vemos, por conseguinte que a interação gravitacional entre duas *esferas* é a mesma que se toda a massa de cada uma delas estivesse concentrada em seu centro. Este resultado desempenha um papel importante na análise da experiência de Cavendish (Fig. 10.24), em que as esferas estão usualmente muito próximas entre si, mas apesar disso continuam interagindo como se fossem duas partículas puntiformes, o que não valeria para corpos de forma não esférica.

10.10 MASSA REDUZIDA

Ao tratar o problema do movimento de um planeta em torno do Sol na aproximação de órbitas circulares (Seç. 10.6), tomamos a posição do Sol como um ponto fixo, que serviu como origem do referencial empregado na descrição do movimento. Na realidade, para um sistema isolado de partículas, ou seja, um sistema sobre o qual atuam apenas forças internas, como as gravitacionais, é o centro de massa do sistema que permanece em repouso ou em movimento retilíneo uniforme (Seç. 8.1), podendo ser tomado como origem de um referencial inercial. Como a massa do Sol é muito maior do que a de qualquer planeta (99,9% da massa total do sistema solar concentram-se no Sol), o CM está muito próximo dele, de modo que o erro da aproximação anterior (tomá-lo como fixo) é pequeno. Para uma estrela dupla, porém, em que as massas das duas componentes do par podem ser de mesma ordem, uma aproximação desse tipo é inviável. Vejamos como tratar, sem essa aproximação, o *problema de dois corpos*: a interação gravitacional entre duas partículas de massas quaisquer, m_1 e m_2.

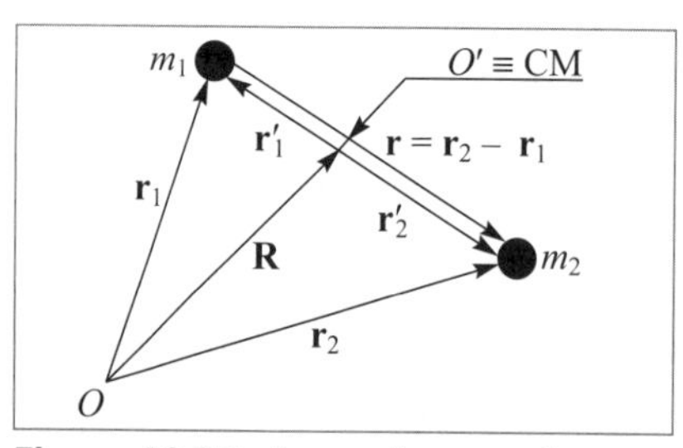

Figura 10.37 Interação entre duas partículas.

A Figura 10.37 ilustra as posições $\mathbf{r}_1$, $\mathbf{r}_2$ e $\mathbf{R}$ das duas partículas e do CM em relação a um referencial qualquer de origem O, onde $\mathbf{R}$ é dado pela (8.1.15). Tomando um novo referencial com origem O' no CM (*referencial* do CM), os vetores de posição $\mathbf{r}'_1$ e $\mathbf{r}'_2$ das duas partículas relativos a esse referencial são dados pelas (8.1.17), ou seja,

$$\mathbf{r}_1' = -\frac{m_2}{M}\mathbf{r}, \quad \mathbf{r}_2' = -\frac{m_1}{M}\mathbf{r} \tag{10.10.1}$$

onde $M = m_1 + m_2$ é a massa total do sistema, e

$$\mathbf{r} = \mathbf{r}_2 - \mathbf{r}_1 \tag{10.10.2}$$

é o vetor de posição de m_2 em relação a m_1.

As equações de movimento no referencial do CM se escrevem:

$$m_1\ddot{\mathbf{r}}_1' = \mathbf{F}_{1(2)}, \quad m_2\ddot{\mathbf{r}}_2' = \mathbf{F}_{2(1)} \tag{10.10.3}$$

onde, pelas (5.1.1) e (10.10.2),

$$\mathbf{F}_{2(1)} = -G\frac{m_1 m_2}{r^2}\hat{\mathbf{r}} = -\mathbf{F}_{1(2)} \tag{10.10.4}$$

com $\hat{\mathbf{r}} = \mathbf{r} / r$, $r = |\mathbf{r}|$.

Substituindo as (10.10.1) nas (10.10.3), vemos que ambas as equações de movimento se reduzem a uma única:

$$\frac{m_1 m_2}{M}\ddot{\mathbf{r}} = \mathbf{F}_{2(1)} = -G\frac{m_1 m_2}{r^2}\hat{\mathbf{r}} \tag{10.10.5}$$

ou seja

$$\boxed{\mu\ddot{\mathbf{r}} = \mathbf{F}} \quad \left(= \mathbf{F}_{2(1)}\right) \tag{10.10.6}$$

onde $\mathbf{F} = \mathbf{F}_{2(1)}$ depende somente de $\mathbf{r}$, e

$$\boxed{\mu = \frac{m_1 m_2}{M} = \frac{m_1 m_2}{m_1 + m_2}} \tag{10.10.7}$$

que tem as dimensões de massa, chama-se *massa reduzida* do sistema de dois corpos (cf. Seç. 9.7).

A (10.10.6) é formalmente idêntica à equação de movimento de uma única partícula de massa μ igual à massa reduzida e vetor de posição $\mathbf{r}$, sujeita à força $\mathbf{F}$. Conseguimos assim reduzir o problema de dois corpos ao de um só corpo. Essa redução vale não somente para o caso gravitacional, mas para qualquer força de interação *central*, ou seja, sempre que $\mathbf{F}_{2(1)} = -\mathbf{F}_{1(2)}$ depende apenas de $\mathbf{r} = \mathbf{r}_2 - \mathbf{r}_1$ (única propriedade usada).

A "partícula" de massa μ é fictícia, mas, uma vez resolvida a (10.10.6) e obtido $\mathbf{r}(t)$, basta substituir nas (10.10.1) para obter as posições $\mathbf{r}_1'(t)$ e $\mathbf{r}_2'(t)$ das duas partículas em relação ao CM em função do tempo. Note-se que $\mathbf{r}(t)$ dá a órbita de uma das partículas em relação à outra.

Temos, pela (10.10.7),

$$\frac{1}{\mu} = \frac{m_1 + m_2}{m_1 m_2} = \frac{1}{m_1} + \frac{1}{m_2} \tag{10.10.8}$$

de modo que μ é sempre menor que m_1 e m_2. Se uma das duas massas é muito maior que a outra, por exemplo $m_2 >> m_1$, podemos desprezar $1/m_2$ em confronto com $1/m_1$ e vem $\mu \approx m_1$. Assim, por exemplo, a massa reduzida do sistema Terra-Sol é aproximadamente igual à massa da Terra.

Vejamos agora qual é o efeito da massa reduzida no problema das órbitas circulares sob a ação de forças gravitacionais. As (10.10.5) e (10.10.6) dão

$$\ddot{\mathbf{r}} = -G\frac{m_1 m_2}{\mu r^2}\hat{\mathbf{r}} = -\frac{G(m_1 + m_2)}{r^2}\hat{\mathbf{r}} \qquad \textbf{(10.10.9)}$$

Para uma órbita circular com período T da partícula fictícia de massa μ, identificamos $\ddot{\mathbf{r}}$ com a aceleração centrípeta (cf. (10.6.1))

$$\ddot{\mathbf{r}} = -4\pi^2\frac{r}{T^2}\hat{\mathbf{r}} \qquad \textbf{(10.10.10)}$$

Das (10.10.9) e (10.10.10), obtemos

$$\boxed{\frac{r^3}{T^2} = \frac{G}{4\pi^2}(m_1 + m_2) = \frac{Gm_2}{4\pi^2}\left(1 + \frac{m_1}{m_2}\right)} \qquad \textbf{(10.10.11)}$$

No caso do movimento dos planetas em torno do Sol, na aproximação de órbitas circulares, r seria o raio da órbita, m_2 a massa do Sol e m_1 a massa do planeta. Pode-se demonstrar que a (10.10.11) permanece válida para órbitas elípticas, substituindo r pelo raio médio da órbita (semieixo maior da elipse).

Comparando a (10.10.11) com a (10.8.1), vemos que o único efeito da massa reduzida é introduzir o fator de correção $1 + (m_1/m_2)$ na 3ª lei de Kepler (cf. (10.4.1)). Devido a esse fator, a 3ª lei não é mais exata, ou seja, a "constante" da 3ª lei não é exatamente a mesma para todos os planetas, variando de planeta a planeta pelo fator de correção. Entretanto, mesmo para Júpiter, o planeta que tem a maior massa, $m_1/m_2 \sim 10^{-3}$ (para a Terra, $m_1/m_2 \sim 3 \times 10^{-6}$), de modo que o fator de correção é muito próximo da unidade e a 3ª lei de Kepler é uma excelente aproximação (cf. tabela III, Seç. 10.4).

Se a partícula fictícia de vetor de posição $\mathbf{r}$ descreve um círculo, as (10.10.1) mostram que as duas partículas reais também descrevem órbitas circulares em torno do CM. Para o sistema Sol-planeta, o CM está muito próximo do Sol, e o raio da órbita do planeta em torno do CM, $|\mathbf{r}'_1| = (m_2/M)\, r \approx r$, praticamente coincide com o da órbita em torno do Sol. Por outro lado, o Sol também descreve uma órbita circular em torno do CM, mas o raio dessa órbita é $|\mathbf{r}'_2| = (m_1/M)\, r <<< r$, ou seja, é extremamente pequeno em confronto com a distância Sol-planeta.

Para um sistema de dois corpos de massas iguais, $m_1 = m_2$, e uma órbita circular de raio r da partícula de massa reduzida $\mu = m_1/2$, as (10.10.1) mostram que $\mathbf{r}'_1 = -\frac{1}{2}\mathbf{r}$ e $\mathbf{r}'_2 = \frac{1}{2}\mathbf{r}$. Neste caso, o CM é o ponto médio do segmento que une as duas partículas, e elas giram em torno desse ponto como uma barra rígida em torno do centro, descrevendo círculos de raio $r/2$.

10.11 ENERGIA POTENCIAL PARA UM SISTEMA DE PARTÍCULAS

Pela (7.3.6), a energia potencial de uma partícula sujeita a forças conservativas num ponto P é dada por

$$U(P) = -\int_{P_0}^{P} \mathbf{F}\cdot d\mathbf{l} \qquad \text{onde} \qquad U(P_0) = 0 \tag{10.11.1}$$

e o resultado independe do caminho de P_0 a P. Vimos também (cf.(7.5.16) e (7.5.22)) que, para um sistema de duas partículas de massas m_1 e m_2 em interação gravitacional, a energia potencial da partícula 1 numa posição situada à distância r_{12} da partícula 2 é dada por (cf. (10.9.4))

$$U = -G\frac{m_1 m_2}{r_{12}} \tag{10.11.2}$$

adotando-se como nível zero de energia potencial um ponto P_0, infinitamente afastado, onde a força gravitacional se anula ($r_{12} \to \infty$).

A (10.11.2) é também a energia potencial da partícula 2 sob o efeito gravitacional da partícula 1. Existe uma completa simetria com respeito às duas partículas, sugerindo que se deva interpretar U como energia potencial associada ao *sistema* de duas partículas na configuração considerada, ou seja, quando estão à distância r_{12} uma da outra; podemos usar a notação $U = U_{12}$ para exprimir esta ideia.

Consideremos agora uma terceira partícula, de massa m_3, situada na posição 3 (Figura 10.38).

Qual é a energia potencial da partícula nessa posição sob a ação das forças gravitacionais devidas a m_1 e m_2? Podemos calculá-la pela (10.11.1), onde P_0 está infinitamente afastado e $\mathbf{F} = \mathbf{F}_{3(1)} + \mathbf{F}_{3(2)}$, usando notação análoga à da (5.1.1):

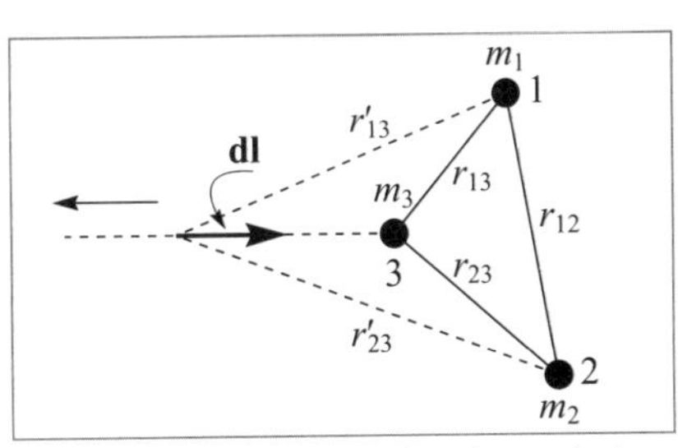

Figura 10.38 Sistema de três partículas.

$$U_3 = -\int_{P_0}^{3} \mathbf{F}\cdot d\mathbf{l} = -\int_{P_0}^{3} \mathbf{F}_{3(1)}\cdot d\mathbf{l} - \int_{P_0}^{3} \mathbf{F}_{3(2)}\cdot d\mathbf{l} = Gm_1m_3\int_{\infty}^{r_{13}} \frac{dr'_{13}}{\left(r'_{13}\right)^2} + Gm_2m_3\int_{\infty}^{r_{23}} \frac{dr'_{23}}{\left(r'_{23}\right)^2}$$

onde as notações estão explicadas na Figura 10.38. Cada uma dessas integrais é análoga às (7.5.21) e (7.5.22), e o resultado é

$$U_3 = -G\frac{m_1 m_3}{r_{13}} - G\frac{m_1 m_2}{r_{23}} \tag{10.11.3}$$

Isto decorre diretamente do princípio de superposição (cf. Seç. 10.9). Note-se que, adotando a notação simétrica mencionada acima, escreveríamos a (10.11.3) sob a forma

$$U_3 = U_{13} + U_{23} \tag{10.11.4}$$

ou seja, a energia potencial da partícula 3 é a soma de suas energias de interação com as partículas 1 e 2.

A *energia potencial total do sistema* de 3 partículas obtém-se somando a U_3 a energia potencial (10.11.1) do sistema das duas partículas 1 e 2:

$$\boxed{U = U_{12} + U_{13} + U_{23} = -G\left(\frac{m_1 m_2}{r_{12}} + \frac{m_1 m_3}{r_{13}} + \frac{m_2 m_3}{r_{23}}\right)} \quad \textbf{(10.11.5)}$$

Novamente, o resultado é simétrico em relação às três partículas: a energia potencial total é uma propriedade da *configuração*. Obteríamos. o mesmo resultado, por exemplo, somando à energia potencial do sistema formado pelas partículas 2 e 3 (U_{23}) a energia potencial da partícula 1 sob a ação das duas outras ($U_{12} + U_{13}$).

O resultado se generaliza imediatamente à energia potencial gravitacional de um sistema de um número qualquer N de partículas: a energia total é a soma das energias de interação entre todos os *pares* de partículas:

$$U = \sum_{\substack{i \neq j \\ \text{pares distintos}}} \sum U_{ij} = \sum_{\substack{i<j \\ j=1}}^{N} \sum_{j=1}^{N} U_{ij} \quad \textbf{(10.11.6)}$$

onde os índices i e j tomam todos os valores diferentes de 1 a N que correspondem a pares distintos. Para isto, como indicado, basta restringir a soma a $i < j$, o que impede que o mesmo par seja contado duas vezes (o par 2 1 é o mesmo que 1 2); isto foi feito na (10.11.5). Também podemos remover esta restrição, contando cada par duas vezes, e dividindo por 2 o resultado:

$$\boxed{U = \frac{1}{2} \sum_{\substack{i=1 \\ i \neq j}}^{N} \sum_{j=1}^{N} U_{ij} = -\frac{1}{2} G \sum_{\substack{i=j \\ i \neq j}}^{N} \sum_{j=1}^{N} \frac{m_i m_j}{r_{ij}}} \quad \textbf{(10.11.7)}$$

Se as partículas estão sujeitas unicamente à interação gravitacional entre elas, a *energia total* do sistema é

$$\boxed{E = T + U = \frac{1}{2} \sum_{i=1}^{N} m_i \mathbf{v}_i^2 + U} \quad \textbf{(10.11.8)}$$

onde T é a energia cinética total e $\mathbf{v}_i$ é a velocidade da partícula i. Como a força gravitacional é conservativa, a energia total se conserva no tempo, embora as velocidades $\mathbf{v}_i$ e as distâncias r_{ij} variem com o tempo. É o que sucede, por exemplo, no movimento do sistema planetário como um todo em redor do Sol. O fato de que a energia potencial do sistema é negativa significa que se trata de um sistema *ligado*: seria preciso *fornecer* energia aos planetas para removê-los a uma distância infinita uns dos outros e do Sol ($r_{ij} \to \infty$), onde a interação gravitacional seria nula. Por outro lado, a contração gravitacional de uma estrela ou de uma galáxia diminui as distâncias r_{ij}, e por conseguinte também o valor de U ($|U|$ aumenta e $U < 0$). A energia assim desprendida pode transformar-se em energia cinética ou converter-se em outras formas de energia.

PROBLEMAS

10.1 Em 1968, a nave espacial Apolo 8 foi colocada numa órbita circular em torno da Lua, a uma altitude de 113 km acima da superfície. O período observado dessa órbita foi de 1h 59 min. Sabendo que o raio da Lua é de 1.738 km, utilize esses dados para calcular a massa da Lua.

10.2 Considere um satélite em órbita circular próxima da superfície de um planeta. (a) Mostre que o período T dessa órbita só depende da densidade média ρ do planeta, e não de sua massa total. (b) Calcule o valor de T para a Terra, para a qual ρ = 5,52 kg/m^3, desprezando os efeitos da atmosfera sobre a órbita. (c) Ainda no caso da Terra, calcule a velocidade do satélite nessa órbita.

10.3 Para uma partícula em órbita circular em torno de um centro de força gravitacional, demonstre que: (a) A energia total da partícula é a metade da energia potencial associada à órbita. (b) A velocidade da partícula é inversamente proporcional à raiz quadrada do raio da órbita.

10.4 Considere um satélite em órbita circular próxima da superfície de um planeta de raio R_p, onde a aceleração da gravidade vale g_p. (a) Calcule a velocidade de escape do satélite partindo dessa órbita. (b) Aplique o resultado à Terra, desprezando os efeitos da atmosfera.

10.5 O diâmetro angular aparente do Sol visto da Terra (ângulo subtendido pelo disco solar) é de 0,55°. A constante gravitacional é $G = 6{,}67 \times 10^{-11}$ N · m^2/kg^2. Utilizando apenas estes dados, juntamente com o período da órbita da Terra em torno do Sol, aproximada por um círculo, calcule a densidade média μ do Sol.

10.6 Supondo que a atração gravitacional da nossa galáxia, de massa total M_g e raio R_g, atua como se toda a massa estivesse concentrada no seu centro, e comparando a órbita circular de uma estrela situada na beirada da galáxia, de velocidade v_g, com a órbita da Terra em torno do Sol, de raio médio R, mostre que

$$M_g \,/\, M_s = \left(R_g v_g^2\right) / \left(R v^2\right)$$

onde m_s é a massa do Sol e v é a velocidade orbital da Terra em torno do Sol. Sabendo que a velocidade orbital do Sistema Solar em torno do centro da galáxia é de aproximadamente 200 km/s [Seç. 10.8 (e)] e que a distância dele ao centro é de aproximadamente (3/5) R_g, (a) Estime v_g usando o resultado (b) do Problema 10.3; (b) Estime M_g/M_S, sabendo que $R_g \sim 5 \times 10^4$ anos-luz.

10.7 Em 1795, Pierre-Simon de Laplace antecipou a existência de buracos negros, afirmando: "Uma estrela luminosa de mesma densidade que a Terra, cujo diâmetro fosse 250 vezes maior que o do Sol, não permitiria, em consequência de sua atração, que os seus raios luminosos nos atingissem; é possível, portanto, que os maiores corpos luminosos existentes no Universo sejam invisíveis para nós." Embora este raciocínio não relativístico não se justifique, deduza o resultado de Laplace. Para isto, calcule a velocidade de escape a partir de uma estrela hipotética de mesma densidade que a Terra em função do seu diâmetro e ache o valor crítico do diâmetro.

10.8 Considere um sistema de três partículas de mesma massa m, ocupando os vértices de um triângulo equilátero de lado d. (a) Calcule a força gravitacional que atua sobre cada partícula, em módulo, direção e sentido. (b) Mostre que as três partículas mantêm essa configuração triangular descrevendo órbitas circulares em torno do CM do sistema com velocidade angular ω; calcule o valor de ω. Este caso particular solúvel do problema de três corpos foi considerado por Laplace.

10.9 Considere uma estrela binária cujos componentes, de massas m_1 e m_2, separadas por uma distância r, descrevem órbitas circulares de período T em torno do CM do par (Seç. 10. 10). Seja T_S o período da órbita da Terra, de raio médio R, em torno do Sol, de massa M_s. (a) Mostre que

$$(T / T_s)^2 = \left[M_s / (m_1 + m_2)\right] \times (r / R)^3$$

(b) Aplique este resultado para calcular o período da estrela dupla Sirius A – Sirius B [Seç. 10.8 (e)], sabendo que a massa de Sirius A é 2,2 M_s e a de Sirius B é 0,9 M_s. A separação do par é de 19,9 U.A.; despreze a excentricidade das órbitas. (c) Calcule os raios r_A e r_B das órbitas de Sirius A e Sirius B.

10.10 Duas partículas de massas m_1 e m_2 são soltas em repouso, separadas de uma distância inicial r_0, movendo-se apenas sob o efeito de sua atração gravitacional mútua. Calcule as velocidades das duas partículas quando se aproximam até uma distância r ($< r_0$) uma da outra.

10.11 Calcule, em kgf, a força de atração gravitacional entre duas esferas idênticas de chumbo de raio igual a 50 cm, encostadas uma na outra. A densidade do chumbo é de 11,3 g/cm^3.

10.12 Calcule o período de oscilação de uma partícula no túnel hipotético através do centro da Terra considerado na Seç. 10.9 (c). Com que velocidade a partícula passaria pelo centro da Terra? Compare os resultados com os do Problema 10.2.

10.13 Calcule o campo gravitacional (força por unidade de massa) produzido por uma camada esférica homogênea de densidade ρ, raio interno a e raio externo b, num ponto situado dentro da camada, à distância r do centro ($a \leq r \leq b$) Mostre que, para uma camada delgada, o campo varia linearmente (com boa aproximação) entre as superfícies interna e externa (cf. Figura 10.31).

10.14 Dentro de uma esfera de raio R e de densidade ρ existe uma cavidade esférica de raio a. A distância entre os centros O e O' da esfera e da cavidade é d (figura). (a) Para um ponto P externo, alinhado com os centros O e O' e à distância r de O, calcule a razão entre o campo gravitacional (força por unidade de massa) da esfera com a cavidade e aquele que existiria se a esfera fosse maciça (sem cavidade). (b) Calcule

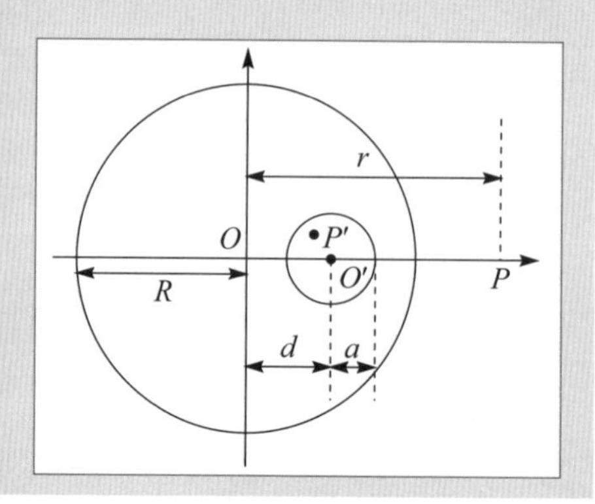

o campo gravitacional (em módulo, direção e sentido) num ponto P' qualquer situado dentro da cavidade. Sugestão: Procure construir os campos superpondo duas situações.

10.15 Calcule a energia potencial gravitacional total (Seç. 10.11) associada a uma esfera homogênea de raio R e massa M. *Sugestão*: Imagine a esfera como sendo construída por agregação de camadas sucessivas, como cascas de cebola. Considere a variação de energia potencial quando uma camada de espessura dr infinitésima é agregada a uma esfera de raio r, e integre sobre r.

10.16 Considere um fio retilíneo homogêneo de massa M e comprimento L e uma partícula de massa m alinhada com o fio, à distância D de uma extremidade (Figura). Mostre que a força de atração gravitacional exercida pelo fio sobre a partícula é a mesma que se teria se a massa total do fio estivesse concentrada num único ponto, à distância d da massa m, onde $d = \sqrt{D(D-L)}$ é a média geométrica das distâncias de m às extremidades A e B do fio.

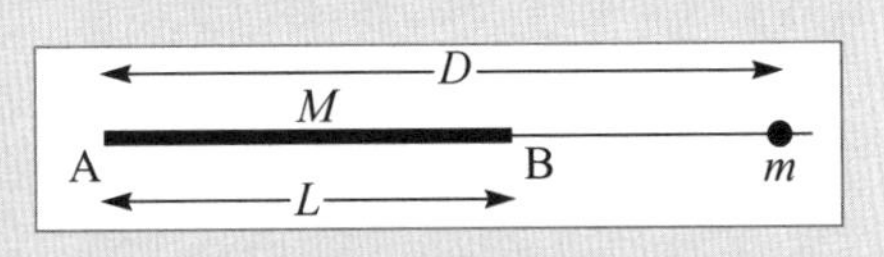

Nota: $\int_a^b \frac{dx}{x^2} = \frac{1}{a} - \frac{1}{b}$

10.17 Um fio homogêneo de massa M tem a forma de um anel circular de raio a. Calcule a força de atração gravitacional exercida pelo fio sobre uma partícula de massa m situada sobre o eixo (perpendicular ao plano do anel que passa pelo seu centro), à distância D do centro do anel (Figura).

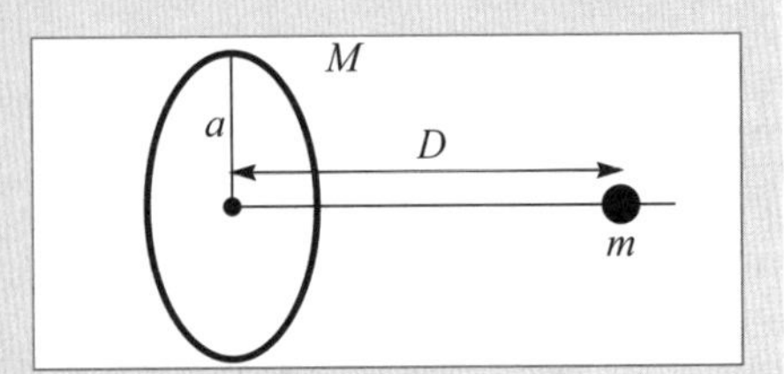

11

Rotações e momento angular

Iniciaremos agora o estudo específico de movimentos de rotação, em particular dos chamados "corpos rígidos", que, além de sua grande importância prática, estão entre os sistemas de partículas de tipo mais simples tratados na mecânica. Seremos levados ainda a introduzir o novo conceito de "momento angular" que, assim como os de energia e momento, é um dos mais importantes conceitos físicos.

11.1 CINEMÁTICA DO CORPO RÍGIDO

Um corpo rígido corresponde a um conceito limite ideal, de um corpo indeformável quaisquer que sejam as forças a ele aplicadas: *um corpo é rígido quando a distância entre duas partículas quaisquer do corpo é invariável.* Nenhum corpo é perfeitamente rígido: uma barra de aço se deforma sob a ação de forças suficientemente intensas e duas bolas de bilhar que colidem deformam-se ao entrar em contato. Entretanto, as deformações são em geral suficientemente pequenas para que possam ser desprezadas em primeira aproximação.

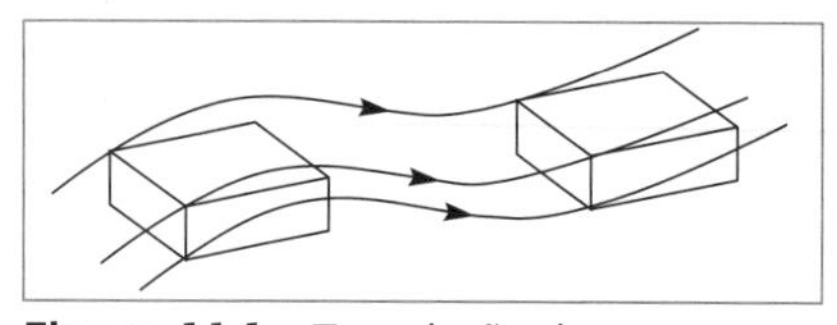

Figura 11.1 Translação de um corpo rígido.

Translação. Diz-se que um corpo rígido tem um movimento de *translação* quando a direção de qualquer segmento que une dois de seus pontos não se altera durante o movimento. Isto implica que todos os pontos do corpo descrevem curvas paralelas, ou seja, que podem ser superpostas umas às outras por translação (Figura 11.1). Todos os pontos sofrem o mesmo deslocamento durante o mesmo intervalo de tempo, de modo que todos têm, em qualquer instante, a mesma velocidade e aceleração, que se chamam, respectivamente, velocidade e aceleração de translação do corpo rígido. Para estudar o movimento de translação de um corpo rígido, basta estudá-lo para qualquer um de seus pontos (por exemplo, o centro de massa). Este tipo de movimento reduz-se então ao de um único ponto material.

Rotação. Se fixamos dois pontos A e B de um corpo rígido, isto equivale a fixar todos os pontos da reta definida por AB, pois todos eles têm de manter inalteradas suas distâncias de A e de B. Qualquer partícula do corpo situada fora desta reta tem de manter invariável sua distância ao eixo AB, de modo que só pode descrever um círculo, (Figura 11.2) com centro nesse eixo. Logo, AB é um *eixo de rotação:* todas as partículas descrevem círculos com centro no eixo, e giram de um mesmo ângulo no mesmo intervalo de tempo.

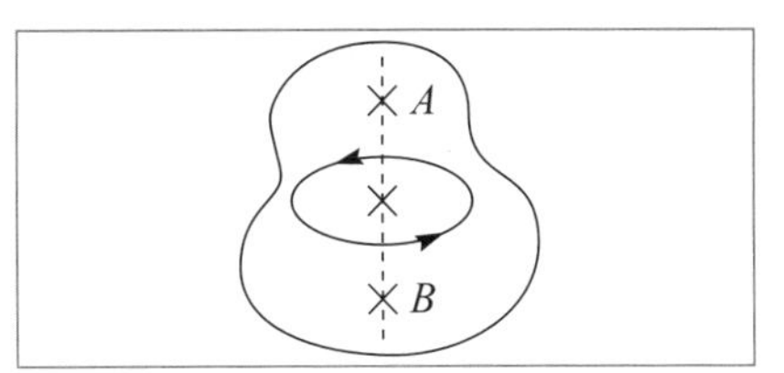

Figura 11.2 Rotação em torno de um eixo fixo.

O estudo do movimento reduz-se neste caso ao estudo do movimento circular de qualquer partícula situada fora do eixo: temos uma *rotação em torno de um eixo fixo*, que pode ser descrita em termos de uma única coordenada, o ângulo de rotação.

Se fixarmos um único ponto O do corpo, qualquer outro ponto P situado a uma distância r de O (Figura 11.3) tem de mover-se sobre uma esfera de raio r com centro em O. Temos uma *rotação em torno de um ponto fixo*, e o deslocamento de um ponto como P sobre a esfera pode ser descrito por duas coordenadas: por exemplo, os ângulos de latitude e longitude (cf. Fig. 1.7). Essas coordenadas descrevem a posição de P.

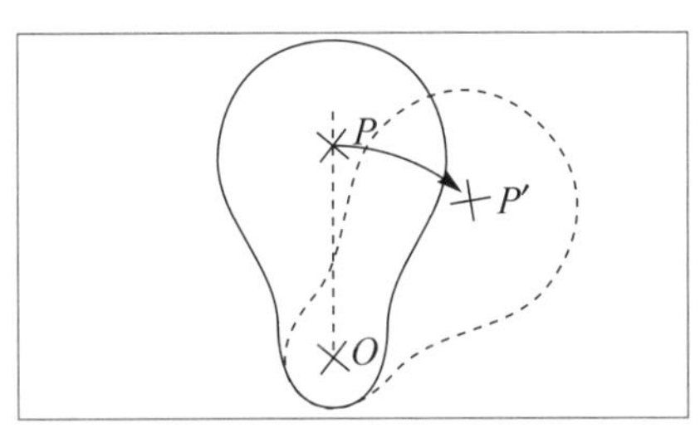

Figura 11.3 Rotação em torno de um ponto fixo.

Fixando a posição de 3 pontos A, B e C não colineares, fica fixada a posição do corpo rígido. Com efeito, ao fixarmos A e B, fica fixado o eixo AB. O ponto C não colinear só poderia descrever um círculo em torno de AB; logo, fixando C, fixa-se o corpo rígido.

Podemos agora demonstrar um resultado muito importante devido a Chasles (1830): *O movimento mais geral de um corpo rígido se compõe de uma translação e uma rotação.*

Com efeito, se O' é o ponto para onde se desloca um ponto O arbitrário do corpo, efetuemos primeiro uma *translação* de todo o corpo, definida pelo vetor $\mathbf{OO'}$. Isto leva à posição intermediária em linha interrompida na Figura 11.4. Se A e B são duas outras partículas do corpo nessa posição, não colineares com O, as suas correspondentes A' e B' na posição final do corpo têm de ser tais que os triângulos $O'AB$ e $O'A'B'$ sejam iguais, pois os lados correspondentes são iguais pela rigidez do corpo. Logo, esses dois triângulos podem ser superpostos por uma *rotação* em torno do ponto fixo comum O'. Uma vez fixados os três pontos não colineares O', A' e B', fica fixada a posição do corpo rígido, o que demonstra o resultado.

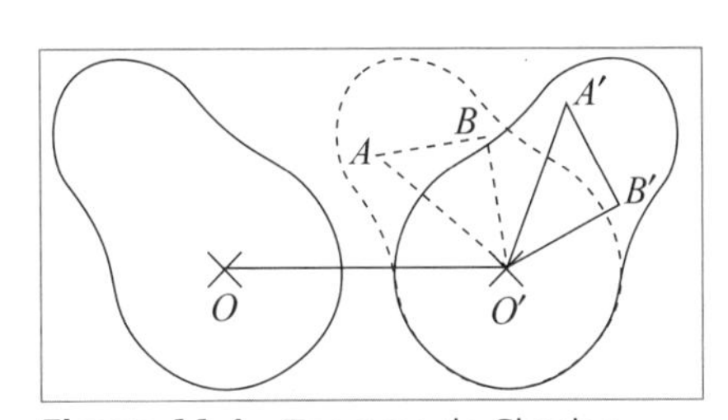

Figura 11.4 Teorema de Chasles.

Quantos parâmetros é preciso dar para especificar completamente a posição de um corpo rígido em relação a um dado referencial? Inicialmente, para especificar a posição de um ponto P do corpo, precisamos de 3 *coordenadas*. Uma vez fixado P, outro ponto A do corpo à distância r de P se encontra sobre uma esfera de raio r, e sua posição sobre essa esfera é especificada por mais duas *coordenadas* (latitude e longitude, por exemplo). Finalmente, uma vez especificadas as posições dos dois pontos P e A, qualquer outro ponto B do corpo tem de estar sobre um círculo com centro no eixo PA, e sua posição sobre esse círculo pode ser especificada por mais uma *coordenada* (ângulo de rotação em torno do eixo). Logo, precisamos de $3 + 2 + 1 = 6$ coordenadas para especificar completamente a posição de um corpo rígido. Dizemos que *um corpo rígido tem 6 graus de liberdade.*

De forma geral, chamam-se *graus de liberdade* de um sistema os parâmetros que é preciso fixar para especificar a posição do sistema. Uma partícula livre tem 3 graus de liberdade e um sistema de N partículas tem $3N$ graus de liberdade (3 coordenadas para cada partícula). Uma partícula que se desloca sobre uma superfície tem 2 graus de liberdade; uma conta que desliza sobre um fio tem 1 grau de liberdade.

O resultado obtido acima sobre o deslocamento mais geral de um corpo rígido permite associar 3 dos 6 graus de liberdade à translação e os outros 3 à rotação. Um corpo rígido com um ponto fixo tem 3 graus de liberdade, associados à rotação em torno desse ponto: se girar em torno de um eixo fixo, tem 1 só grau de liberdade.

11.2 REPRESENTAÇÃO VETORIAL DAS ROTAÇÕES

O movimento mais simples de rotação de um corpo rígido é a rotação em torno de um eixo fixo (Oz na Figura 11.5). Como vimos, o estudo desse movimento reduz-se ao do movimento circular de um ponto P qualquer numa secção transversal ao eixo. O sistema tem 1 grau de liberdade: a rotação pode ser descrita pelo ângulo de rotação θ do ponto P nesse movimento circular. Já discutimos (Seç. 3.8) o movimento circular no caso geral.

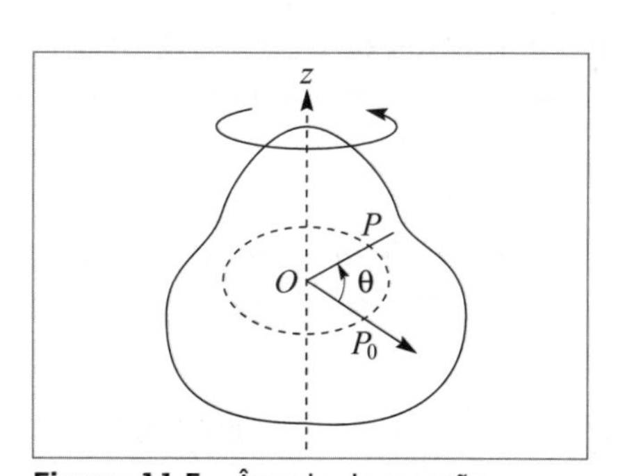

Figura 11.5 Ângulo de rotação.

Por conseguinte, se o eixo de rotação permanece fixo, a rotação pode ser descrita por uma grandeza escalar, que é o ângulo de rotação θ. Entretanto, isto deixa de valer para um movimento de rotação mais geral. Por exemplo, no movimento de um pião, a direção do eixo de rotação varia a cada instante. Logo, para caracterizar uma rotação no caso geral, não basta dar um ângulo de rotação: é preciso dar também uma direção, a direção do eixo de rotação.

Poderíamos pensar então em associar um vetor "θ" a uma rotação pelo ângulo θ, a direção desse vetor sendo dada pela direção do eixo. Já vimos, porém (Fig. 3.12), que a grandeza "θ" associada a uma rotação finita, embora tendo módulo, direção e sentido, não seria um vetor, pois a adição de grandezas desse tipo não é comutativa (cf. (3.2.5)).

Entretanto, se em lugar de rotações finitas tomarmos rotações por ângulos $\delta\theta$ infinitesimais, vamos ver agora que *rotações infinitesimais são comutativas e têm caráter vetorial.* Para isto vamos associar um vetor a uma rotação infinitesimal pelo mesmo procedimento definido na Seç. 3.2 para rotações finitas.

A *magnitude* de $\boldsymbol{\delta\theta}$ é o ângulo de rotação infinitesimal $\delta\theta$, e sua *direção é* a do eixo de rotação. Entretanto, fisicamente não há nada que permita associar um *sentido* ao vetor. Como vimos na Seç. 3.2, isto só pode ser feito por *convenção.* A convenção usualmente adotada é a que está ilustrada na Figura 11.6: um observador com a cabeça na extremidade do vetor $\boldsymbol{\delta\theta}$ e os pés na origem, olhando para "baixo", vê a rotação ocorrer no sentido *anti-horário.* Vamos adotar sempre esta convenção (embora pudéssemos igualmente bem ter escolhido a oposta).

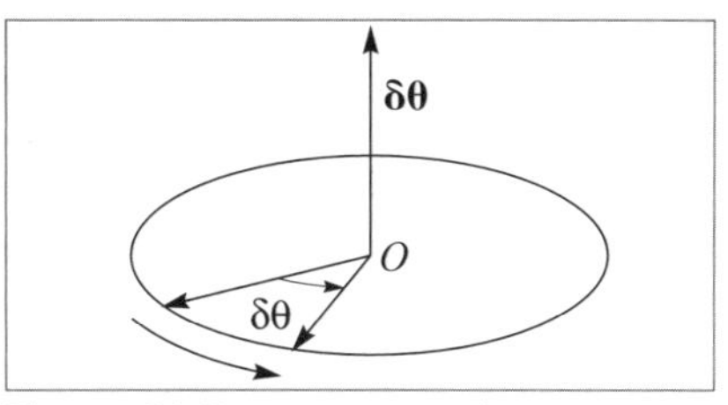

Figura 11.6 Convenção de orientação.

Consideremos agora um corpo rígido em rotação em torno de um eixo e uma secção transversal (perpendicular ao eixo de rotação) do corpo, que tomamos como plano xy de um sistema de coordenadas com origem O no eixo de rotação Oz (Figura 11.7).

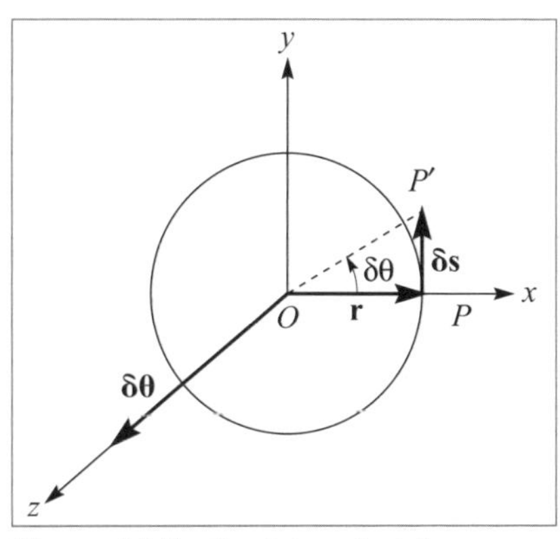

Figura 11.7 Produto vetorial.

Um ponto P da secção transversal à distância r da origem sofre um deslocamento $\delta s = r\delta\theta$ em consequência da rotação infinitesimal. Procuremos agora relacionar o deslocamento vetorial $\mathbf{PP'} = \boldsymbol{\delta s}$ (que, por ser infinitesimal, podemos tomar com a direção da tangente ao círculo da figura) com $\boldsymbol{\delta\theta}$ e o vetor de posição $\mathbf{OP} = \mathbf{r}$. A relação entre esses três vetores é dada por um novo tipo de produto de vetores, o *produto vetorial*, indicado pelo sinal "×":

$$\boxed{\delta \mathrm{s} = \boldsymbol{\delta\theta} \times \mathbf{r}} \tag{11.2.1}$$

O produto vetorial dos vetores $\boldsymbol{\delta\theta}$ e $\mathbf{r}$ é um **vetor**, o deslocamento $\boldsymbol{\delta s}$, cuja *magnitude*, no presente caso em que $\boldsymbol{\delta\theta}$ e $\mathbf{r}$ são perpendiculares entre si, é o produto das magnitudes dos dois fatores: $|\boldsymbol{\delta s}| = |\boldsymbol{\delta\theta}| \cdot \mathbf{r}$. A *direção* de $\boldsymbol{\delta\theta} \times \mathbf{r}$ é perpendicular ao plano definido pelas direções de $\boldsymbol{\delta\theta}$ e de $\mathbf{r}$ (no caso da Figura 11.7, em que tomamos $\mathbf{r}//Ox$, este é o plano Oxz). Finalmente, o *sentido* de $\boldsymbol{\delta\theta} \times \mathbf{r}$ é tal que um observador, com a cabeça na extremidade desse vetor e os pés na origem, que imagine $\boldsymbol{\delta\theta}$ girando em direção a $\mathbf{r}$, vê essa rotação no sentido anti-horário. No caso da Figura 11.7, por exemplo, o sentido de $\boldsymbol{\delta\theta} \times \mathbf{r}$ é o do eixo orientado Oy.

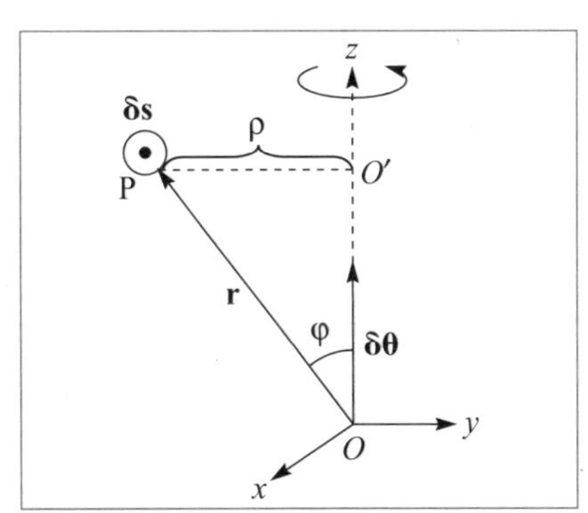

Figura 11.8 Magnitude do produto vetorial.

Consideremos agora um ponto P do corpo rígido não situado no plano Oxy. Na Figura 11.8, o vetor $\boldsymbol{\delta s}$ é perpendicular ao plano do papel e aponta para o leitor, o que indicamos pela notação ⊙. A relação (11.2.1) permanece válida e a direção e o sentido de $\boldsymbol{\delta\theta} \times \mathbf{r}$ continuam sendo dados pela regra acima. A única diferença é na magnitude, que agora é dada por

$$|\delta s| = |\delta\theta \times \mathbf{r}| = \Delta\theta \cdot \rho = |\delta\theta| \cdot |\mathbf{r}| \cdot \text{sen } \varphi \tag{11.2.2}$$

onde φ é o ângulo entre as direções de $\boldsymbol{\delta\theta}$ e $\mathbf{r}$. Estas considerações nos levam à definição geral do produto vetorial de dois vetores.

Digressão sobre produto vetorial

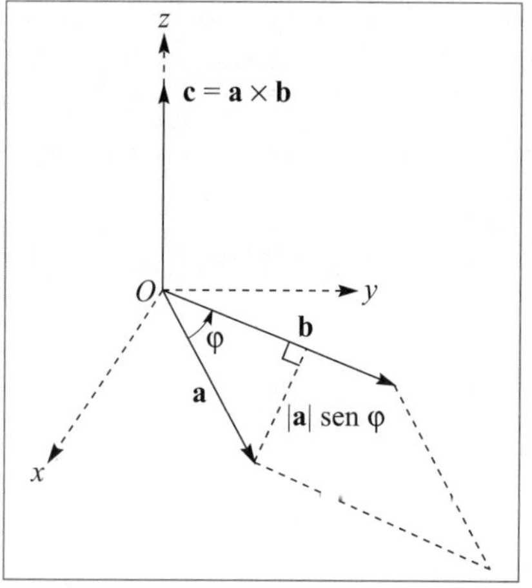

Figura 11.9 Interpretação geométrica.

O produto vetorial $\mathbf{c} = \mathbf{a} \times \mathbf{b}$ de dois vetores $\mathbf{a}$ e $\mathbf{b}$ é o vetor definido por (cf. Figura 11.9): *Direção* – perpendicular ao plano definido por $\mathbf{a}$ e $\mathbf{b}$. *Sentido* – tal que, visto da extremidade de $\mathbf{c}$, $\mathbf{a}$ gira aproximando-se de $\mathbf{b}$ no sentido anti-horário.

Magnitude de $\mathbf{a} \times \mathbf{b}$:

$$\boxed{|\mathbf{c}| = |\mathbf{a} \times \mathbf{b}| = |\mathbf{a}||\mathbf{b}| \text{sen } \varphi} \tag{11.2.3}$$

onde φ é o ângulo entre as direções de $\mathbf{a}$ e $\mathbf{b}$. Note-se que esta magnitude é também a área do paralelogramo construído sobre os dois vetores, conforme indicado na Figura 11.9.

Como o sentido de rotação de $\mathbf{a}$ para $\mathbf{b}$ é oposto ao de $\mathbf{b}$ para $\mathbf{a}$, temos

$$\mathbf{a} \times \mathbf{b} = -\mathbf{b} \times \mathbf{a} \tag{11.2.4}$$

ou seja, o produto vetorial é anti-comutativo. A (11.2.3) mostra ainda que, se $|\mathbf{a}| \neq 0$ e $|\mathbf{b}| \neq 0$, $\mathbf{a} \times \mathbf{b} = 0$ quando e somente quando as direções de $\mathbf{a}$ e $\mathbf{b}$ são paralelas. Em particular, $\mathbf{a} \times \mathbf{a} = 0$.

Temos ainda:

$$\left.\begin{aligned} \mathbf{i} \times \mathbf{j} = \mathbf{k} = -\mathbf{j} \times \mathbf{i} \\ \mathbf{j} \times \mathbf{k} = \mathbf{i} = -\mathbf{k} \times \mathbf{j} \\ \mathbf{k} \times \mathbf{i} = \mathbf{j} = -\mathbf{i} \times \mathbf{k} \end{aligned}\right\} \tag{11.2.5}$$

onde $\mathbf{i}$, $\mathbf{j}$ e $\mathbf{k}$ são os versores dos eixos coordenados. Note que a orientação usual dos eixos x, y e z, formando um triedro dextrógiro, também é uma convenção. O sinal dos produtos vetoriais na (11.2.5) é positivo quando os fatores se sucedem na ordem de uma permutação circular de $(\mathbf{i}, \mathbf{j}, \mathbf{k})$.

Demonstra-se (curso de cálculo vetorial) que o produto vetorial é distributivo, ou seja,

$$\mathbf{a} \times (\mathbf{b} + \mathbf{c}) = \mathbf{a} \times \mathbf{b} + \mathbf{a} \times \mathbf{c} \tag{11.2.6}$$

Com o auxilio das (11.2.5) e (11.2.6), podemos calcular as componentes cartesianas de

$$\mathbf{a} \times \mathbf{b} = \left(a_x \mathbf{i} + a_y \mathbf{j} + a_z \mathbf{k}\right) \times \left(b_x \mathbf{i} + b_y \mathbf{j} + b_z \mathbf{k}\right)$$

com o seguinte resultado, onde o último membro é o determinante:

$$\boxed{\mathbf{a} \times \mathbf{b} = \left(a_y b_z - a_z b_y\right)\mathbf{i} + \left(a_z b_x - a_x b_z\right)\mathbf{j} + \left(a_x b_y - a_y b_x\right)\mathbf{k} = \begin{vmatrix} \mathbf{i} & \mathbf{j} & \mathbf{k} \\ a_x & a_y & a_z \\ b_x & b_y & b_z \end{vmatrix}} \quad \textbf{(11.2.7)}$$

Após esta digressão, podemos voltar à discussão da representação vetorial das rotações infinitesimais, completando a prova de que $\boldsymbol{\delta\theta}$ é um vetor.

Consideremos o deslocamento resultante de duas rotações infinitesimais sucessivas $\boldsymbol{\delta\theta}_1$ e $\boldsymbol{\delta\theta}_2$, que podem ser em torno de eixos de direções diferentes, aplicadas a um ponto P de vetor de posição $\mathbf{OP} = \mathbf{r}$. Pela (11.2.1), temos, para os deslocamentos correspondentes às duas rotações,

$$\boldsymbol{\delta}\mathbf{s}_1 = \boldsymbol{\delta\theta}_1 \times \mathbf{r}$$
$$\boldsymbol{\delta}\mathbf{s}_2 = \boldsymbol{\delta\theta}_2 \times \mathbf{r}$$

Sabemos que os deslocamentos são vetores. Logo, o deslocamento resultante será a soma vetorial

$$\boldsymbol{\delta}\mathbf{s} = \boldsymbol{\delta}\mathbf{s}_1 + \boldsymbol{\delta}\mathbf{s}_2 = \boldsymbol{\delta\theta}_1 \times \mathbf{r} + \boldsymbol{\delta\theta}_2 \times \mathbf{r} = \left(\boldsymbol{\delta\theta}_1 + \boldsymbol{\delta\theta}_2\right) \times \mathbf{r}$$

onde utilizamos a (11.2.6). Logo, a rotação infinitesimal resultante é dada pela soma vetorial $\boldsymbol{\delta\theta}_1 + \boldsymbol{\delta\theta}_2$ (= $\boldsymbol{\delta\theta}_2 + \boldsymbol{\delta\theta}_1$), provando assim a asserção feita acima de que rotações infinitesimais são comutativas e têm caráter vetorial, ao contrário de rotações finitas.

Vetor velocidade angular: O vetor velocidade instantânea de um ponto P do corpo rígido em rotação, que tem um deslocamento infinitesimal $\boldsymbol{\delta}\mathbf{s}$ durante o intervalo de tempo infinitesimal δt, é dado por

$$\mathbf{v} = \lim_{\delta t \to 0} \left(\frac{\boldsymbol{\delta}\mathbf{s}}{\delta t} \right) = \lim_{\delta t \to 0} \left(\frac{\boldsymbol{\delta\theta}}{\delta t} \right) \times \mathbf{r}$$

ou seja, como $\boldsymbol{\delta}\mathbf{s} = \boldsymbol{\delta}\mathbf{r}$ (cf. Figura 11.8),

$$\boxed{\mathbf{v} = d\mathbf{r} / dt = \boldsymbol{\omega} \times \mathbf{r}} \quad \textbf{(11.2.8)}$$

onde

$$\boxed{\boldsymbol{\omega} = \lim_{\delta t \to 0} \left(\frac{\boldsymbol{\delta\theta}}{\delta t} \right) = \frac{\mathbf{d\theta}}{dt}} \quad \textbf{(11.2.9)}$$

se chama *vetor velocidade angular.*

A magnitude $\omega = d\theta/dt$ desse vetor corresponde à velocidade angular escalar definida anteriormente; a direção de $\boldsymbol{\omega}$ é a do eixo de rotação e o sentido é o de $\boldsymbol{\delta\theta}$ (Figura 11.10).

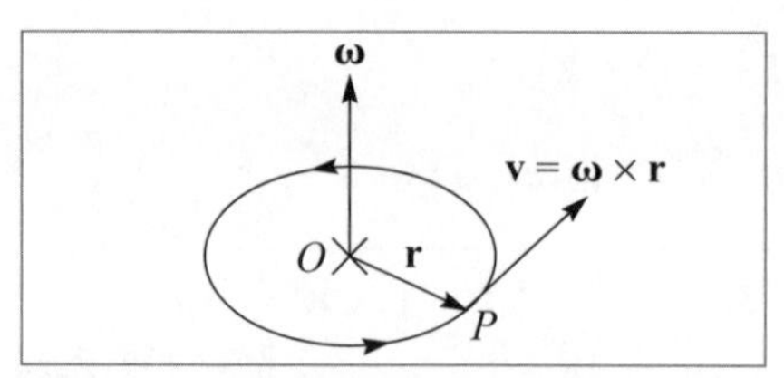

Figura 11.10 Vetor velocidade angular.

Vimos na Seç. 11.1 que o deslocamento mais geral possível de um corpo rígido se compõe de uma translação e de uma rotação. Correspondentemente, podemos decompor a velocidade de uma partícula arbitrária do corpo num dado instante em dois termos: uma velocidade instantânea de translação **u** e uma velocidade instantânea de rotação dada pela (11.2.8), o que dá para a velocidade total

$$\boxed{\mathbf{V} = \mathbf{u} + \mathbf{v} = \mathbf{u} + \boldsymbol{\omega} \times \mathbf{r}} \tag{11.2.10}$$

Conforme já foi mencionado, a direção do eixo instantâneo de rotação, e por conseguinte a de **ω**, variam em geral a cada instante. O caso mais simples, que é aquele em que **ω** tem uma direção fixa, será estudado em primeiro lugar, no próximo capítulo.

Vetores polares e vetores axiais: Vetores como **δθ** e **ω** diferem dos demais vetores encontrados até aqui pelo fato de que, embora tenham magnitude e direção bem definidas, seu sentido é definido através de uma *convenção.*

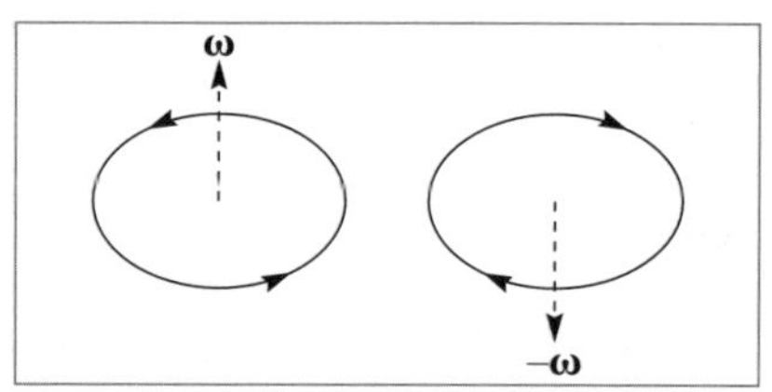

Figura 11.11 Representação por um círculo orientado.

Seria mais apropriado representar **ω** geometricamente por um *círculo orientado* (Figura 11.11) do que por uma seta. A convenção usual quanto ao sentido dessa seta poderia ser invertida sem nenhum prejuízo para a física, ou seja, não existe nenhuma característica física que permita orientar a direção do eixo de rotação para "cima" ou para "baixo".

Devido a sua associação com uma orientação convencional de um eixo, um vetor como **δθ** ou **ω** chama-se *vetor axial.* Os vetores ordinários até aqui encontrados, do tipo de um deslocamento, chamam-se *vetores polares*: exemplos são **r**, **v**, **a**, **p** e **F**.

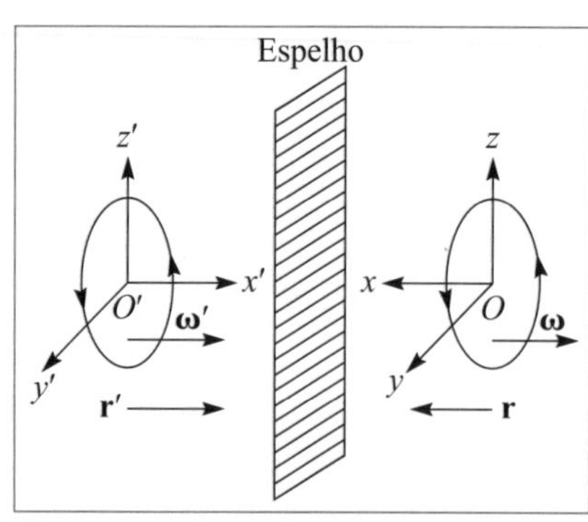

Figura 11.12 Reflexão especular.

A diferença entre vetores polares e vetores axiais aparece claramente quando examinamos seu comportamento frente a uma reflexão. Isto se relaciona com o fato de que um triedro dextrógiro se transforma em sinistrógiro quando refletido num espelho, como mostra a Figura 11.12, onde o espelho é paralelo ao plano *yz*. Vemos também na figura que um círculo orientado com seu plano paralelo ao do espelho se reflete de tal forma que o vetor axial **ω** associado, perpendicular ao espelho, não se altera ($\boldsymbol{\omega}' = \boldsymbol{\omega}$), ao passo que um vetor polar **r** perpendicular ao espelho troca de sinal por reflexão ($\mathbf{r}' = -\mathbf{r}$). É fácil ver, considerando outras orientações do círculo (verifique!) que componentes paralelas ao espelho de vetores polares e axiais também se refletem com sinal diferente.

A definição dada acima de produto vetorial envolve uma convenção para definir o seu sentido em termos dos sentidos dos fatores. Assim, *o produto vetorial de dois vetores polares é um vetor axial*. No exemplo da Figura 11.12, as componentes y e z de vetores polares não trocam de sinal por reflexão, ao passo que a componente x troca. A (11.2.7) mostra neste caso que, se $\mathbf{a}$ e $\mathbf{b}$ são polares, as componentes y e z de $\mathbf{a} \times \mathbf{b}$ trocam de sinal por reflexão e a componente x não troca, ou seja, $\mathbf{a} \times \mathbf{b}$ comporta-se efetivamente como um vetor axial. Analogamente, *o produto vetorial de um vetor axial por um vetor polar é um vetor polar*. A (11.2.8) exemplifica este resultado: $\boldsymbol{\omega}$ é axial, $\mathbf{r}$ é polar, $\mathbf{v} = \boldsymbol{\omega} \times \mathbf{r}$ é polar. Outro exemplo é a (11.2.1).

11.3 TORQUE

Voltemos agora ao problema abordado no início da Seção anterior, o movimento de rotação de um corpo rígido em torno de um eixo fixo. Do ponto de vista cinemático, como vimos, a direção desse movimento se reduz à do movimento circular de um ponto P do corpo numa secção transversal. Como há um só grau de liberdade, o ângulo de rotação θ em torno do eixo, podemos estabelecer uma analogia entre esse movimento e o movimento unidimensional estudado no Capítulo 2. Nessa analogia, temos a seguinte correspondência entre grandezas lineares e angulares (cf. Seç. 3.8):

$$\text{Deslocamento linear} = x \leftrightarrow \theta = \text{Ângulo de rotação}$$

$$\text{Velocidade linear} = v = \frac{dx}{dt} \leftrightarrow \omega = \frac{d\theta}{dt} = \text{Velocidade angular}$$

$$\text{Aceleração linear} = a = \frac{dv}{dt} \leftrightarrow \alpha = \frac{d\omega}{dt} = \text{Aceleração angular}$$

Para passarmos à dinâmica das rotações, vamos utilizar essa analogia a fim de procurar uma grandeza que desempenhe um papel análogo ao da *força*. Uma forma de definir uma força F no movimento linear seria por meio do trabalho ΔW por ela realizado num deslocamento infinitesimal Δx de seu ponto de aplicação (cf. (6.2.6) e (6.4.11)),

$$\Delta W = F \Delta x$$

O análogo de F para rotação seria então uma grandeza τ tal que

$$\Delta W = \tau \Delta\theta \qquad \textbf{(11.3.1)}$$

corresponda ao trabalho realizado numa rotação infinitesimal $\Delta\theta$.

Para fixar as ideias, consideremos uma haste rígida girando em torno de uma extremidade fixa O sob a ação de uma força $\mathbf{F}$ aplicada no ponto P, à distância r do ponto O (Figura 11.13). Poderia ser,

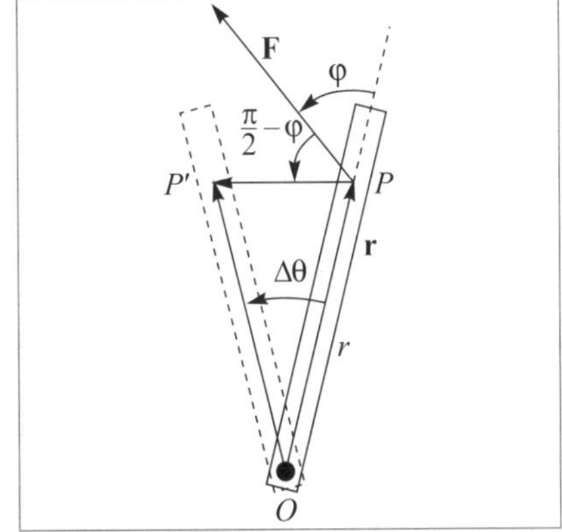

Figura 11.13 Haste rígida com extremidade fixa.

por exemplo, uma régua fixada sobre a mesa (plano do papel) no ponto O. A força **F** faz um ângulo φ com a direção de **OP** = **r**. Numa rotação infinitesimal $\Delta\theta$, o ponto P sofre um deslocamento **PP′** que se confunde com a tangente ao círculo de centro O e raio r no ponto P, sendo portanto perpendicular à direção de **r**. A projeção de **F** na direção do deslocamento é então (Figura 11.13)

$$F \cos\left(\frac{\pi}{2} - \varphi\right) = F \text{ sen } \varphi$$

e a magnitude do deslocamento do ponto de aplicação é $|\mathbf{PP'}| \approx r\Delta\theta$, de modo que o trabalho é

$$\Delta W = Fr \text{ sen } \varphi \;\; \Delta\theta \tag{11.3.2}$$

Comparando a (11.3.2) com a (11.3.1), concluímos que

$$\boxed{\tau = Fr \text{ sen } \varphi} \tag{11.3.3}$$

deve ser o análogo de F para rotações em torno de O.

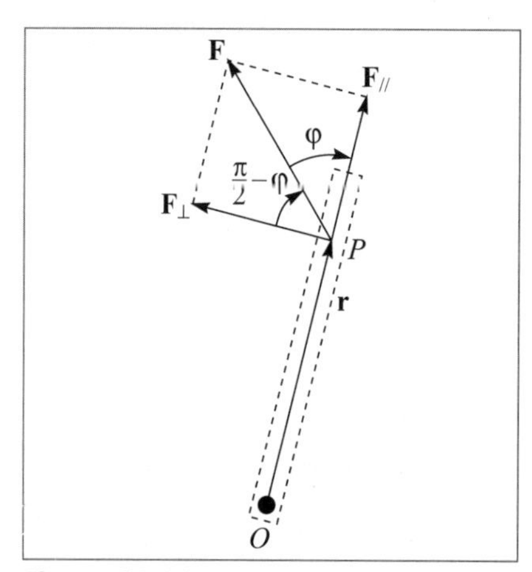

Figura 11.14 Componentes da força.

Este resultado pode ser reescrito de duas maneiras, que destacam aspectos diferentes. Primeiro, podemos decompor **F** em suas componentes $\mathbf{F}_{//}$, paralela à direção de **r** e de magnitude $\mathbf{F}_{//} = F \cos \varphi$, e $\mathbf{F}_{\perp}$, perpendicular à direção de **r** e de magnitude

$$F_{\perp} = F \text{ sen } \varphi \tag{11.3.4}$$

(Figura 11.14). A (11.3.3) se escreve

$$\boxed{\tau = F_{\perp} r} \tag{11.3.5}$$

mostrando que *somente a componente perpendicular da força* é *eficaz na produção da* rotação. É o que se deveria esperar, pois a componente paralela exerce apenas uma tração (ou compressão conforme o sentido) sobre o apoio fixo, que deve ser absorvida pelo mesmo.

Podemos ainda reescrever o resultado como

$$\boxed{\tau = Fr_{\perp} = Fb} \tag{11.3.6}$$

onde

$$r_{\perp} = b = r \text{ sen } \varphi \tag{11.3.7}$$

é a magnitude de $\mathbf{OQ} = \mathbf{r}_{\perp}$ (Figura 11.15), que é a distância da linha de ação PQ da força ao ponto O. Esta distância é chamada de "braço de alavanca" da força. É intuitivo que a *força é tanto mais eficaz na produção de rotação* quanto *maior o braço de*

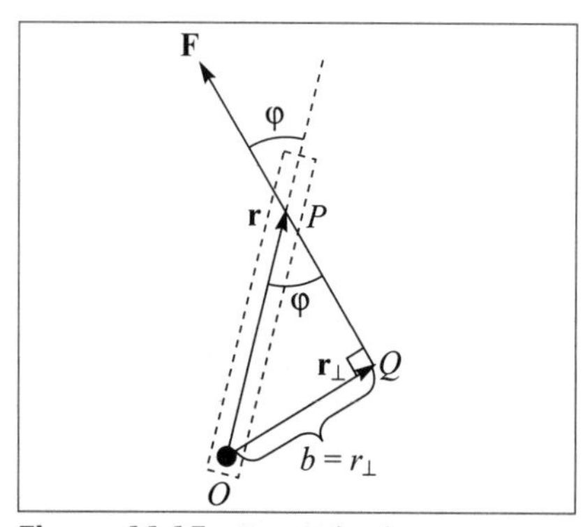

Figura 11.15 Braço de alavanca.

alavanca. Assim, quando empurramos uma porta, poupamos tanto mais esforço quanto mais longe do eixo de rotação o fizermos; pela mesma razão, a maçaneta deve ser colocada o mais distante possível do eixo.

A grandeza τ na (11.3. 1) foi introduzida como análoga à *magnitude* F de uma força. no caso de rotações, mas sabermos que a força é na realidade um vetor. Por outro lado, como φ na (11.3.3) é o ângulo entre as direções de **r** e de **F**, vemos, comparando-a com a (11.2.3), que

$$\tau = |\mathbf{r} \times \mathbf{F}| \qquad \textbf{(11.3.8)}$$

ou seja, τ é também a magnitude de um vetor, o produto vetorial de **r** por **F**:

$$\boxed{\boldsymbol{\tau} = \mathbf{r} \times \mathbf{F}} \qquad \textbf{(11.3.9)}$$

A direção e o sentido de $\boldsymbol{\tau}$ têm um significado físico importante na rotação. No exemplo ao lado da haste que gira num plano (o plano de **r** e **F**), $\boldsymbol{\tau}$ é perpendicular a esse plano, de modo que *a direção de* $\boldsymbol{\tau}$ é a *direção do eixo de rotação*. Por outro lado, o sentido de $\boldsymbol{\tau}$ é tal que, *vista da extremidade de* $\boldsymbol{\tau}$, *a rotação se dá no sentido anti-horário*. Se substituirmos **F** por uma força em sentido contrário, **F**′ = – **F**, o sentido de $\boldsymbol{\tau}$ se inverte ($\boldsymbol{\tau}' = -\boldsymbol{\tau}$), e o sentido de rotação também se inverte (Figura 11.16).

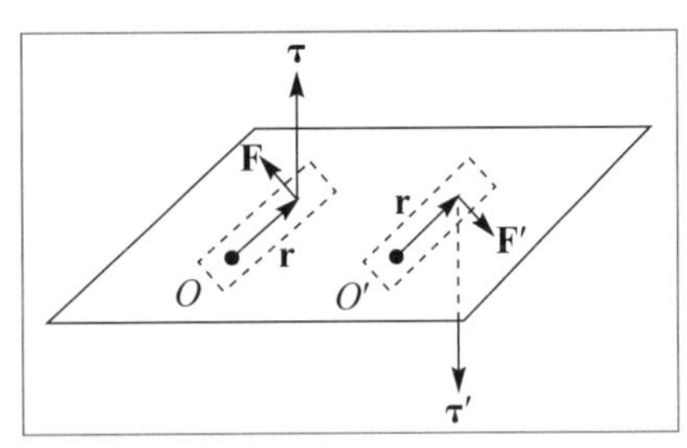

Figura 11.16 O vetor torque.

O vetor $\boldsymbol{\tau}$ definido pela (11.3.9) chama-se *torque da força* **F** *em relação ao* ponto *O*. A palavra torque vem do latim "torquere", que significa "torcer".

Nesta definição, **r** = **OP**, onde *P* é o ponto de aplicação da força **F**. É importante lembrar que definimos o torque de uma força *em relação a um dado ponto O*: se mudarmos o ponto *O*, o torque, em geral, também mudará.

Um caso particular importante é o de *forças centrais* (Seç. 7.5): neste caso,

$$\mathbf{F} = F(r)\hat{\mathbf{r}} \qquad \textbf{(11.3.10)}$$

(cf. (7.5.11)), onde **r** é o vetor de posição *relativo ao centro de forças O*. Se tomamos o torque em relação a esse ponto, teremos sempre **F**//**r**, de modo que

$$\boldsymbol{\tau} = \mathbf{r} \times \mathbf{F} = 0 \quad (\text{forças centrais}) \qquad \textbf{(11.3.11)}$$

É óbvio nesse caso que as forças não tendem a produzir rotação *em relação ao centro de forças O*, porque sua linha de ação sempre passa por ele. Já se tomarmos o torque em relação a um ponto $O' \neq O$ (Figura 11.17), ele será em geral $\neq 0$.

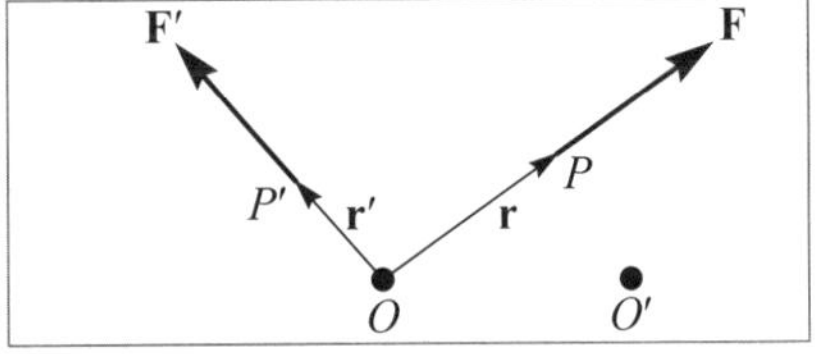

Figura 11.17 Torque de forças centrais.

As dimensões de τ são as mesmas de trabalho (força × deslocamento), e a unidade SI de torque é

1N × 1m (cf. Seç. 6.2). Convém notar, entretanto, que se trata de grandezas físicas muito diferentes. Em particular, como vimos, o torque é uma grandeza vetorial, ao passo que o trabalho é uma grandeza escalar.

11.4 MOMENTO ANGULAR

Além da força **F**, outro conceito fundamental na dinâmica de uma partícula é o do momento (linear) **p**, relacionado com **F** pela 2ª lei de Newton

$$\mathbf{F} = \frac{d\mathbf{p}}{dt} \quad \textbf{(11.4.1)}$$

Na dinâmica de rotação de uma partícula P em torno de um ponto O, vimos na Seção anterior que o análogo de **F** deve ser o torque $\boldsymbol{\tau} = \mathbf{r} \times \mathbf{F}$, onde $\mathbf{r} = \mathbf{OP}$. Como o momento **p** da partícula estará relacionado com **F** pela (11.4.1), obtemos, multiplicando vetorialmente por **r** ambos os membros,

$$\boldsymbol{\tau} = \mathbf{r} \times \mathbf{F} = \mathbf{r} \times \frac{d\mathbf{p}}{dt} \quad \textbf{(11.4.2)}$$

Temos, porém (a fórmula de derivação de um produto se aplica igualmente ao produto vetorial, como vemos pela representação (11.2.7) em termos das componentes),

$$\mathbf{r} \times \frac{d\mathbf{p}}{dt} = \frac{d}{dt}(\mathbf{r} \times \mathbf{p}) - \underbrace{\frac{d\mathbf{r}}{dt}}_{\substack{=\mathbf{v} \\ \text{(velocidade)}}} \times \mathbf{p} = \frac{d}{dt}(\mathbf{r} \times \mathbf{p})$$

pois $\mathbf{v} \times \mathbf{p} = \mathbf{v} \times (m\mathbf{v}) = 0$. Logo, a (11.4.2) fica

$$\boxed{\boldsymbol{\tau} = \frac{d\mathbf{l}}{dt}} \quad \textbf{(11.4.3)}$$

onde

$$\boxed{\mathbf{l} = \mathbf{r} \times \mathbf{p}} \quad \textbf{(11.4.4)}$$

é o que se chama de *momento angular da partícula em relação ao ponto O.*

Vemos que o momento angular está para o momento (linear) **p** assim como o torque está para a força. A (11.4.3) desempenha na dinâmica de rotações um papel análogo ao da 2ª lei de Newton (11.4.1), ou seja, pode ser considerada como a *lei fundamental da dinâmica de rotações para uma partícula*: a *taxa de variação com o tempo do momento angular de uma partícula em relação a um ponto O é igual ao torque em relação ao ponto O que atua sobre essa partícula.* Tanto **l** como $\boldsymbol{\tau}$ variam, em geral, se mudarmos o ponto O, de modo que é preciso especificar esse ponto.

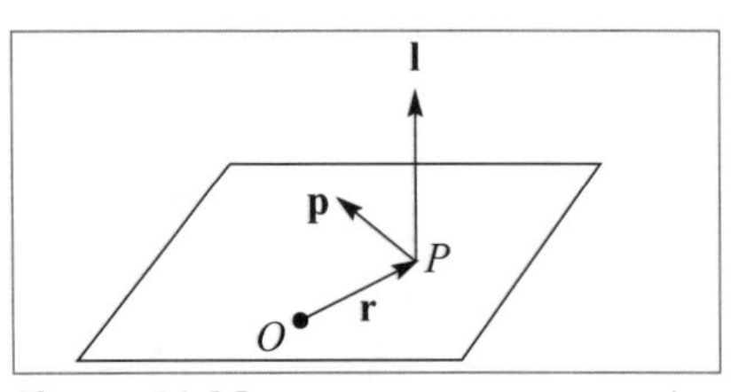

Figura 11.18 Vetor momento angular.

A direção de **l** é perpendicular ao plano definido pelas direções de **r** e de **p** (ou seja, da velocidade instantânea **v**), e o sentido é tal que, visto da extremidade de **l**, o movimento é no sentido anti-horário (Figura 11.18).

A magnitude de **l**, por analogia com as (11.3.5) e (11.3.6), pode ser escrita como

$$\boxed{l = rp_\perp = r_\perp p} \tag{11.4.5}$$

onde $p_\perp$ é a componente de **p** perpendicular à direção **r** (Figura 11.19 (a) e $r_\perp$ a componente de **r** perpendicular à direção de **p** (Figura 11.19 (b). Por exemplo, para uma partícula em movimento retilíneo uniforme, $l = mvb$, onde $b = |\mathbf{r}_\perp|$ é a distância (Figura 11.20) do ponto O à trajetória da partícula, que corresponde ao *parâmetro de choque* definido na teoria das colisões (Seç. 9.6)

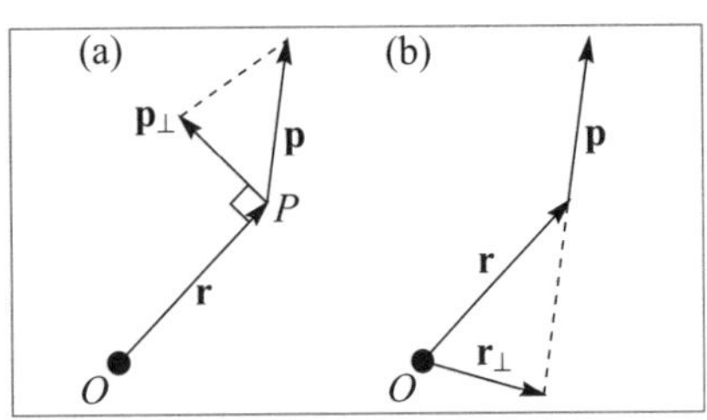

Figura 11.19 Componentes perpendiculares.

Uma consequência imediata da (11.4.3) é *a lei de conservação do momento angular de uma partícula:*

$$\boxed{\boldsymbol{\tau} = 0 \Rightarrow \mathbf{l} = \text{constante}} \tag{11.4.6}$$

ou seja, *se o torque sobre uma partícula em relação a um ponto se anula, o momento angular da partícula em relação a esse ponto se conserva.* Como o momento angular é um vetor, não só a sua magnitude se conserva, mas também direção e sentido.

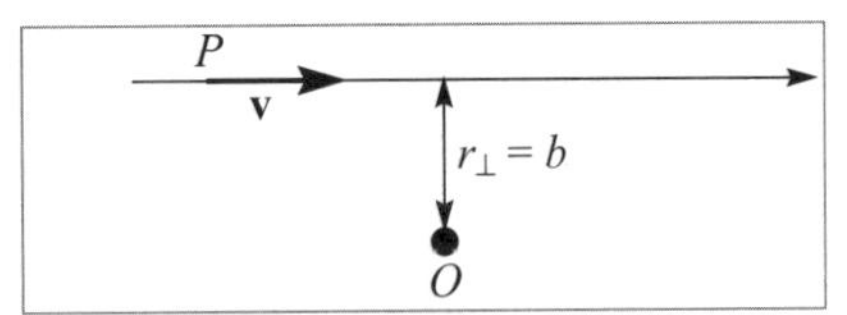

Figura 11.20 Parâmetro de choque.

O movimento de uma partícula livre, exemplo que acabamos de considerar, é um caso particular trivial de aplicação desta lei. Vamos ver agora um outro exemplo, que é muito importante.

Forças centrais

Vimos (cf. (11.3.11)) que, para uma partícula sujeita a forças centrais, o torque em relação ao centro de forças O é identicamente nulo. Logo o *momento angular de uma partícula sujeita a forças centrais em relação ao centro de forças se conserva.*

A primeira implicação não trivial deste resultado é que o *movimento é plano, ou* seja, a órbita de uma partícula sob a ação de forças centrais permanece sempre no mesmo plano.

Com efeito, se $\mathbf{r}_0$ e $\mathbf{v}_0$ correspondem à posição e velocidade iniciais da partícula (Figura 11.21), $\mathbf{l}_0 = m\mathbf{r}_0 \times \mathbf{v}_0$ é o momento angular inicial, perpendicular ao plano definido por $\mathbf{r}_0$ e $\mathbf{v}_0$. Como $\mathbf{l} = \mathbf{l}_0$ se conserva, **r** e **v** têm de permanecer sempre nesse plano, que é o plano da órbita.

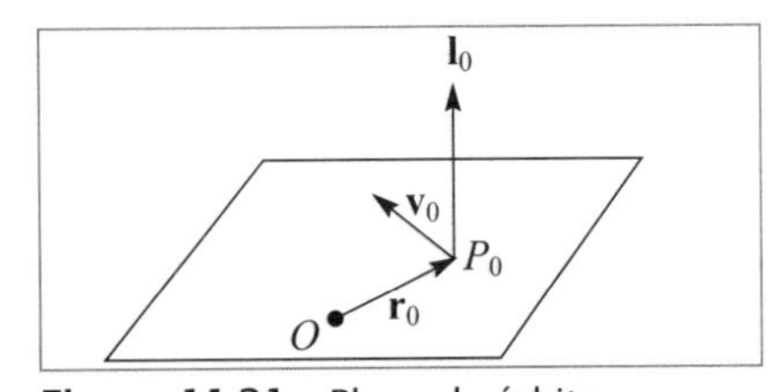

Figura 11.21 Plano de órbita.

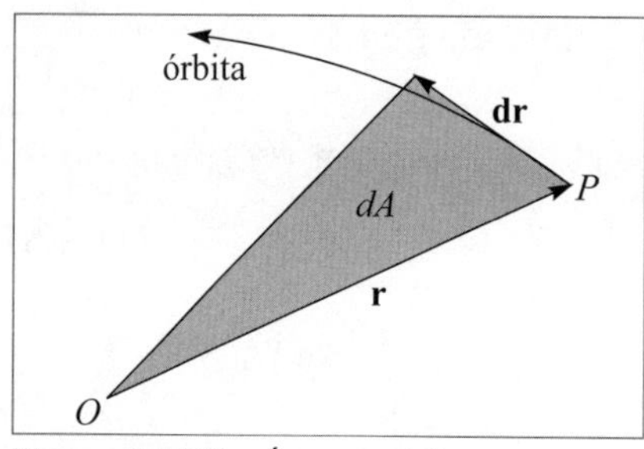

Figura 11.22 Área varrida.

Consideremos agora uma porção infinitesimal da trajetória correspondente a um deslocamento **dr** a partir do ponto P. Nesse deslocamento, o raio vetor **r** que liga P ao centro de forças varre o triângulo sombreado na Figura 11.22, cuja área dA é dada por

$$dA = \frac{1}{2}|\mathbf{r} \times \mathbf{dr}| \tag{11.4.7}$$

Com efeito, essa área é a metade da área do paralelogramo construído sobre **r** e **dr**, área esta que, conforme vimos na Seç. 11.2, é dada por $|\mathbf{r} \times \mathbf{dr}|$.

A taxa de variação com o tempo da área varrida pelo raio vetor, que se chama de *velocidade areolar*, é dada então por

$$\frac{dA}{dt} = \frac{1}{2}\left|\mathbf{r} \times \frac{\mathbf{dr}}{dt}\right| = \frac{1}{2}|\mathbf{r} \times \mathbf{v}| = \frac{1}{2m}|\mathbf{r} \times \mathbf{p}| = \frac{|\mathbf{l}|}{2m} \tag{11.4.8}$$

ou seja, *a velocidade areolar é diretamente proporcional à magnitude do momento angular.*

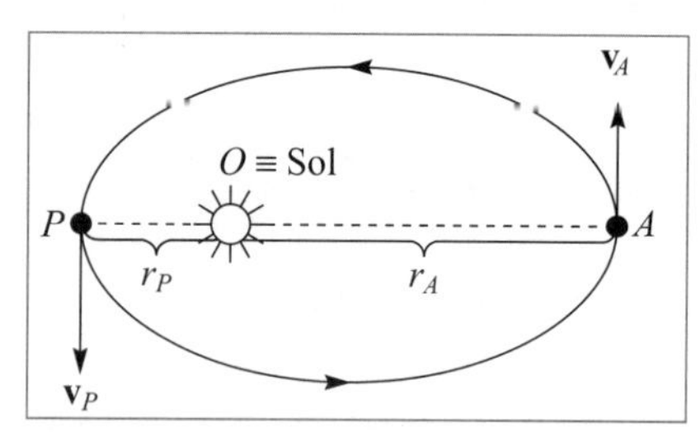

Figura 11.23 Velocidade no periélio e no afélio.

No movimento sob a ação de forças centrais, **l** se conserva, de modo que a *velocidade areolar é constante*: o raio vetor que liga a partícula ao centro de forças descreve áreas iguais em tempos iguais. Como a gravitação é uma força central, vemos (cf. Seç. 10.4) que a *2ª lei de Kepler nada mais é do que a lei de conservação do momento angular* neste caso específico.

Em particular, para a órbita elíptica de um planeta em redor do sol (Figura 11.23), a velocidade **v** é perpendicular ao raio vetor **r** quando o planeta está no periélio P ou no afélio A, de modo que

$$l = |\mathbf{l}| = mr_P v_P = mr_A v_A \; \{ \; v_P / v_A = r_A / r_P \tag{11.4.9}$$

A velocidade é máxima no periélio e mínima no afélio.

Exemplo

Consideremos um pequeno disco de massa m que desliza sem atrito sobre uma mesa horizontal, girando em torno do centro O da mesa, ao qual está ligado por um fio que passa por um orifício no ponto O e é puxado verticalmente para baixo com uma força de magnitude F.

A força transmitida pelo fio ao disco é uma força central dirigida sempre para O, de modo que o momento angular deve conservar-se. A força necessária para manter o disco em rotação com velocidade v é a força centrípeta (4.4.9), de magnitude $F = mv^2/r$, onde r é o raio do círculo descrito.

Se aumentarmos lentamente a força exercida sobre o fio, o raio do círculo diminuirá para $r + \Delta r$ ($\Delta r < 0$), conforme indicado na Figura 11.24. Seja $v + \Delta v$ o novo valor da velocidade. Pela (7.2.8), a variação ΔT de energia deve ser igual ao trabalho ΔW realizado:

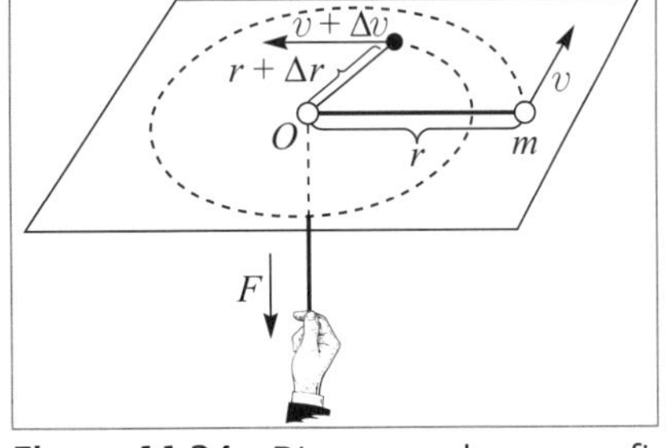

Figura 11.24 Disco puxado por um fio.

variações infinitesimais ↓

$$\Delta T = \frac{1}{2}m(v + \Delta v)^2 - \frac{1}{2}mv^2 \approx mv\Delta v = \Delta W = -\frac{mv^2}{r}\Delta r$$

ou seja,

$$-mv\frac{\Delta r}{r} = m\Delta v \quad \{ \quad mr\Delta v + mv\Delta r = 0$$

o que equivale a

$$\Delta(mvr) = \Delta l = 0 \tag{11.4.10}$$

de modo que o momento angular se conserva, conforme esperado. À medida que o raio diminui, a velocidade de rotação tem de aumentar.

É também interessante exprimir o momento angular em termos da velocidade angular ω da partícula. Como $v = \omega r$, temos

$$\boxed{l = mvr = mr^2\omega = I\omega} \tag{11.4.11}$$

onde

$$\boxed{I = mr^2} \tag{11.4.12}$$

se chama o *momento de inércia* da partícula em relação a O. Considerando ω como análogo de v para rotações (Seç. 11.3), a relação $l = I\omega$ é análoga a $p = mv$, ou seja, *o momento de inércia desempenha um papel analogo ao da massa inercial.* Isto também se verifica pela expressão da energia cinética:

$$T = \frac{1}{2}mv^2 = \frac{1}{2}m\omega^2 r^2 \quad \left\{ \boxed{T = \frac{1}{2}I\omega^2} \right. \tag{11.4.13}$$

A conservação do momento angular neste exemplo implica que $I\omega$ = constante. Ao aproximar a massa m do centro, diminuímos r e, por conseguinte, o momento de inércia I; logo, ω tem que aumentar.

11.5 MOMENTO ANGULAR DE UM SISTEMA DE PARTÍCULAS

Consideremos agora um sistema formado por um número qualquer N de partículas, e seja m_i a massa da partícula i ($i = 1, 2,..., N$), de vetor de posição $\mathbf{r}_i(t)$ e velocidade $\mathbf{v}_i(t)$ em relação a uma dada origem O (Figura 11.25) no instante t. O *momento angular total do sistema* em relação a O é

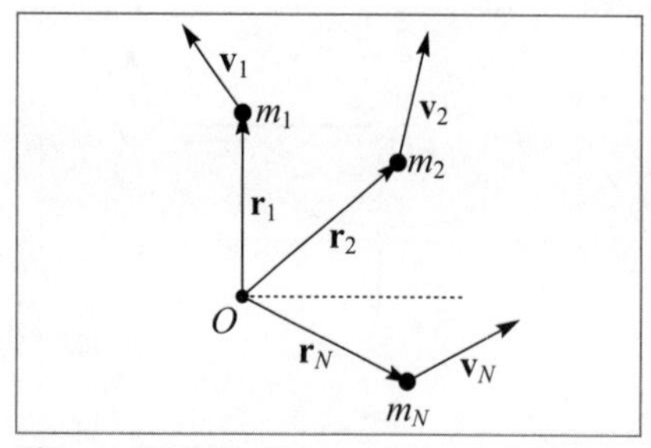

Figura 11.25 Sistema de partículas.

$$\boxed{\mathbf{L} = \sum_{i=1}^{N} \mathbf{r}_i \times \mathbf{p}_i = \sum_{i=1}^{N} m_i \mathbf{r}_i \times \mathbf{v}_i} \qquad \textbf{(11.5.1)}$$

Em geral, como no caso de uma partícula, $\mathbf{L}$ depende do ponto O em relação ao qual é tomado. Para o momento (linear) total $\mathbf{P}$ do sistema, vimos nas Seções 8.2 e 8.3 que se obtém uma simplificação considerável tomando a origem no CM (centro de massa), de vetor de posição $\mathbf{R}$ dado pela (8.2.9):

$$\mathbf{R} = \sum_{i=1}^{N} m_i \mathbf{r}_i \,/\, M, \quad M = \sum_{i=1}^{N} m_i \qquad \textbf{(11.5.2)}$$

Se $\mathbf{r}'_i$ e $\mathbf{v}'_i$ são o vetor de posição e a velocidade da partícula i em relação ao CM, vimos nas (8.2. 10) a (8. 2. 13) que

$$\mathbf{r}_i = \mathbf{r}'_i + \mathbf{R} \Rightarrow \sum_{i=1}^{N} m_i \mathbf{r}'_i = 0 \qquad \textbf{(11.5.3)}$$

$$v_i = \mathbf{v}'_i + \mathbf{V} \Rightarrow \sum_{i=1}^{N} m_i \mathbf{v}'_i = \sum_{i=1}^{N} \mathbf{p}'_i = 0 \qquad \textbf{(11.5.4)}$$

$$\mathbf{P} = \mathbf{V} \sum_{i=1}^{N} m_i = M\mathbf{V} \qquad \textbf{(11.5.5)}$$

onde $\mathbf{V}$ é a velocidade do CM, $\mathbf{V} = \mathbf{dR}/dt$. A (11.5.4) significa que o momento linear do movimento *interno*, ou seja o momento resultante em relação ao CM, se anula, e a (11.5.5) que o CM se move como se o momento total $\mathbf{P}$ do sistema estivesse concentrado nele.

Para ver o que acontece com o momento angular total $\mathbf{L}$, basta substituir as (11.5.3) e (11.5.4) na (11.5.1):

$$\mathbf{L} = \sum_{i=1}^{N} m_i \left(\mathbf{r}'_i + \mathbf{R}\right) \times \left(\mathbf{v}'_i + \mathbf{V}\right) = \sum_{i=1}^{N} m_i \mathbf{r}'_i \times \mathbf{v}'_i + \mathbf{R} \times \underbrace{\left(\sum_{i=1}^{N} m_i \mathbf{v}'_i\right)}_{=0 \text{ pela } (11.5.4)} + \underbrace{\left(\sum_{i=1}^{N} m_i \mathbf{r}'_i\right)}_{=0 \text{ pela } (11.5.3)} \times \mathbf{V} + \underbrace{\sum_{i=1}^{N} m_i}_{=M} \mathbf{R} \times \mathbf{V}$$

Finalmente, obtemos

$$\boxed{\mathbf{L} = \mathbf{L}' + \mathbf{R} \times \mathbf{P}} \qquad \textbf{(11.5.6)}$$

onde

$$\mathbf{L}' = \sum_{i=1}^{N} m_i \mathbf{r}'_i \times \mathbf{v}'_i = \sum_{i=1}^{N} \mathbf{r}'_i \times \mathbf{p}'_i \qquad \textbf{(11.5.7)}$$

é o *momento angular total do sistema em relação ao* CM e $\mathbf{R} \times \mathbf{P}$ é o *momento angular* do CM *em relação a O*, considerado como se o momento total $\mathbf{P}$ do sistema estivesse concentrado no CM. Logo, se o sistema como um todo está em repouso ($\mathbf{P} = 0$), $\mathbf{L}$ não depende da origem.

Por conseguinte, ao contrário do momento *linear* do movimento interno (relativo ao CM), que sempre se anula (cf. (11.5.4)), o momento angular **L**′ do movimento interno em geral não se anula. Um exemplo disso é o par de bolinhas ligadas por uma mola, considerado na Fig. 8.3. Podemos chamar **L**′ de *momento angular interno* do sistema e **R** × **P** de *momento angular externo*. Também se costuma chamar **L**′ de *spin*, embora não se deva identificar este conceito macroscópico com a propriedade microscópica que tem o mesmo nome para partículas subatômicas.

Por exemplo: o momento angular total da Terra em relação ao Sol é a *soma vetorial* de **L**′, o momento angular da Terra em relação a seu CM, proveniente da rotação da Terra em torno de seu eixo (*spin*), com **R** × **P** (Figura 11.26), o momento angular *orbital* da Terra devido a sua órbita elíptica em torno do Sol. Enquanto **R** × **P** é perpendicular ao plano de órbita (eclíptica), **L**′ tem a direção do eixo de rotação da Terra, que faz um ângulo de $23\frac{1}{2}^{\circ}$ com a direção de **R** × **P** (Fig. 10.10).

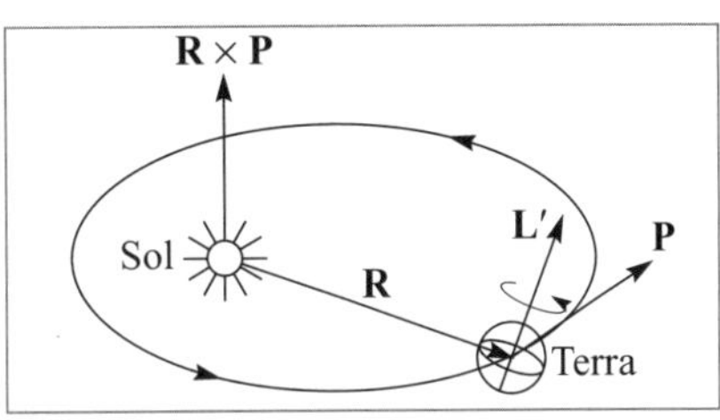

Figura 11.26 Momento angular orbital e de spin da Terra.

Se o CM do sistema de partículas está em repouso, **P** = 0, a (11.5.6) dá

$$\mathbf{L} = \mathbf{L}' \quad (\text{CM em repouso}) \tag{11.5.8}$$

que é independente da escolha do ponto de referência *O*, pois corresponde ao momento angular interno. Logo, podemos chamar **L**′ neste caso de *momento angular total do sistema* (o mesmo em relação a qualquer ponto *O*), que representa uma propriedade intrínseca do mesmo.

Lei fundamental da dinâmica das rotações

Podemos considerar a (11.4.3), que é o análogo da 2ª lei de Newton (11.4.1) para rotações, como a lei fundamental da dinâmica das rotações para uma partícula. Vamos agora generalizar este resultado para um sistema de partículas.

Para o momento linear total do sistema, o resultado correspondente é dado pela (8.3.1):

$$\boxed{\frac{d\mathbf{P}}{dt} = \mathbf{F}^{(\text{ext})} = \sum_{i=1}^{N} \mathbf{F}^{(\text{ext})}} \tag{11.5.9}$$

que corresponde à *resultante* de todas as forças externas que atuam sobre o sistema. Vimos na (8.2.5) que a resultante das forças internas se anula, pela 3ª lei de Newton (as forças internas se cancelam duas a duas).

A (11.5.1) dá

$$\frac{d\mathbf{L}}{dt} = \frac{d}{dt}\left(\sum_{i=1}^{N} m_i \mathbf{r}_i \times \mathbf{v}_i\right) = \underbrace{\sum_{i=1}^{N} m_i \overbrace{\frac{d\mathbf{r}_i}{dt}}^{=\mathbf{v}_i} \times \mathbf{v}_i}_{=0} + \sum_{i=1}^{N} m_i \mathbf{r}_i \times \underbrace{\frac{d\mathbf{v}_i}{dt}}_{=\mathbf{a}_i = \text{aceleração da partícula } i}$$

ou seja,

$$\frac{d\mathbf{L}}{dt} = \sum_{i=1}^{N} m_i \mathbf{r}_i \times \mathbf{a}_i \tag{11.5.10}$$

Se o referencial é inercial, podemos aplicar a 2ª lei de Newton à partícula i, escrevendo (cf. (8.2.3))

$$m_i \mathbf{a}_i = \mathbf{F}_i^{(\text{ext})} + \sum_{\substack{j=1 \\ (j \neq i)}}^{N} \mathbf{F}_{i(j)} \quad (i = 1, 2, \ldots, N) \tag{11.5.11}$$

onde $\mathbf{F}_{i(j)}$ é a força interna sobre a partícula i devida à partícula j. A (11.5.10) fica

$$\frac{d\mathbf{L}}{dt} = \sum_{i=1}^{N} \underbrace{\mathbf{r}_i \times \mathbf{F}_i^{(\text{ext})}}_{\substack{\boldsymbol{\tau}^{(\text{ext})} = \text{Torque} \\ \text{externo sobre} \\ \text{a partícula } i}} + \sum_{i=1}^{N} \sum_{\substack{j=1 \\ (i \neq j)}}^{N} \mathbf{r}_i \times \mathbf{F}_{i(j)} \tag{11.5.12}$$

A dupla somatória na (11.5.12) não se altera se trocarmos os nomes dos índices i e j, de modo que podemos escrever

$$\sum_{\substack{i,j=1 \\ (i \neq j)}}^{N} \mathbf{r}_i \times \mathbf{F}_{i(j)} = \frac{1}{2} \sum_{\substack{i,j=1 \\ (i \neq j)}}^{N} \left[\mathbf{r}_i \times \mathbf{F}_{i(j)} + \mathbf{r}_j \times \underbrace{\mathbf{F}_{j(i)}}_{\substack{= -\mathbf{F}_{i(j)} \\ \text{pela 3.ª} \\ \text{lei de Newton}}} \right] = \frac{1}{2} \sum_{\substack{i,j=1 \\ (i \neq j)}}^{N} \left(\mathbf{r}_i - \mathbf{r}_j\right) \times \mathbf{F}_{i(j)} \tag{11.5.13}$$

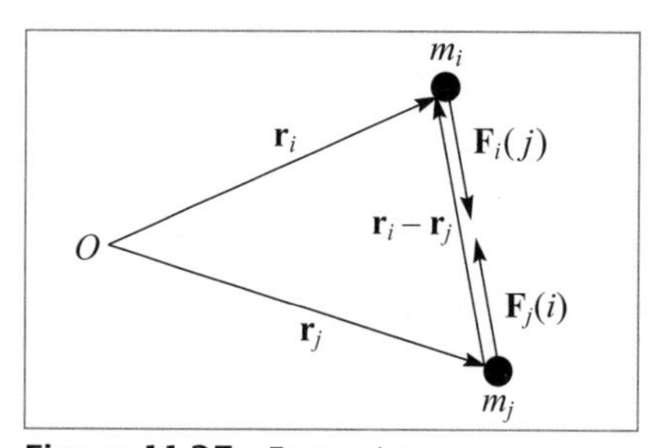

Figura 11.27 Forças internas.

As forças internas de interação entre partículas encontradas até aqui (forças gravitacionais (5.1.1) ou coulombianas (5.1.3)) são tais que sua linha de ação está dirigida segundo a linha que une as duas partículas, ou seja (Figura 11.27)

$$\mathbf{F}_{i(j)} \, // \left(\mathbf{r}_i - \mathbf{r}_j\right)$$

o que implica

$$\left(\mathbf{r}_i - \mathbf{r}_j\right) \times \mathbf{F}_{i(j)} = 0 \tag{11.5.14}$$

e, pela (11.5.13), leva a

$$\sum_{i=1}^{N} \sum_{\substack{j=1 \\ (i \neq j)}}^{N} \mathbf{r}_i \times \mathbf{F}_{i(j)} = 0 \tag{11.5.15}$$

ou seja, *a resultante dos torques internos do sistema é nula*. Este resultado permanece válido em condições mais gerais, sem que seja preciso fazer a hipótese acima sobre a linha de ação das forças de interação, conforme veremos na Seç. 11.6.

Substituindo a (11.5.15) na (11.5.12), obtemos

$$\boxed{\frac{d\mathbf{L}}{dt} = \sum_{i=1}^{N} \mathbf{r}_i \times \mathbf{F}_i^{(\text{ext})} = \sum_{i=1}^{N} \boldsymbol{\tau}_i^{(\text{ext})} = \boldsymbol{\tau}^{(\text{ext})}} \tag{11.5.16}$$

que é a *lei fundamenta da dinâmica das rotações para um sistema de partículas: a taxa de variação com o tempo do momento angular total do sistema em relação a um ponto O (num referencial inercial) é igual à resultante de todos os torques externos em relação a O que atuam sobre o sistema.* Este resultado é o análogo para rotações da (11.5.9).

A restrição a um referencial inercial decorre de termos utilizado a 2ª lei de Newton na (11.5.11). O referencial do CM não é necessariamente inercial: se a resultante das forças externas não se anula, o CM tem uma aceleração **A** dada pela (11.5.9):

$$\frac{d\mathbf{P}}{dt} = M\mathbf{A} = \mathbf{F}^{(\text{ext})} \qquad \textbf{(11.5.17)}$$

Apesar disto, vamos mostrar que a (11.5.16) permanece válida quando referida ao CM, *mesmo que ele esteja acelerado.*

Para isto, voltemos à (11.5.10), que vale em qualquer referencial, e apliquemô-la ao referencial do CM:

$$\frac{d\mathbf{L}'}{dt} = \sum_{i=1}^{N} m_i \mathbf{r}'_i \times \mathbf{a}'_i \qquad \textbf{(11.5.18)}$$

Se $\mathbf{a}_i$ é a aceleração da partícula i num referencial, dada pela (11.5.11), temos pela (11.5.4),

$$\mathbf{a}_i = \mathbf{a}'_i + \mathbf{A} \qquad \textbf{(11.5.19)}$$

de modo que a (11.5.18) fica

$$\frac{d\mathbf{L}'}{dt} = \sum_{i=1}^{N} \mathbf{r}'_i \times \underbrace{(m_i \mathbf{a}_i)}_{\substack{\text{dado pela} \\ (11.5.11)}} - \underbrace{\left(\sum_{i=1}^{N} m_i \mathbf{r}'_i \right)}_{\substack{=0 \text{ pela} \\ (11.5.13)}} \times \mathbf{A} = \sum_{i=1}^{N} \mathbf{r}'_i \times \mathbf{F}_i^{(\text{ext})} + \sum_{i=1}^{N} \sum_{\substack{j=1 \\ (i \neq j)}}^{N} \mathbf{r}'_i \times \mathbf{F}_{i(j)} \qquad \textbf{(11.5.20)}$$

O último termo da (11.5.20) se anula pelo mesmo argumento empregado para obter a (11.5.15). Com efeito, pela (11.5.3), $\mathbf{r}'_i - \mathbf{r}'_j = \mathbf{r}_i - \mathbf{r}_j$, de modo que a demonstração permanece válida.

Obtemos então

$$\boxed{\frac{d\mathbf{L}'}{dt} = \sum_{i=1}^{N} \mathbf{r}'_i \times \mathbf{F}_i^{(\text{ext})} = \sum_{i=1}^{N} \boldsymbol{\tau}_i'^{(\text{ext})} = \boldsymbol{\tau}'^{(\text{ext})}} \qquad \textbf{(11.5.21)}$$

onde $\boldsymbol{\tau}'^{(\text{ext})}$ é a resultante dos torques externos em relação ao CM. Vemos portanto que a (11.5.16) permanece válida com respeito ao CM, mesmo que este esteja acelerado.

Esta é uma propriedade muito importante do CM, que vale para qualquer sistema de partículas. No caso particular de um corpo rígido, vimos na Seç. 11.1 que seu movimento mais geral pode ser analisado em termos da translação de um ponto arbitrário do corpo e de uma rotação em torno desse ponto (cf. também (11.2.10)). Se tomarmos esse ponto como sendo o CM, a (11.5.9) se aplica ao movimento de translação do CM e a (11.5.21) ao movimento de rotação em torno do CM, de forma que essas duas equações constituem as leis fundamentais da dinâmica do corpo rígido.

Exemplo

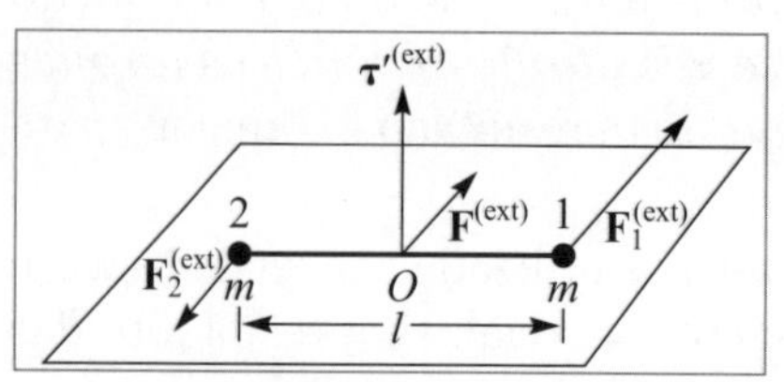

Figura 11.28 Haltere.

Consideremos um haltere, formado por dois corpos de mesma massa m, unidos por uma barra rígida de massa desprezível e comprimento l. As forças $\mathbf{F}_1^{(ext)}$ e $\mathbf{F}_2^{(ext)}$ ilustradas na Figura 11.28 atuam sobre os dois corpos. A figura mostra a força resultante $\mathbf{F}^{(ext)}$ aplicada no CM (ponto médio O) e o torque resultante $\boldsymbol{\tau}'^{(ext)}$ em relação ao CM. Ambos sendo constantes, o ponto O se deslocará com movimento retilíneo uniformemente acelerado (com respeito a um referencial inercial). Ao mesmo tempo, as duas massas executam um movimento de rotação com aceleração angular constante em torno do CM, ou seja, um movimento circular uniformemente acelerado.

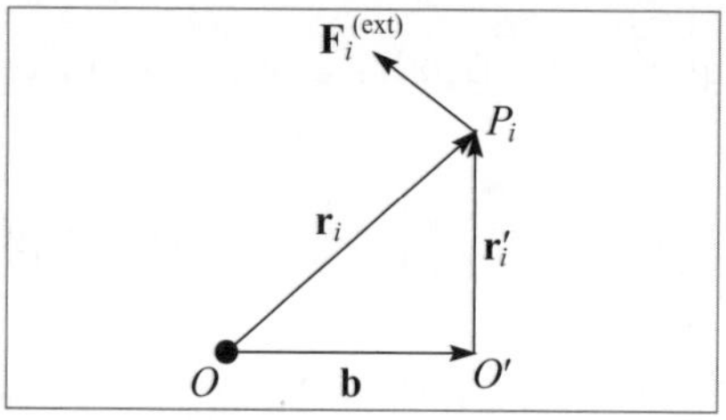

Figura 11.29 Torques relativos a pontos diferentes.

Se *a resultante das forças externas se anula, o torque é independente do ponto O em relação ao qual é calculado.* Com efeito, se tomarmos outro ponto de referência O', teremos

$$\mathbf{r}_i = \mathbf{r}_i' + \mathbf{b} \tag{11.5.22}$$

onde $\mathbf{b} = \mathbf{OO}'$ (Fig. 11.29) o que dá

$$\boldsymbol{\tau}^{(ext)} = \sum_{i=1}^{N} \mathbf{r}_i \times \mathbf{F}_i^{(ext)} = \underbrace{\sum_{i=1}^{N} \mathbf{r}_i' \times \mathbf{F}_i^{(ext)}}_{\boldsymbol{\tau}_i'^{(ext)}} + \mathbf{b} \times \underbrace{\sum_{i=1}^{N} \mathbf{F}_i^{(ext)}}_{=\mathbf{F}^{(ext)}} = \boldsymbol{\tau}'^{(ext)} + \mathbf{b} \times \mathbf{F}^{(ext)} \tag{11.5.23}$$

de modo que, se $\mathbf{F}^{(ext)} = 0$, obtemos $\boldsymbol{\tau}'^{(ext)} = \boldsymbol{\tau}^{(ext)}$, como queríamos demonstrar.

Um caso particular importante deste resultado é um par de forças iguais e contrárias $\mathbf{F}$ e $-\mathbf{F}$, aplicadas em pontos diferentes. Este sistema de duas forças chama-se um *binário* (ou *conjugado*). Como a resultante é nula, o torque pode ser calculado em relação a qualquer ponto. Vemos na Figura 11.30 (cf. (11.3.6)) que a magnitude do torque do binário é $\tau = Fb$, onde b, o *braço de alavanca* do binário, é a distância entre as linhas de ação de $\mathbf{F}$ e $-\mathbf{F}$.

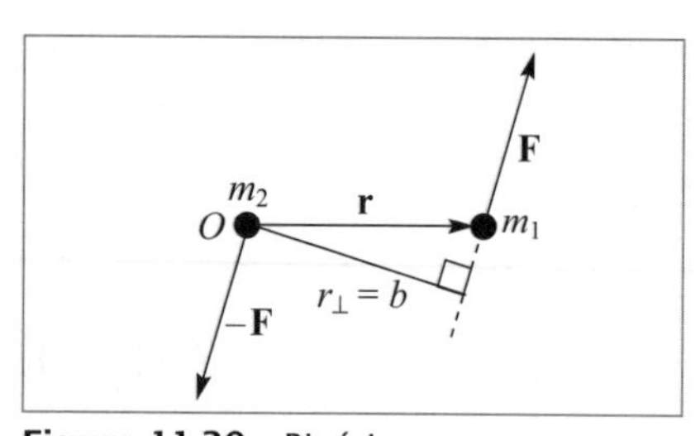

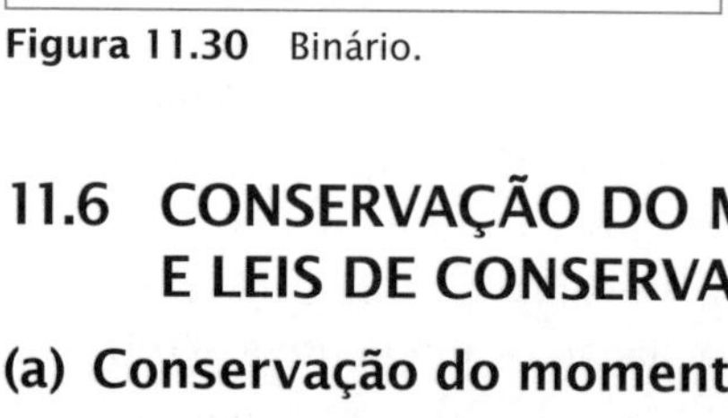

Figura 11.30 Binário.

11.6 CONSERVAÇÃO DO MOMENTO ANGULAR. SIMETRIAS E LEIS DE CONSERVAÇÃO

(a) Conservação do momento angular

A lei de conservação do momento angular para qualquer sistema de partículas decorre da (11.5.16) da mesma forma que a lei de conservação do momento (linear) foi obtida a partir da (11.5.9) (Seç. 8.3):

$$\boxed{\boldsymbol{\tau}^{(ext)} = 0 \Leftrightarrow \mathbf{L} = \mathbf{L}_0 = \text{constante}} \quad \textbf{(11.6.1)}$$

ou seja, *se a resultante dos torques externos em relação a um dado ponto se anula, o momento angular do sistema em relação a esse ponto se conserva*. Em particular, isto vale sempre na ausência de forças externas, ou seja, para um sistema isolado; neste caso, como o torque é nulo em relação a qualquer ponto do espaço, o momento angular em relação a qualquer ponto se conserva. No caso de uma só partícula sujeita a forças centrais, o momento angular se conserva, como vimos, em relação ao centro de forças. Um exemplo específico foi analisado na Seção anterior.

O momento angular orbital da Terra em torno do Sol se conserva porque a força gravitacional é central. Quanto ao "spin" devido à rotação em torno de seu eixo, os únicos torques externos significativos devem-se às ações gravitacionais do Sol e da Lua, não sendo a Terra uma esfera perfeita. Essas perturbações são extremamente pequenas, de modo que afetam muito pouco a velocidade angular de rotação em torno do eixo: a duração do dia aumenta menos de 10^{-3} s por século. Conforme veremos mais adiante, esses torques externos são responsáveis pela precessão dos equinócios.

A (11.6.1) é uma lei de conservação *vetorial*. Isto significa, por um lado, que a conservação de **L** implica na conservação de seu módulo, direção e sentido. Por outro lado, significa também que a lei se aplica separadamente a cada componente. Assim, *se uma dada componente do torque resultante se anula, a componente correspondente do momento angular total se conserva*, independentemente do que suceda com as demais.

Uma ilustração vívida deste resultado se obtém através de uma clássica experiência de demonstração. Uma pessoa está sobre um banquinho segurando uma haste horizontal, que serve de eixo para rotação rápida de uma roda nela colocada (roda de bicicleta, por exemplo). O banquinho tem um suporte bem lubrificado (Figura 11.31 (a)) que lhe permite girar praticamente sem atrito em torno da vertical, de modo que não há torques externos *verticais* atuando. Logo, a *componente vertical* do momento angular total do sistema se conserva. Quando a pessoa levanta a haste, colocando-a em posição vertical (Figura 11.31 (b)), o momento angular **L** da roda é transferido para a vertical. O banquinho começa então a girar em sentido oposto, gerando um momento angular $-\mathbf{L}$ que, somado ao da roda, conserva = 0 o momento angular total na direção vertical.

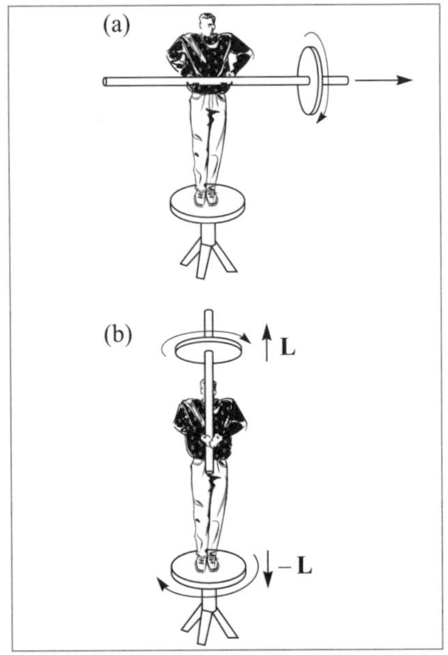

Figura 11.31 Conservação do momento angular vertical.

Numa variante desta experiência, a pessoa segura inicialmente a haste na vertical, com a roda para baixo, de modo que a componente vertical do momento angular total é $-L$, e depois inverte a haste (a componente associada à roda passa a $+L$). Neste caso, o banquinho entra em rotação com o dobro da velocidade angular do caso precedente, gerando uma componente vertical $-2L$ do momento angular.

(b) Simetrias e leis de conservação

As leis de conservação encontradas até aqui (energia, momento, momento angular) foram obtidas para alguns tipos de sistemas físicos, mas, conforme já foi mencionado, têm validade muito mais geral: estendem-se a toda a física, inclusive a sistemas microscópicos, descritos pela mecânica quântica. Seria de se esperar, portanto, que esses princípios gerais de conservação, que estão entre as leis físicas mais fundamentais, estejam relacionados com propriedades muito gerais de sistemas físicos.

Isto efetivamente ocorre: as leis de conservação estão ligadas a *propriedades de simetria* de sistemas físicos. Um sistema tem uma propriedade de simetria quando não se altera ao efetuarmos nele uma operação correspondente a essa simetria. Assim, por exemplo, uma esfera tem simetria de rotação em torno de qualquer um de seus diâmetros, porque não se altera se efetuarmos uma rotação de um ângulo arbitrário em torno de um diâmetro.

Consideremos um sistema de N partículas ao qual podemos associar uma *energia potencial* U. Essa energia está associada tanto às forças externas como às forças de interação entre as partículas (Seç. 10.11). Além de depender dos vetores de posição $\mathbf{r}_1$, $\mathbf{r}_2,..., \mathbf{r}_N$ das partículas, U também pode, em geral, depender explicitamente do tempo, o que acontece se as partículas estão sujeitas a forças externas variáveis com o tempo.

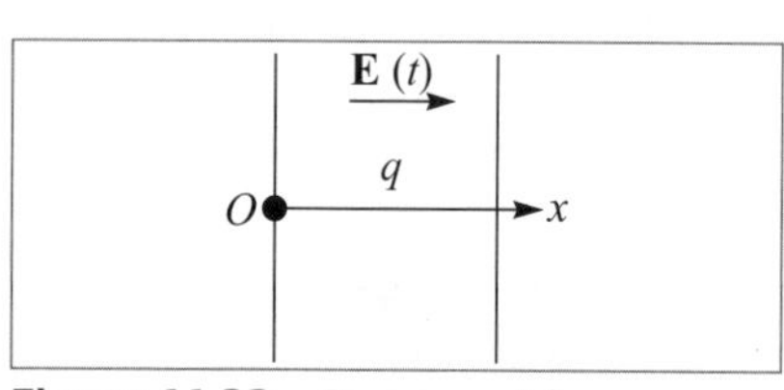

Figura 11.32 Carga puntiforme dentro de um capacitor.

Um exemplo dessa situação é um capacitor plano (Fig. 7.15) entre cujas placas se produz um campo elétrico variável com o tempo (por exemplo, aplicando-se uma voltagem alternada entre elas). Neste caso, pela (7.5.5), a energia potencial de uma partícula de carga q e coordenada x (Figura 11.32) é

$$U(x,t) = -qE(t)x \qquad \textbf{(11.6.2)}$$

onde $\mathbf{E}(t) = E(t)\,\mathbf{i}$ é o campo entre as placas.

No caso geral considerado acima, temos portanto

$$U = U(\mathbf{r}_1;\mathbf{r}_2;...;\mathbf{r}_N;t) = U(x_1,y_1,z_1;...;x_N,y_N,z_N;t) \qquad \textbf{(11.6.3)}$$

onde (x_i, y_i, z_i) *são* as coordenadas da partícula i. Vamos calcular a variação de energia potencial quando as partículas de deslocam para as posições $\mathbf{r}_1 + \Delta\mathbf{r}_1,..., \mathbf{r}_N + \Delta\mathbf{r}_N$ (onde $\Delta\mathbf{r}_i$ tem componentes Δx_i, Δy_i e Δz_i) e o instante considerado é $t + \Delta t$, as variações sendo todas infinitesimais. O resultado é uma extensão direta da (7.4.5) para uma função de mais variáveis:

$$\Delta U = U(x_1 + \Delta x_1, y_1 + \Delta y_1, z_1 + \Delta z_1; ...; x_N + \Delta x_N, y_N + \Delta y_N, z_N + \Delta z_N; t + \Delta t)$$
$$-U(x_1, y_1, z_1; ...; x_N, y_N, z_N; t)$$
$$= \frac{\partial U}{\partial x_1}\Delta x_1 + \frac{\partial U}{\partial y_1}\Delta y_1 + \frac{\partial U}{\partial z_1}\Delta z_1 + ... + \frac{\partial U}{\partial x_N}\Delta x_N + \frac{\partial U}{\partial y_N}\Delta y_N + \frac{\partial U}{\partial z_N}\Delta z_N + \frac{\partial U}{\partial t}\Delta t \quad \textbf{(11.6.4)}$$

Aplicando a (7.4.4) a cada uma das partículas, a (11.6.4) fica

$$\Delta U = U(\mathbf{r}_1 + \Delta\mathbf{r}_1; ...; \mathbf{r}_N + \Delta\mathbf{r}_N; t + \Delta t) - U(\mathbf{r}_1; ...; \mathbf{r}_N; t) =$$
$$= \underbrace{-F_{x1}\Delta x_1 - F_{y1}\Delta y_1 - F_{z1}\Delta z_1}_{-\mathbf{F}_1 \cdot \Delta\mathbf{r}_1} - ... - \underbrace{F_{xN}\Delta x_N - F_{yN}\Delta y_N - F_{zN}\Delta z_N}_{-\mathbf{F}_N \cdot \Delta\mathbf{r}_N} + \frac{\partial U}{\partial t}\Delta t \quad \textbf{(11.6.5)}$$

onde $\mathbf{F}_i$ é a força total que atua sobre a partícula i. Finalmente,

$$\boxed{\begin{aligned}&\Delta U = U(\mathbf{r}_1 + \mathbf{\Delta r}_1, ..., \mathbf{r}_N + \Delta\mathbf{r}_N + \Delta t)\\ &-U(\mathbf{r}_1; ...; \mathbf{r}_N; t) = -\sum_{i=1}^{N} \mathbf{F}_i \cdot \mathbf{\Delta r}_i + \frac{\partial U}{\partial t}\Delta t\end{aligned}} \quad \textbf{(11.6.6)}$$

Este resultado, que generaliza a (7.4.5) para um sistema de N partículas, servirá de base para relacionar simetrias com leis de conservação.

(c) Uniformidade temporal e conservação da energia

Suponhamos que a energia potencial não depende explicitamente do tempo (ou seja, não há forças externas dependentes do tempo atuando sobre o sistema), o que implica

$$\frac{\partial U}{\partial t} = 0 \quad \textbf{(11.6.7)}$$

Neste caso, o sistema será simétrico para uma *translação temporal* (Figura 11.33). Transladar o sistema, como um todo, no tempo, equivale a repetir a experiência em outro horário, tomando as mesmas condições iniciais em instantes diferentes.

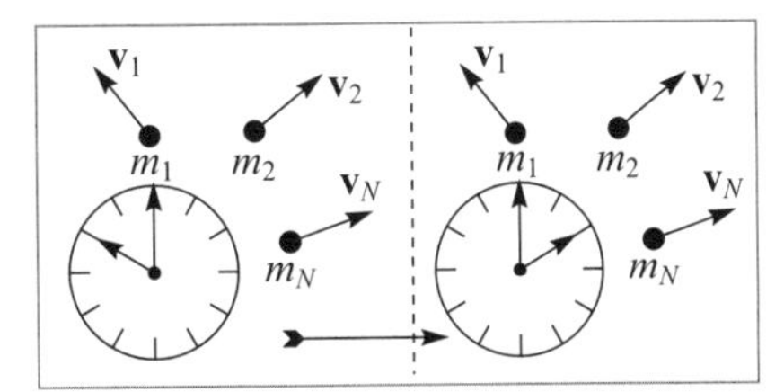

Figura 11.33 Translação temporal.

Levando em conta a (11.6.7), podemos escrever, neste caso,

$$\frac{dU}{dt} = \lim_{\Delta t \to 0}\left(\frac{\Delta U}{\Delta t}\right) = -\lim_{\Delta t \to 0}\left[\sum_{i=1}^{N} \mathbf{F}_i \cdot \frac{\mathbf{\Delta r}_i}{\Delta t}\right] = -\sum_{i=1}^{N} \mathbf{F}_i \cdot \mathbf{v}_i \quad \textbf{(11.6.8)}$$

onde $\mathbf{v}_i = d\mathbf{r}_i/dt$ é a velocidade da partícula i. Temos, porém, pela 2ª lei de Newton,

$$\mathbf{F}_i \cdot \mathbf{v}_i = m_i \frac{d\mathbf{v}_i}{dt} \cdot \mathbf{v}_i = \frac{d}{dt}\left(\frac{1}{2} m_i \mathbf{v}_i^2\right) = \frac{d}{dt} T_i \quad \textbf{(11.6.9)}$$

onde T_i é a energia cinética da partícula i. Logo, a (11.6.8) fica

$$\frac{dU}{dt} = -\frac{d}{dt}\sum_{i=1}^{N} T_i = -\frac{dT}{dt} \qquad \text{(11.6.10)}$$

(energia cinética total $\downarrow$ T)

o que equivale a

$$\boxed{\frac{dE}{dt} = \frac{d}{dt}(T+U) = 0} \qquad \text{(11.6.11)}$$

ou seja, à *conservação da energia total* $E = T + U$, obtida como consequência da (11.6.7), ou seja, da *simetria por translação temporal* do sistema (*uniformidade temporal* $\Rightarrow$ *conservação da energia*).

(d) Homogeneidade espacial e conservação do momento

Suponhamos agora que o sistema seja *invariante por translação espacial*. Isto significa que nada se altera (logo, U não muda) se transladarmos *o sistema todo* no espaço, dando-lhe um deslocamento $\mathbf{\Delta R}$ (Figura 11.33). Devemos ter então (cf. (11.6.6)).

$$\Delta U = U(\mathbf{r}_1 + \mathbf{\Delta R}, \ldots, \mathbf{r}_N + \mathbf{\Delta R}) - U(\mathbf{r}_1, \ldots, \mathbf{r}_N) = -\mathbf{\Delta R} \cdot \left(\sum_{i=1}^{N} \mathbf{F}_i\right) = 0 \qquad \text{(11.6.12)}$$

qualquer que seja o deslocamento $\mathbf{\Delta R}$, o que só é possível se for

$$\mathbf{F} = \sum_{i=1}^{N} \mathbf{F}_i = \sum_{i=1}^{N} \frac{d\mathbf{p}_i}{dt} = 0 \qquad \text{(11.6.13)}$$

ou seja, sendo $\mathbf{P} = \sum_{i=1}^{N} \mathbf{p}_i$ o momento total do sistema,

$$\boxed{\frac{d\mathbf{P}}{dt} = 0} \qquad \text{(11.6.14)}$$

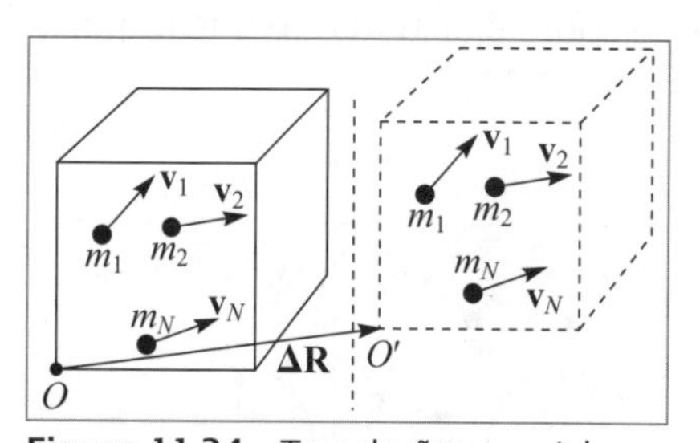

Figura 11.34 Translação espacial.

que é a *lei de conservação do momento*, obtida como consequência da *simetria por translação espacial* do sistema (*homogeneidade espacial* $\Rightarrow$ *conservação do momento*).

Um exemplo é um campo gravitacional uniforme vertical, como o campo na vizinhança da superfície da Terra: U não muda para translações horizontais, de forma que as componentes horizontais do momento se conservam.

(e) Isotropia espacial e conservação do momento angular

Suponhamos, finalmente, que o sistema seja invariante *por rotações espaciais*, ou seja, nada se altera se girarmos o *sistema todo* no espaço, em torno de um eixo qualquer. Vimos na (11.2.1) que o deslocamento $\mathbf{\Delta r}_i$ de uma partícula na posição $\mathbf{r}_i$ para uma rotação infinitesimal $\mathbf{\Delta\theta}$ é

$$\mathbf{\Delta r}_i = \mathbf{\Delta\theta} \times \mathbf{r}_i \tag{11.6.15}$$

Devemos ter então, pela (11.6.6), para que a energia potencial seja invariante por rotação,

$$\Delta U = U(\mathbf{r}_1 + \Delta r_1, \ldots, \mathbf{r}_N + \mathbf{\Delta r}_N) - U(\mathbf{r}_1, \ldots, \mathbf{r}_N) = -\sum_{i=1}^{N} \mathbf{F}_i \cdot \mathbf{\Delta r}_i = -\sum_{i=1}^{N} \mathbf{F}_i \cdot (\mathbf{\Delta\theta} \times \mathbf{r}_1) = 0 \tag{11.6.16}$$

Uma das propriedades do produto vetorial, que se obtém facilmente da (11.2.7), é que

$$\underbrace{\mathbf{a} \cdot (\mathbf{b} \times \mathbf{c})}_{\substack{\text{Produto mixto} \\ \text{de 3 vetores}}} = (\mathbf{a} \times \mathbf{b}) \cdot \mathbf{c} = \mathbf{b} \cdot (\mathbf{c} \times \mathbf{a}) \tag{11.6.17}$$

Aplicando esta propriedade à (11.6.16), vem

$$\Delta U = -\mathbf{\Delta\theta} \cdot \left(\sum_{i=1}^{N} \underbrace{\mathbf{r}_i \times \mathbf{F}_i}_{\tau_i} \right) = -\mathbf{\Delta\theta} \cdot \boldsymbol{\tau} = 0 \tag{11.6.18}$$

onde $\boldsymbol{\tau} = \sum_{i=1}^{N} \boldsymbol{\tau}_i$ é o torque resultante sobre o sistema.

Para que a (11.6.18) valha qualquer que seja $\mathbf{\Delta\theta}$, devemos ter

$$\boxed{\boldsymbol{\tau} = \frac{d\mathbf{L}}{dt} = 0} \tag{11.6.19}$$

que é a *lei de conservação do momento angular*, obtida como consequência da *simetria por rotação espacial* do sistema (*isotropia espacial* $\Rightarrow$ *conservação do momento angular*).

Se consideramos, em particular, um *sistema isolado*, em que atuam somente forças internas, decorre imediatamente da uniformidade do tempo e da homogeneidade e isotropia do espaço que o sistema goza das três propriedades de simetria acima tratadas, o que leva à *conservação da energia, momento e momento angular de um sistema isolado*.

Em particular, obtemos desta forma a (11.6.19), ou seja, que a resultante dos torques internos de um sistema se anula, sem precisar da hipótese adicional (11.5.14). Esta hipótese, de que as forças internas de interação entre partículas sejam forças centrais, é mais restritiva do que a 3ª lei de Newton $\mathbf{F}_{i(j)} = -\mathbf{F}_{j(i)}$ (cf. (8.2.1)), a qual permitiria que o par de forças $\mathbf{F}_{i(j)}$, $\mathbf{F}_{j(i)}$ formasse um binário (Fig. 11.30), levando a um torque não nulo. O argumento acima, baseado na simetria por rotação de um sistema isolado, demonstra de forma geral o cancelamento da resultante dos torques internos.

Convém notar ainda que se podem obter leis de conservação parciais associadas a simetrias também parciais. Assim, no exemplo do campo elétrico uniforme na direção x (Fig. 5.18), existe simetria de translação nas direções y e z, de modo que as componentes y e z do momento linear se conservam. Analogamente, se existe simetria de rotação para rotações em torno do eixo z, a componente z do momento angular se conserva.

(f) Simetria e leis físicas

Considerações de simetria na formulação de leis físicas têm sido empregadas desde a antiguidade: vimos na Seç. 10.1 que Platão procurava explicar todo o Universo em termos de objetos "perfeitos" – círculos, esferas e movimentos uniformes. Kepler (Seç. 10.4) tentou deduzir a estrutura do sistema solar por meio dos poliedros regulares.

As simetrias discutidas acima são todas *simetrias contínuas*, cujos efeitos são controlados pela variação contínua de um parâmetro: tempo, deslocamento, ângulo de rotação. A teoria da relatividade restrita de Einstein formulou uma nova simetria, entre as coordenadas espaciais e o tempo. Em 1918, a matemática Emmy Noether demonstrou um teorema que estabelece uma conexão geral entre simetrias contínuas e leis de conservação.

A simetria tornou-se especialmente importante com o advento da teoria quântica. Os principais avanços na descrição das interações atualmente consideradas como fundamentais têm resultado da descoberta de novas simetrias.

PROBLEMAS

11.1 Seja C uma curva plana fechada orientada. A *área orientada* **S** associada a C é definida como um vetor perpendicular ao plano de C, de magnitude igual à área S contida dentro de C e sentido tal que, vista da extremidade de **S**, C é descrita em sentido anti-horário (a) Interprete $\mathbf{a} \times \mathbf{b}$ em termos de **S**. (b) Demonstre que, se orientarmos os contornos das quatro faces de um tetraedro de tal forma que o sentido de **S** para cada face seja sempre o da normal externa (apontando para fora do tetraedro), a resultante das áreas orientadas associadas às quatro faces é nula.

11.2 Um dipolo elétrico é um par de cargas iguais e opostas, $+q$ e $-q$, separadas por uma distância d. O *momento de dipolo elétrico* **p** *associado* ao dipolo é o vetor $\mathbf{p} = q\mathbf{d}$ onde $|\mathbf{d}| = d$ e **d** aponta de $-q$ para $+q$ (Figura). Considere um dipolo elétrico situado num campo elétrico **E** uniforme.

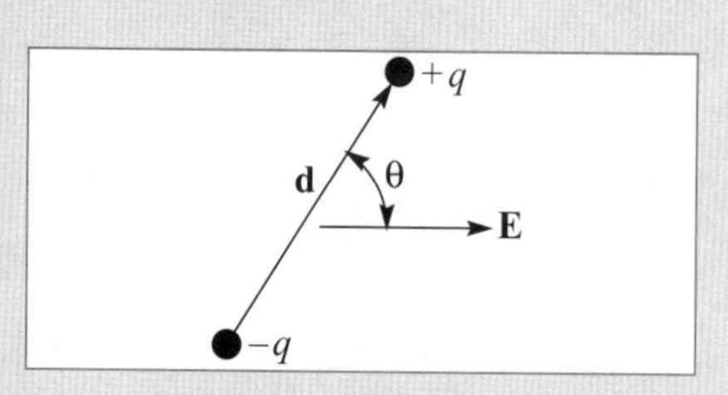

(a) Mostre que a resultante das forças elétricas aplicadas ao dipolo é nula, mas que o torque resultante é dado por $\boldsymbol{\tau} = \mathbf{p} \times \mathbf{E}$ (em relação a qualquer ponto).

(b) Mostre que a energia potencial do dipolo no campo (Seç. 7.5) é dada por $U = -\mathbf{p} \cdot \mathbf{E}$. Identifique as situações de equilíbrio estável e instável do dipolo no campo.

11.3 Considere um sistema isolado de duas partículas de massas m_1 e m_2. Exprima o vetor momento angular total do sistema relativo ao seu CM em função da massa reduzida μ, do vetor de posição **r** de m_2 em relação a m_1 e da velocidade relativa **v** de m_2 em relação a m_1.

11.4 Dois patinadores de massa 60 kg, deslizando sobre uma pista de gelo com atrito desprezível, aproximam-se um do outro com velocidades iguais e opostas de 5 m/s, segundo retas paralelas, separadas por uma distância de 1,40 m. (a) Calcule o vetor momento angular do sistema e mostre que é o mesmo em relação a qualquer ponto e se conserva. (b) Quando os patinadores chegam a 1,40 m um outro, estendem os braços e dão-se as mãos, passando a girar em torno do CM comum. Calcule a velocidade angular de rotação.

11.5 No modelo de Bohr do átomo de hidrogênio, o elétron, de carga $-e$ ($e = 1{,}60 \times 10^{-19}$ C) e massa $m = 9{,}11 \times 10^{-31}$ kg, descreve órbitas circulares em torno do próton, de carga $+e$ e massa 1.840 m. Com muito boa aproximação, podemos tratar o próton como um centro de forças fixo, identificado com o CM do sistema. A única força que atua é a atração coulombiana. A hipótese básica de Bohr em 1913 foi que a magnitude l do momento angular do elétron não pode assumir valores arbitrários, mas tão somente os valores "quantizados"

$$l_n = n\hbar(n = 1, 2, 3, \ldots) \quad \text{onde} \quad \hbar = 1{,}05 \times 10^{-34}\,\text{Js}$$

(a) Calcule o *raio de Bohr* r_1 da órbita com $n = 1$, e exprima o raio r_n da órbita associada com l_n em função de r_1. (b) Calcule, em eV, a energia E_1 da órbita com $n = 1$, e exprima E_n em função de E_1. (c) Calcule a razão v_1/c da velocidade do elétron na órbita com $n = 1$ para a velocidade da luz c.

11.6 Considere o movimento de uma partícula de massa m num campo de forças centrais associado à energia potencial $U(r)$, onde r é a distância da partícula ao centro de forças O. Neste movimento, a magnitude $l = |\mathbf{l}|$ do momento angular da partícula em relação a O se conserva (Seç. 11.4). Sejam (r, θ) as componentes em coordenadas polares do vetor de posição $\mathbf{r}$ da partícula em relação à origem O. (a) Mostre que as componentes em coordenadas polares do vetor velocidade $\mathbf{v}$ da partícula são $v_r = dr/dt$, a *velocidade radial*, e $v_\theta = r d\theta/dt$, a *componente transversal* da velocidade. Mostre que $l = mr\,v_\theta$. (b) Mostre que a energia total E da partícula é dada por

$$E = \frac{1}{2} m v_r^2 + V_{ef}(r)$$

onde

$$V_{ef}(r) = U(r) + \frac{l^2}{2mr^2}$$

chama-se *potencial efetivo* para movimento na direção radial ($0 < r < \infty$). O termo $l^2/(2mr^2)$, associado à energia cinética de rotação da partícula em torno do centro, é chamado de "potencial centrífugo". Como E e l se conservam, o problema se reduz ao do "movimento unidimensional" na direção radial, na presença do potencial efetivo $V_{ef}(r)$. (c) Esboce o gráfico de $V_{ef}(r)$ quando $U(r)$ corresponde à atração gravitacional entre a partícula de massa m e outra de massa $M >> m$, que pode ser tratada como centro de forças fixo em O.

11.7 Usando os resultados do Problema 11.6 e por analogia com a discussão do movimento unidimensional com energia E dada num potencial (Seç. 6.5), (a) Calcule, para o sistema de duas partículas em interação gravitacional do Probl. 11.6(c), a distância r_0 associada ao mínimo de $V_{ef}(r)$ e a energia E_0 correspondente. Mostre que r_0 é o raio da órbita circular da partícula em torno do centro de forças associada à energia total E_0. (b) Mostre que, para $0 > E > E_0$, a distância r ao centro de forças oscila entre dois valores r_p e r_a. Estes valores correspondem ao periélio e ao afélio da órbita elíptica de energia E. Calcule o semieixo maior a dessa órbita elíptica e mostre que E só depende de a (veja Figuras 10.13 e 10.14). (c) Calcule a velocidade da partícula numa órbita elíptica de semieixo maior a, quando se encontra à distância r do centro de forças. (d) Calcule a excentricidade e da órbita (Seç. 10.4) em função de a, E e do momento angular l.

11.8 Pela geometria da elipse (veja a figura), os semieixos maior a e menor b e a semi-distância focal c estão relacionados por: $a^2 = b^2 + c^2$, e a área da elipse é $\pi a\, b$. (a) Exprima o momento angular l de um planeta numa órbita elíptica em torno do Sol em função da área A e do período T da órbita, usando a 2ª lei de Kepler. (b) Identificando a expressão de l obtida em (a) com a relação entre l, a e a excentricidade da órbita obtida no Probl. 11.7, demonstre a 3ª lei de Kepler sob a forma: $T^2/a^3 = 4\pi^2/(GM_S)$, onde M_S é a massa do Sol. (c) O periélio e o afélio de Mercúrio são, respectivamente, de $4{,}59 \times 10^7$ km e $6{,}97 \times 10^7$ km, e a massa do Sol é $M_S \approx 1{,}99 \times 10^{30}$ kg. Calcule o período da órbita de Mercúrio.

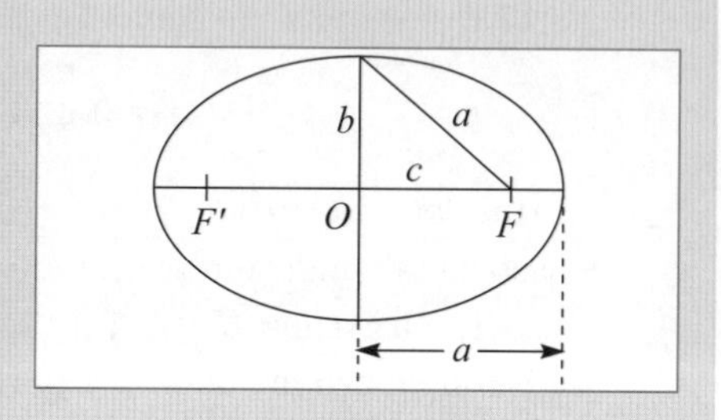

11.9 O *espalhamento Rutherford* é a deflexão de uma partícula carregada (massa m, carga Ze) por outra (massa M, carga $Z'e$), sob ação da força coulombiana. Supomos $M >> m$, de modo que a partícula de massa M pode ser tratada como um centro de forças fixo. Para Z e Z' de mesmo sinal (ex.: partículas alfa defletidas por um núcleo) e sendo a partícula de massa m lançada a partir de uma grande distância da outra, com velocidade inicial v_0 e parâmetro de choque b (Seç. 9.6). a órbita de m é uma hipérbole do tipo ilustrado na figura. (a) Escreva o potencial efetivo $V_{ef}(r)$ (cf. Probl. 11.6) em função de b e v_0. (b) Calcule a distância r_0 de máxima aproximação entre as duas partículas, como função de b e v_0.

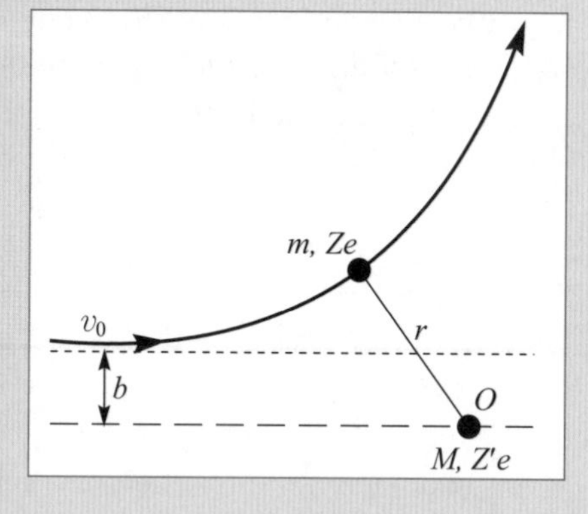

11.10 Uma partícula de massa m move-se num campo de forças centrais repulsivo; a força sobre a partícula à distância r do centro tem magnitude $F(r) = mA^2/r^3$ onde A é uma constante. A partícula aproxima-se do centro vindo de uma grande distância, com parâmetro de choque b e velocidade de magnitude v_0. (a) Escreva o potencial efetivo $V_{ef}(r)$ em função de b e v_0. (b) Calcule a distância r_0 de maior aproximação entre a partícula e o centro de forças como função de b e v_0.

11.11 Um automóvel de massa M percorre, em sentido anti-horário, uma pista circular horizontal de raio R, com velocidade escalar v constante. Conforme será visto no Cap. 12, o momento angular de uma das rodas do carro em relação ao centro de massa da roda é dado por $\mathbf{L}' = I\boldsymbol{\omega}$, onde $\boldsymbol{\omega}$ é o vetor velocidade angular da roda e I é o seu momento de inércia em relação ao CM, que identificamos com o centro da roda. Determine, em módulo, direção e sentido, os vetores momento angular interno, momento angular externo (orbital) e momento angular total da roda em função de M, R, v, I e do raio a da roda.

11.12 Uma bolinha presa a um fio de massa desprezível gira em torno de um eixo vertical com velocidade escalar constante, mantendo-se a uma distância d = 0,5 m do eixo; o ângulo θ é igual a 30° (veja Figura). O fio passa sem atrito através de um orifício O numa placa, e é puxado lentamente para cima até que o ângulo θ passa a 60°. (a) Que comprimento do fio foi puxado? (b) De que fator variou a velocidade de rotação?

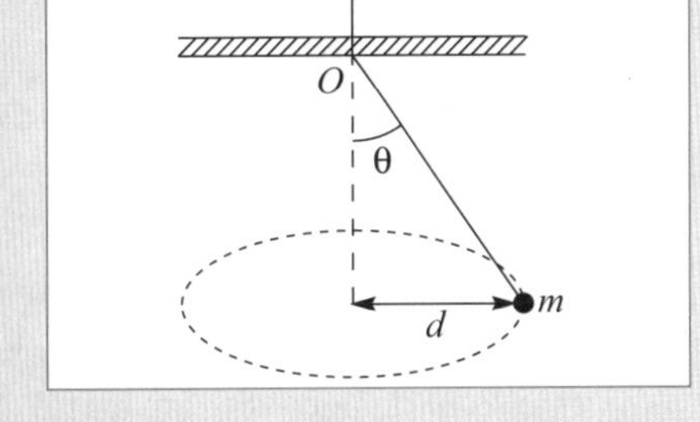

11.13 Duas partículas de mesma massa m estão presas às extremidades de uma mola de massa desprezível, inicialmente com seu comprimento relaxado l_0. A mola é esticada até o dobro desse comprimento e é solta depois de haver comunicado velocidades iguais e opostas (v_0, $-v_0$) às partículas, perpendiculares à direção da mola (veja figura), tais que $kl_0^2 = 6\,mv_0^2$, onde k é a constante da mola. Calcule as componentes (v_r, v_θ) radial e transversal da velocidade das partículas quando a mola volta a passar pelo seu comprimento relaxado.

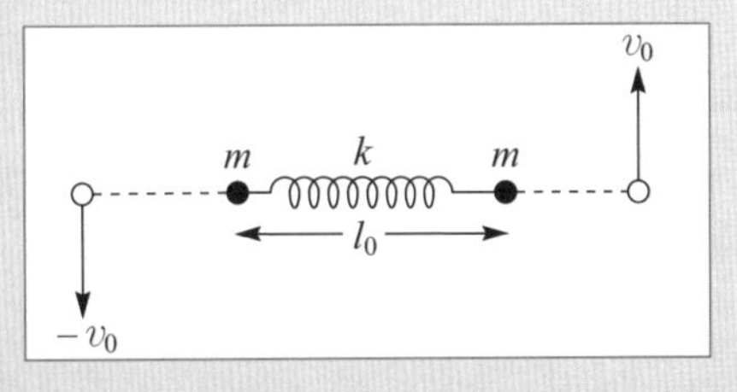

11.14 No sistema da figura, análogo a um regulador centrífugo (Seç. 5.3), o anel A, de massa desprezível, pode deslizar ao longo do eixo vertical. Inicialmente as duas bolas iguais de massa m = 200 g estão a uma distância r = 15 cm do eixo e o sistema gira com velocidade angular ω = 6 rad/s. Pressiona-se para baixo o anel A, até que a distância das bolas ao eixo aumenta para r = 25 cm. (a) Qual é a nova velocidade angular de rotação? (b) Qual é o trabalho realizado sobre o sistema?

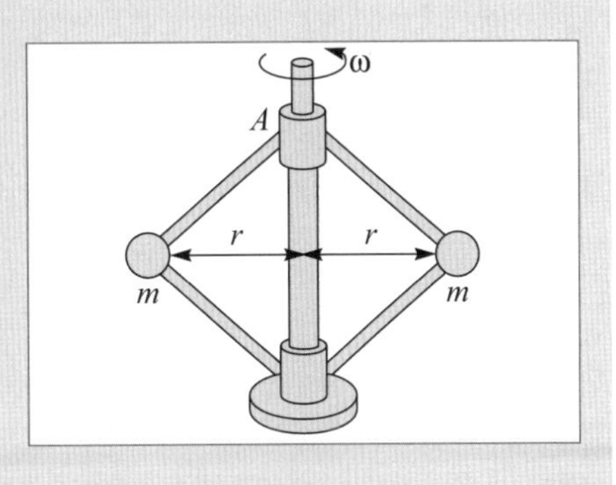

11.15 Quatro discos iguais de massa m ocupam os vértices de uma armação quadrada formada por quatro barras rígidas de comprimento l e massa desprezível. O conjunto está sobre uma mesa de ar horizontal, podendo deslocar-se sobre ela com atrito desprezível. Transmite-se um impulso instantâneo **P** a uma das massas, na direção de uma das diagonais do quadrado (figura). Descreva completamente o movimento subsequente do sistema.

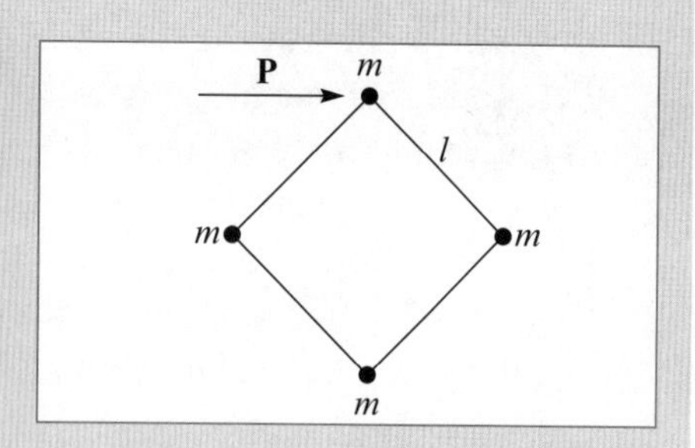

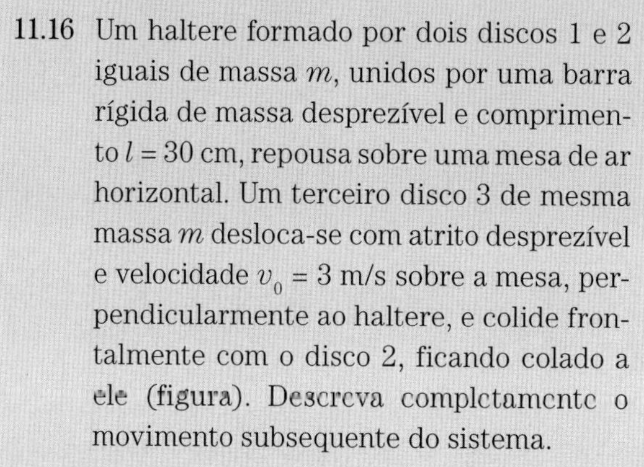

11.16 Um haltere formado por dois discos 1 e 2 iguais de massa m, unidos por uma barra rígida de massa desprezível e comprimento $l = 30$ cm, repousa sobre uma mesa de ar horizontal. Um terceiro disco 3 de mesma massa m desloca-se com atrito desprezível e velocidade $v_0 = 3$ m/s sobre a mesa, perpendicularmente ao haltere, e colide frontalmente com o disco 2, ficando colado a ele (figura). Descreva completamente o movimento subsequente do sistema.

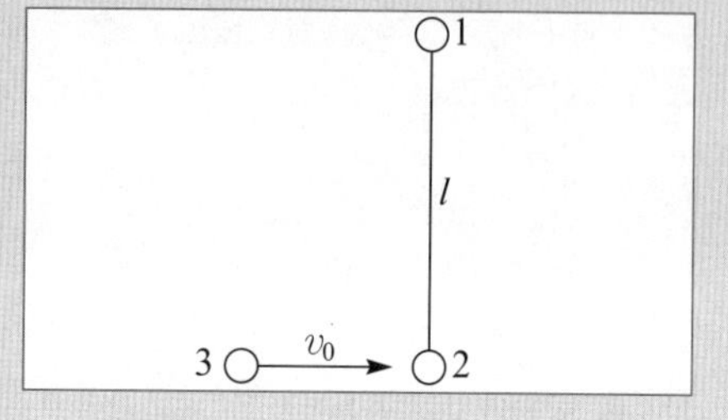

12

Dinâmica de corpos rígidos

12.1 ROTAÇÃO EM TORNO DE UM EIXO FIXO

Vimos no capítulo precedente que o movimento de rotação mais simples de um corpo rígido é a rotação em torno de um eixo fixo. É conveniente portanto iniciarmos por ele o estudo da dinâmica de corpos rígidos. Conforme vimos, o problema se reduz ao do movimento circular de uma partícula P do corpo em torno do eixo, numa secção transversal.

Vamos tomar o eixo fixo OO' como eixo dos z, com origem num ponto O do mesmo (Fig. 12.1) e considerar um ponto P num plano $O'x'y'$ (secção transversal). O único grau de liberdade é descrito pelo ângulo de rotação φ do ponto P em torno de Oz; a velocidade de rotação $\mathbf{v}$ desse ponto é tangente ao círculo, ou seja, é perpendicular ao raio vetor $\mathbf{O'P} = \boldsymbol{\rho}$ no plano $O'x'y'$ (Fig. 12.1), e sua magnitude é

$$v = \rho\dot{\varphi}, \quad \rho = |\boldsymbol{\rho}| \tag{12.1.1}$$

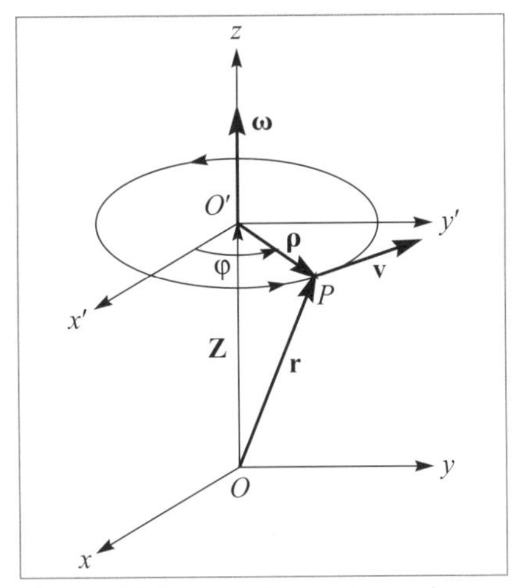

Figura 12.1 Rotação em torno do eixo *Oz*.

O momento angular de uma partícula de massa m no ponto P em relação à origem fixa O é

$$\mathbf{l} = m\mathbf{r} \times \mathbf{v} \tag{12.1.2}$$

onde (Fig. 12.1) $\mathbf{r} = \mathbf{OP} = \mathbf{OO'} + \mathbf{O'P}$, ou seja

$$\mathbf{r} = \mathbf{Z} + \boldsymbol{\rho} \tag{12.1.3}$$

Temos então

$$\mathbf{l} = m(\mathbf{Z} + \boldsymbol{\rho}) \times \mathbf{v} = m\mathbf{Z} \times \mathbf{v} + m\boldsymbol{\rho} \times \mathbf{v}$$

O produto vetorial $\mathbf{Z} \times \mathbf{v}$ é perpendicular a $\mathbf{Z}$, ou seja, ao eixo Oz, ao passo que $\boldsymbol{\rho} \times \mathbf{v}$ é paralelo a Oz. Para aplicar a equação fundamental da dinâmica das rotações (11.5.16) a este problema, só nos interessa, conforme veremos, a *componente do momento angular ao longo do eixo de rotação* (componente l_z), dada pelo último termo $m\boldsymbol{\rho} \times \mathbf{v}$. Como $\boldsymbol{\rho}$ é perpendicular a $\mathbf{v}$, obtemos finalmente, com o auxílio da (12.1.1),

$$l_Z = m\rho v = m\rho^2\dot{\varphi} = m\rho^2\omega$$

onde $\omega = \dot{\varphi}$ é a velocidade angular de rotação.

Podemos comparar este resultado com as (11.4.11) e (11.4.12): vemos que $m\rho^2$ é o momento de inércia da partícula P em relação a O', que se chama seu *momento de inércia em relação ao eixo de rotação.*

O resultado se estende agora imediatamente ao corpo rígido como um todo. Podemos, analogamente ao que foi feito para o CM de uma distribuição contínua de matéria na Seç. 8.4, imaginá-lo inicialmente como composto de partículas de massa Δm_i situadas a distâncias ρ_i do eixo de rotação. A componente L_z do momento angular total do corpo rígido em relação a O será então

$$L_Z = \sum_i l_{Z,i} = \left(\sum_i \rho_i^2 \Delta m_i\right)\omega$$

Passando ao limite do contínuo, de forma análoga ao que fizemos na (8.4.5), resulta

$$\boxed{L_Z = I\omega} \qquad \textbf{(12.1.4)}$$

onde

$$\boxed{I = \int \rho^2 dm} \qquad \textbf{(12.1.5)}$$

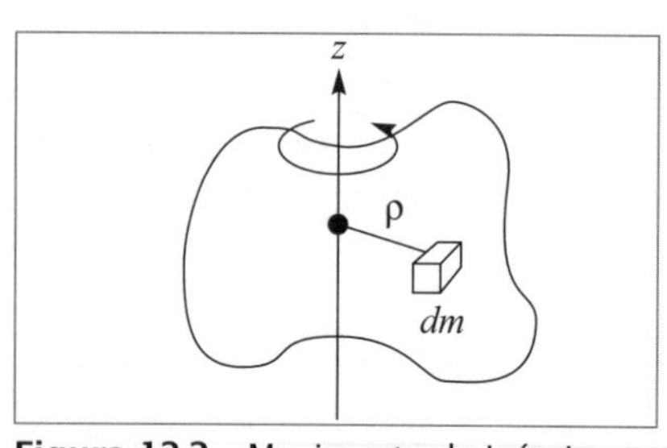

Figura 12.2 Movimento de inércia.

é o *momento de inércia do corpo rígido em relação ao eixo de rotação.* Para calcular I, temos de multiplicar cada elemento de massa dm do corpo por ρ^2, onde ρ é a distância de dm ao eixo de rotação (Fig. 12.2), e integrar sobre todo o corpo. Podemos agora aplicar a lei fundamental da dinâmica das rotações. A componente z da (11.5.16) dá, com a (12.1.4),

$$\boxed{\frac{dL_Z}{dt} = \frac{d}{dt}(I\omega) = \tau_Z^{(\text{ext})}} \qquad \textbf{(12.1.6)}$$

onde $\tau_z^{(\text{ext})}$ é a componente z (ao longo do eixo) da resultante dos torques externos em relação ao ponto fixo O do eixo. Como I e ω não dependem da escolha do ponto O, o mesmo deve valer para $\tau_z^{(\text{ext})}$. Com efeito, se mudarmos a origem para outro ponto O' do eixo, a variação no torque resultante, pela (11.5.23), é $\mathbf{Z} \times \mathbf{F}^{(\text{ext})}$ onde $\mathbf{Z} = \mathbf{OO'}$. Essa variação é perpendicular a Oz, de modo que não altera a componente z do torque. Logo, na (12.1.6), o torque pode ser tomado em relação a *qualquer* ponto do eixo de rotação.

Para um corpo rígido, as distâncias ρ dos elementos de massa ao eixo são invariáveis, de modo que a (12.1.6) pode ser escrita, finalmente,

$$\boxed{\tau_Z^{(\text{ext})} = I\alpha} \tag{12.1.7}$$

onde

$$\boxed{\alpha = \dot{\omega} = \ddot{\varphi}} \tag{12.1.8}$$

é a aceleração angular.

A (12.1.7) é análoga à 2ª lei de Newton $F = ma$ no movimento unidimensional (cf. Seç. 11.3). Como no caso de uma partícula única, o momento de inércia desempenha um papel análogo ao da massa. Um corpo em rotação tem a mesma "relutância" em mudar sua velocidade angular que um corpo em translação para mudar de velocidade linear. O 'coeficiente de inércia' correspondente é o momento de inércia.

Um elemento de massa dm do corpo à distância ρ do eixo tem uma energia cinética de rotação (cf.(12.1.1))

$$\frac{1}{2}v^2 dm = \frac{1}{2}\rho^2\dot{\varphi}^2 dm = \frac{1}{2}\rho^2 dm \cdot \omega^2$$

de modo que a *energia cinética de rotação total* do corpo é, levando em conta a (12.1.5),

$$\boxed{T = \frac{1}{2}\omega^2 \int \rho^2 dm = \frac{1}{2}I\omega^2} \tag{12.1.9}$$

que é o análogo da expressão $T = \frac{1}{2}mv^2$ no movimento linear de uma partícula (cf. (11.4.13)).

Pelas (11.6.15) a (11.6.18), o trabalho realizado pelas forças aplicadas a um sistema de partículas numa rotação infinitesimal $\mathbf{\Delta\theta}$ é

$$\Delta W = \sum_i \mathbf{F}_i \cdot \mathbf{\Delta r}_i = \sum_i \mathbf{F}_i \cdot (\mathbf{\Delta\theta} \times \mathbf{r}_i) = \sum_i (\mathbf{r}_i \times \mathbf{F}_i) \cdot \mathbf{\Delta\theta} = \boldsymbol{\tau} \cdot \mathbf{\Delta\theta} \tag{12.1.10}$$

onde $\boldsymbol{\tau}$ é o torque resultante sobre o sistema. No caso atual, temos $\boldsymbol{\tau} = \boldsymbol{\tau}^{(\text{ext})}$ e $\mathbf{\Delta\theta} = \Delta\varphi\hat{\mathbf{z}}$, de modo que

$$\Delta W = \tau_Z^{(\text{ext})}\Delta\varphi \tag{12.1.11}$$

e o trabalho numa rotação finita, de φ_0 a φ_1, é

$$\boxed{W_{\varphi_0 \to \varphi_1} = \int_{\varphi_0}^{\varphi_1} \tau_Z^{(\text{ext})} d\varphi} \tag{12.1.12}$$

Pelas (12.1.7) e (12.1.8),

$$\tau_Z^{(\text{ext})} d\varphi = \tau_Z^{(\text{ext})}\dot{\varphi}\, dt = I\ddot{\varphi}\dot{\varphi}\, dt = \frac{d}{dt}\underbrace{\left(\frac{1}{2}I\dot{\varphi}^2\right)}_{\substack{=T \text{ pela} \\ (12.1.9)}} dt = dT$$

de modo que a (12.1.12) fica

$$W_{\varphi_0 \to \varphi_1} = \frac{1}{2} I \omega_1^2 - \frac{1}{2} I \omega_0^2 = T_1 - T_0 \tag{12.1.13}$$

ou seja, o trabalho realizado é igual à variação da energia cinética de rotação, resultado análogo à (6.3.15) no movimento unidimensional.

Podemos estabelecer o seguinte "dicionário" para traduzir as analogias entre movimento unidimensional e rotação em torno de um eixo fixo:

Movimento unidimensional	Rotação em torno de um eixo fixo
Deslocamento = x	φ = ângulo de rotação
Velocidade = $v = \dot{x}$	$\omega = \dot{\varphi}$ = Velocidade angular
Aceleração = $a = \ddot{x}$	$\alpha = \ddot{\varphi}$ = Aceleração angular
Massa = m	I = Momento de inércia
Momento linear = $p = mv$	$L_z = I\omega$ = Momento angular (componente z)
Força = $F = ma$	$\tau_z = I\alpha$ = Torque (componente z)
Energia cinética = $T = \frac{1}{2} mv^2$	$T = \frac{1}{2} I\omega^2$ = Energia cinética de rotação
Trabalho = $W = \int_{x_0}^{x_1} F dx$	$W = \int_{\varphi_0}^{\varphi_1} \tau_Z d\varphi$ = Trabalho

Conservação do momento angular

Para o caso particular de um sistema em rotação em torno de um eixo fixo, a (12.1.6) leva à seguinte *lei de conservação do momento angular* (cf. Seç. 11.6):

$$\tau_Z^{(\text{ext})} = 0 \Rightarrow L_Z = I\omega = \text{constante} \tag{12.1.14}$$

ou seja, *se a resultante dos torques externos na direção do eixo se anula, o produto da velocidade angular pelo momento de inércia em relação ao eixo se conserva.*

Para um corpo rígido, as distâncias ρ ao eixo permanecem constantes, de modo que I = constante e a (12.1.14) equivale a ω = constante, ou seja, conservação da velocidade angular. Assim, se minimizarmos o atrito nos suportes e desprezarmos a resistência do ar, um corpo em rotação rápida em torno de um eixo (volante) mantém sua velocidade angular durante muito tempo e pode ser utilizado para armazenar energia – sob a forma da energia cinética de rotação (12.1.9).

A (12.1.14) permanece válida, porém, para um sistema não rígido, cujo momento de inércia em relação ao eixo pode variar durante a rotação, passando, digamos, de I_0 para I_1. Nesse caso, a velocidade angular também varia, de ω_0 para ω_1, de tal forma que

$$I_0 \omega_0 = I_1 \omega_1 \tag{12.1.15}$$

Assim, se I diminui, ω tem de aumentar. Já vimos um exemplo (Fig. 11.24) no caso de uma só partícula. Outro exemplo é uma variante da experiência de demonstração da Fig. 11.31.

Uma pessoa sentada sobre um banquinho giratório com atrito desprezível (ausência de torques verticais) está em rotação com velocidade ω_0 com os braços esticados, segurando pesos afastados do eixo de rotação, o que aumenta o momento de inércia I_0 (Fig. 12.3 (a)). Ao dobrar os braços, aproximando os pesos do eixo, o momento de inércia diminui muito ($I_1 << I_0$), e a velocidade de rotação (Fig. 12.3 (b)) do banquinho aumenta correspondentemente ($\omega_1 >> \omega_0$).

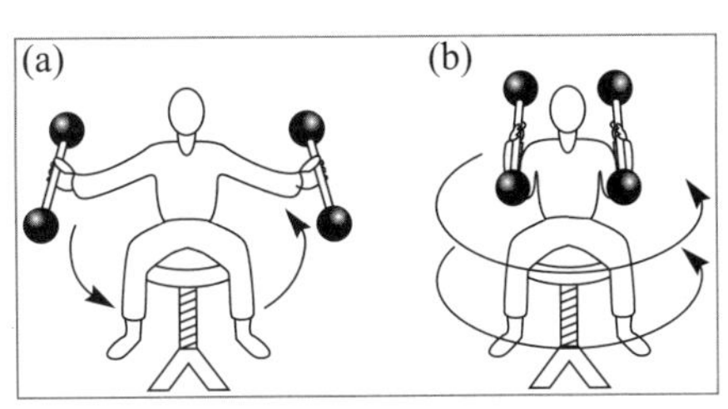

Figura 12.3 Banquinho giratório.

A patinadora no gelo que encolhe os braços para girar mais rapidamente (Fig. 12.4), como a bailarina para fazer uma pirueta, o mergulhador que dá um salto múltiplo dobrando os joelhos e juntando os braços para girar o corpo, o acrobata que executa um "salto mortal", o gato que faz girar a cauda e encolhe as patas para cair de pé, estão todos utilizando o mesmo efeito.

Figura 12.4 Patinadora.

É interessante ressaltar esta diferença entre os princípios de conservação do momento linear e do momento angular. No caso do momento linear, um sistema não pode deslocar seu centro de massa sob a ação puramente de forças internas (Seç. 8.3). Isto não vale, porém, para a posição angular: um sistema isolado *pode* alterar sua velocidade de rotação em torno de um eixo através puramente de forças internas (esforço muscular, nos exemplos acima), alterando o momento de inércia em relação ao eixo.

12.2 CÁLCULO DE MOMENTOS DE INÉRCIA

O momento de inércia de um corpo rígido em relação a um eixo, para rotação em torno desse eixo, tem, como vimos, um papel análogo ao da massa no movimento de translação, ou seja, representa a *inércia de rotação*. Vamos ver como se calcula o momento de inércia em alguns casos importantes, correspondentes a corpos *homogêneos* de formas geométricas simples. Dizer que um corpo é homogêneo significa que sua densidade de massa é constante, ou seja, que a massa dm de um elemento de volume dV é $dm = \mu dV$, onde μ = constante. Pela (12.1.5),

$$I = \int \rho^2 dm \tag{12.2.1}$$

onde ρ é a distância do elemento de massa dm ao eixo de rotação.

1) Anel circular delgado, em torno do centro

Supomos o eixo de rotação perpendicular ao plano do anel e passando pelo centro (Fig. 12.5). Para um anel suficientemente delgado, podemos tomar $\rho = R$ (raio médio do anel) para todos os elementos de massa dm, de modo que a (12.2.1) dá

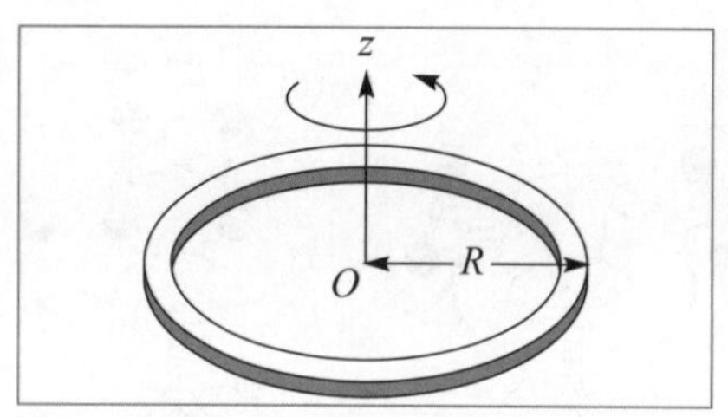

Figura 12.5 Anel circular.

$$I = R^2 \int dm \left\{ \boxed{I = MR^2} \right. \qquad \textbf{(12.2.2)}$$

onde M é a massa do anel.

2) Disco circular, em torno do centro

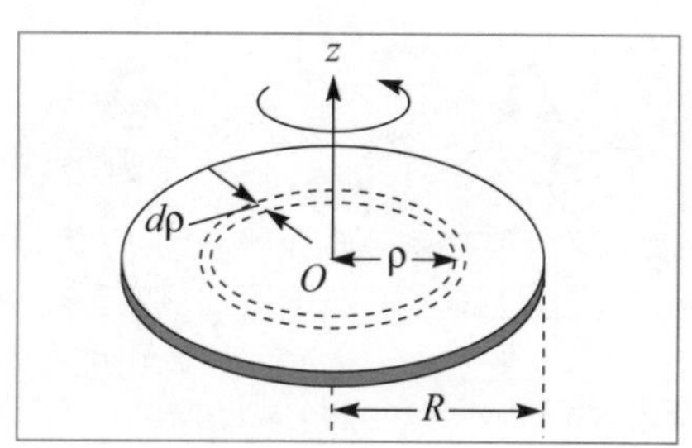

Figura 12.6 Disco circular.

Podemos imaginar o disco decomposto em anéis circulares concêntricos delgados (Fig. 12.6) de raio ρ e largura infinitésima $d\rho$, onde ρ varia de 0 a R.

A massa dm de um desses anéis está para a massa M do disco assim como o volume do anel está para o do disco, ou seja,

$$\frac{dm}{M} = \frac{2\pi\rho\, d\rho}{\pi R^2} = \frac{2}{R^2}\rho\, d\rho \qquad \textbf{(12.2.3)}$$

de modo que

$$I = \int \rho^2 dm = \frac{2M}{R^2}\int_0^R \rho^3 d\rho = \frac{2M}{R^2}\cdot\left.\frac{\rho^4}{4}\right|_0^R = \frac{2M}{4R^2}R^4$$

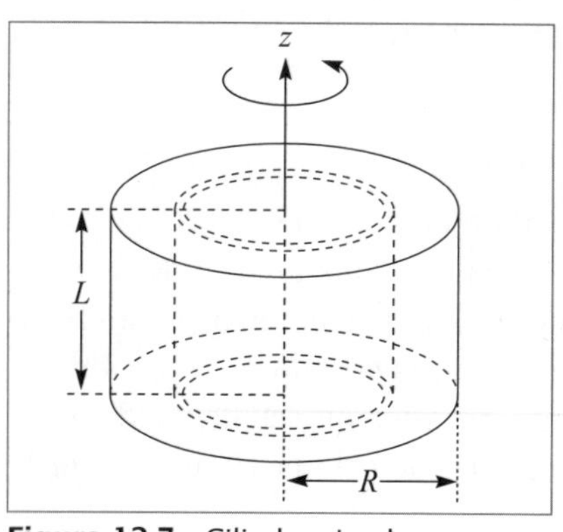

Figura 12.7 Cilindro circular.

ou seja, finalmente,

$$\boxed{I = \frac{1}{2}MR^2} \qquad \textbf{(12.2.4)}$$

Note que a dedução, e por conseguinte este resultado, é independente da espessura do disco (ela se cancela na razão de volumes (12.2.3)) de modo que o resultado (12.2.4) dá o momento de inércia de um *cilindro circular* de massa M, raio R e altura L (Fig. 12.7) em torno do eixo do cilindro, qualquer que seja L.

3) Barra delgada, em torno do centro

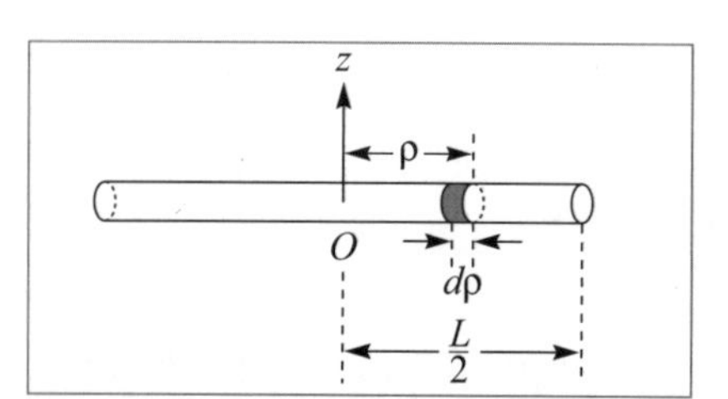

Figura 12.8 Barra delgada.

A massa dm de uma porção de comprimento $d\rho$ da barra é (Fig. 12.8)

$$dm = \frac{d\rho}{L}M$$

onde L é o comprimento total da barra e M a massa da barra. Logo,

$$I = 2\int_0^{L/2} \frac{M}{L}\rho^2 d\rho = \frac{2M}{L}\frac{\rho^3}{3}\Bigg|_0^{L/2} = \frac{2M}{3L}\cdot\left(\frac{L}{2}\right)^3$$

onde o fator 2 é devido à igual contribuição das duas metades da barra. Finalmente,

$$\boxed{I = \frac{1}{12}ML^2} \qquad \textbf{(12.2.5)}$$

Novamente, o raciocínio independe da "altura" da barra, de modo que a (12.2.5) dá também o momento de inércia de uma placa retangular *delgada* (lâmina) de comprimento L em torno de um eixo central perpendicular à direção de L (Fig. 12.9), qualquer que seja a altura h.

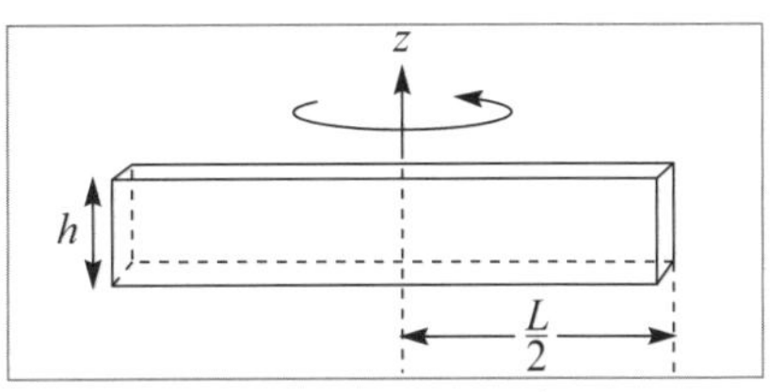

Figura 12.9 Placa retangular.

4) Esfera, em torno de um diâmetro

Podemos considerar a esfera como uma pilha de discos circulares perpendiculares ao diâmetro considerado. A Fig. 12.10 mostra um desses discos, de espessura dz e raio r, situado à altura z do plano equatorial. A massa dm do disco está para a massa M da esfera na mesma proporção dos volumes respectivos, ou seja.

$$\frac{dm}{M} = \frac{\pi r^2 dz}{\frac{4}{3}\pi R^3} = \frac{3}{4}\frac{r^2}{R^3}dz \qquad \textbf{(12.2.6)}$$

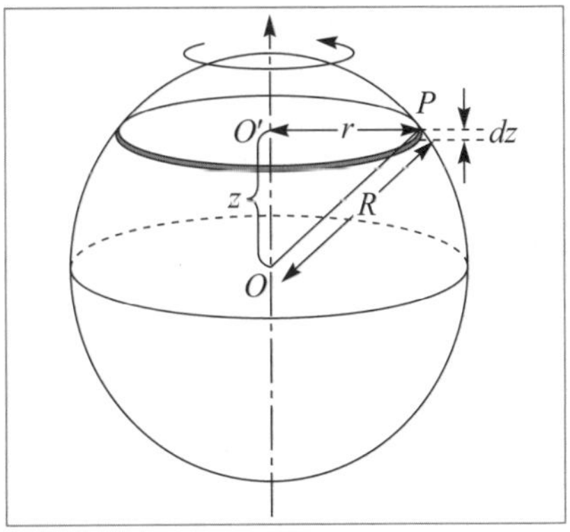

Figura 12.10 Esfera.

Pela (12.2.4), o momento de inércia do disco é

$$dI = \frac{1}{2}r^2 dm = \frac{3}{8}\frac{M}{R^3}r^4 dz \qquad \textbf{(12.2.7)}$$

onde utilizamos a (12.2.6). Para obter o momento de inércia total, integramos sobre um hemisfério (z varia de 0 a R) e multiplicamos por 2 o resultado:

$$I = 2\int_{z=0}^{z=R} dI = \frac{3}{4}\frac{M}{R^3}\int_0^R r^4 dz \qquad \textbf{(12.2.8)}$$

A relação entre r e z se obtém considerando o triângulo $OO'P$ (Fig. 12.10)

$$r^2 = R^2 - z^2 \qquad \textbf{(12.2.9)}$$

Substituindo na (12.2.8), obtemos

$$I = \frac{3}{4}\frac{M}{R^3}\int_0^R \left(R^4 - 2R^2z^2 + z^4\right)dz = \frac{3}{4}\frac{M}{R^3}\left[R^4\underbrace{\int_0^R dz}_{R} - 2R^2\underbrace{\int_0^R z^2 dz}_{R^3/3} + \underbrace{\int_0^R z^4 dz}_{R^5/5}\right] = \frac{3}{4}MR^2\underbrace{\left(1 - \frac{2}{3} + \frac{1}{5}\right)}_{8/15}$$

ou seja, finalmente,

$$\boxed{I = \frac{2}{5} MR^2} \quad \textbf{(12.2.10)}$$

Raio de giração: Por razões dimensionais, o momento de inércia é sempre igual à massa do objeto multiplicada pelo quadrado de um comprimento. Esse comprimento k chama-se *o raio de giração* do objeto em relação ao eixo considerado. Assim,

$$\boxed{I = Mk^2} \quad \textbf{(12.2.11)}$$

Se a massa toda do objeto estivesse concentrada à distância k do eixo, este seria seu momento de inércia, o que dá a interpretação física do raio de giração. Os resultados precedentes correspondem aos seguintes raios de giração:

1) Anel circular em torno do centro: $k = R$ (cf. (12.2.2));
2) Disco circular em torno do centro: $k = R / \sqrt{2}$ pela (12.2.4);
3) Barra delgada em torno do centro: $k = L / \left(2\sqrt{3}\right)$ pela (12.2.5);
4) Esfera em torno de um diâmetro: $k = R\sqrt{2/5}$ pela (12.2.10).

Em todos esses exemplos, o momento de inércia foi calculado em relação a um eixo passando pelo CM do corpo considerado. Vejamos o que acontece quando o eixo de rotação não passa pelo CM.

Teorema dos eixos paralelos (Steiner)

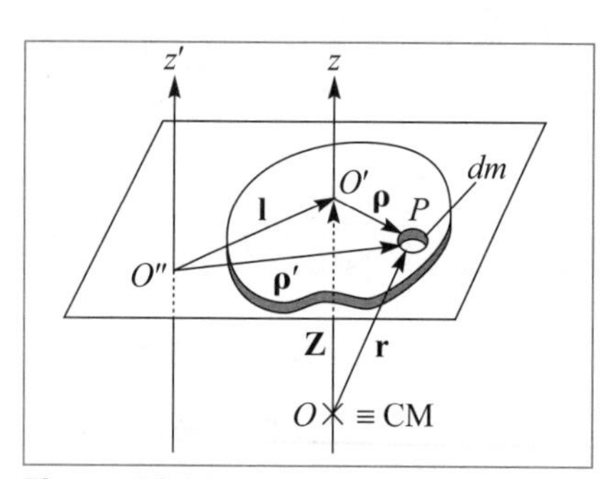

Figura 12.11 Teorema de Steiner.

Vamos relacionar o momento de inércia I de um corpo qualquer em relação a um eixo arbitrário $O''z'$ (Fig. 12.11) com o momento de inércia $\bar{I}_{\text{CM}}$ desse mesmo corpo em relação a um eixo $O'z$ *paralelo* a $O''z'$ passando pelo CM do corpo, que é o ponto O da fig. 12.11. Para isso, analogamente ao que fizermos no caso da esfera, imaginamos o corpo como uma pilha de fatias delgadas perpendiculares ao eixo (uma delas está representada no plano $O''O'P$ da figura). A contribuição de uma fatia ao momento de inércia I é

$$dI = \int_{\text{fatia}} \rho'^2 \, dm \quad \textbf{(12.2.12)}$$

Vemos pela Fig. 12.11 que

$$\boldsymbol{\rho}' = \boldsymbol{\rho} + \mathbf{l} \quad \left\{ \rho'^2 = \rho^2 + 2\mathbf{l} \cdot \boldsymbol{\rho} + l^2 \right.$$

o que dá

$$dI = \int_{\text{fatia}} \rho^2 \, dm + 2\mathbf{l} \cdot \int_{\text{fatia}} \boldsymbol{\rho} \, dm + l^2 \int_{\text{fatia}} dm$$

e, integrando sobre todas as fatias,

$$I = \underbrace{\int \rho^2 \, dm}_{=I_{CM}} + 2\mathbf{l} \cdot \int \boldsymbol{\rho} \, dm + l^2 \underbrace{\int dm}_{=M} \tag{12.2.13}$$

Sendo **r** o vetor de posição em relação ao CM, a (8.2.11), para uma distribuição contínua de matéria, dá

$$\int \mathbf{r} dm = 0 \tag{12.2.14}$$

Pela Fig. 12.11, vale uma relação análoga à (12.1.3),

$$\mathbf{r} = \boldsymbol{\rho} + \mathbf{Z} \tag{12.2.15}$$

onde $\mathbf{Z} = \mathbf{OO'}$. Logo, a (12.2.14) fica

$$\underbrace{\int \boldsymbol{\rho} dm}_{\substack{\text{componente} \\ \perp Oz}} + \underbrace{\int \mathbf{Z} dm = 0}_{\substack{\text{componente} \\ //Oz}} \tag{12.2.16}$$

Como os dois termos da (12.2.16) representam componentes vetoriais independentes, cada um deles tem de anular-se separadamente. Logo, $\int \boldsymbol{\rho} dm = 0$ e a (12.2.13) dá

$$\boxed{I = I_{CM} + Ml^2} \tag{12.2.17}$$

que é o *teorema dos eixos paralelos*, devido a Steiner: o momento de inércia de um corpo qualquer em relação a um eixo é a soma do momento de inércia em relação a um eixo paralelo, passando pelo CM, com o produto da massa M do corpo pelo quadrado da distância l entre os dois eixos.

Em termos do raio de giração definido pela (12.2.11), este resultado se escreve

$$k^2 = k_{CM}^2 + l^2 \tag{12.2.18}$$

Vemos pela (12.2.17) que o momento de inércia é mínimo quando tomado em relação a um eixo que passa pelo CM. Este resultado, bem como o teorema dos eixos paralelos, tem uma interpretação física simples. Com efeito, conforme mostra a Fig. 12.12, uma rotação do corpo por um ângulo φ em torno de um eixo passando por O'' equivale a uma translação do corpo ao longo do arco $O'O'''$ seguida por uma rotação de um ângulo φ em torno do eixo passando pelo CM, o que é um exemplo do teorema de Chasles (Seç. 11.1). O termo I_{CM} na (12.2.17) está associado à rotação em torno do CM, e o termo $M\,l^2$ está associado à translação do CM, descrevendo o arco $l\varphi$ em torno de O'.

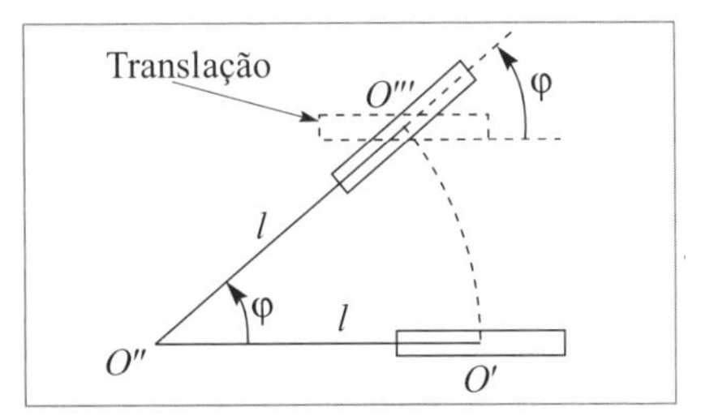

Figura 12.12 Interpretação do teorema de Steiner.

Podemos agora combinar este resultado com os anteriores para obter novos momentos de inércia.

5) Barra delgada, em torno de uma extremidade

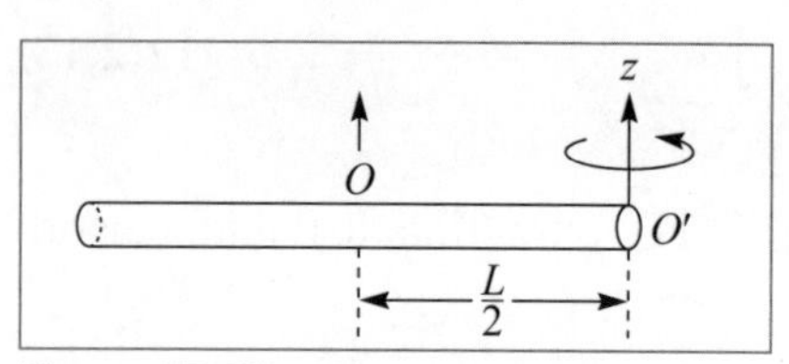

Figura 12.13 Barra e extremidade.

Com o auxílio da (12.2.5), vem

$$I = \underbrace{I_{CM}}_{\frac{1}{12}ML^2} + M\left(\frac{L}{2}\right)^2 = ML^2\left(\frac{1}{12} + \frac{1}{4}\right)$$

ou seja

$$\boxed{I = \frac{1}{3}ML^2} \qquad \textbf{(12.2.19)}$$

Comparando com a (12.2.5), vemos que é bem mais difícil fazer girar uma vareta em torno de uma extremidade do que em torno de seu centro (a inércia de rotação é 4 vezes maior).

6) Cilindro, em torno de uma geratriz

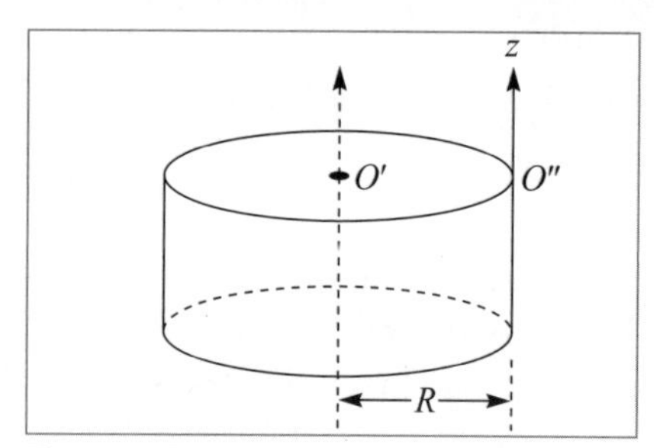

Figura 12.14 Cilindro e geratriz.

Vimos que a (12.2.4) se aplica ao momento de inércia de um cilindro circular em torno de seu eixo de simetria (que passa pelo CM). Logo, para rotação em torno de uma geratriz $O''z$ (Fig. 12.14),

$$I = \underbrace{I_{CM}}_{=\frac{1}{2}MR^2} + MR^2 \left\{ \boxed{I = \frac{3}{2}MR^2} \right. \qquad \textbf{(12.2.20)}$$

Isto se aplica, em particular, ao rolamento de uma roda sobre um plano: a geratriz de contato entre a roda cilíndrica e o plano, conforme veremos logo, é o eixo instantâneo de rotação.

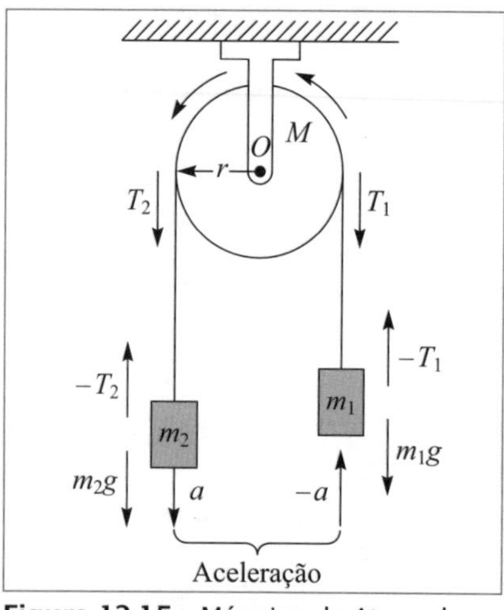

Figura 12.15 Máquina de Atwood.

Aplicação: máquina de Atwood

Como aplicação e ilustração dos resultados obtidos até agora para a rotação em torno de um eixo fixo, vamos considerar a assim chamada *máquina de Atwood*, que é um dispositivo para o estudo do movimento retilíneo uniformemente acelerado.

O sistema consiste numa polia de massa M e raio r que pode girar em torno de um eixo fixo passando pelo seu centro O, e em duas massas m_1 e m_2 suspensas por um fio de massa desprezível que desliza sem atrito sobre a polia (Fig. 12.15). Temos de considerar o movimento de três corpos: as massas m_1 e m_2 e a polia. Para os dois primeiros, as equações de movimento são simples extensão das obtidas desprezando a massa da polia (Fig. 6.6, Seç. 6.1). A Fig. 12.15 mostra as forças que atuam em cada massa: $-T_1$ e $-T_2$ são as tensões exercidas pelo fio sobre m_1 e m_2, respectivamente, e a é a aceleração (positiva para baixo) de m_2; como o comprimento do fio é constante, a aceleração de m_1 é $-a$.

Logo,

$$m_2 g - T_2 = m_2 a \tag{12.2.21}$$

$$m_1 g - T_1 = m_1 a \tag{12.2.22}$$

A equação de movimento da polia é a (12.1.7), onde, pela Fig. 12.15, o torque é exercido pelas reações T_1 e T_2 das massas sobre o fio. O eixo fixo de rotação Oz está dirigido para o leitor, de modo que, com a convenção de orientação,

$$\tau_Z^{(\text{ext})} = T_2 r - T_1 r = (T_2 - T_1) r \tag{12.2.23}$$

Por outro lado, a aceleração angular da polia está relacionada com a aceleração linear a do fio e da massa m_2 pela (3.8.9):

$$a = \alpha r \quad \{ \quad \alpha = a / r \tag{12.2.24}$$

onde α é positivo com a convenção adotada para a na figura. O momento de inércia I é dado pela (12.2.4), de modo que, finalmente,

$$\tau_Z^{(ext)} = (T_2 - T_1) r = I\alpha = \frac{1}{2} M r^2 \frac{a}{r} = \frac{1}{2} M r a \Rightarrow T_2 - T_1 = \frac{1}{2} M a \tag{12.2.25}$$

Substituindo as (12.2.21) e (12.2.22) na (12.2.25) e resolvendo em relação a a, obtemos, finalmente,

$$a = \frac{(m_2 - m_1) g}{m_1 + m_2 + \frac{1}{2} M} \tag{12.2.26}$$

e T_1 e T_2 podem ser obtidos substituindo este resultado nas (12.2.21) e (12.2.22). As massas m_1 e m_2 se movem com movimento retilíneo uniformemente acelerado e a polia com movimento circular uniformemente acelerado. Note que as tensões T_1 e T_2, pela (12.2.25), só seriam iguais em equilíbrio ($a = 0$) ou para uma polia sem massa ($M = 0$; cf. Seç. 5.3).

Suponhamos que, inicialmente, as duas massas estejam em repouso à mesma altura, que tomamos como origem das alturas [Fig. 12.6 (a)]. A energia total do sistema, que é puramente potencial, é = 0 com essa escolha de origem. Num instante posterior (Fig. 12.6 (b)), a massa m_2 desceu

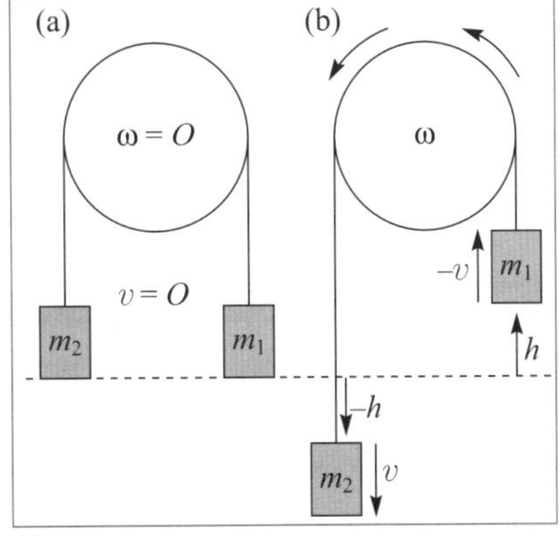

Figura 12.16 Conservação da energia.

de uma altura h e tem velocidade v; correspondentemente, m_1 subiu de h e tem velocidade $-v$. A polia adquiriu uma velocidade angular ω, onde $v = \omega r$. Pelas (12.1.9) e (12.2.4), a energia total, que deve conservar-se = 0, é dada por

$$\begin{aligned} E = 0 &= m_1 g\, h - m_2 g\, h + \frac{1}{2}(m_1 + m_2)v^2 + \frac{1}{2}I\omega^2 \\ &= (m_1 - m_2)g\, h + \frac{1}{2}(m_1 + m_2)v^2 + \frac{1}{2}\cdot\frac{1}{2}Mr^2\cdot\frac{v^2}{r^2} \\ &= (m_1 - m_2)g\, h + \frac{1}{2}\left(m_1 + m_2 + \frac{M}{2}\right)v^2 \end{aligned}$$

o que dá

$$v^2 = 2\frac{(m_2 - m_1)g}{m_1 + m_2 + \frac{1}{2}M}h = 2ah \qquad \textbf{(12.2.27)}$$

levando em conta a (12.2.26).

A (12.2.27) é a relação usual (2.5.9) entre velocidade e espaço percorrido no movimento retilíneo uniformemente acelerado. Vemos que os resultados são consistentes com a conservação da energia.

12.3 MOVIMENTO PLANO DE UM CORPO RÍGIDO

Diz-se que um corpo rígido tem um *movimento plano* quando as trajetórias de todas as partículas do corpo são paralelas a um plano fixo, que se chama *plano do movimento*.

Um exemplo de movimento plano é o movimento de rotação pura em torno de um eixo fixo (Seç. 12.1): neste caso, o plano do movimento é perpendicular à direção do eixo. Por outro lado, o movimento mais geral possível de um corpo rígido é uma combinação de translação e rotação (Seç. 11.1). Para que um tal movimento seja plano, é necessário que a translação seja paralela ao plano do movimento e a *direção* do eixo de rotação se mantenha fixa, perpendicular ao plano do movimento. Exemplo típico é o *rolamento* sobre um plano. Nesta seção, discutiremos movimentos deste tipo.

(a) Equações de movimento

Vimos na Seç. 11.5 que as equações de movimento de um corpo rígido podem ser escritas sob a forma

$$\frac{d\mathbf{P}}{dt} = \mathbf{F}^{(\text{ext})} \qquad \textbf{(12.3.1)}$$

que podemos considerar como a equação de movimento para a *translação* do CM [cf. (11.5.9)], e

$$\frac{d\mathbf{L}'}{dt} = \boldsymbol{\tau}'^{(\text{ext})} \qquad \textbf{(12.3.2)}$$

que é a equação de movimento para a *rotação em torno do* CM.

Para aplicar estas equações ao caso do movimento plano, tomemos como plano $(x\,y)$ o plano do movimento. Como o movimento de translação é paralelo a este plano, devemos ter na (12.3.1)

$$\mathbf{P} = P_x\mathbf{i} + P_y\mathbf{j}, \quad \mathbf{F}^{(\text{ext})} = F_x^{(\text{ext})}\mathbf{i} + F_y^{(\text{ext})}\mathbf{j} \tag{12.3.3}$$

ou seja, tanto o momento linear do corpo rígido como a resultante das forças externas estão contidas no plano $(x\,y)$.

Por outro lado, como vimos, o eixo de rotação deve ter direção fixa perpendicular a esse plano, ou seja, paralela ao eixo dos z. Logo, o vetor velocidade angular de rotação é da forma

$$\boldsymbol{\omega} = \omega\mathbf{k} \tag{12.3.4}$$

Pela (12.1.4) temos, para a componente z do momento angular interno (relativo ao CM) do corpo rígido, $L'_z = I_{\text{CM}}\omega$, onde I_{CM} é o momento de inércia em relação a um eixo de rotação que passa pelo CM.

Veremos na Seç. 12.5 que, quando o corpo rígido é *simétrico* em relação ao eixo de rotação (o que acontecerá nos exemplos de aplicação de movimento plano que vamos tratar), o momento angular é paralelo a esse eixo, como consequência da simetria. Pela lei fundamental da dinâmica das rotações (11.5.16), o mesmo deve acontecer com a resultante dos torques externos. Tomando o momento angular e o torque externo resultante em relação ao CM, devemos ter então

$$\mathbf{L}' = L'_z\mathbf{k}, \quad \boldsymbol{\tau}'^{(\text{ext})} = \tau_z'^{(\text{ext})}\mathbf{k} \tag{12.3.5}$$

ou seja

$$\boxed{\mathbf{L}' = I_{\text{CM}}\boldsymbol{\omega}} \tag{12.3.6}$$

Logo, *para um corpo rígido simétrico em relação ao eixo de rotação, o momento angular interno é proporcional ao vetor velocidade angular*. Vamo-nos limitar, por ora, a este caso.

Derivando ambos os membros da (12.3.6) em relação ao tempo, vemos que a (12.3.2) assume a forma da (12.1.7):

$$\boxed{\boldsymbol{\tau}'^{(\text{ext})} = I_{\text{CM}}\boldsymbol{\alpha}} \tag{12.3.7}$$

onde $\boldsymbol{\alpha}$ é o vetor aceleração angular, que também tem a direção z. A (12.3.1) também pode ser escrita sob a forma (11.5.17):

$$\boxed{\mathbf{F}^{(\text{ext})} = M\mathbf{A}} \tag{12.3.8}$$

onde M é a massa do corpo rígido e $\mathbf{A}$ a aceleração linear do CM.

As (12.3.7) e (12.3.8) são as equações básicas de movimento para o movimento plano de um corpo rígido simétrico em relação ao eixo de rotação. É importante notar que, na (12.3.7), $\boldsymbol{\tau}'^{(\text{ext})}$ é a resultante dos torques externos *em relação ao* CM.

Caso especial da gravidade

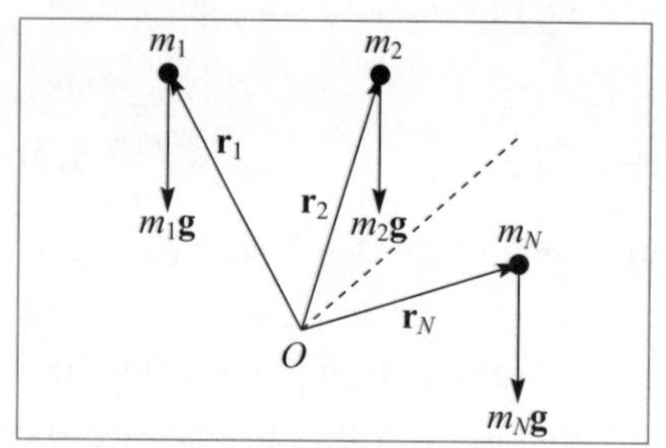

Figura 12.17 Torque gravitacional sobre um sistema.

No caso especial da força-peso, o campo gravitacional **g** próximo à superfície da Terra é uniforme, de modo que o torque em relação a um ponto O *qualquer* exercido pela força externa gravitacional sobre um sistema de partículas (Fig. 12.17) é

$$\boldsymbol{\tau}^{(\text{ext})} = \underbrace{\sum_{i=1}^{N} m_i \mathbf{r}_i}_{=M\mathbf{R} \text{ pela } (8.2.9)} \times \mathbf{g}$$

ou seja

$$\boxed{\boldsymbol{\tau}^{(\text{ext})} = \mathbf{R} \times (M\mathbf{g})} \qquad \textbf{(12.3.9)}$$

onde **R** é o vetor de posição do CM em relação ao ponto O. Logo, *o torque das forças gravitacionais em relação a um ponto O arbitrário é o mesmo que se toda a massa do sistema estivesse concentrada no* CM. Por esta razão, o centro de massa é também chamado de *centro de gravidade*.

Em particular, se tomarmos o torque em relação ao CM ($O \equiv$ CM), teremos $\mathbf{R} = 0$, o que dá

$$\boldsymbol{\tau}^{(\text{ext})} = 0 \text{ (força externa = peso)} \qquad \textbf{(12.3.10)}$$

de modo que a *força-peso* não contribui ao primeiro membro da (12.3.7): não pode produzir rotação em relação ao CM, porque podemos imaginá-la aplicada no CM. Para o movimento de translação, pela (12.3.8), também podemos imaginar a força peso como aplicada no CM.

Em diversos exemplos de aplicação das leis da dinâmica (Seçs. 4.4 e 5.3), discutimos o movimento de blocos e outros corpos extensos tratando-os como se fossem partículas, tomando a força-peso como aplicada num único ponto do corpo. Vemos agora que esse tratamento se justifica, tanto para a translação como para a rotação, desde que o ponto de aplicação da força-peso seja o CM ($\equiv$ centro de gravidade).

(b) Energia cinética

Seja T a energia cinética de um sistema arbitrário de partículas:

$$T = \frac{1}{2}\sum_{i=1}^{N} m_i \mathbf{v}_i^2 \qquad \textbf{(12.3.11)}$$

Pela (11. 5.4),

$$\mathbf{v}_i = \mathbf{v}'_i + \mathbf{V} \qquad \textbf{(12.3.12)}$$

onde $\mathbf{v}'_i$ é a velocidade relativa ao CM e **V** a velocidade do CM. Logo,

$$T = \frac{1}{2}\sum_{i=1}^{N} m_i \underbrace{\left(\mathbf{v}'_i + \mathbf{V}\right)^2}_{=\mathbf{v}'^2_i + 2\mathbf{v}'_i \cdot \mathbf{V} + \mathbf{V}^2} = \frac{1}{2}\sum_{i=1}^{N} m_i \mathbf{v}'^2_i + \underbrace{\left(\sum_{i=1}^{N} m_i \mathbf{v}'_i\right)}_{=0 \text{ pela } (11.5.4)} \cdot \mathbf{V} + \frac{1}{2}\underbrace{\left(\sum_{i=1}^{N} m_i\right)}_{=M} \mathbf{V}^2$$

ou seja

$$\boxed{T = \frac{1}{2}\sum_{i=1}^{N} m_i \mathbf{v}_i'^2 + \frac{1}{2}M\mathbf{V}^2} \qquad \textbf{(12.3.13)}$$

O primeiro termo representa a energia cinética do movimento interno (relativo ao CM), e o segundo a energia cinética de translação do sistema como um todo (massa concentrada no CM). Logo, *a energia cinética de um sistema de partículas é a soma da energia cinética interna com a energia cinética de translação do* CM.

Vamos aplicar a (12.3.13) ao caso do movimento plano de um corpo rígido. Neste caso, o movimento interno, regido pela (12.3.7), é uma rotação em torno de um eixo que passa pelo CM, de modo que o 1º termo do 2º membro da (12.3.13) (energia cinética interna) pode ser identificado com a *energia cinética de rotação em torno do* CM. Aplicando a (12.1.9), obtemos

$$\boxed{T = \frac{1}{2}I_{\text{CM}}\omega^2 + \frac{1}{2}MV^2} \qquad \textbf{(12.3.14)}$$

como energia cinética total do corpo rígido em movimento plano. A analogia entre rotação e translação mencionada na Seç. 12.1 aparece claramente nas (12.3.7), (12.3.8) e (12.3.14).

(c) Rolamento

Consideremos uma roda (idealizada como um cilindro circular rígido) que rola sobre uma superfície plana horizontal. Dizemos que se trata de um *rolamento sem deslizamento ou rolamento puro* se cada ponto da periferia da roda, quando entra em contato com o plano horizontal, não desliza sobre ele. Assim durante uma revolução completa da roda, cada ponto de sua periferia terá entrado em contato com um e somente um ponto do plano horizontal, de modo que a roda terá avançado ao longo do plano horizontal de uma distância igual a sua circunferência (Fig. 12.18).

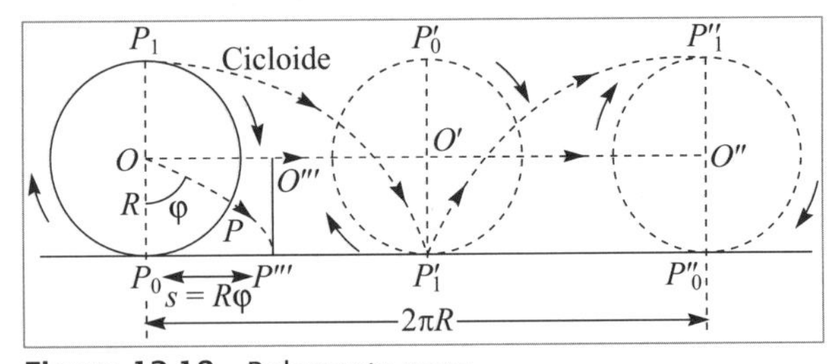

Figura 12.18 Rolamento puro.

A figura mostra a posição da roda após meia revolução (centro em O') e após uma revolução completa (centro em O''). Se inicialmente o ponto P_0 está em contato com o plano e o ponto P da periferia entra em contato com o plano em P''' (figura) após uma rotação por um ângulo φ da roda em torno do centro O, a distância $s = \overline{P_0P'''}$ será igual ao arco P_0P retificado, ou seja, a $R\varphi$, e o CM da roda terá avançado dessa mesma distância: $\overline{OO'''} = \overline{P_0P'''}$, ou seja,

$$s = R\varphi \qquad \textbf{(12.3.15)}$$

Derivando ambos os membros em relação ao tempo e notando que $ds/dt = V$ é a velocidade de translação do CM e $d\varphi/dt = \omega$ é a velocidade angular de rotação da roda, obtemos

$$\boxed{V = \omega R} \qquad \textbf{(12.3.16)}$$

como a condição característica do rolamento sem deslizamento.

O movimento é plano, e corresponde a uma combinação de translação e rotação. Um dado ponto da periferia da roda descreve uma trajetória denominada *cicloide*, ilustrada na Fig. 12.18 para o ponto P_1. A velocidade de um ponto qualquer do corpo se obtém a partir da (11.2.10):

$$\boxed{\mathbf{v} = \mathbf{V} + \boldsymbol{\omega} \times \mathbf{r}} \tag{12.3.17}$$

onde $\mathbf{V}$ é a velocidade de translação da roda (CM) e $\mathbf{r}$ o vetor de posição relativo ao CM. Como $\boldsymbol{\omega}$ é perpendicular ao plano do movimento, temos, efetuando uma decomposição análoga à (12.1.3),

$$\boldsymbol{\omega} \times \mathbf{r} = \omega \times \boldsymbol{\rho} \tag{12.3.18}$$

onde $\boldsymbol{\rho}$ é a componente de $\mathbf{r}$ paralela ao plano do movimento ($\boldsymbol{\omega} \times \mathbf{Z} = 0$). Logo, a (12.3.17) fica

$$\boxed{\mathbf{v} = \mathbf{V} + \boldsymbol{\omega} \times \boldsymbol{\rho}} \tag{12.3.19}$$

Esta relação está ilustrada graficamente na Fig. 12.19.

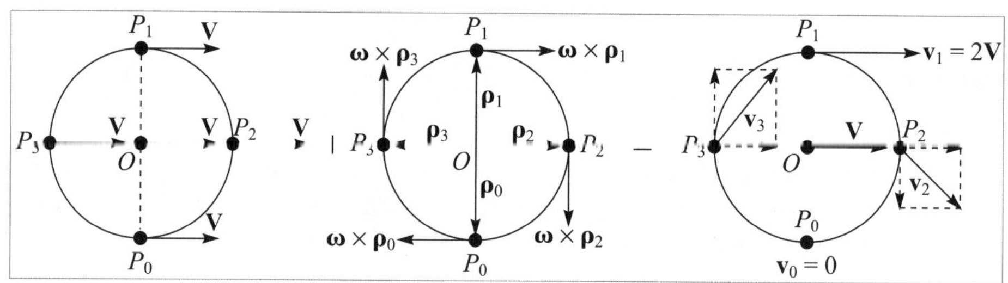

Figura 12.19 Velocidades no rolamento.

Note-se que, para os pontos da periferia da roda, tem-se $|\boldsymbol{\omega} \times \boldsymbol{\rho}| = \omega R = V$ (cf. (12.3.16)), mas a direção de $\boldsymbol{\omega} \times \boldsymbol{\rho}$ varia ao longo da periferia. Assim, na Fig. 12.19, a velocidade resultante em P_1 é $\mathbf{v}_1 = 2\mathbf{V}$, ao passo que, para o ponto de contato P_0 da roda com o plano horizontal, obtemos

$$\mathbf{v}_0 = \mathbf{V} + \boldsymbol{\omega} \times \boldsymbol{\rho}_0 = 0 \tag{12.3.20}$$

o que exprime a ausência de deslizamento. O contato da roda com o plano horizontal se dá ao longo de toda uma geratriz do cilindro (perpendicular ao plano do movimento), cuja velocidade no instante do contato se anula (corresponde à cúspide da cicloide na trajetória, ou seja, ao ponto P'_1 na Fig. 12.18).

A distribuição de velocidades resultante na Fig. 12.19 se assemelha à de uma rotação em torno de P_0. Com efeito, subtraindo membro a membro a (12.3.20) da (12.3.19), obtemos

$$\mathbf{v} = \boldsymbol{\omega} \times (\boldsymbol{\rho} - \boldsymbol{\rho}_0) \tag{12.3.21}$$

Conforme mostra a Fig. 12.20, se $\boldsymbol{\rho}$ é o vetor de posição de um ponto P em relação a O, $\boldsymbol{\rho} - \boldsymbol{\rho}_0 = \mathbf{P}_0\mathbf{P}$ é o vetor de posição correspondente em relação a P_0. Logo, a (12.3.21) é a distribuição de velocidades para uma rotação com velocidade angular $\boldsymbol{\omega}$ em torno da geratriz de contato do cilindro com o plano no instante considerado. Por isso, esta reta (perpendicular ao plano do movimento em P_0) chama-se *eixo instantâneo de rotação. Pela* (12.3.21), *o movimento da roda também pode ser descrito a cada instante como uma rotação pura com velocidade angular* $\boldsymbol{\omega}$, *em torno do eixo instantâneo de rotação*, ou seja, da geratriz de contato no instante considerado.

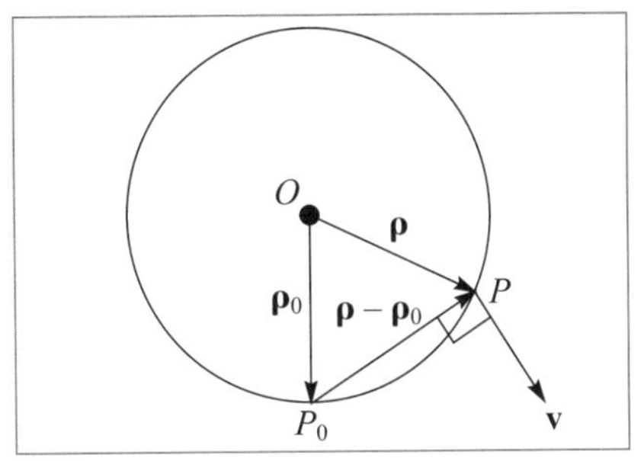

Figura 12.20 Eixo instantâneo de rotação.

Em termos da 1ª descrição, que corresponde à (12.3.17), a energia cinética do corpo é dada pela (12.3.14):

$$T = \frac{1}{2} I_{\text{CM}} \omega^2 + \frac{1}{2} M V^2 \qquad \textbf{(12.3.22)}$$

Em termos da descrição equivalente (12.3.21), a energia cinética deve corresponder a uma rotação pura:

$$T = \frac{1}{2} I \omega^2 \qquad \textbf{(12.3.23)}$$

onde I é o momento de inércia em relação ao eixo instantâneo de rotação. Substituindo na (12.3.22) $V^2 = \omega^2 R^2$ (cf. (12.3.16)) e identificando as duas expressões para T, obtemos

$$I = I_{\text{CM}} + MR^2 \qquad \textbf{(12.3.24)}$$

que nada mais é do que o teorema dos eixos paralelos (12.2.17), uma vez que R é a distância entre os dois eixos.

Notemos ainda que, embora tenhamos discutido o rolamento puro, para fixar ideias, em termos de um cilindro circular, a discussão acima permanece válida para o rolamento puro de corpos rígidos de outras formas, simétricas em relação ao eixo Oz, onde $O \equiv$ CM, tais como um anel ou uma esfera, desde que se trate de um movimento plano.

12.4 EXEMPLOS DE APLICAÇÃO

(a) O Ioiô

O ioiô, um brinquedo bem conhecido, é formado por dois discos ligados por um eixo central estreito, em torno do qual se enrola um fio que se mantém esticado. Prendendo a extremidade do fio e soltando o ioiô, ele rola para baixo até desenrolar o fio, que então passa de um lado do eixo para o outro e se reenrola à medida que o ioiô volta a subir. Vamos analisar este movimento, supondo o atrito desprezível e que o raio ρ do eixo central seja suficientemente pequeno para que o fio possa ser considerado como se mantendo sempre na vertical. Se M é a massa do ioiô, as forças que agem sobre ele são a força-peso Mg, aplicada no CM, e a tensão T_1 do fio, que exerce um torque em relação ao CM com braço de alavanca ρ.

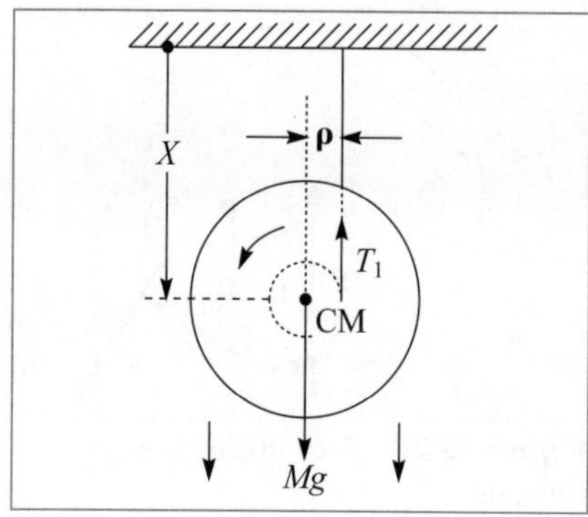

Figura 12.21 Ioiô descendo.

A Fig. 12.21 mostra a situação durante a descida: com o eixo dos z apontando para o leitor, o sentido de rotação, a velocidade angular $\dot{\varphi}$ e o torque $\tau_z'^{(ext)} = T_1\rho$ relativo ao CM são todos positivos. A (12.3.7) [cf.(12.1.7), (12.1.8)] fica

$$T_1\rho = I_{CM}\ddot{\varphi} \tag{12.4.1}$$

onde I_{CM} é o momento de inércia do ioiô relativo ao CM, que é o centro de simetria do ioiô. A aceleração angular $\ddot{\varphi}$ é positiva: a velocidade angular do ioiô aumenta à medida que ele desce.

A porção X do fio que se desenrolou é também a distância do CM à extremidade fixa, e a (12.3.8) se escreve

$$M\ddot{X} = Mg - T_1 \tag{12.4.2}$$

Para uma rotação infinitesimal $d\varphi$, X aumenta de

$$dX = \rho\, d\varphi \tag{12.4.3}$$

que é a porção adicional de fio desenrolada. Logo, temos uma relação análoga à condição (12.3.16) de rolamento sem deslizamento:

$$X = \rho\dot{\varphi} \quad \{ \quad X = \rho\ddot{\varphi} \tag{12.4.4}$$

que permite resolver as (12.4.1) e (12.4.2) em relação às incógnitas T_1 e $\ddot{X}$

$$\boxed{T_1 = \frac{Mg}{1 + \dfrac{M\rho^2}{I_{CM}}}; \quad \ddot{X} = \frac{\rho^2}{I_{CM}} T_1} \tag{12.4.5}$$

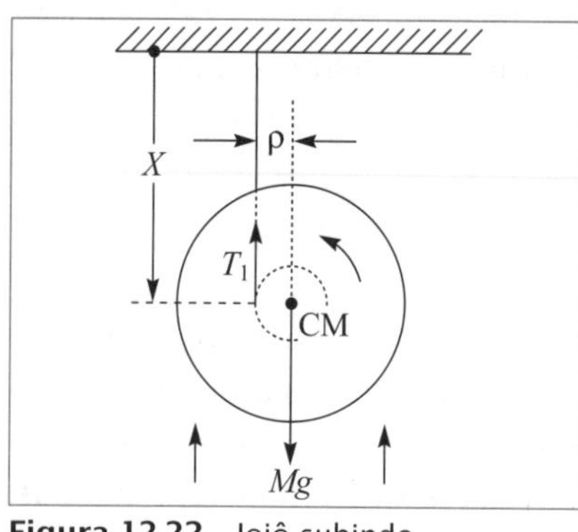

Figura 12.22 Ioiô subindo.

Vemos que tanto o movimento de translação (descida) do CM como o de rotação são uniformemente acelerados e que a tensão é inferior à força-peso.

Durante a subida do ioiô, o sentido de rotação permanece o mesmo, mas o fio passou para o outro lado do eixo (Fig. 12.22), de modo que o torque é negativo, e a (12.4.1) é substituída por

$$-T_1\rho = I_{CM}\ddot{\varphi} \tag{12.4.6}$$

que exprime a desaceleração angular na subida ($\ddot{\varphi} < 0$). Por outro lado, o fio se enrola em lugar de desenrolar-se de modo que as (12.4.3) e (12.4.4) são substituídas por

$$dX = -\rho d\varphi \quad \{ \quad \dot{X} = -\rho\dot{\varphi} \quad \{ \quad \ddot{X} = -\rho\ddot{\varphi} \tag{12.4.7}$$

ao passo que a (12.4.2) não se altera. Resolvendo as (12.4.6) e (12.4.2) sujeitas à (12.4.7), obtemos novamente os resultados (12.4.5), de modo que eles permanecem válidos tanto para a descida quanto para a subida.

Estes resultados também podem ser obtidos a partir da lei de conservação da energia. A energia cinética é dada pela (12.3.14):

$$T = \frac{1}{2} I_{\text{CM}} \dot{\varphi}^2 + \frac{1}{2} M \dot{X}^2 \qquad \textbf{(12.4.8)}$$

Quer na subida, quer na descida [cf. (12.4.4) e (12.4.7)], temos $\dot{X}^2 = \rho_2 \dot{\varphi}^2$, de modo que

$$T = \frac{1}{2}\left(I_{\text{CM}} + M\rho^2\right)\dot{\varphi}^2 = \frac{1}{2} I \dot{\varphi}^2 \qquad \textbf{(12.4.9)}$$

onde, pelo teorema dos eixos paralelos (12.2.17), I é o momento de inércia em relação ao ponto de contato entre o fio e o eixo central. Esse ponto é o eixo instantâneo de rotação, e a (12.4.9) é análoga à (12.3.23), exprimindo o fato de que o movimento, em relação ao eixo instantâneo, é uma rotação pura.

Tomando a origem das alturas na posição inicial do ioiô ($X = 0$), a energia potencial instantânea é $-MgX$, e a energia total, que se conserva, é $E = 0$, de modo que obtemos

$$E = 0 = -MgX + \frac{1}{2} I_{\text{CM}} \underbrace{\dot{\varphi}^2}_{\dot{x}^2/\rho^2} + \frac{1}{2} M \dot{X}^2 \qquad \textbf{(12.4.10)}$$

Resolvendo em relação a $\dot{X}$, obtemos

$$\dot{X} = \pm\sqrt{2M\rho^2 gX / \left(I_{\text{CM}} + M\rho^2\right)} \begin{pmatrix} +\text{na descida} \\ -\text{na subida} \end{pmatrix} \qquad \textbf{(12.4.11)}$$

Comparando esta expressão com a (2.5.9), vemos que é a relação entre velocidade e espaço percorrido no movimento retilíneo uniformemente acelerado, com aceleração $\ddot{X}$ dada pela (12. 4.5).

Faltou analisar o que acontece na transição entre descida e subida, quando a velocidade troca de sinal, passando de V a $-V$. O valor de V é dado pela (12.4.11) com $X = L$, onde L é o comprimento do fio ao atingir o ponto mais baixo. Logo, o momento linear do ioiô sofre uma variação

$$\Delta P = M\left[V - (-V)\right] = 2MV = 2M\sqrt{2M\rho^2 gL / \left(I_{\text{CM}} + M\rho^2\right)} \qquad \textbf{(12.4.12)}$$

num curto intervalo de tempo Δt, o que corresponde a uma força impulsiva (Seç.9.2)

$$F = \Delta P / \Delta t \qquad \textbf{(12.4.13)}$$

cuja ação se manifesta como um súbito puxão no fio. A Fig. 12.23, onde estão representados somente o fio e o eixo central, ilustra estágios sucessivos dessa etapa de transição. Podemos estimar o tempo Δt como sendo o necessário para

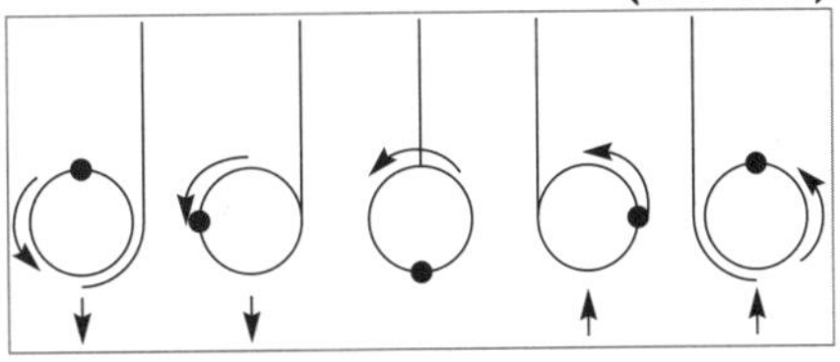

Figura 12.23 Etapa de transição.

uma rotação por um ângulo $\Delta\varphi = \pi$ com velocidade angular $\dot{\varphi} = V/\rho$, ou seja,

$$\Delta t \approx \pi / \dot{\varphi} = \pi\rho / V \qquad (12.4.14)$$

(b) Rolamento sobre um plano inclinado

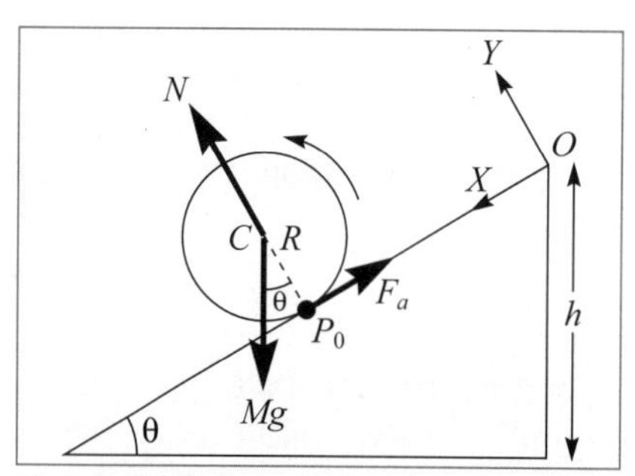

Figura 12.24 Rolamento sobre um plano inclinado.

Consideremos um corpo de secção circular (anel, cilindro, esfera) que rola sem deslizar sobre um plano inclinado de ângulo θ e altura h (Fig. 12.24). Podemos tomar a força-peso Mg como aplicada no centro de massa C [cf. (12.3.10)]. Logo, nem essa força nem a reação normal **N** do plano exercem um torque em relação ao CM, capaz de produzir rotação. Se fossem somente essas as forças atuantes, o corpo *deslizaria* ao longo do plano, e o problema seria idêntico ao Exemplo 2 da Seç. 4.4.

Para que haja rolamento, é necessário que levemos em conta o atrito: a força de atrito $\mathbf{F}_a$, aplicada no ponto de contato P_0 (Figura), exerce um torque $F_a R$ em relação ao centro C (R = raio da secção). No caso de rolamento puro, P_0 pertence ao eixo instantâneo de rotação, de modo que está *em repouso* a cada instante. Logo, F_a é a força de atrito *estático* (na realidade, em lugar de um ponto de contato, há uma pequena *área de contato*, correspondente a uma depressão do plano, o que leva ao chamado *atrito de rolamento*, mas não consideraremos este efeito).

Orientando os eixos X e Y da forma indicada na figura, a equação de movimento (12.3.8) associada à translação dá:

$$\text{Componente}\,Y: \quad N - Mg\cos\theta = 0 \qquad (12.4.15)$$

$$\text{Componente}\,X: \quad Mg\,\text{sen}\,\theta - F_a = M\ddot{X} \qquad (12.4.16)$$

A equação de movimento (12.3.7) associada à rotação em torno do CM fica

$$F_a R = I_{CM}\ddot{\varphi} \qquad (12.4.17)$$

e a condição de rolamento sem deslizamento (cf. (12.3.16) dá

$$\dot{X} = R\dot{\varphi} \quad \{ \quad \ddot{X} = R\ddot{\varphi} \qquad (12.4.18)$$

A (12.4.15) dá apenas a reação normal; podemo-nos restringir às demais equações. É conveniente exprimir I_{CM} em função do *raio de giração* (cf. (12.2.11))

$$I_{CM} = Mk^2 \qquad (12.4.19)$$

onde escrevemos k em lugar de k_{CM}, para simplificar. Substituindo as (12.4.19) e (12.4.18) na (12.4.17), vem

$$F_a = M\frac{k^2}{R^2}\ddot{X} \qquad (12.4.20)$$

e, substituindo na (12.4.16), obtemos finalmente

$$\boxed{\ddot{X} = \frac{g \operatorname{sen}\theta}{1 + \dfrac{k^2}{R^2}}} \tag{12.4.21}$$

o que deve ser comparado com a (4.4.8): o movimento continua sendo uniformemente acelerado, mas a aceleração é reduzida pelo fator $(1 + k^2/R^2)^{-1}$ em relação à do deslizamento puro, devido à energia cinética adicional (de rotação) que tem de ser gerada.

Utilizando os valores de k tabelados na Seç.2.2, vemos que

$$\frac{1}{1 + \dfrac{k^2}{R^2}} = \begin{cases} 1/2 \text{ para um anel} \\ 2/3 \text{ para um cilindro} \\ 5/7 \text{ para uma esfera} \end{cases} \tag{12.4.22}$$

Logo, se soltarmos um anel, um cilindro e uma esfera, rolando sem deslizar, da mesma altura do plano, a esfera ganha a corrida e o anel chega em último lugar (independentemente dos raios).

A força de atrito estática necessária para produzir o rolamento sem deslizamento é dada pelas (12.4.20) e (12.4.21):

$$F_a = Mg \operatorname{sen}\theta \cdot \frac{k^2}{k^2 + R^2} \tag{12.4.23}$$

Por outro lado, se μ_e é o coeficiente de atrito estático, devemos ter, pelas (5.2.4) e (12.4.15),

$$F_a \leq F_e = \mu_e N = \mu_e Mg \cos\theta \tag{12.4.24}$$

Comparando com a (12.4.23) obtemos

$$\operatorname{tg}\theta \leq \mu_e \cdot \frac{k^2 + R^2}{k^2} = \operatorname{tg}\theta_r \tag{12.4.25}$$

onde θ_r define o ângulo máximo do plano inclinado para o qual é possível o rolamento sem deslizamento. Na ausência de rolamento, como vimos na (5.2.9), o corpo começa a deslizar para $\theta > \theta_e$, onde tg $\theta_e = \mu_e$. Com rolamento, o deslizamento só começa para um ângulo θ_r maior. A (12.4.25) dá

$$\operatorname{tg}\theta_r = \begin{cases} 2\mu_e \text{ para um anel} \\ 3\mu_e \text{ para um cilindro} \\ \dfrac{7}{2}\mu_e \text{ para uma esfera} \end{cases} \tag{12.4.26}$$

Se o corpo é solto em repouso do alto do plano inclinado e rola sem deslizar ao longo de todo o comprimento l do plano, a velocidade V com a qual atinge a base do plano é dada por (cf. (2.5.9) e (12.4.21))

$$V^2 = 2\ddot{X}l = \frac{2gl \operatorname{sen}\theta\, R^2}{k^2 + R^2} = 2gh\frac{R^2}{k^2 + R^2} \tag{12.4.27}$$

onde $h = l$ sen θ é a altura do plano inclinado. A energia cinética correspondente é

$$T = \frac{1}{2}MV^2 + \frac{1}{2}\underbrace{I_{CM}}_{Mk^2}\underbrace{\dot{\varphi}^2}_{V^2/R^2} = \frac{1}{2}MV^2\left(1 + \frac{k^2}{R^2}\right) \tag{12.4.28}$$

Substituindo V^2 pela (12.4.27), obtemos

$$T = Mgh \tag{12.4.29}$$

que é a energia potencial inicial.

Logo, a *energia total se conserva*. À primeira vista, isto parece contraditório com a presença da força de atrito (12.4.23). Entretanto, o ponto de aplicação P_0 da força de atrito (Fig. 12.24) está sobre o eixo instantâneo de rotação, ou seja, está em repouso a cada instante. Logo, *a força de atrito não realiza trabalho*: seu único papel é converter energia cinética de translação em rotação, o que freia o corpo; a (12.4.27) mostra que o fator de freiamento é dado pela (12.4.22).

(c) Bola de bilhar

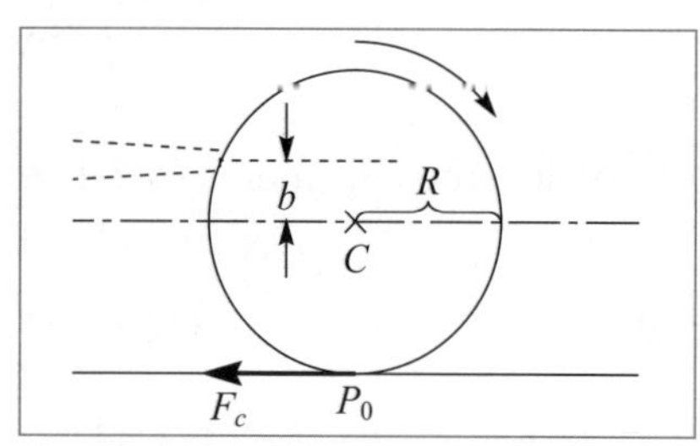

Figura 12.25 Tacada em bola de bilhar.

Como exemplo do que acontece quando o rolamento é acompanhado de deslizamento, consideremos o movimento de uma bola de bilhar golpeada pelo taco no plano mediano, com parâmetro de choque b em relação ao centro da bola (Seç. 9.6 e Fig. 12.25). A força impulsiva F exercida pelo taco, que atua durante o intervalo de tempo Δt de sua colisão com a bola, transmite à mesma um impulso inicial (Seç. 9.2)

$$\Delta P = F\Delta t = MV_0 \tag{12.4.30}$$

onde V_0 é a velocidade inicial do centro de massa C após a tacada.

A força F também exerce um torque $-Fb$ em relação a C, que transmite à bola o momento angular inicial (cf. (12.3.2) e (12.3.6))

$$\Delta L' = \tau'^{(\text{ext})}\Delta t = -Fb\Delta t = I_c\omega_0 \tag{12.4.31}$$

onde ω_0 é a velocidade angular inicial de rotação ($\omega_0 < 0$ no caso da figura, em que $b > 0$). Lembrando que I_C é dado pela (12.2.10) e substituindo $F\Delta t$ pela (12.4.30), obtemos

$$-MV_0 b = \frac{2}{5}MR^2\omega_0 \quad \Big\{ \quad \omega_0 = -\frac{5}{2}\frac{V_0 b}{R^2} \tag{12.4.32}$$

A velocidade de deslizamento da bola é a velocidade v de seu ponto de contato P_0 com o plano da mesa de bilhar (Fig. 12.25). O valor inicial v_0 de v é [cf. (12.3.19)]

$$v_0 = V_0 + \omega_0 R = V_0\left(1 - \frac{5}{2}\frac{b}{R}\right) \tag{12.4.33}$$

onde utilizamos a (12.4.32).

A condição de rolamento puro (equivalente à (12.3.16)) seria $v_0 = 0$, o que dá

$$b = \frac{2}{5}R = b_r \quad \text{(rolamento puro)} \tag{12.4.34}$$

Uma tacada com $b > b_r$ chama-se "tacada alta", e a (12.4.34) mostra que nesse caso $v_0 < 0$, ou seja a velocidade inicial de deslizamento se opõe à velocidade V_0 do CM. A Fig. 12.25 corresponde a uma "tacada baixa", com $b < b_r$, quando $v_0 > 0$. A força de atrito cinético F_c [cf. (5.2.5)] tem sentido oposto ao do deslizamento, de modo que aponta para a esquerda no caso da Fig. 12.25, criando um torque, que tende a aumentar a magnitude da velocidade angular, diminuindo assim a velocidade de deslizamento (para uma "tacada alta", é o contrário).

Temos portanto, no caso da tacada baixa, a equação de movimento para a translação

$$M\ddot{X} = F_c = -\mu_c N = -\mu_c Mg \tag{12.4.35}$$

onde μ_c é o coeficiente de atrito cinético [cf. (5.2.5)]. As forças verticais Mg e N (reação), que se equilibram, não foram representadas na Fig. 12.25; a única força horizontal é F_c, que atua enquanto houver deslizamento. A equação de movimento para a rotação em torno do CM é

$$\tau_z^{(\text{ext})} = F_c R = -\mu_c MgR = I_c\alpha = \frac{2}{5}MR^2\alpha \tag{12.4.36}$$

As velocidades linear e angular no instante t são dadas pelas expressões usuais para o movimento uniformemente acelerado:

$$V = V_0 + \ddot{X}t = V_0 - \mu_c gt \tag{12.4.37}$$

$$\omega = \omega_0 + \alpha t = \omega_0 - \frac{5}{2}\mu_c \frac{g}{R}t \tag{12.4.38}$$

A velocidade de deslizamento do ponto de contato no instante t é portanto

$$v = V + \omega R = v_0 - \frac{7}{2}\mu_c gt \tag{12.4.39}$$

e se anula para $t = t_1$, onde

$$t_1 = \frac{2}{7}\frac{v_0}{\mu_c g} \tag{12.4.40}$$

com v_0 dado pela (12.4.33). O valor correspondente da velocidade de translação da bola de bilhar é, pela (12.4.37),

$$V_1 = V_0 - \mu_c gt_1 = \frac{5}{7}V_0\frac{(b+R)}{R} \tag{12.4.41}$$

Para $t > t_1$, o atrito cinético é substituído pelo atrito estático e a bola entra em rolamento puro, com $V = V_1$ e $\omega = \omega_1 = -v_1/R$. Já vimos que, nestas condições, não há dissipação de energia, de modo que o rolamento puro se manteria indefinidamente (na realidade, o atrito de rolamento e a resistência do ar teriam de ser levados em conta). Note-se que a velocidade final da bola é proporcional à altura $b + R$ da tacada acima da mesa de bilhar.

12.5 MOMENTO ANGULAR E VELOCIDADE ANGULAR

No movimento plano de um corpo rígido simétrico em relação ao eixo de rotação (em particular, na rotação pura em torno de um eixo fixo), o momento angular $\mathbf{L}'$ tem a direção do vetor velocidade angular $\boldsymbol{\omega}$ [cf. (12.3.6)]. Em geral, porém as direções dos vetores momento angular e velocidade angular não precisam ser as mesmas.

Um exemplo deste resultado é a rotação de uma partícula P de massa m em torno de um eixo com velocidade angular $\boldsymbol{\omega}$ constante, mantendo-se a uma distância ρ fixa do eixo, ou seja, em movimento circular uniforme, como no caso da funda (Fig. 4.10). Podemos imaginar que P está ligado ao ponto O' do eixo por uma haste rígida de comprimento ρ e massa desprezível. Para manter a rotação, é necessário que atue sobre P (exercida pela haste) uma força $\mathbf{F}$ centrípeta, de magnitude [cf. (4.4.9)]

$$F = \omega^2\rho \tag{12.5.1}$$

Apliquemos ao sistema a equação fundamental da dinâmica das rotações, porém tomando torque e momento angular em relação a um ponto O do eixo de rotação.

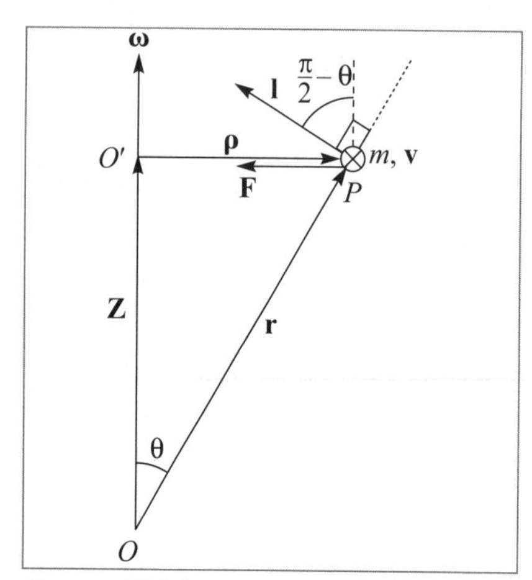

Figura 12.26 Momento angular e velocidade angular.

Na Fig. 12.26, mantivemos as mesmas notações da Fig. 12.1: o plano do papel corresponde ao plano $OO'P$ daquela figura. A velocidade $\mathbf{v}$ da massa m é um vetor perpendicular ao plano do papel apontando para baixo, o que indicamos na figura pela notação ⊗ (a notação ⊙ representaria um vetor apontando para cima).

O momento angular relativo a O é

$$\mathbf{l} = m\mathbf{r}\times\mathbf{v} \tag{12.5.2}$$

que pertence ao plano da Fig. 12.26, é perpendicular a OP e tem o sentido indicado na figura. Vemos que $\mathbf{l}$ efetivamente não tem a direção de $\boldsymbol{\omega}$. Como $\mathbf{r}$ é perpendicular a $\mathbf{v}$, a magnitude de $\mathbf{l}$ é

$$l = mvr = m\omega\rho r \tag{12.5.3}$$

O ângulo entre $\mathbf{r}$ e $\mathbf{F}$ é $\theta + \frac{\pi}{2}$, de modo que a magnitude do torque de $\mathbf{F}$ em relação a O é

$$\tau = |\boldsymbol{\tau}| = |\mathbf{r}\times\mathbf{F}| = rF\,\mathrm{sen}\left(\theta + \frac{\pi}{2}\right) = rF\cos\theta = m\omega^2\rho r\cos\theta \tag{12.5.4}$$

com o auxilio da (12.5.1). Comparando esta expressão com a (12.5.3) e notando que o ângulo entre as direções de $\boldsymbol{\omega}$ e $\mathbf{l}$ é $\frac{\pi}{2}-\theta$ (Fig. 12.26), vemos que

$$\tau = \omega l \operatorname{sen}\left(\frac{\pi}{2}-\theta\right) = |\boldsymbol{\omega}\times\mathbf{l}| \tag{12.5.5}$$

Como $\mathbf{r}\times\mathbf{F}$ e $\boldsymbol{\omega}\times\mathbf{l}$ têm a mesma direção e sentido (perpendicular ao plano da figura, apontando para cima), a lei fundamental da dinâmica das rotações (11.5.16) para este sistema se escreve, finalmente,

$$\boxed{\frac{d\mathbf{l}}{dt} = \boldsymbol{\tau} = \boldsymbol{\omega}\times\mathbf{l}} \tag{12.5.6}$$

Pela (11.2.8), isto significa que $\mathbf{l}$ gira em torno da direção de $\boldsymbol{\omega}$ com velocidade angular $\boldsymbol{\omega}$.

Consideremos agora um corpo rígido que tem um eixo de simetria, em rotação em torno do mesmo.

Alguns exemplos estão ilustrados na Fig. 12.27. O CM está necessariamente sobre o eixo, e vamos tomar a origem O no CM. A cada partícula de massa m situada num ponto P do corpo com velocidade de rotação $\mathbf{v}$, corresponde por simetria uma partícula de mesma massa no ponto P_s, simétrico de P em relação ao eixo (Fig. 12.28), com velocidade de rotação $\mathbf{v}_s = -\mathbf{v}$. O vetor de posição de P_s é $\mathbf{r}_s = \mathbf{Z} + \boldsymbol{\rho}_s = \mathbf{Z} - \boldsymbol{\rho}$, usando a mesma notação da (12.1.3). A Fig. 12.28 mostra as contribuições $\mathbf{l}$ e $\mathbf{l}_s$ das partículas P e P_s ao momento angular do corpo rígido em relação a O, onde $\mathbf{l}$ é dado pela (12.5.2) e $\mathbf{l}_s = m\mathbf{r}_s \times \mathbf{v}_s$. Os vetores $\mathbf{l}$ e $\mathbf{l}_s$ têm idênticas componentes paralelas ao eixo de rotação, mas suas componentes perpendiculares a esse eixo são iguais e contrárias, de modo que se cancelam ao somar as contribuições de $\mathbf{l}$ e $\mathbf{l}_s$ ao momento angular total $\mathbf{L}'$ relativo a O. Logo, continua valendo, como na (12.3.6),

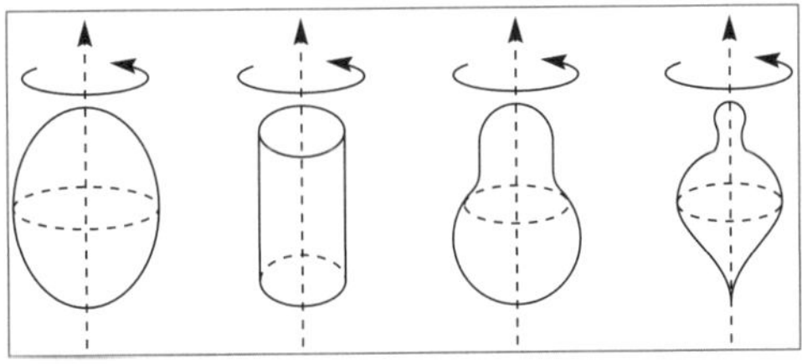

Figura 12.27 Rotação em torno de um eixo de simetria.

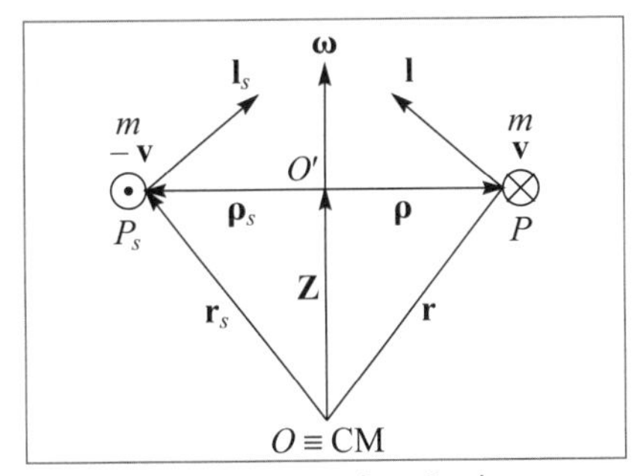

Figura 12.28 Contribuição de pontos simétricos.

$$\boxed{\mathbf{L}' = I_{CM}\boldsymbol{\omega}} \tag{12.5.7}$$

para a *rotação de um corpo rígido simétrico em relação a um eixo de simetria*, mesmo que a direção desse eixo não permaneça fixa no espaço, ou seja, mesmo que a direção de $\boldsymbol{\omega}$ varie a cada instante.

Em geral, para a rotação em torno de um eixo que não seja um eixo de simetria, a relação entre $\mathbf{L}$ e $\boldsymbol{\omega}$ é bem mais complicada, o que é uma das principais dificuldades no tratamento geral da dinâmica dos corpos rígidos. Pode-se mostrar que para *qualquer* corpo rígido, mesmo assimétrico, sempre existem três eixos mutuamente ortogonais passando pelo CM tais que, para uma rotação em torno de qualquer um desses três eixos, **L** e **ω** são paralelos. Estes eixos chamam-se *eixos principais*, e os momentos de inércia I_1, I_2, I_3 relativos aos três eixos principais chamam-se *momentos de inércia principais*. Assim, quando o corpo está girando em torno do eixo principal j (j = 1, 2, 3), seu momento angular é $\mathbf{L}_j = I_j\,\boldsymbol{\omega}$. Um eixo de simetria de um corpo rígido, pelo que acabamos de ver, é necessariamente um eixo principal.

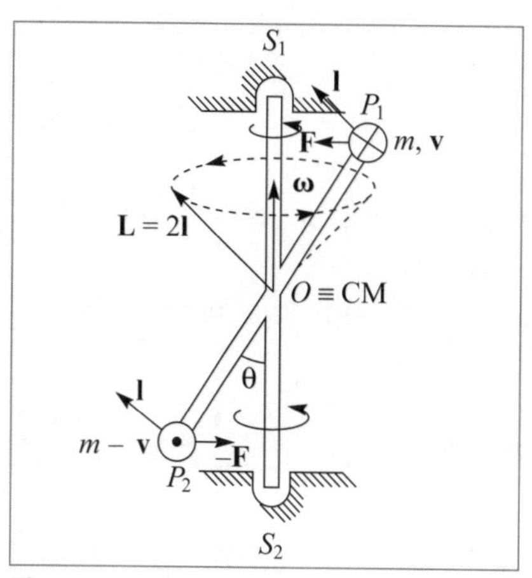

Figura 12.29 Rotação de haltere.

Consideremos finalmente um haltere formado por duas partículas P_1 e P_2 de mesma massa m, ligadas por uma barra rígida de massa desprezível, presa por seu centro O e formando um ângulo θ (Fig. 12.29) com ela, a uma barra vertical que serve como eixo de rotação, girando sobre dois suportes S_1 e S_2 (com ω = constante).

O momento angular de cada partícula em relação a O se obtém pela mesma construção da Fig. 12.26. As duas partículas têm o mesmo momento angular **l**, porque tanto **r** como **v** têm sentidos opostos para as duas massas. Logo, o momento angular total **L** do sistema, que representamos na Fig. 12.29 aplicado no CM, é **L** = 2 **l** e não tem a direção de **ω**. Como a (12.5.6) permanece válida,

$$\boxed{\boldsymbol{\tau} = \frac{d\mathbf{L}}{dt} = \boldsymbol{\omega} \times \mathbf{L}} \quad \textbf{(12.5.8)}$$

Conforme ilustrado na Fig. 11.29, o vetor **L**, de magnitude constante, descreve um cone em torno de **ω**, com velocidade angular **ω**. Esse movimento de rotação de **L** em torno de **ω**, descrito pela (12.5.8), chama-se de *precessão*.

O torque **τ** na (12.5.8) é perpendicular ao plano da Fig. 12.29 e aponta para cima. As forças centrípetas **F** e –**F** que atuam sobre as duas massas, respectivamente, formam um binário (Fig. 11.30) cujo torque é **τ**. Essas forças são exercidas sobre as massas pelo eixo de rotação. As forças de reação sobre o eixo são exercidas nos suportes S_1 e S_2 (Fig. 12.29), originando-se da assimetria do sistema em relação ao eixo de rotação. Dizemos que há *desequilíbrio dinâmico*. Em máquinas em rotação rápida, reações deste tipo desgastam os suportes e tendem a produzir trepidação ou até mesmo ruptura, de modo que é importante assegurar o equilíbrio dinâmico do sistema.

12.6 GIROSCÓPIO

O ingrediente básico de um giroscópio é um *volante*, que é um disco ou roda em rotação rápida, ou seja, com energia cinética de rotação muito maior que a energia potencial gravitacional, colocado no centro de uma haste de comprimento $2l$ (Fig. 12.30), que serve como eixo de rotação do volante. É também um eixo de simetria e, por conseguinte, um eixo principal: para rotação em torno dele, o momento angular total é

$$\mathbf{L} = I\boldsymbol{\omega} \quad \textbf{(12.6.1)}$$

Se fizermos atuar sobre o sistema um torque $\boldsymbol{\tau}$ *paralelo* a **L** (representado na Fig. 12.30 pelo binário **F**, –**F**) durante um intervalo de tempo Δt, o momento angular **L** sofre uma variação

$$\Delta \mathbf{L} = I\Delta \boldsymbol{\omega} = \boldsymbol{\tau}\Delta t \quad \textbf{(12.6.2)}$$

que tem a direção de **L**, correspondendo à rotação em torno de um eixo fixo [cf. 12.1.6)]. Logo, o efeito do torque neste caso é aumentar ou diminuir a *magnitude* da velocidade angular, ou, o que é equivalente, do momento angular **L**.

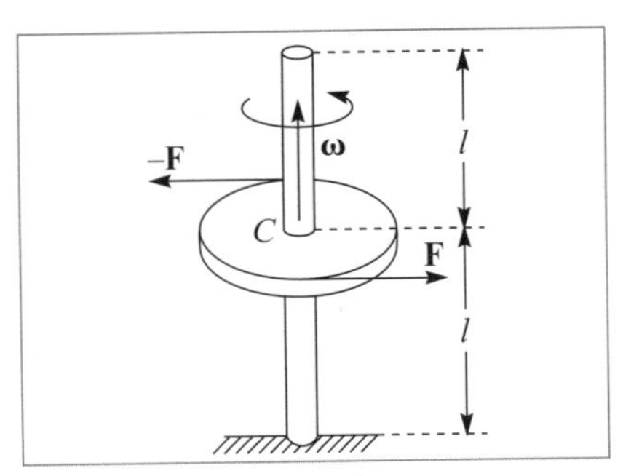

Figura 12.30 Giroscópio.

Que acontece se o torque aplicado for perpendicular à direção de **L**? Para ver um exemplo concreto, coloquemos o volante em rotação rápida com seu eixo horizontal e o extremo apoiado num suporte O (Fig. 12.31). Tomemos um sistema de coordenadas com eixo z vertical e eixo y na direção inicial do eixo do volante. A força-peso $\mathbf{F} = Mg\mathbf{k}$ atua no CM do volante (ponto C). A reação do suporte O é uma força –**F** que, juntamente com **F**, forma um binário de braço l e torque

$$\boldsymbol{\tau} = -Fl\mathbf{i} = -Mgl\mathbf{i} \quad \textbf{(12.6.3)}$$

(**i**, **j**, **k** são os versores dos três eixos); como $\mathbf{L} = I\omega\mathbf{j}$, temos efetivamente $\boldsymbol{\tau} \perp \mathbf{L}$.

Num intervalo de tempo infinitésimo Δt, continua valendo

$$\Delta \mathbf{L} = \boldsymbol{\tau}\Delta t = -Mgl\Delta t\mathbf{i} \quad \textbf{(12.6.4)}$$

o que é $\perp$ **L**. Logo,

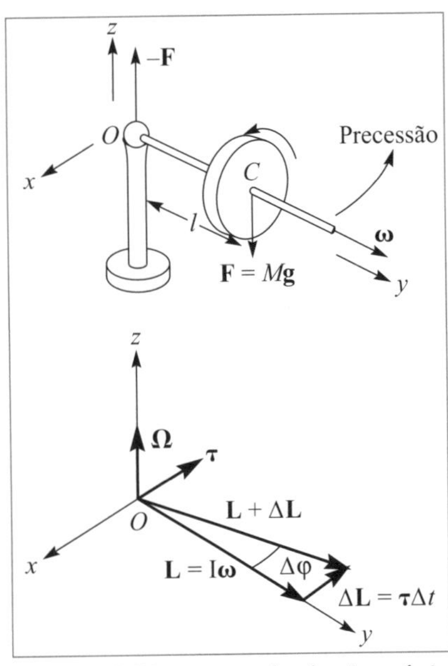

Figura 12.31 Precessão de giroscópio com eixo horizontal.

$$\mathbf{L} \cdot \frac{d\mathbf{L}}{dt} = \frac{1}{2}\frac{d}{dt}\left(\mathbf{L}^2\right) = 0 \quad \textbf{(12.6.5)}$$

o que significa que *um torque* $\perp$ **L** *não altera a magnitude do momento angular, mas tão somente a sua direção*. Como no movimento circular uniforme, em que $\Delta\mathbf{v} \perp \mathbf{v}$ (Seç. 3.7), o vetor **L** gira, no intervalo de tempo infinitésimo Δt, de um ângulo $\Delta\varphi$ [cf. Fig. 12.31 acima e (12.6.4)]

$$\Delta L = L\Delta\varphi = \tau\Delta t \quad \left\{ \boxed{\frac{d\varphi}{dt} = \Omega = \frac{\tau}{L} = \frac{Mgl}{I\omega}} \right. \quad \textbf{(12.6.6)}$$

Quando o eixo gira do ângulo $\Delta\varphi$, porém, o torque $\boldsymbol{\tau}$ gira do mesmo ângulo, mantendo-se constante em magnitude. Podemos dizer que **L** "persegue" $\boldsymbol{\tau}$, procurando alinhar-se com $\boldsymbol{\tau}$, mas $\boldsymbol{\tau}$ mantém-se sempre perpendicular a **L**, de modo que nunca é "alcançado".

Como $\mathbf{\Omega}$ permanece constante na (12.6.6), o eixo descreve um movimento de *precessão* em torno da vertical, ou seja, um movimento circular uniforme com velocidade angular $\mathbf{\Omega}$ (mantendo-se sempre horizontal).

Na Fig. 12.31, vemos que o sentido da rotação é positivo, de modo que $\mathbf{\Omega} = \Omega\mathbf{k}$ é o vetor velocidade angular correspondente, e temos

$$\boxed{\boldsymbol{\tau} = \frac{d\mathbf{L}}{dt} = \mathbf{\Omega} \times \mathbf{L}} \quad \textbf{(12.6.7)}$$

o que também corresponde à relação entre os vetores velocidade linear e velocidade angular no movimento de rotação (cf. (11.2.8): $\mathbf{v} = d\mathbf{r}/dt = \boldsymbol{\omega} \times \mathbf{r}$).

A (12.6.7) mostra que o movimento de precessão do giroscópio em torno da vertical é solução das equações de movimento (ou seja, satisfaz a lei fundamental (11.5.16) da dinâmica das rotações), mas não mostra como este movimento é estabelecido a partir de determinadas condições iniciais, problema que discutiremos mais adiante. Antes de fazê-lo, vamos estender o tratamento anterior, dentro do mesmo espírito, ao caso que o eixo do giroscópio forma um ângulo θ qualquer com a vertical (o caso já tratado, em que o eixo é horizontal, corresponde a $\theta = \pi/2$). A magnitude do torque passa a ser (Fig. 12.32)

$$\tau = Mgl \text{ sen } \theta \quad \textbf{(12.6.8)}$$

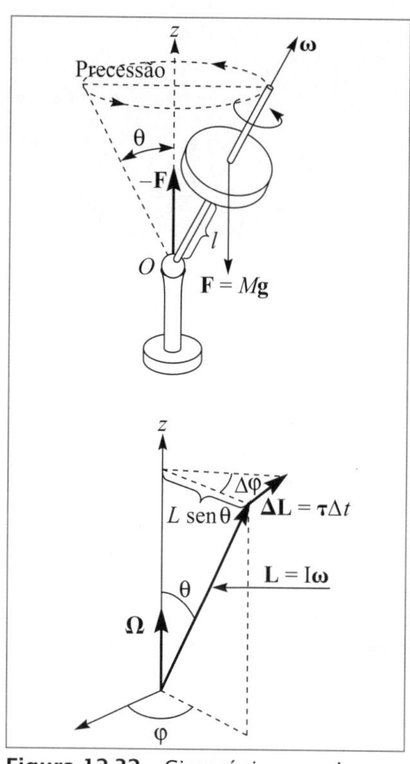

Figura 12.32 Giroscópio com eixo inclinado.

pois o braço do binário é l sen θ. O vetor $\boldsymbol{\tau}$ é ainda perpendicular ao plano definido por $\mathbf{F} = m\mathbf{g}$ e por $\mathbf{L} = I\boldsymbol{\omega}$, de modo que $\Delta\mathbf{L} = \boldsymbol{\tau}\,\Delta t$ é ainda perpendicular a $\mathbf{L}$; logo, a (12.6.5) permanece válida. A magnitude de $\mathbf{L}$ se mantém constante, e o vetor $\mathbf{L}$ precessa em torno da vertical Oz, descrevendo um cone de ângulo de abertura θ, com (cf. Fig. 12.32)

$$\Delta L = L \text{ sen}\theta\, \Delta\varphi = \tau \Delta t \quad \textbf{(12.6.9)}$$

o que dá a velocidade angular de precessão

$$\Omega = \frac{d\varphi}{dt} = \frac{\tau}{L \text{ sen } \theta} = \frac{Mgl \text{ sen } \theta}{I\omega \text{ sen } \theta} = \frac{Mgl}{I\omega}$$

idêntica à (12.6.6). Vemos também que

$$\tau = \Omega L \text{ sen } \theta = |\mathbf{\Omega} \times \mathbf{L}|$$

mostrando que a equação básica (12.6.7) do movimento de precessão do giroscópio permanece válida para θ qualquer:

$$\boldsymbol{\tau} = \frac{d\mathbf{L}}{dt} = \boldsymbol{\Omega} \times \mathbf{L} \qquad \textbf{(12.6.10)}$$

Este resultado pode ser comparado com a (12.5.8), que também descreve um movimento de precessão.

A outra equação fundamental (12.3.8) da dinâmica dos corpos rígidos, relativa ao movimento de translação do CM, não foi considerada neste tratamento. No movimento de precessão, o CM do giroscópio descreve um movimento circular uniforme de velocidade angular $\boldsymbol{\Omega}$ em torno da vertical que passa pela base de apoio. A força centrípeta correspondente, como no exemplo do haltere (Fig. 12.29), é exercida pelo suporte, como força de reação provocada pelo desequilíbrio dinâmico do sistema. Essa força não foi representada nas Figuras 12.31 e 12.32, onde indicamos no ponto de apoio O somente a reação vertical $-\mathbf{F}$ à força-peso $\mathbf{F}$. A resultante destas duas forças é nula e não contribui portanto ao movimento de translação do CM. Por outro lado, a força de reação centrípeta está aplicada no ponto de apoio O, de modo que não contribui ao torque tomado em relação a este ponto.

Precessão regular

A análise precedente não é inteiramente correta, pois não leva em conta que a velocidade angular de precessão $\boldsymbol{\Omega}$ também contribui para o momento angular total $\mathbf{L}$. Levando em conta este efeito, vamos ver que ele altera ligeiramente a expressão obtida para a velocidade angular de precessão Ω para $\theta \neq \pi/2$.

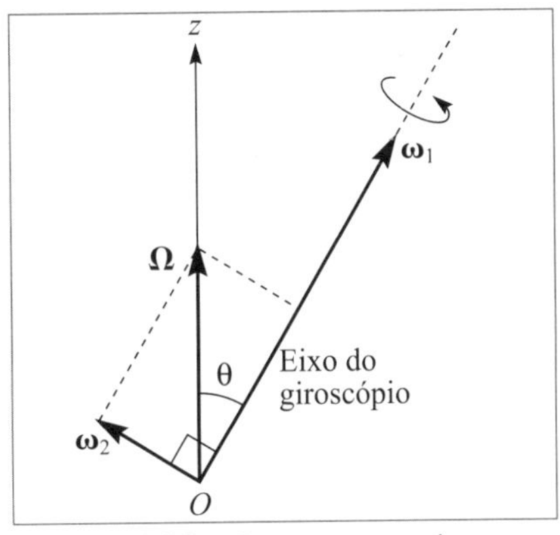

Figura 12.33 Componentes da velocidade angular de precessão.

Conforme mostra a Fig. 12.33, é conveniente decompor $\boldsymbol{\Omega}$ numa componente $\boldsymbol{\omega}_2$, perpendicular à direção instantânea do eixo do giroscópio, e numa componente na direção do eixo, que se soma à velocidade angular intrínseca ("spin") do volante em torno deste eixo, para dar a velocidade angular resultante $\boldsymbol{\omega}_1$ ao longo do eixo. Note que

$$\omega_2 = \Omega \text{ sen } \theta \qquad \textbf{(12.6.11)}$$

A vantagem desta decomposição é que $\boldsymbol{\omega}_2$ corresponde a uma rotação em torno de um eixo 2 (Fig. 12.34) que é também um eixo de simetria do giroscópio, como o eixo 1 no qual se encaixa o volante. Logo, tanto o eixo 1 como o eixo 2 são *eixos principais* (Seç. 12.5), de modo que os momentos angulares associados às componentes $\boldsymbol{\omega}_1$ e $\boldsymbol{\omega}_2$ são paralelos a essas direções: $\mathbf{L}_1 = I_1\boldsymbol{\omega}_1$ e $\mathbf{L}_2 = I_2\boldsymbol{\omega}_2$,

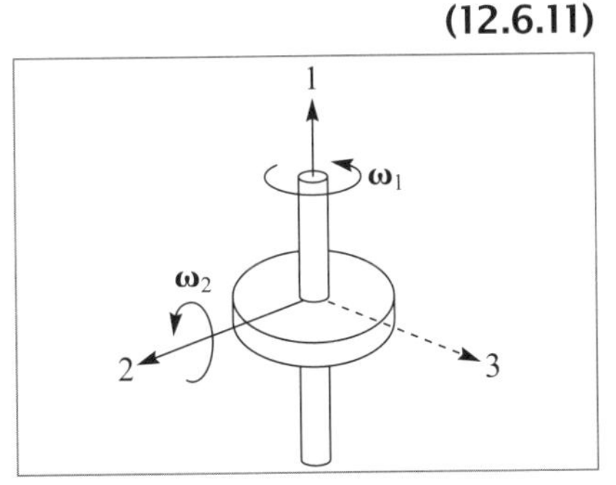

Figura 12.34 Eixos principais.

onde I_1 e I_2 são os momentos de inércia principais correspondentes; I_1 é o que chamamos de I na (12.6.1). Geralmente, tem-se

$$I_2 \ll I_1 \tag{12.6.12}$$

pois o volante deve ter momento de inércia elevado em relação ao eixo de rotação do giroscópio.

O momento angular total é

$$\mathbf{L} = \mathbf{L}_1 + \mathbf{L}_2 = I_1\boldsymbol{\omega}_1 + I_2\boldsymbol{\omega}_2 \tag{12.6.13}$$

de modo que não é paralelo a $\boldsymbol{\omega}_1$ conforme havíamos suposto.

A equação de precessão fica

$$\boldsymbol{\tau} = \frac{d\mathbf{L}}{dt} = \boldsymbol{\Omega} \times \mathbf{L} = I_1\boldsymbol{\Omega} \times \boldsymbol{\omega}_1 + I_2\boldsymbol{\Omega} \times \boldsymbol{\omega}_2 \tag{12.6.14}$$

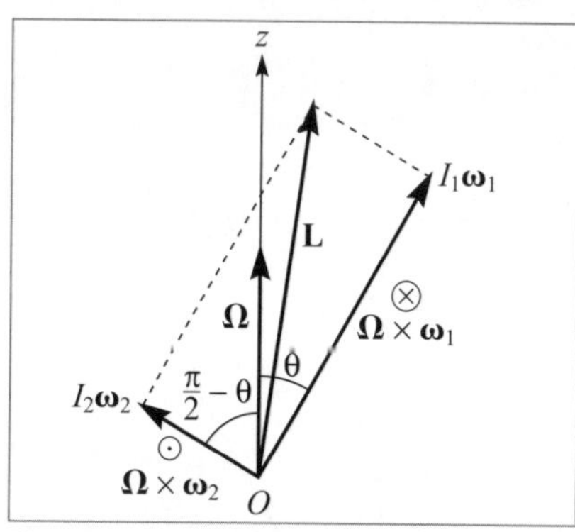

Figura 12.35 Componentes do momento angular.

A Fig. 12.35 mostra que

$$|\boldsymbol{\Omega} \times \boldsymbol{\omega}_1| = \Omega\omega_1 \operatorname{sen}\theta$$
$$|\boldsymbol{\Omega} \times \boldsymbol{\omega}_2| = \Omega\omega_2 \cos\theta$$

e que $\boldsymbol{\Omega} \times \boldsymbol{\omega}_1$ aponta para baixo (⊗) e $\boldsymbol{\Omega} \times \boldsymbol{\omega}_2$ para cima (⊙). Logo, levando em conta a (12.6.8), obtemos

$$\tau + Mgl \operatorname{sen}\theta = I_1\Omega\omega_1 \operatorname{sen}\theta - I_2\Omega\omega_2 \cos\theta \tag{12.6.15}$$

Substituindo $\boldsymbol{\omega}_2$ pela (12.6. 11) e cancelando o fator comum sen θ, a (12.6.15) dá

$$Mgl = I_1\omega_1\Omega - I_2 \cos\theta\, \Omega^2 \tag{12.6.16}$$

que é a equação correta para determinar a velocidade angular de precessão Ω.

Para $\theta = \pi/2$, o último termo da (12.6.16) se anula, e obtemos

$$\Omega = \frac{Mgl}{I_1\omega_1} \tag{12.6.17}$$

que equivale ao resultado anterior (12.6.6), pois $\boldsymbol{\Omega}$ não tem neste caso nenhuma componente ao longo do eixo do giroscópio.

Para $\theta \neq \pi/2$, a (12.6.16) é uma equação do 2º grau em Ω, de modo que há duas raízes. Levando em conta que $I_2 << I_1$, e que o 2º membro da (12.6.17) é geralmente $<< \omega_1$ (a velocidade angular de precessão para $\theta = \pi/2$ é muito menor que o "spin" do giroscópio), podemos verificar que uma dessas raízes é muito próxima da (12.6.17):

$$\boxed{\Omega_- = \frac{Mgl}{I_1\omega_1} \ll \omega_1} \tag{12.6.18}$$

pois o último termo da (12.6.16), é desprezível nestas circunstâncias.

A outra raiz Ω_+ é >> Ω_-, de modo que pode ser obtida desprezando o 1° membro da (12.6.16):

$$\Omega_+ = \frac{I_1\omega_1}{I_2\cos\theta} \gg \omega_1 \qquad \textbf{(12.6.19)}$$

Esta solução representa um segundo tipo de precessão, com velocidade angular muito maior que a do giroscópio em torno do eixo, que é extremamente difícil de observar, pois exigiria um ajuste muito especial das condições iniciais.

A precessão observada comumente corresponde à raiz Ω_-, e chama-se *precessão regular* do giroscópio. A (12.6.6), embora não seja exata para $\theta = \pi/2$, é uma excelente aproximação da velocidade angular de precessão.

Usualmente, como mostra a (12.6.18), a precessão é bem mais lenta que a rotação do giroscópio em torno de seu eixo. Este resultado se exprime pela condição

$$I_1\omega_1^2 \gg Mgl \qquad \textbf{(12.6.20)}$$

ou seja, a energia cinética de rotação é muito maior que a energia potencial gravitacional do giroscópio na posição vertical (Fig. 12.30). Temos assim um critério mais preciso do que significa "rotação rápida", conforme já mencionado no início desta Seção.

12.7 EFEITOS GIROSCÓPICOS E APLICAÇÕES

(a) Efeito giroscópico

Consideremos um giroscópio montado utilizando a suspensão tipo Cardan, ilustrada na Fig. 12.36, que permite rotações livres em torno dos três eixos ortogonais Ox, Oy, Oz, facultando ao sistema assumir qualquer orientação no espaço. Inicialmente, colocamos o giroscópio na *posição normal*, mostrada na figura, com o volante em rotação rápida em torno de Ox. O eixo do volante está preso ao anel interno, que está inicialmente no plano horizontal Oxy. O anel interno está suspenso do anel externo de forma a poder girar livremente em torno de Oy. Finalmente, o anel externo está encaixado no suporte S, de forma a poder girar livremente em torno de Oz, e está inicialmente no plano Oyz.

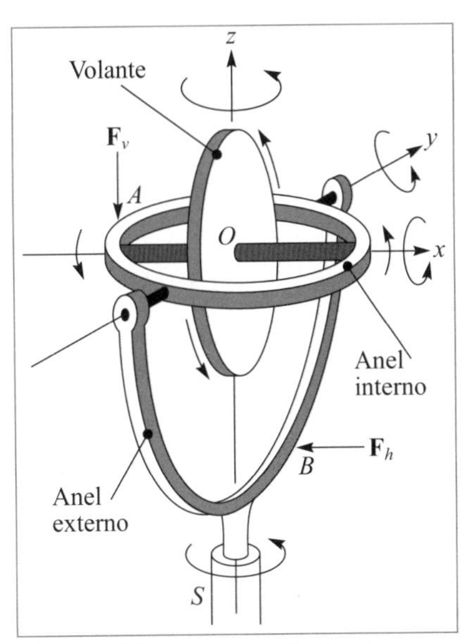

Figura 12.36 Suspensão Cardan.

Se pressionarmos o anel interno para baixo, exercendo uma força vertical $\mathbf{F}_v$ no ponto A (Fig. 12.36), ou, o que é equivalente, se suspendemos um peso no eixo do volante, que acontece? A situação é equivalente à da Fig. 12.31: o torque $\boldsymbol{\tau}$ devido a $\mathbf{F}_v$ tem a direção y, o mesmo acontecendo portanto com $\Delta\mathbf{L} = \boldsymbol{\tau}\,\Delta t$; logo, em lugar de fazer descer o anel interno, o efeito produzido é uma rotação do anel *externo* em torno de Oz, ou seja, um movimento de precessão regular.

Partindo novamente da posição normal, procuraremos agora pressionar o anel *externo* de forma a fazê-lo girar em torno de Oz, aplicando por exemplo uma força horizontal $\mathbf{F}_h$ no ponto B (Fig. 12.36). O torque $\boldsymbol{\tau}$ correspondente, e por conseguinte $\Delta \mathbf{L} = \boldsymbol{\tau} \Delta t$, tem a direção de Oz. Logo, por um raciocínio análogo ao da Fig. 12.31, vemos que o efeito é levar o eixo do volante, e por conseguinte o anel *interno*, para cima, saindo do plano horizontal.

Se mantivermos a pressão no ponto B enquanto o anel interno vai subindo, a resistência oposta pelo anel externo vai diminuindo; quando o anel interno está próximo da vertical, o anel externo também entra em rotação e ambos acabam girando em torno de Oz, com o eixo do volante também vertical.

A velocidade angular $\boldsymbol{\Omega}$ de rotação dos anéis tem a mesma direção e *sentido* que a velocidade angular $\boldsymbol{\omega}$ da rotação rápida do volante, como é fácil verificar pelo sentido de $\Delta \mathbf{L}$ durante o processo acima descrito. Foucault chamou a atenção sobre este efeito em termos da *tendência dos spins (associados, no caso, a* $\boldsymbol{\omega}$ *e* $\boldsymbol{\Omega}$*) de se alinharem paralelamente e no mesmo sentido.*

Se prendemos o anel interno ao externo, forçando o anel interno a permanecer no plano horizontal, o efeito giroscópico desaparece: a pressão horizontal faz girar o anel externo como se o volante em rotação não existisse.

(b) Aplicações

Se reduzirmos ao mínimo o atrito dos rolamentos nos pivôs de suspensão do giroscópio, o volante se torna praticamente imune a torques externos, que não lhe podem ser transmitidos Logo, seu momento angular se conserva, inclusive em direção e sentido. Por conseguinte, *a direção do eixo do volante permanece fixa no espaço* (com respeito a um sistema inercial, associado, por exemplo, às estrelas fixas). O estabelecimento de uma tal direção de referência tem grande utilidade para a navegação marítima e aérea. Giroscópios podem ser usados para corrigir automaticamente a rota (navegação inercial).

Foucault utilizou a invariância da direção do eixo numa variante de sua célebre experiência do pêndulo, demonstrando a rotação da Terra com o auxilio de um giroscópio.

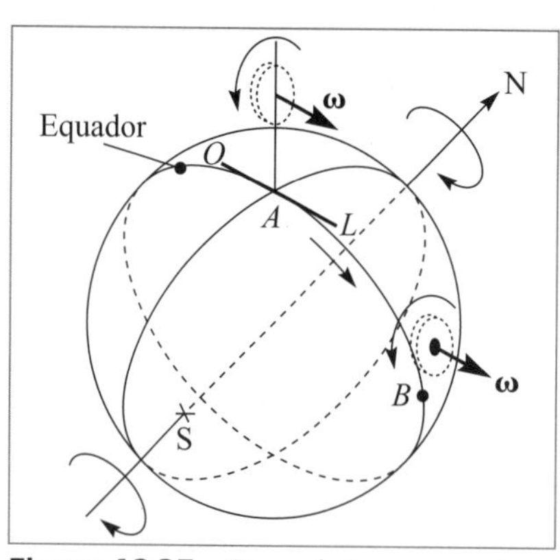

Figura 12.37 Giroscópio no equador.

Consideremos um giroscópio colocado no Equador na posição A (Fig. 12.37), com seu eixo ao longo da *horizontal* Oeste → Leste nessa posição. Seis horas mais tarde, a rotação da Terra terá transportado o giroscópio para a posição B da figura. O seu eixo continua apontando para a mesma direção no espaço, mas essa direção é agora a da *vertical* no ponto B.

Suponhamos agora que o giroscópio, em lugar da suspensão tipo Cardan, é montado de tal forma que seu eixo é forçado a permanecer na horizontal (por exemplo, com a base flutuando num líquido). Se a posição inicial for novamente o ponto A, com o eixo apontando ao longo da horizontal Oeste → Leste (Fig. 12.37), a rotação da Terra faz girar o plano horizontal, produzindo sobre o giroscópio um torque que tenderia a transportar o eixo na direção da rotação da Terra, ou seja, um torque $\boldsymbol{\tau}$ paralelo à direção Sul → Norte. A situação é análoga à discutida acima: o eixo do giroscópio gira até que o seu spin seja paralelo ao da Terra, ou seja, até alinhar-se com a direção Sul → Norte. Este é o principio da *bússola giroscópica*. Note que, ao contrário de uma agulha imantada, a bússola giroscópica aponta para o polo norte verdadeiro (Seç. 10.1) e não para o polo magnético, não estando pois sujeita a anomalias locais do campo magnético.

O pião (Fig. 12.38) é um giroscópio bem familiar, cujo movimento de precessão é análogo ao que foi tratado para a Fig. 12.32, com o torque sendo devido à força-peso.

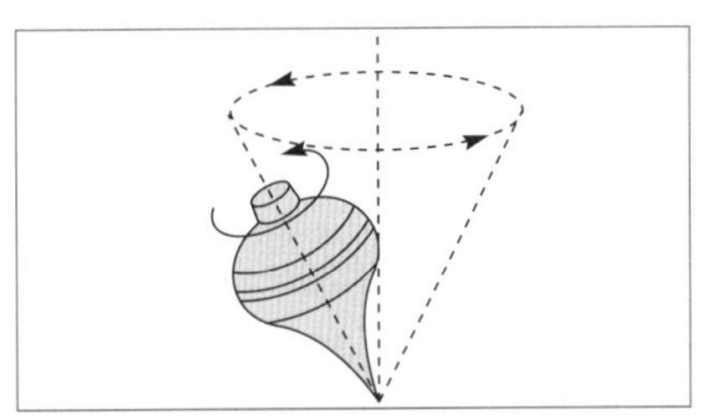

Figura 12.38 Pião.

Um motociclista que quer virar à direita inclina o corpo e a motocicleta para a direita, utilizando um efeito giroscópico. O momento angular devido à rotação das rodas é elevado. O torque devido à força-peso da roda dianteira (Fig.12.39, (a)) em relação ao ponto de contato O com a estrada leva a roda a precessar, produzindo o efeito desejado: virar à direita (a Fig. 12.39, (b), mostra o que acontece, visto de cima). No caso de uma bicicleta, o momento angular é muito menor e o efeito giroscópico é muito menos pronunciado: além de inclinar o corpo, o ciclista vira o guidão.

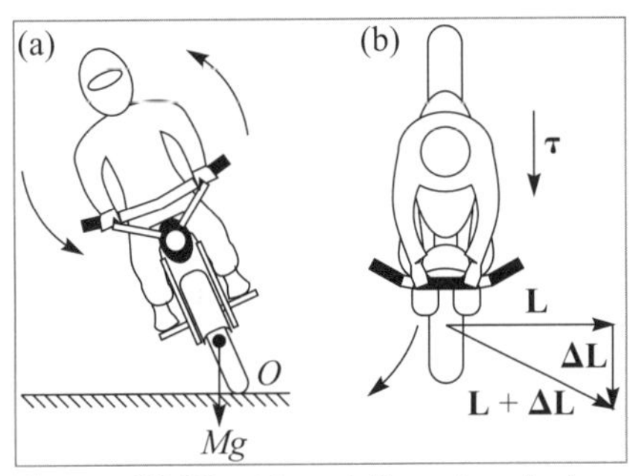

Figura 12.39 Motociclista virando à direita.

(c) Nutação

Ao discutir o movimento de precessão regular (Seç. 12.6), observamos que ele satisfaz as equações de movimento, mas não mostramos como ele pode ser estabelecido nem qual é o efeito das condições iniciais.

Voltemos a considerar o volante com eixo horizontal e extremo apoiado num suporte (Fig. 12.31). Que acontece se o extremo livre for solto inicialmente em repouso (por exemplo, se o estamos segurando e largamos no instante inicial)? Se o volante não estivesse em rotação, é óbvio que o eixo simplesmente cairia, sob a ação do torque associado com a força-peso.

Com o volante em rotação, se o extremo livre é solto inicialmente em repouso no ponto A, acontece o que está indicado na Fig. 12.40: em lugar de entrar simplesmente em precessão, o eixo executa um movimento mais complicado; ao mesmo tempo em que precessa, desce e sobe alternativamente, descrevendo um movimento oscilatório conhecido como *nutação*. Para um volante em rotação rápida, a oscilação é tão rápida e de

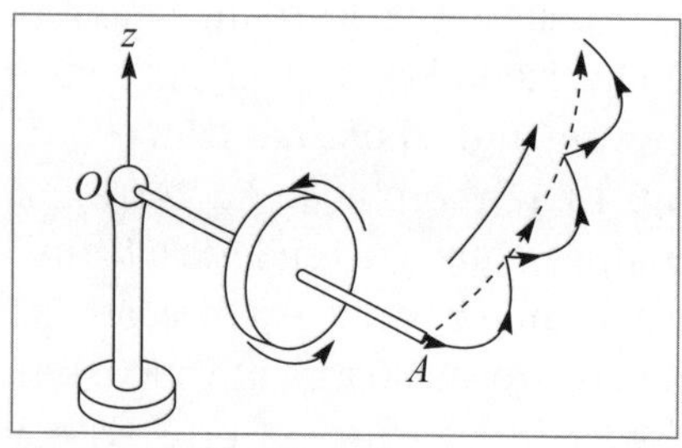

Figura 12.40 Nutação.

amplitude tão pequena que é dificilmente perceptível, mas é fácil notá-la quando a velocidade de rotação é mais baixa. Assim, um exemplo familiar de nutação é o do pião que "cabeceia" em seu movimento de precessão à medida que vai parando.

Para compreender a origem da nutação, vejamos o que acontece a partir da posição inicial. Para que o extremo livre entrasse imediatamente em precessão regular com a velocidade angular Ω dada pela (12.6.6), seria preciso que ele já fosse solto com essa velocidade, ou seja, dando-lhe precisamente o impulso lateral correspondente. Como ele é solto partindo do repouso, a velocidade angular de precessão $d\varphi/dt$ é zero inicialmente. O efeito do torque gravitacional é então o que se espera intuitivamente: o extremo livre começa a cair, descendo abaixo de sua posição inicial horizontal no ponto A (Fig. 12.40).

Assim que o eixo do volante desce abaixo do plano horizontal, o sistema adquire uma componente não nula de momento angular vertical L_z, por causa da projeção (negativa) do momento angular do volante sobre o eixo z (cf. Fig. 12.33). Mas as forças que atuam sobre o sistema, inclusive a reação no suporte (Seç. 12.6), não exercem nenhum torque na direção z: $\tau_z = 0$. Logo, *o momento angular total na direção z se conserva*, e a componente negativa adquirida pela queda do eixo tem de ser compensada por uma componente positiva igual e contrária: esta é a origem do movimento de precessão, com $d\varphi/dt > 0$. A situação é análoga à do banquinho que entra em rotação no exemplo da Fig. 11.31.

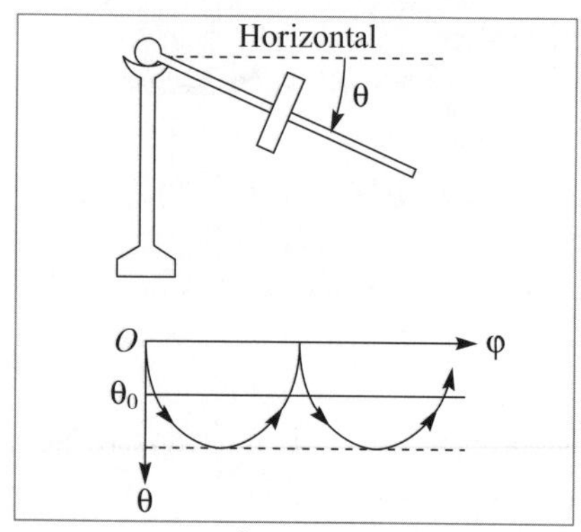

Figura 12.41 Ângulo θ em função de φ.

À medida que o eixo vai caindo, a velocidade angular de precessão vai aumentando e acaba ultrapassando o valor Ω da precessão regular que pode ser mantida pelo torque gravitacional, dado pela (12.6.6). Em vista disso, o eixo começa a subir novamente, $d\varphi/dt$ vai diminuindo, até que o eixo volta à posição horizontal e o ciclo se reinicia, produzindo as oscilações características da nutação. O gráfico do ângulo de queda θ abaixo da horizontal em função de φ (veja Fig. 12.32), é uma espécie de cicloide, conforme ilustrado na Fig. 12.41 (é também a curva descrita pelo extremo livre do eixo). O valor médio do ângulo de queda se desloca precisamente à velocidade de precessão regular Ω.

Outra forma de compreender este resultado é em termos de conservação da energia. Quando soltamos o extremo livre inicialmente em repouso, o sistema tem a energia cinética de rotação associada ao spin do volante e energia potencial gravitacional. Entretanto, o eixo não pode permanecer na horizontal e entrar em precessão, porque lhe falta a energia cinética adicional de rotação associada à precessão. É a energia potencial ganha através da queda abaixo da horizontal que se converte em energia cinética de precessão. A variação de energia potencial associada ao ângulo médio de queda θ_0 corresponde à energia cinética da precessão regular.

Na prática, o atrito no suporte do eixo amortece a amplitude da nutação, de modo que a trajetória real é do tipo ilustrada na Fig. 12.42, e acaba por reduzir-se à precessão regular – com o eixo no ângulo θ_0 abaixo da horizontal.

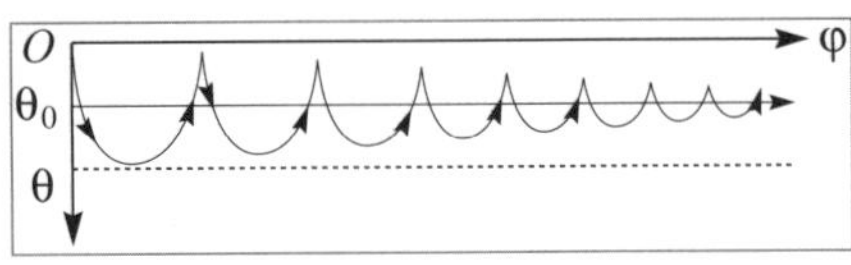

Figura 12.42 Amortecimento da nutação.

(d) A precessão dos equinócios

A Terra também se comporta como um giroscópio em virtude de seu movimento de rotação em torno do eixo. Se fosse perfeitamente esférica, a ação gravitacional do Sol equivaleria apenas à força gravitacional do Sol aplicada no centro da Terra. Sabemos, porém (Fig. 10.21), que a Terra é um esferóide oblato, com eixo de rotação inclinado de $\theta \approx 23{,}5°$ em relação ao plano da eclíptica. Há portanto uma protuberância de massa equatorial (sombreada na figura). A figura mostra a situação num solstício, em que a protuberância B está mais próxima do Sol e A mais afastada; num equinócio, a direção do Sol seria perpendicular ao plano da figura e A e B estariam igualmente afastadas do Sol (cf. Fig. 10.10). Como B está mais próximo do Sol na situação da figura, a força de atração correspondente $F + \Delta F$ é maior do que a força F no centro O da Terra, e esta por sua vez é maior que a força $F - \Delta F'$ na protuberância A mais afastada do Sol. As forças residuais $+\Delta F$ e $-\Delta F$ nas duas protuberâncias constituem um torque que tenderia a fazer girar as protuberâncias, aproximando-as de plano da eclíptica (cf. Fig. 10.21). O vetor $\boldsymbol{\tau}$ correspondente é perpendicular ao plano da Fig. 12.43 e aponta para cima. Como no exemplo do giroscópio da Fig. 12.32, o resultado é uma precessão do eixo de rotação da Terra em torno da normal Oz ao plano da elíptica, descrevendo um cone de ângulo θ: é a precessão dos equinócios.

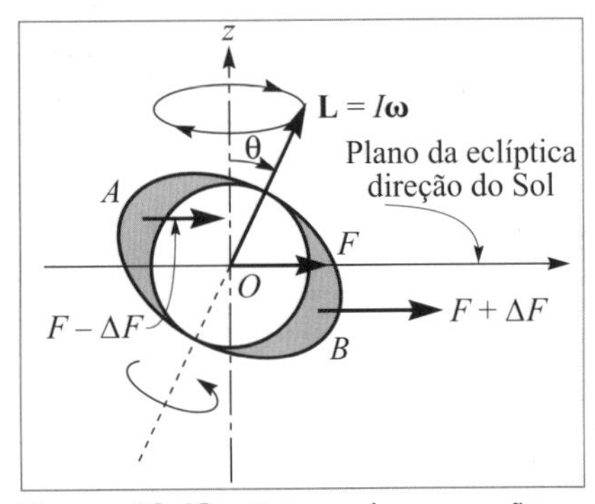

Figura 12.43 Origem da precessão.

A velocidade angular de precessão é dada pela expressão (linha seguinte à (12.6.9))

$$\Omega = \frac{\tau}{I\omega \operatorname{sen} \theta} \qquad \textbf{(12.7.1)}$$

se o torque τ é constante. Não é o caso aqui: τ é máximo nos solstícios e se anula nos equinócios, mas procuraremos estimar $\boldsymbol{\Omega}$ tomando um valor médio para τ.

Obtém-se uma estimativa (um tanto grosseira) do torque imaginando a massa Δm da protuberância equatorial concentrada apenas nos pontos

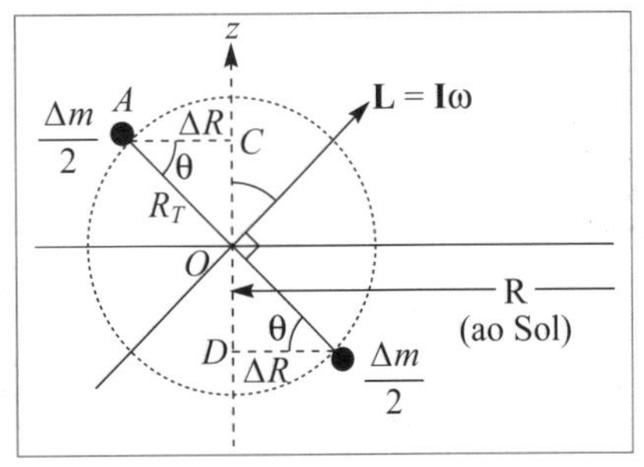

Figura 12.44 Cálculo do torque.

A e B do equador, dividida em duas massas iguais $\Delta m/2$, formando uma espécie de haltere (Fig. 12.44). Se R é a distância do Sol ao centro O da Terra, as distâncias a A e B são $R + \Delta R$ e $R - \Delta R$, respectivamente, onde (figura)

$$\Delta R = R_T \cos\theta \qquad \textbf{(12.7.2)}$$

R_T sendo o raio da Terra. A atração do Sol em B é

$$F_B = \frac{GM_s \cdot \dfrac{\Delta m}{2}}{(R - \Delta R)^2}$$

e em A é

$$F_A = \frac{GM_s \cdot \dfrac{\Delta m}{2}}{(R + \Delta R)^2}$$

onde M_S é a massa do Sol e G a constante gravitacional. Logo,

$$2\Delta F = F_B - F_A = \frac{GM_s\Delta m}{2} \cdot \frac{\overbrace{\left[(R + \Delta R)^2 - (R - \Delta R)^2\right]}^{\approx 4R\Delta R}}{\underbrace{(R + \Delta R)^2 (R - \Delta R)^2}_{\approx R^4}}$$

ou seja,

$$\Delta F = G\Delta m \Delta R \cdot \frac{M_s}{R^3} \qquad \textbf{(12.7.3)}$$

onde utilizamos o fato de que é $\Delta R <<< R$.

O braço de alavanca do binário é dado por (Fig. 12.44)

$$\overline{CD} = 2R_T \text{ sen } \theta \qquad \textbf{(12.7.4)}$$

de modo que, levando em conta a (12.7.2), o torque seria dado por

$$\overline{CD} \cdot \Delta F = 2GR_T^2 \text{ sen } \theta \cos\theta \cdot \Delta m \frac{M_s}{R^3} \qquad \textbf{(12.7.5)}$$

Na realidade, a massa Δm da protuberância está distribuída numa faixa em torno do equador, em lugar de concentrada, como no modelo do haltere: isso reduz tanto o valor médio de ΔR como o braço de alavanca. Além disso, calculamos o torque máximo (nos solstícios); o valor médio ao longo do ano é menor. Todos esses fatores reduzem o torque médio, e um cálculo bem mais difícil mostra que o fator de redução é $\approx 3/8$, de modo que, finalmente,

$$\tau_s = \frac{3}{4} GR_T^2 \text{ sen } \theta \cos\theta \, \Delta m \frac{M_s}{R^3} \qquad \textbf{(12.7.6)}$$

é o torque médio devido ao Sol. Entretanto, é preciso levar em conta também o torque devido à atração gravitacional da Lua, que se soma ao do Sol. O cálculo é idêntico, bastando substituir M_S por M_L (massa da Lua) e R por R_L (distância Terra-Lua). O torque médio resultante é

$$\tau = \tau_s + \tau_L = \frac{3}{4} G R_T^2 \text{ sen } \theta \cos\theta \; \Delta m \left(\frac{M_s}{R^3} + \frac{M_L}{R_L^3} \right) \tag{12.7.7}$$

Esta expressão deve ser substituída na (12.7.1), onde (cf. (12.2.10))

$$I = \frac{2}{5} M_T R_T^2 \tag{12.7.8}$$

M_T sendo a massa da Terra. Levando em conta a elipticidade da Terra, pode-se estimar que

$$\frac{\Delta m}{M_T} = \frac{8}{3.040} \tag{12.7.9}$$

é a fração da massa que corresponde à protuberância equatorial. Efetuando as substituições e simplificando, obtemos, finalmente,

$$\boxed{\Omega = \frac{15}{3.040} \frac{G \cos\theta}{\omega} \left(\frac{M_s}{R^3} + \frac{M_L}{R_L^3} \right)} \tag{12.7.10}$$

onde:

$$G \approx 6{,}67 \times 10^{-11} \text{ m}^3/\text{kg s}^2, \quad \theta \approx 23{,}5°, \quad \omega = \frac{2\pi}{1\text{dia}} \approx 7 \times 10^{-5} \text{ s}^{-1},$$

$$M_s \approx 2 \times 10^{30} \text{ kg}, \quad R^3 \approx 4 \times 10^{33} \text{ m}^3, \quad M_L \approx 7 \times 10^{22} \text{ kg}, \quad R_L^3 \approx 6 \times 10^{25} \text{ m}^3.$$

Substituindo esses valores na expressão acima (note que a contribuição da Lua é aproximadamente duas vezes a do Sol, devido a sua proximidade), obtemos

$$\Omega \approx 7{,}9 \times 10^{-12} \; s^{-1} \quad \left\{ \quad T_{\text{precessão}} = \frac{2\pi}{\Omega} \approx 8 \times 10^{11} \; s \right.$$

o que corresponde a um período de precessão de ≈26.000 anos, de acordo com o observado (Seç. 10.7). Newton obteve este resultado!

Além da precessão, ocorre também o fenômeno da nutação, produzindo pequenas oscilações da direção do eixo terrestre.

12.8 ESTÁTICA DE CORPOS RÍGIDOS

As equações de movimento de um corpo rígido (Seçs. 11.5, 12.3) são

$$\frac{d\mathbf{P}}{dt} = \sum_{i=1}^{N} \mathbf{F}_i^{(\text{ext})} = \mathbf{F}^{(\text{ext})} \tag{12.8.1}$$

$$\frac{d\mathbf{L}'}{dt} = \sum_{i=1}^{N} \boldsymbol{\tau}_i'^{(\text{ext})} = \boldsymbol{\tau}'^{(\text{ext})} \tag{12.8.2}$$

onde a primeira descreve a translação do CM e a segunda a rotação em torno do CM.

Um caso particular é o do *equilíbrio*, definido pelo anulamento do 1º membro de ambas as equações, que implica $\mathbf{P} = \mathbf{P}_0$ (movimento retilíneo uniforme) e $\mathbf{L}' = \mathbf{L}_0$ (rotação uniforme), ambos constantes. Na prática tomamos em geral $\mathbf{P}_0 = \mathbf{L}_0 = 0$, correspondendo a um corpo em *repouso*; neste caso temos equilíbrio *estático*.

Temos portanto *como condições necessárias e suficientes de equilíbrio de um corpo rígido* que *a resultante das forças externas se anule e que a resultante dos torques externos em relação ao CM se anule*. Mas já vimos (Seç. 11.6) que, quando a resultante das forças externas é nula, o torque resultante é independente do ponto em relação ao qual é calculado. Logo, podemos reformular as condições de equilíbrio como:

$$\boxed{\begin{aligned} \mathbf{F} &= \sum_i \mathbf{F}_i = 0 \\ \boldsymbol{\tau} &= \sum_i \boldsymbol{\tau}_i = 0 \end{aligned}} \qquad \textbf{(12.8.3)}$$

onde suprimimos a notação "(ext)", entendendo-se que as forças consideradas são externas. Assim, *para o equilíbrio de um corpo rígido, é necessário e suficiente que se anulem a resultante das forças externas e o torque resultante em relação a um dado ponto, que pode ser escolhido arbitrariamente.*

Como cada vetor tem 3 componentes cartesianas, as (12.8.3) representam em geral um sistema de 6 equações escalares simultâneas. Um caso particular mais simples é o de *forças coplanares*, ou seja, quando as forças externas atuam no mesmo plano (que podemos tomar como plano (xy)). Neste caso, o equilíbrio é um caso particular do movimento plano (Seç. 12.3), e as (12.3.3) e (12.3.4) mostram que as condições de equilíbrio se simplificam, reduzindo-se às 3 equações escalares

$$\boxed{F_x = 0, \quad F_y = 0, \quad \tau_z = 0} \qquad \textbf{(12.8.4)}$$

Dois sistemas de forças dizem-se *equivalentes* quando têm a mesma resultante e o mesmo torque resultante em relação a qualquer ponto (para isto, pela (11.5.23), basta que tenham mesmo torque resultante em relação a um dado ponto). Logo, para verificar se um corpo rígido está em equilíbrio sob ação de um dado sistema de forças, podemos substituí-lo por qualquer sistema equivalente, o que é utilizado para simplificar o problema.

Exemplo: *Centro de gravidade*

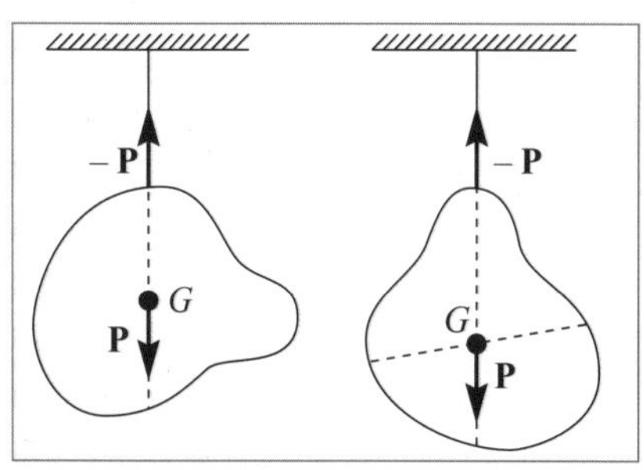

Figura 12.45 Determinação do centro de gravidade.

Vimos na Seç. 12.3 que, para um sistema qualquer de partículas, o torque das forças gravitacionais (forças-peso) em relação a um ponto arbitrário é o mesmo que se a resultante das forças-peso que atuam sobre todas as partículas do sistema estivesse aplicada no CM. Logo, o sistema de forças-peso é *equivalente* à resultante (peso do corpo) aplicada no CM, que é também o centro de gravidade. Este resultado é a base de um método prático de determinação do centro de gravidade de um corpo (Fig. 12.45).

Se o corpo é suspenso por um de seus pontos, na posição de equilíbrio é preciso que a tensão $-\mathbf{P}$ do fio de suspensão tenha *mesma linha de ação* que a força-peso $\mathbf{P}$ do corpo aplicada no centro de gravidade G (porque não apenas a resultante, mas também o torque resultante dessas duas forças deve ser nulo). Logo, o prolongamento do fio (vertical pelo ponto de suspensão) passa por G, e basta suspender o corpo de dois pontos diferentes para determinar o centro de gravidade como ponto de interseção das duas verticais que passam pelos pontos de suspensão.

Em geral, ao estudar o equilíbrio de um corpo rígido sob a ação de um dado sistema de forças, temos de considerar os *pontos de aplicação* das forças, porque, se deslocarmos os pontos de aplicação, embora isto não altere a resultante, pode alterar o torque resultante. Entretanto, pela (11.3.6), o torque não se altera se deslizarmos a força *ao longo de sua linha de ação*, pois isso não altera o braço de alavanca. Por isto, às vezes se diz que forças aplicadas a um corpo rígido são "vetores deslizantes", pois obtemos um sistema de forças equivalente deslizando forças ao longo de suas linhas de ação. Assim, se as linhas de ação das duas forças $\mathbf{F}_1$ e $\mathbf{F}_2$ aplicadas nos pontos A e B (Fig. 12.46) são concorrentes, podemos substituí-las pela resultante $\mathbf{R} = \mathbf{F}_1 + \mathbf{F}_2$ aplicada no ponto P de intersecção das duas linhas de ação, obtendo um sistema equivalente.

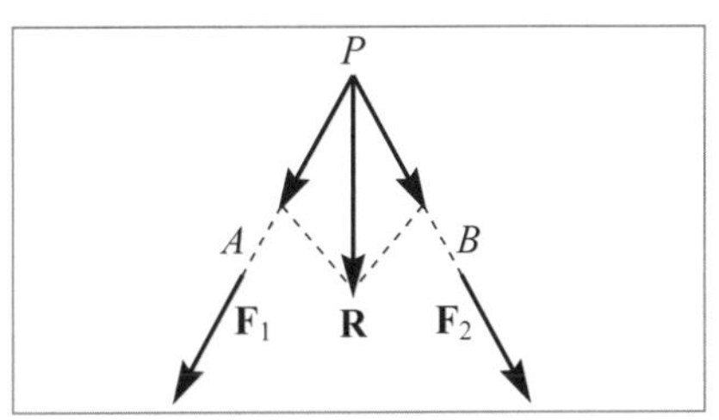

Figura 12.46 Resultante de duas forças.

Alavanca:

Neste caso, as forças que atuam (desprezando o peso da alavanca) são os pesos $\mathbf{F}_1$ e $\mathbf{F}_2$ suspensos nas extremidades e a reação $-\mathbf{R}$ no ponto de apoio O. Para equilíbrio, devemos ter

$$-\mathbf{R} + \mathbf{F}_1 + \mathbf{F}_2 = 0 \qquad \textbf{(12.8.5)}$$

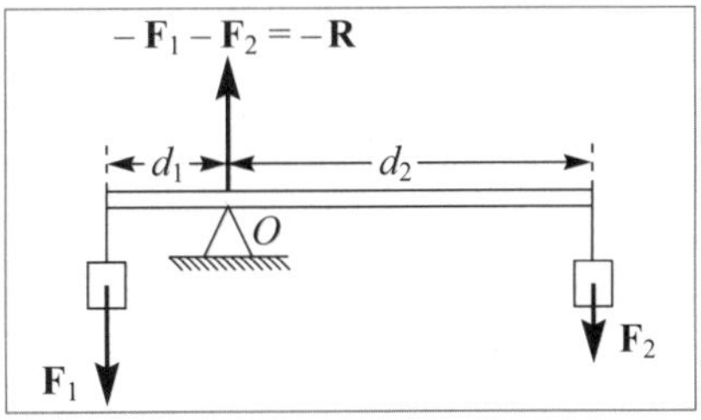

Figura 12.47 Equilíbrio da alavanca.

e, tomando torques em relação ao ponto de apoio,

$$F_1 d_1 - F_2 d_2 = 0 \quad \left\{ \boxed{\frac{F_2}{F_1} = \frac{d_1}{d_2}} \right. \qquad \textbf{(12.8.6)}$$

o que dá a vantagem mecânica da alavanca.

Ao mesmo tempo, como $-\mathbf{F}$ equilibra a resultante das forças paralelas $\mathbf{F}_1$ e $\mathbf{F}_2$, vemos que o sistema de duas forças paralelas $\mathbf{F}_1$ e $\mathbf{F}_2$ aplicadas nos pontos A e B de um corpo rígido é *equivalente* à resultante $\mathbf{R} = \mathbf{F}_1 + \mathbf{F}_2$ aplicada no ponto O interno ao segmento AB que divide esse segmento na razão dada pela (12.8.6) (composição de forças paralelas). No caso particular da força-peso, O é o centro de gravidade do sistema. Se tivermos mais de duas forças paralelas, podemos ir compondo-a duas a duas.

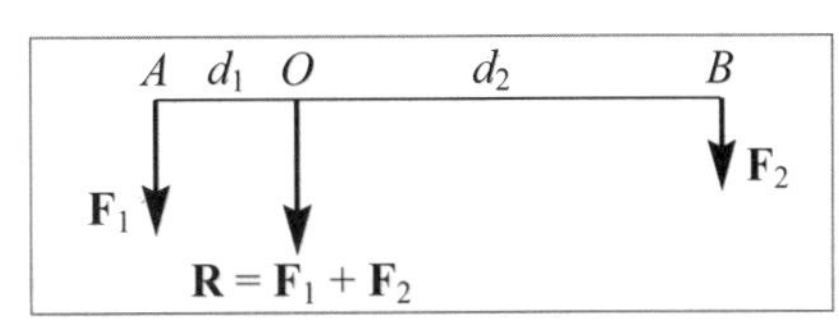

Figura 12.48 Resultante.

Exemplos

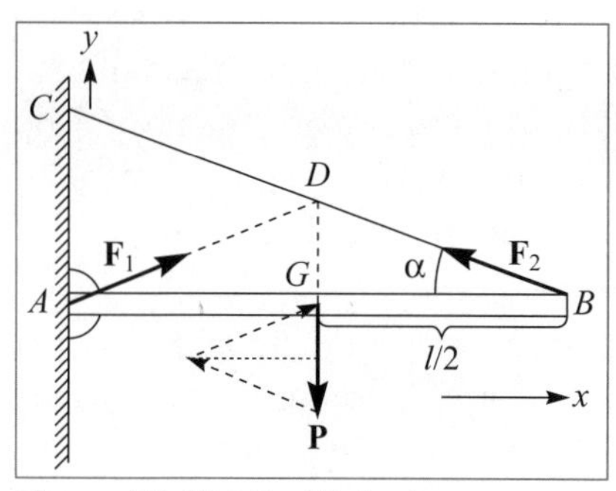

Figura 12.49 Equilíbrio de um mastro.

1) Consideremos a estrutura ilustrada na Fig. 12.49: um mastro pesado AB, de peso P, está preso a uma parede por uma articulação A e é mantido suspenso na horizontal por um fio BC de massa desprezível, preso à parede em C. Além da força-peso $\mathbf{P}$, atuam sobre o mastro a tração $\mathbf{F}_2$, dirigida ao longo do fio esticado, que faz um ângulo α com a horizontal, e a reação $\mathbf{F}_1$ na articulação. O problema é determinar $\mathbf{F}_1$ e $\mathbf{F}_2$.

A força-peso $\mathbf{P}$ está aplicada no centro G do mastro. Tomando torques em relação a A, as (12.8.4) dão (l sendo o comprimento do mastro):

$$-\frac{l}{2}P + lF_{2y} = 0 \quad \left\{ \quad F_{2y} = \frac{P}{2} \right. \tag{12.8.7}$$

$$F_{1y} + F_{2y} - P = 0 \quad \left\{ \quad F_{1y} = P - F_{2y} = \frac{P}{2} \right. \tag{12.8.8}$$

$$F_{1x} + F_{2x} = 0 \quad \left\{ \quad F_{1x} = -F_{2x} = -\frac{P}{2}\operatorname{cotg}\alpha \right. \tag{12.8.9}$$

pois $F_{2x}/F_{2y} = \operatorname{cotg}\alpha$. As (12.8.7) a (12.8.9) determinam todas as componentes de $\mathbf{F}_1$ e $\mathbf{F}_2$.

A solução mostra que a linha de ação de $\mathbf{F}_1$ aponta para o ponto D, intersecção com o fio da linha de ação da força-peso $\mathbf{P}$ ($\mathbf{F}_1$ também forma um ângulo α com a horizontal). Poderíamos ter previsto este resultado, pois $\mathbf{F}_1$, $\mathbf{F}_2$ e $\mathbf{P}$ são vetores deslizantes e devem ter resultante nula, formando portanto um "polígono de forças" fechado; no caso, é um triângulo isósceles, indicado em linha interrompida, com origem em G, na Fig. 12.49. O problema poderia ter sido resolvido graficamente a partir destas considerações.

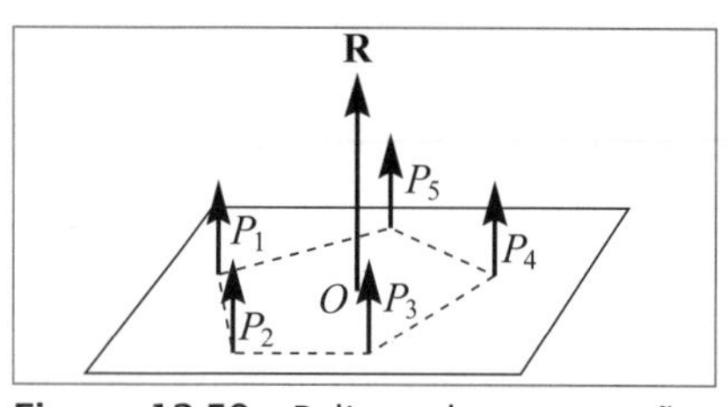

Figura 12.50 Poligno de sustentação.

2) Consideremos um corpo pesado que se sustenta num plano horizontal sobre vários pontos de apoio (como uma mesa). As reações nos pontos de apoio são todas verticais. É fácil ver, compondo-as duas a duas, que a resultante $\mathbf{R}$ dessas forças paralelas está aplicada num ponto O interno ao "polígono de sustentação" cujos vértices são os pontos de apoio (Fig. 12.50). Como $\mathbf{R}$ tem de equilibrar a força-peso, aplicada no centro de gravidade, a condição de equilíbrio é que a *linha da ação da força-peso* (vertical pelo centro de gravidade) *passe por dentro do polígono de sustentação.*

Se quisermos determinar as reações nos pontos de apoio, isto é fácil para 3 pontos de apoio, porque as (12.8.3) dão 3 equações escalares (verifique!), mas o problema se torna indeterminado para mais de 3 pontos de apoio, porque o número de incógnitas é superior ao número de equações (sabemos que bastam 3 pés para sustentar uma mesa). Analogamente, se o mastro do exemplo 1 for cimentado à parede no ponto A, o que permitiria sustentá-lo sem o auxílio do fio, torna-se impossível determinar a tração no fio a partir das equações de equilíbrio de um corpo rígido.

Problemas deste tipo chamam-se "estaticamente indeterminados", e a razão das dificuldades é a hipótese idealizada de que se trata de corpos rígidos. Na realidade, as reações são determinadas pelas deformações elásticas que se produzem nos pontos de apoio, e seria preciso conhecer as propriedades elásticas de todos os materiais envolvidos para obter as forças de reação produzidas.

PROBLEMAS

12.1 Demonstre o seguinte *teorema dos eixos perpendiculares*: O momento de inércia de uma placa (lâmina delgada) plana de forma arbitrária em relação a um eixo Oz perpendicular a seu plano, com a origem O no plano da placa, é a soma dos momentos de inércia da placa em relação aos eixos Ox e Oy que formam com Oz um sistema de eixos ortogonais.

12.2 Como aplicação do teorema dos eixos perpendiculares (Probl. 12.1), calcule: (a) O momento de inércia de uma placa retangular homogênea de massa M e lados a e b em relação a um eixo perpendicular a seu plano que passa pelo centro da placa. (b) O momento de inércia de um disco circular de massa M e raio R em torno de qualquer um de seus diâmetros.

12.3 Calcule o momento do inércia de uma lâmina homogênea de massa M em forma de anel circular, de raio interno r_1 e raio externo r_2: (a) Em relação a um eixo perpendicular ao plano do anel, passando pelo seu centro. (b) Em relação a um diâmetro do anel. Verifique o resultado nos casos limites de um disco e de um aro circular.

12.4 Calcule o momento de inércia de um cubo homogêneo de massa M e aresta a, em relação a um diâmetro (eixo que passa pelos centros de duas faces opostas).

12.5 Calcule o momento de inércia de um cone circular reto homogêneo de massa M e raio da base R, em relação ao eixo do cone. Sugestão: Considere o cone como uma pilha de discos circulares de alturas infinitésimas e raios decrescentes.

12.6 Uma porta de 15 kg e 70 cm de largura, suspensa por dobradiças bem azeitadas, está aberta de 90°, ou seja, com seu plano perpendicular ao plano do batente. Ela leva um empurrão na beirada aberta, com impacto equivalente ao de uma massa de 1 kg com velocidade de 2,5 m/s. Quanto tempo ela leva para fechar-se?

12.7 Uma mesa de coquetel tem um tampo giratório, que é uma tábua circular de raio R e massa M, capaz de girar com atrito desprezível em torno do eixo vertical da mesa. Uma bala de massa $m << M$ e velocidade v, disparada por um convidado que abusou

dos coquetéis, numa direção horizontal, vai-se encravar na periferia da tábua. (a) Qual é a velocidade angular de rotação adquirida pela tábua? (b) Que fração da energia cinética inicial é perdida no impacto?

12.8 Um alçapão quadrado de lado a e massa M, está levantado verticalmente, em equilíbrio sobre as dobradiças, quando é levado a cair por uma ligeira trepidação. Desprezando o atrito, que velocidade angular terá adquirido ao bater no chão?

12.9 Calcule o efeito da massa M da polia, de raio R, sobre o sistema do Problema 4.12 (Figura): a massa m, que desliza sem atrito, está ligada à massa suspensa m' pelo fio que passa sobre a polia. Determine (a) a aceleração a do sistema; (b) as tensões T e T' nos fios ligados a m e m'.

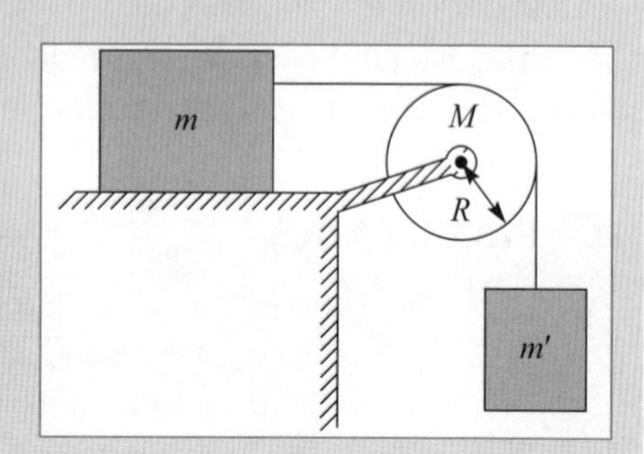

12.10 Um bloco de massa m, que pode deslizar com atrito desprezível sobre um plano inclinado de inclinação θ em relação à horizontal, está ligado por um fio, que passa sobre uma polia de raio R e massa M, a uma massa $m' > m$ suspensa (Figura). O sistema é solto em repouso. Calcule, por conservação da energia, a velocidade v de m' após cair de uma altura h.

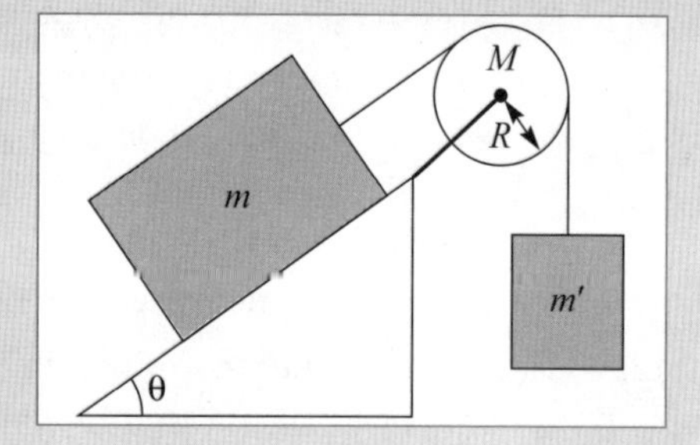

12.11 Prende-se ao teto a ponta de uma fita métrica leve, enrolada num estojo circular de massa m e raio r, e solta-se o estojo em repouso (Figura). (a) Calcule a aceleração linear do estojo. (b) Calcule a tensão da fita. (c) Calcule a velocidade linear do estojo depois que um comprimento s da fita se desenrolou. Verifique a conservação da energia.

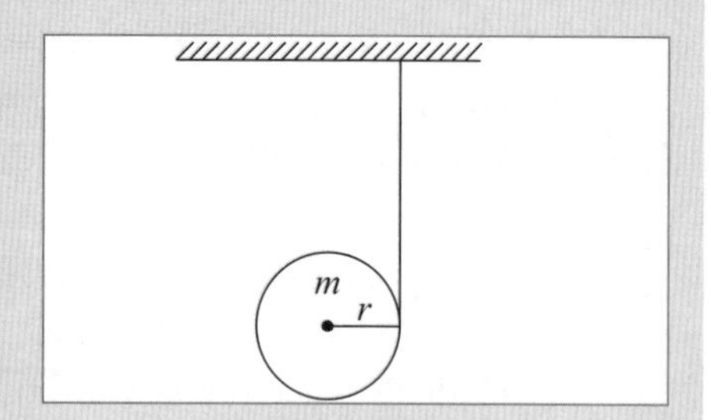

12.12 Uma fita leve está enrolada em volta de um disco circular de massa m e raio r, que rola sem deslizar sobre um plano inclinado áspero de inclinação θ. A fita passa por uma roldana fixa de massa desprezível e está presa a um corpo suspenso de massa m' (Figura). Calcule: (a) a aceleração a da massa m' (b) a tensão T na fita.

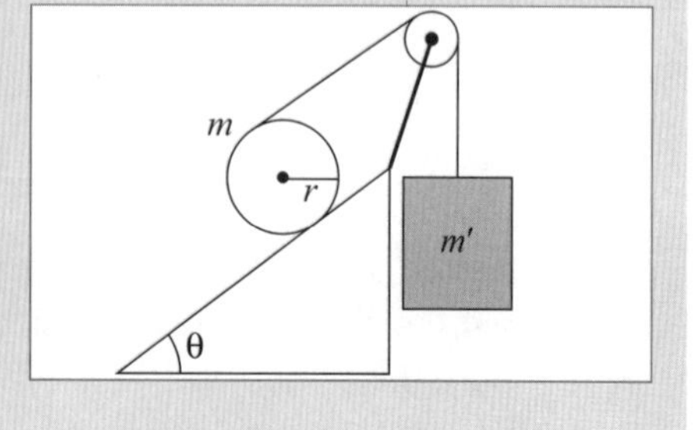

12.13 Uma haste metálica delgada, de comprimento d e massa M, pode girar livremente em torno de um eixo horizontal, que a atravessa perpendicularmente, à distância $d/4$ de uma extremidade. A haste é solta a partir do repouso, na posição horizontal. (a) Calcule o momento de inércia I da haste com respeito ao eixo em torno do qual ela gira. (b) Calcule a velocidade angular ω adquirida pela haste após (Figura) ter caído de um ângulo θ, bem como a aceleração angular α.

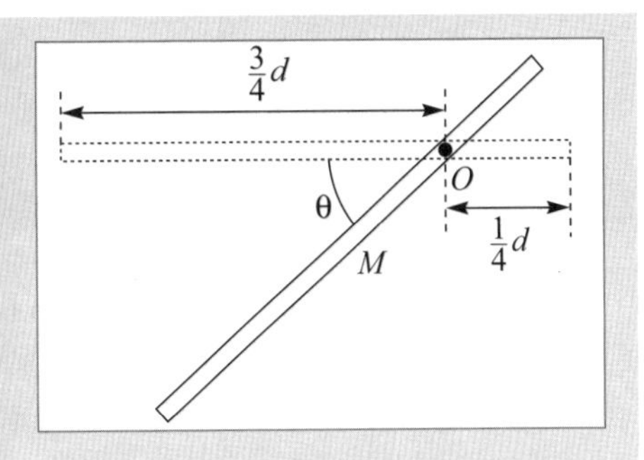

12.14 Uma roda cilíndrica homogênea, de raio R e massa M, rola sem deslizar sobre um plano horizontal, deslocando-se com velocidade v, e sobe sobre um plano inclinado de inclinação θ, continuando a rolar sem deslizamento (Figura). Até que altura h o centro da roda subirá sobre o plano inclinado?

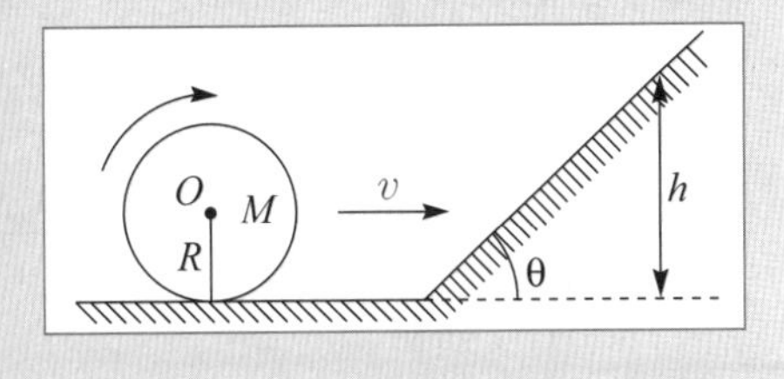

12.15 Uma bola homogênea de raio r rola sem deslizar desde o topo de um domo hemisférico de raio R. (a) Depois de percorrer que ângulo θ em relação à vertical a bola deixará a superfície? (b) Com que velocidade v isso acontece?

12.16 Um ioiô de massa M, raio interno r, raio externo R e momento de inércia I_{CM} em relação a seu centro de massa, é puxado pelo fio enrolado em seu eixo central, de forma a rolar sem deslizamento sobre uma mesa horizontal através de uma força $\mathbf{F}$ que faz um ângulo φ com a horizontal (Figura). (a) Que condição deve ser satisfeita por $F = |\mathbf{F}|$ para que o ioiô permaneça em contato com a mesa? (b) Calcule a aceleração angular α do ioiô. (c) Mostre que existe um ângulo crítico φ_0 tal que, conforme a magnitude de φ em relação a φ_0, o fio se desenrola ou enrola, e o ioiô avança ou recua. Que acontece para $\varphi = \varphi_0$?

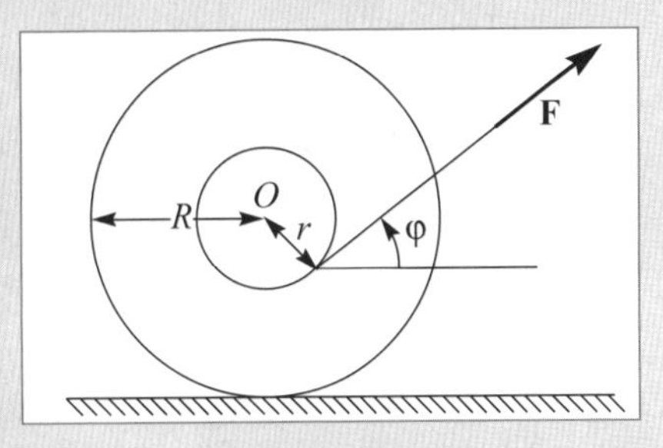

12.17 Uma bola de boliche esférica uniforme é lançada com velocidade inicial $\mathbf{v}_0$ horizontal e sem rotação inicial, sobre uma cancha horizontal, com coeficiente de atrito cinético μ_c. (a) Que distância d a bola percorrerá sobre a prancha até que comece a rolar sem deslizar? (b) Quanto tempo t depois do lançamento isso ocorre? (c) Qual é a velocidade v da bola nesse instante?

12.18 Um giroscópio constituído por um disco de 5 cm de raio, colocado no centro de uma haste de 10 cm de comprimento e massa desprezível, gira em torno do seu eixo a 1.500 rpm. Ele é colocado com seu eixo horizontal e um extremo apoiado num suporte (Fig. 12.31). Calcule a velocidade angular de precessão Ω em rpm

12.19 Um pião cônico homogêneo de massa M tem raio da base R e altura h. (a) Calcule a posição do centro de massa do pião. (b) Com o auxílio do resultado do Problema 12.5, calcule a velocidade angular Ω de precessão regular do pião quando ele é colocado em rotação rápida, de velocidade angular ω em torno do seu eixo, com a ponta apoiada no chão. (c) Se o pião pressiona com seu eixo inclinado de θ em relação à vertical, qual é a força horizontal de reação **F** exercida sobre seu ponto de apoio? (d) Calcule Ω e $|\mathbf{F}|$ para $M = 300$ g, $R = 4$ cm, $h = 12$ cm,

12.20 Calcule a magnitude da força **F** horizontal que é preciso aplicar, em direção ao eixo O, para conseguir que um tambor cilíndrico de massa M e raio R suba um degrau de altura $d < R$ (Figura).

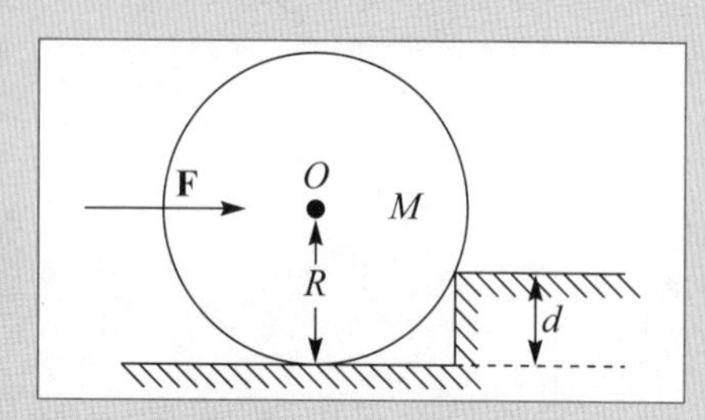

12.21 Uma escada uniforme de comprimento l e massa M, apoiada sobre o chão, com coeficiente de atrito estático μ_e, está encostada a uma parede lisa (atrito desprezível), formando um ângulo θ com a parede. Para que domínio de valores de θ a escada não escorrega?

12.22 Qual é a distância d máxima que um homem de massa m pode subir ao longo da escada do Problema 12.21 sem que a escada escorregue?

12.23 Empilham-se N blocos idênticos, de comprimento l cada um, sobre uma mesa horizontal. Qual é a distância d máxima entre as extremidades do último e do primeiro bloco (Figura) para que a pilha não desabe? *Sugestão*: Considere as condições de equilíbrio, sucessivamente, de cima para baixo. Faça a experiência! (use blocos de madeira, livros, tijolos, dominós, ... idênticos).

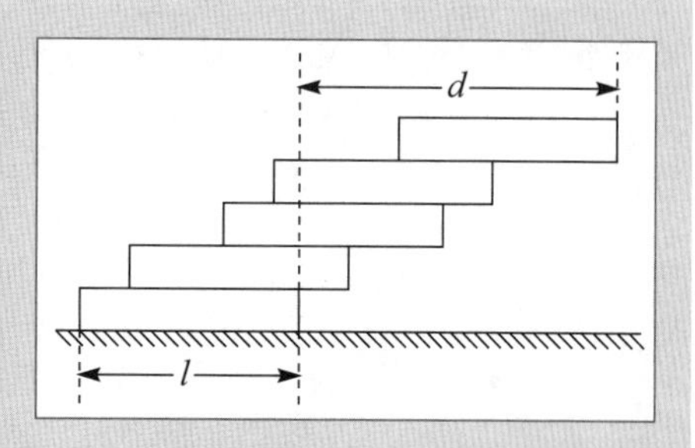

13

Forças de inércia

13.1 A TRANSFORMAÇÃO DE GALILEU

Todo o nosso tratamento da mecânica até aqui pressupôs o emprego de referenciais inerciais (Seç. 4.2). Na prática, temos frequentemente de lidar com referenciais não inerciais: a própria Terra só pode ser tomada como um referencial inercial na aproximação em que são desprezíveis os efeitos de sua rotação em torno do eixo. No presente capítulo, vamos estudar o que acontece com as leis da mecânica em referenciais não inerciais.

A importância da escolha do referencial ficou patente no Capítulo 10, onde relatamos a disputa entre os sistemas geocêntrico e heliocêntrico. Um exemplo de efeitos observáveis da rotação da Terra é o movimento retrógrado dos planetas (Fig. 10.3).

O problema geral a ser tratado é o da passagem de um *referencial inercial*, que designaremos sempre por S, a outro referencial S', em movimento em relação a S.

Um referencial deve ser visualizado em termos de objetos físicos bem concretos: por exemplo, para medida das coordenadas espaciais, três barras rígidas, que podem ser tomadas de comprimento unitário, definem um sistema cartesiano de eixos; para medida do tempo, um relógio (Fig. 13.1).

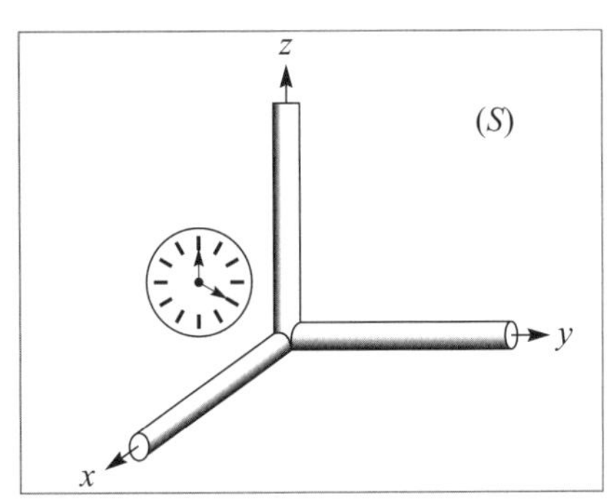

Figura 13.1 Referencial concreto.

Consideremos em primeiro lugar o caso em que S' se move em relação a S com *movimento retilíneo uniforme de velocidade V na direção x*. Neste caso, a lei da inércia permanece válida em relação a S', e devemos esperar que S' também seja inercial (Seç. 4.2). Qual é a relação entre as coordenadas de um ponto num dado instante em S e os valores correspondentes em S'?

Para simplificar, vamos supor que os dois referenciais coincidem no instante inicial. Isto sempre pode ser obtido por translação da origem e rotação de eixos num dos referenciais, que são transformações puramente geométricas, não envolvendo o tempo.

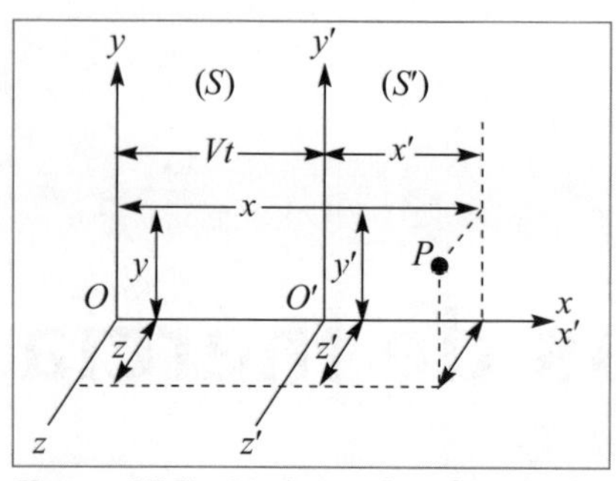

Figura 13.2 Mudança de referencial.

A relação entre as coordenadas de um ponto P num dado instante em S e S′ é baseada na seguinte *hipótese*, implícita na mecânica clássica (pré-relativística): o movimento retilíneo uniforme não afeta a marcha de um relógio, nem as unidades de comprimento (réguas) empregadas para medir as coordenadas. Note-se que tanto o "relógio" como a "régua" foram definidos (Seçs. 1.5, 1.7) em termos de fenômenos físicos, tais como o período e o comprimento de onda da luz emitida por átomos, de forma que a hipótese acima está sujeita a comprovação experimental, pelo menos em princípio. Para velocidades não relativísticas (digamos, ≤ 10% da velocidade da luz), às quais estamo-nos limitando, essa hipótese é uma excelente aproximação (mas deixa de valer no domínio relativístico).

Nestas condições, conforme mostra a Fig. 13.2, a transformação de S para S′ consiste, no instante t, apenas de uma *translação espacial por uma distância* Vt *ao longo de* x:

$$\boxed{\begin{array}{c} x' = x - Vt \\ y' = y \quad z' = z \\ t' = t \end{array}} \qquad \textbf{(13.1.1)}$$

A (13.1.1) é conhecida como *transformação de Galileu espacial*.

A partir da (13.1.1), obtemos imediatamente, por derivação em relação ao tempo, as leis de transformação da velocidade e da aceleração de uma partícula na passagem de S a S′:

$$v'_x = \frac{dx'}{dt'} = \frac{dx}{dt} - V = v_x - V; \quad v'_y = v_y; \quad v'_z = v_z \qquad \textbf{(13.1.2)}$$

$$a'_x = \frac{d^2x'}{dt'^2} = \frac{d^2x}{dt^2} = a_x; \quad a'_y = a_y; \quad a'_z = a_z \qquad \textbf{(13.1.3)}$$

mostrando que as componentes da aceleração não se alteram.

É imediata a extensão destes resultados ao caso geral, em que S′ se move em relação a S com movimento retilíneo uniforme numa direção qualquer do espaço (Fig. 13.3). Tomando novamente os eixos paralelos (outra orientação só diferiria por uma rotação espacial) e as origens coincidentes no instante inicial, a transformação corresponde, no instante t, a uma translação espacial de $\mathbf{V}t$, onde $\mathbf{V}$ é o vetor velocidade de S′ em relação a S. Logo, a generalização da (13.1.1) é

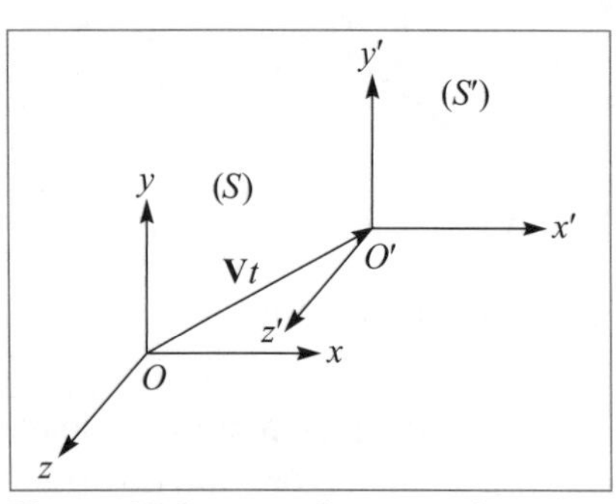

Figura 13.3 Transformação de Galileu geral.

$$\boxed{\begin{array}{c}\mathbf{r}' = \mathbf{r} - \mathbf{V}t \\ t' = t\end{array}} \tag{13.1.4}$$

o que define a *transformação de Galileu geral*. Interpretando **r** como vetor deslocamento de uma partícula em movimento em relação a S, as relações entre as componentes da velocidade da partícula em S e S' se obtêm, como as (13.1.2), derivando as componentes das (13.1.4) em relação ao tempo, o que dá

$$v'_x = v_x - V_x, \quad v'_y = v_y - V_y, \quad v'_z = v_z - V_z$$

ou seja,

$$\boxed{\mathbf{v}' = \mathbf{v} - \mathbf{V}} \tag{13.1.5}$$

o que corresponde à (3.9.2) (velocidade relativa). Derivando novamente em relação ao tempo, obtemos para a aceleração o mesmo resultado da (13.1.3):

$$\boxed{\mathbf{a}' = \mathbf{a}} \tag{13.1.6}$$

ou seja, a aceleração em relação a S' é a mesma que em relação a S.

Como fica a 2ª lei de Newton no referencial S'? Novamente se faz uma *hipótese* que era tácita até que Einstein chamou a atenção sobre ela, a saber, que a *massa inercial* de uma partícula em relação a S' é a mesma que em S:

$$\boxed{m' = m} \tag{13.1.7}$$

Como as demais hipóteses mencionadas acima, trata-se de uma excelente aproximação para velocidades não relativísticas ($\ll c$).

Que acontece com as forças? As forças de interação entre partículas consideradas até aqui só dependem basicamente das *distâncias mútuas* entre as partículas. Com efeito, isto acontece para:

1) A interação gravitacional entre partículas situadas (num dado referencial) nas posições $\mathbf{r}_1$ e $\mathbf{r}_2$, que depende de [cf. (5.1.1)]

$$r_{12} = |\mathbf{r}_2 - \mathbf{r}_1| \tag{13.1.8}$$

2) Forças de contato;
3) Força elástica (cf. (5.2.1)), que depende do deslocamento relativo à posição de equilíbrio.

Como a transformação de Galileu (13.1.4) equivale a cada instante a uma translação espacial, ela não altera as distâncias mútuas:

$$r'_{12} = |\mathbf{r}'_2 - \mathbf{r}'_1| = |\mathbf{r}_2 - \mathbf{r}_1| = r_{12} \tag{13.1.9}$$

Logo, as forças de interação também não se alteram:

$$\boxed{\mathbf{F}' = \mathbf{F}} \tag{13.1.10}$$

As (13.1.6), (13.1.7) e (13.1.10) implicam que, em S', a 2ª lei de Newton (4.3.3) tem a forma

$$\boxed{\mathbf{F}' = m'\,\mathbf{a}'} \tag{13.1.11}$$

ou seja, tem *a mesma forma que em S*, o que se exprime dizendo que *a 2ª lei de Newton é covariante por transformações de Galileu.*

Como a 2ª lei é o princípio fundamental da dinâmica, concluímos que *as leis da Mecânica Newtoniana são as mesmas em qualquer referencial inercial.* A preservação da lei da inércia, que define esses referenciais (Seç. 4.2), é um caso particular.

É um fato experimental que um referencial ligado às estrelas fixas é, com excelente aproximação, um referencial inercial. O mesmo vale portanto para a infinidade de referenciais possíveis em movimento retilíneo uniforme em relação a esse. É impossível detectar o movimento retilíneo uniforme em relação a um referencial inercial pelo seu efeito sobre *as leis da Mecânica.* Naturalmente, podemos detectá-lo pelas mudanças que produz em *posições e velocidades relativas*, mas não existe nenhuma lei da Mecânica que diga respeito a estes parâmetros. Eles desempenham o papel de *condições iniciais*, que são arbitrárias.

Assim, o movimento de *translação* do Sistema Solar, com velocidade da ordem de 200 Km/s (Seç. 10.8), não afeta as leis da Mecânica verificadas num laboratório terrestre. O mesmo *não* se aplica ao movimento de *rotação* da Terra em torno do eixo, que pode ser detectado por experiências de mecânica, conforme já vimos no caso do giroscópio (Seç. 12.7) e veremos também ao discutir a experiência do pêndulo de Foucault.

A validade das leis da mecânica em qualquer referencial inercial, e a consequente impossibilidade de detectar o movimento retilíneo uniforme em relação a um sistema inercial pelo seu efeito sobre essas leis, corresponde ao que se chama *o princípio de relatividade de Galileu.*

Como vimos (Seç. 3.2), Galileu utilizou este argumento em sua defesa do sistema heliocêntrico, refutando as objeções dos partidários de Ptolomeu. Assim, na aproximação em que a vizinhança da superfície da Terra pode ser tratada como um referencial inercial, decorre das leis da mecânica que uma pedra solta em repouso cai verticalmente (com aceleração g). Galileu afirmou que, *com as mesmas condições iniciais* (pedra solta em repouso), isto continua valendo a bordo de um navio em movimento: a pedra solta do topo do mastro cai ao pé do mastro. Do ponto de vista de um observador no cais, a pedra descreve uma parábola (Fig. 13.4), porque tem inicialmente a velocidade horizontal do navio. Isto ilustra o fato de que a *forma da trajetória* não é uma lei física, pois depende de condições iniciais, que não são as mesmas vistas de S e S'. Entretanto, tanto o observador no cais como outro a bordo do navio concluiriam que a *força* atuante sobre a pedra é $m\mathbf{g}$, o que corresponde a uma lei física (forma aproximada da lei da gravitação universal na superfície da Terra). No "Diálogo sobre os Dois Principais Sistemas do Mundo", Galileu escreveu o seguinte:

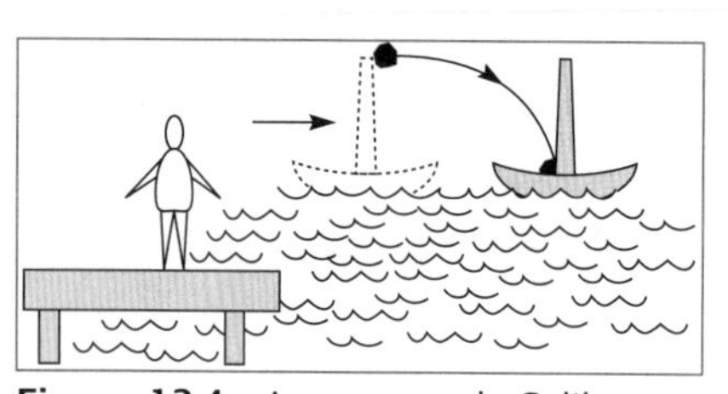

Figura 13.4 Argumento de Galileu.

"SALVIATI ... Encerre-se com um amigo na cabine principal sob o convés de um navio grande, levando consigo moscas, borboletas e outros animaizinhos voadores. Leve também um grande aquário com alguns peixes, pendure uma garrafa pingando gota a gota num recipiente largo debaixo dela. Com o navio parado, observe cuidadosamente como os animaizinhos voam com a mesma velocidade em todas as direções na cabine. Os peixes nadam indiferentemente em todas as direções; as gotas caem no recipiente em baixo da garrafa; e, ao jogar algo a seu amigo, não é preciso jogar com mais força numa direção do que em outra, as distâncias sendo iguais; ao saltar de pés juntos, você atravessa distâncias iguais em qualquer direção. Depois de observar cuidadosamente todas essas coisas (embora não haja dúvida de que têm de ocorrer desta forma com o navio parado), faça o navio deslocar-se com a velocidade que quiser, contanto que o movimento seja uniforme e não flutue para um lado ou outro. Você não perceberá a mínima alteração em qualquer dos efeitos mencionados, e será impossível dizer por qualquer um deles se o navio está parado ou em movimento. Ao pular, você atravessará no chão as mesmas distâncias que antes, e não dará saltos maiores para a popa do que para a proa, mesmo que o navio esteja-se movendo rapidamente, apesar do fato de que, durante o seu tempo de permanência no ar, o chão debaixo de seus pés se esteja deslocando em sentido oposto ao de seu salto.

Ao jogar algo a seu companheiro, você não precisará de mais força para atingi-lo se estiver em sua frente em direção à proa ou à popa. As gotas continuarão caindo no recipiente de baixo sem tender em direção à popa, embora permaneçam no ar durante o deslocamento do navio. Os peixes na água nadarão para a frente do aquário sem fazer mais esforço do que para trás, e se dirigirão com igual facilidade para iscas colocadas em qualquer direção na beira do aquário. Finalmente, as borboletas e moscas continuarão voando indiferentemente para todos os lados, e jamais sucederá que se concentrem do lado da popa, como se estivessem cansadas de acompanhar a marcha do navio, do qual estiveram separadas por longos intervalos, sustentando-se no ar...

SAGREDO. Embora não me tenha ocorrido testar essas observações enquanto viajava, estou certo de que ocorreriam da forma que você descreve. Como confirmação disto, recordo-me de me ter encontrado muitas vezes em minha cabine sem saber se o navio estava em movimento ou parado; e às vezes, por um capricho, imaginei que estivesse a mover-se num sentido quando seu movimento era o oposto".

O princípio de relatividade de Galileu desempenhou um importante papel heurístico na formulação dos princípios da teoria das colisões, feita por Huygens no século XVII. Huygens considerou primeiro uma colisão frontal elástica entre duas massas iguais com velocidades opostas, $+v$ e $-v$ [Fig. 13.5 (a)] e argumentou que, por razões de simetria, as partículas, após a colisão, só podem ter intercambiado as velocidades, como na Experiência 1 da Seç. 4.5.

A seguir, considerou uma colisão idêntica num barco que se move com velocidade v em relação à praia [Fig. 13.5 (b) e (c)]; pelo princípio de relatividade de Galileu, o resultado da colisão dentro do barco é a mesmo. Visto da praia, porém, o processo equivale à colisão de uma massa de velocidade $2v$, com uma massa idêntica em repouso, levando

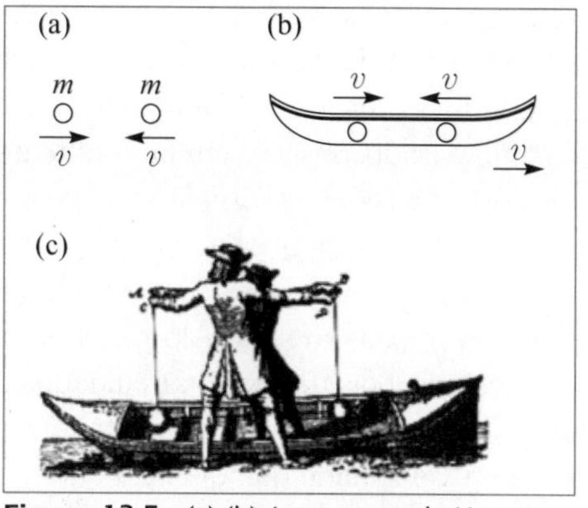

Figura 13.5 (a) (b) Argumento de Huygens; (c) A figura original de Huygens.

novamente a um intercâmbio de velocidades. Huygens obtém assim, por uma mudança de referencial, o resultado da Experiência 2 da Seç. 4.5. Casos mais gerais foram tratados por ele de forma análoga.

Note-se que a passagem de (a) para (b) corresponde à transformação do referencial do CM para o *referencial do laboratório*. Já vimos na teoria das colisões (Seç. 9.6) que a passagem ao referencial do CM simplifica consideravelmente o tratamento de um processo de colisão. Este é um exemplo de como se pode utilizar a equivalência entre referenciais inerciais para escolher um referencial que leva a uma descrição mais simples.

13.2 REFERENCIAL ACELERADO E FORÇAS DE INÉRCIA

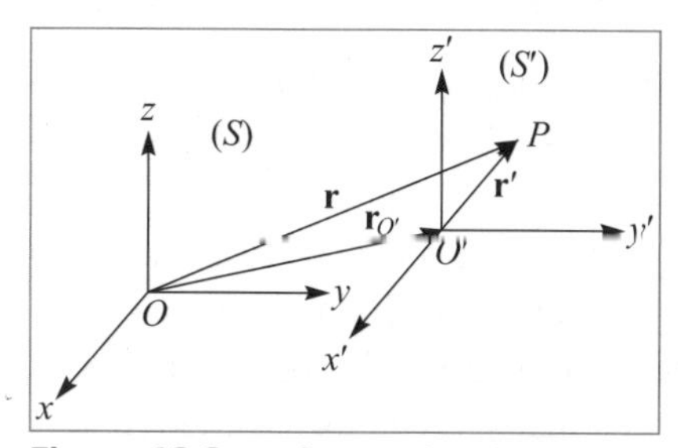

Figura 13.6 Referencial acelerado.

Consideremos agora o que acontece quando passamos de um referencial inercial S para um referencial S′ em *movimento retilíneo uniformemente acelerado* em relação a S. O vetor de posição $\mathbf{r}'$ de uma partícula P em relação a S′ está relacionado com o vetor $\mathbf{r}$ correspondente em S por (Fig. 13.6)

$$\mathbf{r}' = \mathbf{r} - \mathbf{r}_{O'} \tag{13.2.1}$$

onde $\mathbf{r}_{O'} = \mathbf{OO}'$ é o vetor de posição da origem O' de S′ em relação a S. Se $\mathbf{A}$ é a aceleração do movimento retilíneo uniformemente acelerado de S′ em relação a S e $\mathbf{V}_0$ a velocidade inicial (supondo novamente $\mathbf{r}_{O'} = 0$ para $t = 0$), a (3.5.9) dá

$$\mathbf{r}_{O'} = \mathbf{V}_0 t + \frac{1}{2}\mathbf{A}t^2 \tag{13.2.2}$$

de modo que a (13.2.1) fica

$$\boxed{\mathbf{r}' = \mathbf{r} - \mathbf{V}_0 t - \frac{1}{2}\mathbf{A}t^2} \tag{13.2.3}$$

e supomos sempre $t' = t$. A transformação de Galileu (13.1.4) é um caso particular, com $\mathbf{A} = 0$.

Derivando em relação a t, obtemos a lei de transformação das velocidades

$$\boxed{\mathbf{v}' = \mathbf{v} - \mathbf{V}_0 - \mathbf{A}t} \tag{13.2.4}$$

que também decorre das (3.9.2) e (3.5.8). Derivando novamente em relação a t, obtemos

$$\boxed{\mathbf{a}' = \mathbf{a} - \mathbf{A}} \tag{13.2.5}$$

de modo que a aceleração de uma partícula em relação a S′ difere de sua aceleração em relação a S pelo termo constante $-\mathbf{A}$, onde $\mathbf{A}$ é a aceleração de S′ em relação a S.

A cada instante, a (13.2.3) continua sendo uma translação espacial, de modo que as distâncias mútuas entre partículas continuam inalteradas. O mesmo vale portanto (cf. (13.1.10) para as *forças de interação* entre partículas:

$$\mathbf{F}' = \mathbf{F} = m\mathbf{a} \tag{13.2.6}$$

mas agora, pela (13.2.5), temos $\mathbf{a}' \neq \mathbf{a}$:

$$\mathbf{a} = \mathbf{a}' + \mathrm{A} \quad \left\{ \quad \boxed{\mathbf{F}' = m\mathbf{a}' + m\mathbf{A}} \right. \tag{13.2.7}$$

Logo, *a 2ª lei de Newton não é válida num referencial não inercial* S′, *em movimento retilíneo uniformemente acelerado em relação a um referencial inercial S. Aparece um termo novo m***A**, *proporcional à massa inercial da partícula e com dimensões de uma força, mas que não corresponde a nenhuma força física, resultante da interação entre partículas.*

Entretanto, estamos tão acostumados a interpretar acelerações em termos de forças que se convencionou reescrever a (13.2.7) sob a forma

$$m\mathbf{a}' = \mathbf{F}^* = \mathbf{F}' - m\mathbf{A} = \mathbf{F} + \mathbf{F}_{\text{in}} \tag{13.2.8}$$

onde

$$\mathbf{F}_{\text{in}} = -m\mathbf{a} \tag{13.2.9}$$

é chamado de *força de inércia*, em contraposição à "força verdadeira" **F**. Note a troca de sinal: a "força de inércia" é $-m\mathbf{A}$!

Exemplo: Consideremos um foguete suspenso no espaço interplanetário longe de outros corpos, de forma que forças gravitacionais sejam desprezíveis: $\mathbf{F} = 0$; nessas condições, ele é com muito boa aproximação um referencial inercial. Suponhamos agora que os jatos sejam ligados, imprimindo ao foguete uma aceleração **A**. A (13.2.8) dá então

$$m\mathbf{a}' = \mathbf{F}_{\text{in}} = -m\mathbf{A} \tag{13.2.10}$$

como equação de movimento de uma partícula de massa m no referencial do foguete.

Uma tal partícula parecerá portanto estar sujeita a um campo uniforme de forças, que são de origem inercial. Em particular, para $\mathbf{A} = \mathbf{g}$, teríamos uma perfeita simulação do campo gravitacional próximo à superfície da Terra, embora não exista nenhum corpo exercendo uma atração gravitacional. Entretanto, para um observador dentro do foguete, tudo se passa como se existisse: um objeto solto em repouso "cai" com aceleração $\mathbf{a}' = -\mathbf{g}$. Para um observador inercial externo, é o foguete que "sobe" com aceleração **g** em direção ao objeto.

Estes efeitos nos são familiares pelas sensações experimentadas num elevador quando está acelerando. Neste caso, atua também o campo gravitacional terrestre e a (13.2.8) fica

$$m\mathbf{a}' = m\mathbf{g} + \mathbf{F}_{\text{in}} = m(\mathbf{g} - \mathbf{A}) \tag{13.2.11}$$

onde **g** aponta para baixo. Assim, se o elevador está acelerando para cima, $|\mathbf{g} - \mathbf{A}| > g$ e nossos pés são premidos com mais força no chão, como se nosso peso tivesse aumentado. Se o elevador acelera na descida, $|\mathbf{g} - \mathbf{A}| < g$ e temos a sensação de que o peso diminui. Se o cabo do elevador se rompe e ele entra em queda livre ($\mathbf{A} = \mathbf{g}$), a (13.2.11) dá

$$m\mathbf{a}' = 0 \qquad \textbf{(13.2.12)}$$

e o passageiro tem (enquanto sobrevive!) a sensação da "falta de peso". Nessas condições, o elevador simula um referencial inercial: um corpo solto no ar em repouso dentro dele permanece em repouso, flutuando no ar. Naturalmente, para um observador inercial externo, isto se deve ao fato de que tanto o corpo como o elevador estão em queda livre, tendo portanto a mesma aceleração com respeito ao observador.

Em "Ao Redor da Lua", de Júlio Verne, os passageiros da cápsula flutuam livremente apenas ao atingir o ponto da trajetória em que as forças de atração da Terra e da Lua se compensam, mas sofrem o efeito gravitacional dominante de um dos dois fora desse ponto [Fig. 13.7 (a)]. Na realidade, como a cápsula era um míssil propelido somente pelo lançamento inicial, os passageiros estariam no análogo do elevador em "queda livre" desde o início da viagem, ou seja, flutuariam todo o tempo [Fig. 13.7 (b) e (c)]. Hoje em dia, os efeitos da "falta de peso" numa cápsula espacial em órbita livre (com jatos desligados) são familiares a todos, através das imagens de vídeo transmitidas pelos astronautas. Note que este conceito de "peso nulo" concorda com a definição de peso dada na Seç. 4.1: nessas condições, não é preciso aplicar força nenhuma para manter um corpo suspenso livremente.

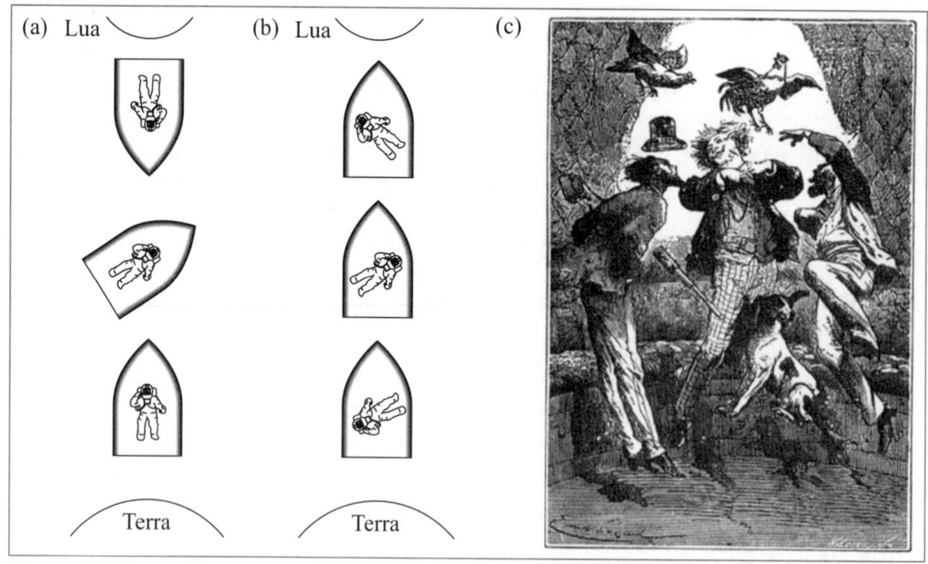

Figura 13.7 (a) (b) O erro de Júlio Verne; (c) A ilustração original do livro de Júlio Verne.

A (13.2.8) e os exemplos acima mostram que, se medirmos as forças pelas acelerações que provocam, não há diferença entre o efeito de uma força inercial e o de uma força verdadeira. Na Seç. 4.1, porém, definimos um método estático de medir forças, pelas distensões que provocam em molas calibradas. Será possível, utilizando este método, distinguir entre uma força inercial e uma força verdadeira?

Voltemos ao exemplo do foguete que "sobe" no espaço interestelar com aceleração $\mathbf{A} = \mathbf{g}$ e suponhamos que se tenha uma massa m suspensa do teto da cápsula espacial por uma mola, como na "balança de mola" da Fig. 4.4. Vista de um referencial inercial S (Fig. 13.8), a massa m, solidária com a cápsula, tem uma aceleração $\mathbf{a} = \mathbf{g}$. A única força verdadeira que age sobre ela é a tensão $\mathbf{T}$ da mola. Logo, pela 2ª lei,

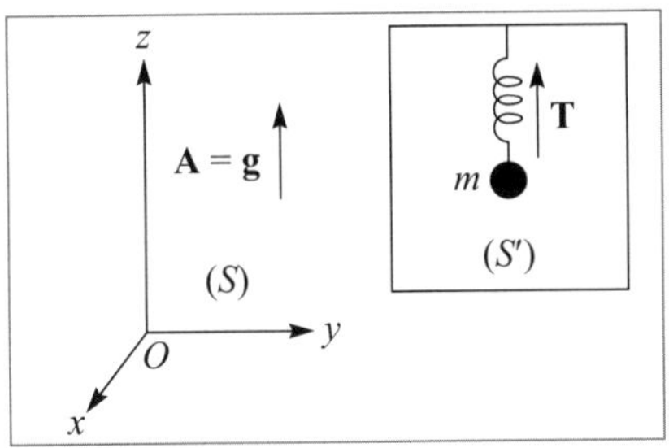

Figura 13.8 Balança de mola em referencial acelerado.

$$\mathbf{T} = m\mathbf{g} \quad (\text{em S}) \tag{13.2.13}$$

Vista de S', a massa m está em equilíbrio ($\mathbf{a}' = 0$) sob a ação de $\mathbf{T}$ e da força de inércia:

$$0 = \mathbf{T} + \mathbf{F}_{\text{in}} = \mathbf{T} - m\mathbf{g} \quad (\text{em S}') \tag{13.2.14}$$

Logo, a força de inércia, medida pela elongação da mola, também não se distingue de uma força-peso verdadeira. As forças que sentimos quando um carro freia bruscamente não se diferenciam para nós das que seriam provocadas por um empurrão.

Estas considerações têm uma aplicação prática nos acelerômetros, instrumentos que permitem medir uma aceleração através das forças inerciais que provoca. Consideremos, por exemplo, um pêndulo suspenso do teto de um vagão de trem.

Enquanto o trem está em movimento uniforme, o pêndulo permanece vertical [Fig. 13.9 (a)]. Se o trem acelerar uniformemente com aceleração $\mathbf{A}$, o fio passa a formar um ângulo θ com a vertical. Em S, temos $\mathbf{T} + m\mathbf{g} = m\mathbf{A}$ [Fig. 13.9 (b)]. Em S', o pêndulo está em equilíbrio sob a ação da força-peso $m\mathbf{g}$, da tensão do fio $\mathbf{T}$ e da força de inércia $-m\mathbf{A}$: $\mathbf{T} + m\mathbf{g} - m\,\mathbf{A} = 0$ [Fig. 13.9 (c)]. O ângulo θ é dado por (verifique!)

$$\text{tg}\ \theta = mA / mg = A / g \tag{13.2.15}$$

de modo que a aceleração A é medida por $A = g\ \text{tg}\theta$.

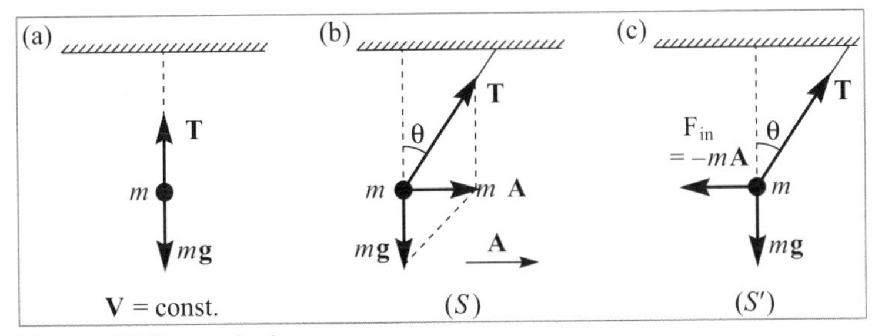

Figura 13.9 Acelerômetro.

Dado que produzem os mesmos efeitos, qual é então, em última análise, a diferença entre forças de inércia e forças verdadeiras? A diferença fundamental, pelo que vimos até aqui, é que as forças de inércia não resultam da *interação* com outros sistemas físicos, ao contrário das forças verdadeiras. Em particular, não obedecem ao princípio da ação e reação: não há "reação" a uma força de inércia. Note que *as forças de inércia sobre uma partícula são sempre proporcionais à massa inercial* da partícula, e podem ser inteiramente explicadas pela aceleração do referencial em que aparecem, com respeito a um referencial inercial.

13.3 FORÇA CENTRÍFUGA

Até aqui, consideramos somente referenciais em *translação* com respeito a um referencial inercial. Daqui por diante, vamos estudar as forças de inércia que aparecem num referencial S' em *rotação uniforme* com respeito a um referencial inercial S. A própria Terra é um referencial deste tipo; por este motivo, entre outros, justifica-se uma análise detalhada do problema.

Seja ω *a velocidade angular de rotação de* S' em relação a S. Para fixar ideias, podemos imaginar S' como uma plataforma girante – por exemplo, um carrossel.

Vamos tomar a origem das coordenadas, tanto em S como em S', no centro O da plataforma, o qual permanece fixo.

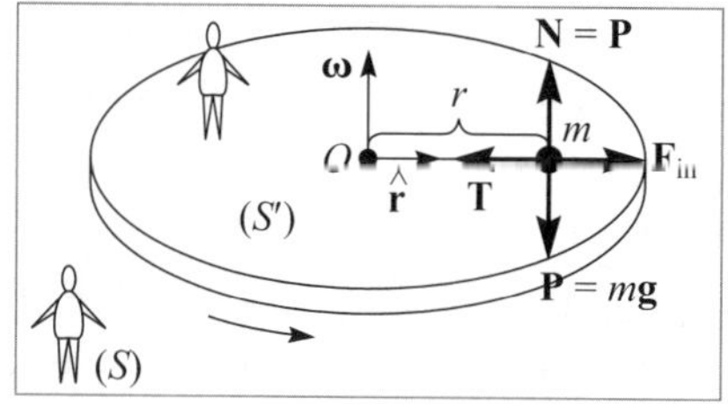

Figura 13.10 Plataforma girante.

Consideremos inicialmente um corpo de massa *m em repouso em relação a* S', que está preso ao centro da plataforma por um fio esticado (Fig. 13.10). Tanto em S como em S', a força-peso vertical $\mathbf{P} = m\mathbf{g}$ é equilibrada pela reação normal $\mathbf{N} = -\mathbf{P}$ da plataforma.

Em S, a única força horizontal que atua sobre o corpo é a tensão $\mathbf{T}$ do fio. Por outro lado, a massa m em rotação tem uma *aceleração centrípeta*, dada pela (3.7.13):

$$\mathbf{a} = -\omega^2 r\hat{\mathbf{r}} \tag{13.3.1}$$

onde r é a distância do centro O (origem) à massa m e $\hat{\mathbf{r}}$ o vetor unitário radial nessa direção. Logo, em S, a 2ª lei de Newton dá, como no exemplo da funda (Fig. 4.10),

$$\mathbf{T} = -m\omega^2 r\hat{\mathbf{r}} \tag{13.3.2}$$

Em S', a massa m está em equilíbrio. Concluímos portanto que sobre ela atua uma *força de inércia* $\mathbf{F}_{\text{in}}$ tal que

$$\mathbf{T} + \mathbf{F}_{\text{in}} = 0 \tag{13.3.3}$$

Comparando com a (13.3.2), obtemos

$$\boxed{\mathbf{F}_{\text{in}} = -m\mathbf{a} = m\omega^2 r\hat{\mathbf{r}}} \tag{13.3.4}$$

Esta força de inércia, que só *existe no referencial* S' *em* rotação, chama-se *força centrífuga*: ela é dirigida radialmente para fora e tem magnitude $m\omega^2 r = mv^2/r$, onde $v = \omega r$ é a velocidade de rotação da partícula.

É comum aplicar impropriamente o conceito de força centrífuga, utilizando-o num referencial inercial (onde ela não existe!). Assim, ao explicar, por exemplo, órbitas circulares sob o efeito da atração gravitacional, diz-se que "o corpo permanece em órbita porque a força centrífuga equilibra a atração gravitacional". Como a órbita é descrita num referencial inercial, essa afirmação não tem o menor sentido. Ela pode ser atribuída à confusão entre "força centrífuga" e o produto da massa pela aceleração *centrípeta* (que tem sinal oposto!), o qual, pela 2ª lei de Newton, é igual à atração gravitacional numa órbita circular (Seç. 10.6).

O conceito de força centrífuga é útil na análise do processo de *centrifugação*, empregado em laboratório para separar pequenas partículas de diferentes massas em suspensão num líquido, fazendo a amostra girar em altíssima velocidade num rotor. O princípio é o mesmo que o da sedimentação sob a ação da gravidade, mas substituindo a aceleração g da gravidade por um "campo de forças centrífugas" com $\omega^2 r >> g$, o que aumenta enormemente a rapidez da separação.

13.4 FORÇA DE CORIOLIS

Na Seção precedente, estudamos a força de inércia que atua sobre uma partícula *em repouso* no referencial girante S', que é a força centrífuga. Que acontece para um corpo em movimento em S'?

Consideremos uma pessoa quc caminha sobre a plataforma girante, descrevendo um círculo de raio r em torno da origem com velocidade (tangencial) constante. Introduzindo os vetores unitários $\hat{\mathbf{r}}$ e $\hat{\boldsymbol{\theta}}$ das direções radial e tangencial ao círculo (Fig. 13.10), a velocidade da pessoa em S' é v'_θ. Vista de S, por outro lado, a velocidade é

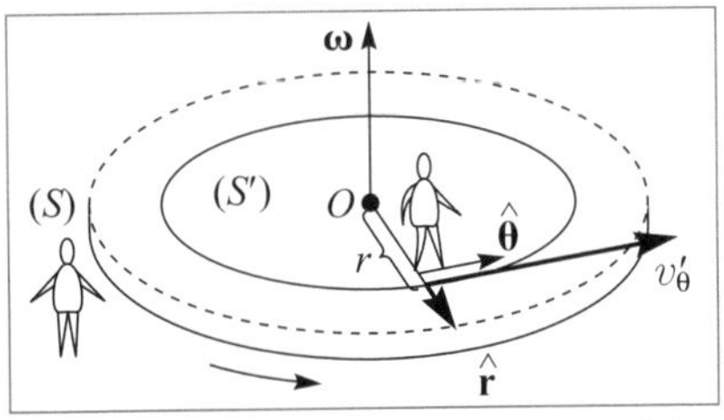

$$v_\theta = v'_\theta + \omega r \qquad \textbf{(13.4.1)}$$

Figura 13.11 Movimento tangencial em referencial girante.

pois temos de acrescentar a velocidade de arrastamento devida à rotação da plataforma.

Se m é a massa da pessoa, a manutenção desse movimento circular uniforme requer, com respeito ao referencial S, uma força centrípeta dada pela (4.4.9):

$$\mathbf{F} = -\frac{m v_\theta^2}{r}\hat{\mathbf{r}} \qquad \textbf{(13.4.2)}$$

Essa força horizontal se originará do atrito entre os sapatos do caminhante e o chão da plataforma.

Substituindo a (13.4.1) na (13.4.2), vem

$$\mathbf{F} = -m\left(\frac{v'^2_\theta}{r} + \omega^2 r + 2\omega v'_\theta\right)\hat{\mathbf{r}}$$

o que podemos reescrever

$$m\mathbf{a}' = -m\frac{v_\theta'^2}{r}\hat{\mathbf{r}} = \mathbf{F} + \mathbf{F}_{in} \quad \textbf{(13.4.3)}$$

com

$$\mathbf{F}_{in} = m\omega^2 r\hat{\mathbf{r}} + 2m\omega v_\theta'\hat{\mathbf{r}} \quad \textbf{(13.4.4)}$$

Na (13.4.3), $\mathbf{a}'$ é a aceleração associada em S' ao movimento circular uniforme do caminhante com velocidade $v_\theta'\hat{\boldsymbol{\theta}}$. Logo, $\mathbf{F}_{in}$ representa a força de inércia. Pela (13.4.4), ela é a soma da força centrífuga (13.3.4), que atuaria mesmo sobre a pessoa em repouso, com um termo novo, que é a *força inercial devida ao movimento sobre a plataforma com velocidade* $v_\theta'\hat{\boldsymbol{\theta}}$.

$$\boxed{\mathbf{F}_{Coriolis} = 2m\omega v_\theta'\hat{\mathbf{r}}} \quad \textbf{(13.4.5)}$$

Esta nova força inercial chama-se *força de Coriolis* (foi obtida por Coriolis em 1835). Vemos pela (13.4.5) que a força de Coriolis tem as seguintes características:

(a) Ao contrário da força centrífuga, que é proporcional a r, a força de Coriolis é independente da posição da partícula.

(b) A força de Coriolis é diretamente proporcional à velocidade da partícula e à velocidade angular $\boldsymbol{\omega}$ do referencial girante.

(c) A força de Coriolis é perpendicular à direção da velocidade e tende a desviar o movimento para a direita (cf. Fig. 13.11), em relação ao sentido do vetor $\boldsymbol{\omega}$.

Neste exemplo, supusemos que a pessoa caminha com velocidade puramente tangencial sobre a plataforma (movimento circular). Vejamos agora o que acontece se a velocidade em S' for *puramente* radial: $\mathbf{v}' = v_r'\hat{\mathbf{r}}$, ou seja, se a pessoa caminha na plataforma ao longo de um raio, com velocidade constante v_r'.

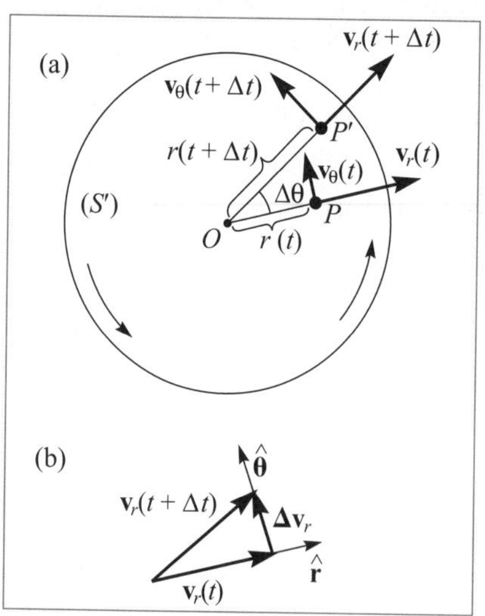

Figura 13.12 Movimento radial em referencial girante.

Embora em S' o movimento seja puramente radial, ele terá uma componente tangencial quando visto de S, devido ao arrastamento. Assim, além da aceleração centrípeta, existirá em S também uma aceleração tangencial $\mathbf{a}_\theta$ associada a esse movimento. Há duas contribuições para $\mathbf{a}_\theta$:

(I) À medida que a pessoa caminha para a periferia, vai atingindo regiões em que a velocidade tangencial de arrastamento $V_\theta = \omega r$ vai aumentando. Num intervalo de tempo Δt, a distância ao centro aumenta [Fig. 13.12(a)] de $\Delta r = r(t + \Delta t) - r(t)$, e V_θ aumenta em magnitude de

$$\Delta v_\theta = \omega(r + \Delta r) - \omega r = \omega\Delta r \quad \textbf{(13.4.6)}$$

o que dá uma contribuição (fazendo $\Delta t \to 0$)

$$\frac{\Delta v_\theta}{\Delta t} = \omega \frac{\Delta r}{dt} \to \omega \frac{dr}{dt} = \omega v_r \quad \textbf{(13.4.7)}$$

para a aceleração tangencial.

(II) Durante o intervalo Δt, a plataforma gira de um ângulo $\Delta\theta = \omega\Delta t$, mudando a *direção* de $\mathbf{v}_r$. Conforme mostra a Fig. 13.12(b), $\Delta\mathbf{v}_r = \mathbf{v}_r(t + \Delta t) - \mathbf{v}_r(t)$ é um vetor com a direção $\hat{\boldsymbol{\theta}}$ e de magnitude $\Delta v_r = v_r\Delta\theta$, o que dá uma contribuição adicional

$$\frac{\Delta v_r}{\Delta t} = v_r \frac{\Delta\theta}{\Delta t} = \omega v_r \quad \textbf{(13.4.8)}$$

igual à (13.4.7) para a aceleração tangencial. Somando as duas contribuições, obtemos a aceleração tangencial

$$a_\theta = 2\omega v_r = 2\omega v'_r \quad \textbf{(13.4.9)}$$

pois a velocidade radial é a mesma em S e S'.

O movimento radial uniforme em S' com velocidade v'_r transforma-se portanto, visto de S, num movimento acelerado, com aceleração

$$\mathbf{a} = -\omega^2 r\hat{\mathbf{r}} + 2\omega v'_r\,\hat{\theta} \quad \textbf{(13.4.10)}$$

onde o 1º termo é a aceleração centrípeta usual. Concluímos que, em S', atua a *força de inércia*

$$\mathbf{F}_{\text{in}} = -m\mathbf{a} = m\omega^2 r\hat{\mathbf{r}} - 2m\omega v'_r\,\hat{\theta} \quad \textbf{(13.4.11)}$$

O 1º termo é novamente a força centrífuga e o 2º termo a *força de Coriolis*, que neste caso é dada por

$$\mathbf{F}_{\text{Coriolis}} = -2m\omega v'_r\,\hat{\theta} \quad \textbf{(13.4.12)}$$

Comparando esta expressão com a (13.4.5), vemos que a força de Coriolis neste caso continua tendo exatamente as mesmas características (a), (b) e (c) já apontadas com relação à (13.4.5). Note-se, em particular, que ela tende a desviar o movimento na direção $-\hat{\boldsymbol{\theta}}$, ou seja, para a direita. Uma pessoa que procure caminhar radialmente sobre um carrossel sentirá essa força empurrando-a lateralmente e terá de resistir a ela para manter-se em seu curso (utilizando novamente o atrito com o chão do carrossel).

Também podemos visualizar o efeito da força de Coriolis considerando o que acontece no exemplo da Fig. 13.10, da partícula de massa m presa ao centro da plataforma por um fio esticado, se o fio se rompe num dado instante.

Como a tensão do fio era a única força atuante em S, a partícula, vista de S, se moverá com movimento retilíneo e uniforme de velocidade ωr [Figura 13.13(a)]. A Fig. 13.13(a) também mostra a posição do eixo que passava pela posição inicial da partícula em seis instantes consecutivos igualmente espaçados; o eixo, visto de S, gira com velocidade angular ω. Na Fig. 13.13(b), mostramos a trajetória da partícula vista em S', onde o eixo permanece fixo e as posições relativas da partícula com respeito a ele foram transportadas da Fig. 13.13(a). Vemos que inicialmente (a partícula parte do repouso em S') ela permanece próxima do eixo, mas, à medida que vai ganhando velocidade na direção radial, sua trajetória se desvia para a direita. A força de inércia responsável por essa deflexão para a direita em S' é a força de Coriolis.

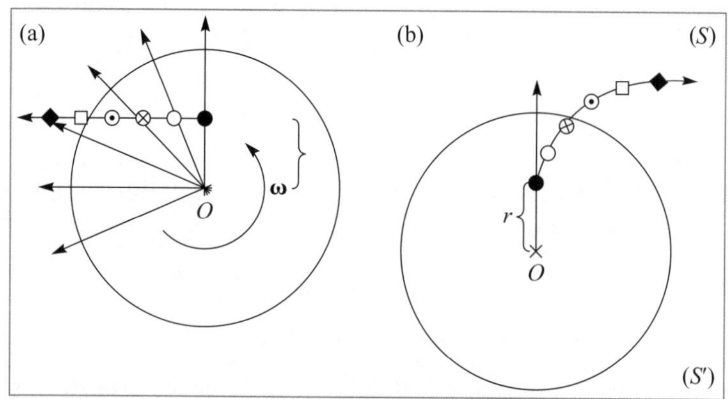

Figura 13.13 Trajetória vista dos referenciais S e S'.

13.5 FORÇAS DE INÉRCIA NUM REFERENCIAL GIRANTE

Consideremos agora de forma geral o que acontece num referencial S' em rotação uniforme com velocidade angular $\boldsymbol{\omega}$ com respeito a um referencial S, onde $\boldsymbol{\omega}$ (ou seja, o eixo de rotação) aponta numa direção arbitrária. Tomemos um sistema de coordenadas cartesianas com vetores unitários $\mathbf{i}$, $\mathbf{j}$, $\mathbf{k}$ nas direções dos eixos (x, y, z) em S e outro sistema cartesiano de mesma origem O e vetores unitários $\mathbf{i}'$, $\mathbf{j}'$, $\mathbf{k}'$ em S' (Fig. 13.14). Em razão da rotação, as direções desses vetores em S variam com o tempo. O triedro $(\mathbf{i}', \mathbf{j}', \mathbf{k}')$ gira como um corpo rígido com velocidade angular $\boldsymbol{\omega}$ visto de S, de modo que as velocidades das extremidades desses vetores em S são dadas pela (11.2.8):

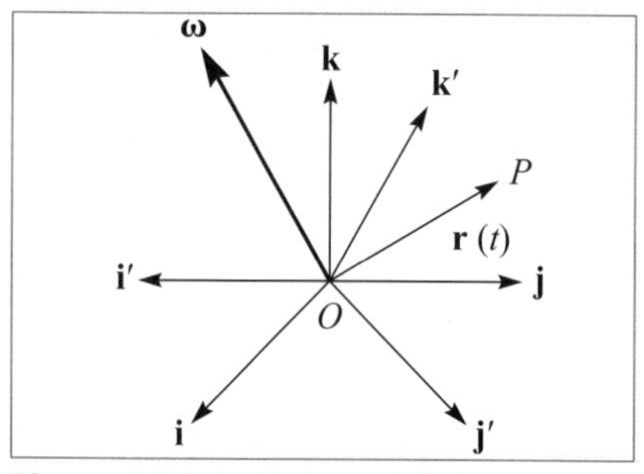

Figura 13.14 Referencial girante com eixo de rotação arbitrário.

$$\frac{d\mathbf{i}'}{dt} = \boldsymbol{\omega} \times \mathbf{i}', \quad \frac{d\mathbf{j}'}{dt} = \boldsymbol{\omega} \times \mathbf{j}', \quad \frac{d\mathbf{k}'}{dt} = \boldsymbol{\omega} \times \mathbf{k}' \qquad \textbf{(13.5.1)}$$

Sejam $x(t)$, $y(t)$, $z(t)$ *as coordenadas cartesianas de uma partícula em movimento no referencial associado a* S *e* $x'(t)$, $y'(t)$, $z'(t)$ *as suas coordenadas em* S'. *Temos então para o vetor de posição* $\mathbf{r}(t)$ *da partícula*:

$$\mathbf{r}(t) = x\mathbf{i} + y\mathbf{j} + z\mathbf{k} = \underbrace{x'\,\mathbf{i}' + y'\,\mathbf{j}' + z'\,\mathbf{k}'}_{\mathbf{r}'} \qquad \textbf{(13.5.2)}$$

Derivando em relação ao tempo, para obter a velocidade $\mathbf{v}$ da partícula em S, temos

$$\mathbf{v} = \left(\frac{d\mathbf{r}}{dt}\right)_S = \frac{dx}{dt}\mathbf{i} + \frac{dy}{dt}\mathbf{j} + \frac{dz}{dt}\mathbf{k} = \underbrace{\frac{dx'}{dt}\mathbf{i}' + \frac{dy'}{dt}\mathbf{j}' + \frac{dz'}{dt}\mathbf{k}'}_{=\left(\frac{d\mathbf{r}}{dt}\right)_{S'} = \mathbf{v}'} + x'\frac{d\mathbf{i}'}{dt} + y'\frac{d\mathbf{j}'}{dt} + z'\frac{d\mathbf{k}'}{dt} \qquad \textbf{(13.5.3)}$$

onde os três últimos termos representam o efeito da mudança de direção dos eixos em S' (dariam a velocidade em S de uma partícula rigidamente ligada à origem em S', ou seja, com $\mathbf{r}'$ constante). Substituindo as (13.5.1) nas (13.5.3), obtemos

$$\left(\frac{d\mathbf{r}}{dt}\right)_S = \left(\frac{d\mathbf{r}}{dt}\right)_{S'} + \boldsymbol{\omega} \times \underbrace{(x'\mathbf{i}' + y'\mathbf{j}' + z'\mathbf{k}')}_{\mathbf{r}'}$$

ou seja,

$$\underbrace{\left(\frac{d\mathbf{r}}{dt}\right)_S}_{\mathbf{v}} = \underbrace{\left(\frac{d\mathbf{r}}{dt}\right)_{S'}}_{\mathbf{v}'} + \boldsymbol{\omega} \times \mathbf{r} \qquad \textbf{(13.5.4)}$$

Interpretando $\mathbf{v}'$ como uma velocidade de translação em S' e $\boldsymbol{\omega} \times \mathbf{r}$ como a velocidade de arrastamento devida à rotação, a (13.5.4) corresponde à (11.2.10).

Embora tenhamos obtido a (13.5.4) considerando o vetor de posição $\mathbf{r}(t)$, o resultado se aplica a *qualquer* vetor $\mathbf{u}(t)$, relacionando suas taxas de variação com o tempo vistas de S e S' (basta substituir $\mathbf{r}$ por $\mathbf{u}$ na dedução acima). Temos portanto

$$\boxed{\left(\frac{d\mathbf{u}}{dt}\right)_S = \left(\frac{d\mathbf{u}}{dt}\right)_{S'} + \boldsymbol{\omega} \times \mathbf{u}} \qquad \textbf{(13.5.5)}$$

para qualquer vetor $\mathbf{u}$.

Em particular, podemos aplicar a (13.5.5) ao vetor $\mathbf{v}$ (velocidade da partícula), obtendo assim a aceleração $\mathbf{a}$ da partícula em S:

$$\left(\frac{d\mathbf{v}}{dt}\right)_S = \mathbf{a} = \left(\frac{d\mathbf{v}}{dt}\right)_{S'} + \boldsymbol{\omega} \times \mathbf{v} \qquad \textbf{(13.5.6)}$$

Para calcular o 1º termo, derivamos em relação ao tempo, em S', os dois membros da (13.5.4):

$$\left(\frac{d\mathbf{v}}{dt}\right)_{S'} = \underbrace{\left(\frac{d\mathbf{v}'}{dt}\right)_{S'}}_{\substack{=\mathbf{a}' \\ \text{(aceleração em S')}}} + \boldsymbol{\omega} \times \underbrace{\left(\frac{d\mathbf{r}}{dt}\right)_{S'}}_{\mathbf{v}'} \qquad \textbf{(13.5.7)}$$

Substituindo a (13.5.7) na (13.5.6), obtemos

$$\mathbf{a} = \mathbf{a}' + \boldsymbol{\omega} \times \mathbf{v}' + \boldsymbol{\omega} \times \mathbf{v}$$

e, substituindo $\mathbf{v}$ no último termo pela (13.5.4),

$$\mathbf{a} = \mathbf{a}' + \boldsymbol{\omega} \times \mathbf{v}' + \boldsymbol{\omega} \times (\mathbf{v}' + \boldsymbol{\omega} \times \mathbf{r})$$

Finalmente, como $\mathbf{r} = \mathbf{r}'$ (cf. (13.5.2),

$$\boxed{\mathbf{a} = \mathbf{a}' + 2\boldsymbol{\omega} \times \mathbf{v}' + \boldsymbol{\omega} \times (\boldsymbol{\omega} \times \mathbf{r}')} \quad \textbf{(13.5.8)}$$

onde o último termo representa um duplo produto vetorial (note que não é associativo!).

Como a 2ª lei de Newton $\mathbf{F} = m\mathbf{a}$ em S transforma-se em $m\mathbf{a}' = \mathbf{F} + \mathbf{F}_{\text{in}}$ em S' (cf. (13.2.8)), obtemos, finalmente,

$$\boxed{\mathbf{F}_{\text{in}} = -2m\boldsymbol{\omega} \times \mathbf{v}' - m\boldsymbol{\omega} \times (\boldsymbol{\omega} \times \mathbf{r}')} \quad \textbf{(13.5.9)}$$

como *expressão geral das forças de inércia num referencial S' em rotação uniforme com velocidade angular* $\boldsymbol{\omega}$ com respeito a um referencial inercial.

O último termo da (13.5.9) é a expressão geral da força centrífuga:

$$\boxed{\mathbf{F}_{\text{centr.}} = -m\boldsymbol{\omega} \times (\boldsymbol{\omega} \times \mathbf{r}')} \quad \textbf{(13.5.10)}$$

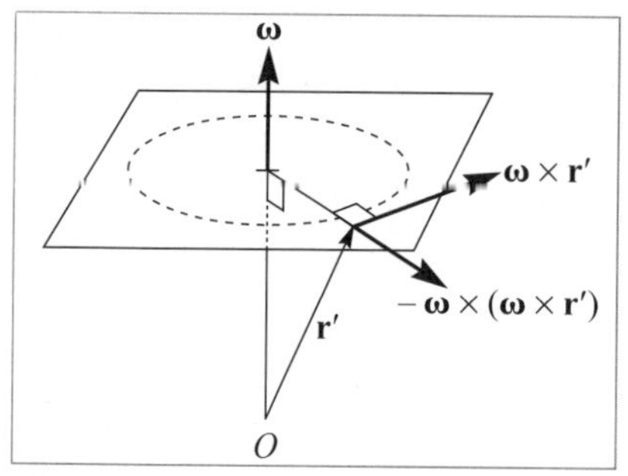

Figura 13.15 Direções da força centrífuga e força de Coriolis.

Conforme ilustrado na Fig. 13.15, a força centrífuga é sempre perpendicular ao eixo de rotação (direção de $\boldsymbol{\omega}$) e dirigida radialmente para fora. Vemos assim que a (13.5.10) é fato equivalente à (13.3.4).

O primeiro termo da (13.5.9) dá a expressão geral da força de Coriolis:

$$\boxed{\mathbf{F}_{\text{Coriolis}} = -2m\boldsymbol{\omega} \times \mathbf{v}'} \quad \textbf{(13.5.11)}$$

que é sempre perpendicular à direção do eixo de rotação e à velocidade da partícula. É fácil ver que as (13.4.4) e (13.4.11) são casos particulares da (13.5.9) (verifique!).

13.6 EFEITOS INERCIAIS DA ROTAÇÃO DA TERRA

A Terra gira em torno do seu eixo com velocidade angular

$$\omega = \frac{2\pi}{86.400} \text{s}^{-1} \approx 7{,}3 \times 10^{-5} \text{ rad / s}$$

Vamos discutir agora alguns efeitos das forças de inércia observadas num referencial ligado à Terra.

(a) O valor local de *g*

A própria forma da Terra, protuberante no Equador e achatada nos polos (Fig. 10.20), pode ser considerada como efeito das forças inerciais centrífugas geradas pela sua rotação. Em virtude dessa deformação, pontos da superfície terrestre situados em latitudes diferentes estão a distâncias diferentes do centro da Terra, o que leva a uma variação local do valor da aceleração da gravidade g com a latitude. Este efeito produz um aumento do valor de g com a latitude: pontos mais distantes do equador estão mais próximos do centro da Terra.

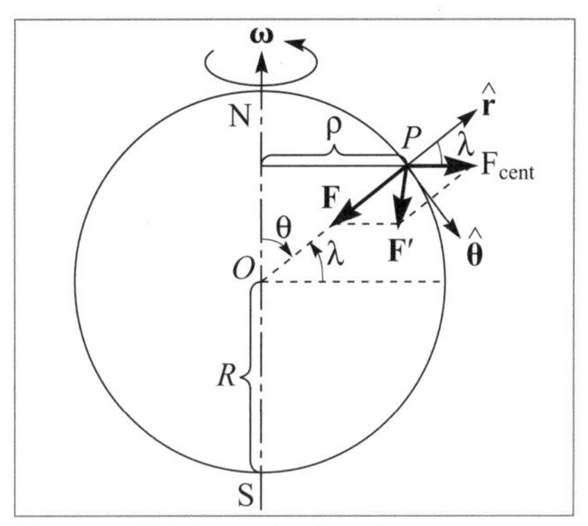

Figura 13.16 Valor local de g.

Além deste efeito "estático", é preciso levar em conta o efeito dinâmico da força centrífuga sobre um corpo em repouso em relação à Terra, que se soma à atração gravitacional.

Num ponto P de latitude λ e colatitude θ ($\lambda + \theta = \pi/2$; cf. (1.6.1)), a força centrífuga é (Fig. 13.16):

$$F_{\text{cent.}} = m\omega^2\rho = m\omega^2 R\cos\lambda \quad \textbf{(13.6.1)}$$

dirigida perpendicularmente ao eixo da Terra. Decompondo-a em componentes nas direções $\hat{\mathbf{r}}$ (= radial = vertical) e $\hat{\boldsymbol{\theta}}$ (N → S ao longo do meridiano), obtemos

$$F_{\text{cent},r} = F_{\text{cent}}\cos\lambda = m\omega^2 R\cos^2\lambda \quad \textbf{(13.6.2)}$$

$$F_{\text{cent},\theta} = F_{\text{cent}}\,\text{sen}\;\lambda = m\omega^2 R\;\text{sen}\;\lambda\cos\lambda \quad \textbf{(13.6.3)}$$

Supondo inicialmente a Terra esférica, a força verdadeira sobre uma massa m no ponto P seria

$$\mathbf{F} = -mg\hat{\mathbf{r}} \quad \textbf{(13.6.4)}$$

com g constante. A força efetiva no referencial do laboratório será então

$$\mathbf{F}' = \mathbf{F} + \mathbf{F}_{\text{in}} = \mathbf{F} + \mathbf{F}_{\text{cent}} \quad \textbf{(13.6.5)}$$

com as componentes

$$\mathbf{F}'_r = -\,mg + m\omega^2 R\cos^2\lambda \quad \textbf{(13.6.6)}$$

$$F'_\theta = m\omega^2 R\;\text{sen}\;\lambda\cos\lambda \quad \textbf{(13.6.7)}$$

A direção de $\mathbf{F}'$ é a de um fio de prumo, e vemos portanto que, exceto no Equador e nos polos, difere da vertical devido ao desvio na direção norte-sul introduzido pela componente $\mathbf{F}'_\theta$. Entretanto, como $|F_{\text{cent}}| << |F|$, esse desvio é muito pequeno e podemos geralmente desprezar $\mathbf{F}'_\theta$. A (13.6.6) mostra então que a aceleração da gravidade efetiva na latitude λ é

$$g'(\lambda) = g - \omega^2 R\;\cos^2\lambda = g'(0) + \omega^2 R\;\text{sen}^2\lambda \quad \textbf{(13.6.8)}$$

onde $g'(0) = 9{,}78$ m/s² é o valor no equador. Temos:

$$\omega^2 R \approx \left(7{,}3\times10^{-5}\right)^2 \times 6{,}4\times10^6 \text{ m/s}^2 \approx 3{,}4\times10^{-2} \text{ m/s}^2$$

o que corresponde a ≈ 0,3% de g:

$$g'(\lambda) \approx 9{,}8\left(1+0{,}0035 \text{ sen}^2\lambda\right) \text{ m/s}^2 \quad \textbf{(13.6.9)}$$

É preciso ainda levar em conta o efeito do achatamento nos polos, que, como vimos, também aumenta com a latitude. Levando em conta os dois efeitos, acha-se (ao nível do mar)

$$g(\lambda) \approx 9{,}7805\left(1+0{,}00529 \text{ sen}^2\lambda\right) \text{ m/s}^2 \quad \textbf{(13.6.10)}$$

A força centrífuga é responsável por ~2/3 do efeito.

(b) Desvio para leste na queda livre

Passemos a estudar o efeito das forças de Coriolis sobre objetos em movimento junto à superfície da Terra, considerando inicialmente o movimento vertical de um corpo em queda livre, solto em repouso de uma altura h. A força de Coriolis é dada pela (13.5.11):

$$\mathbf{F}_{\text{Coriolis}} = -2m\boldsymbol{\omega}\times\mathbf{v}' \quad \textbf{(13.6.11)}$$

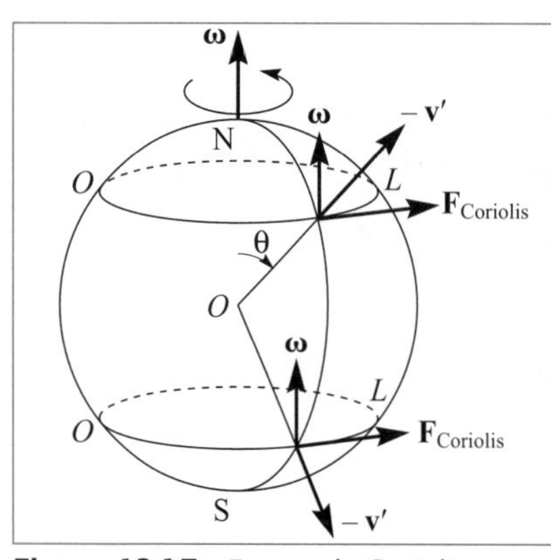

Figura 13.17 Forças de Coriolis devidas à rotação da Terra.

A Fig. 13.17 mostra a direção de $-\mathbf{v}'$ na queda livre vertical, no hemisfério norte e no hemisfério sul. Vemos que, em *ambos* os hemisférios, $\mathbf{F}_{\text{Coriolis}}$ produz um *desvio para leste*, que, conforme vamos ver, é muito pequeno. À medida que o corpo se desvia, muda de direção e aparecem novas correções de Coriolis, mas são ainda menores e vamos desprezá-las, tomando (Fig. 13.17)

$$|\boldsymbol{\omega}\times\mathbf{v}| = \omega v' \text{ sen } \theta = \omega v' \cos\lambda \quad \textbf{(13.6.12)}$$

onde λ é a latitude e

$$v' = gt \quad \textbf{(13.6.13)}$$

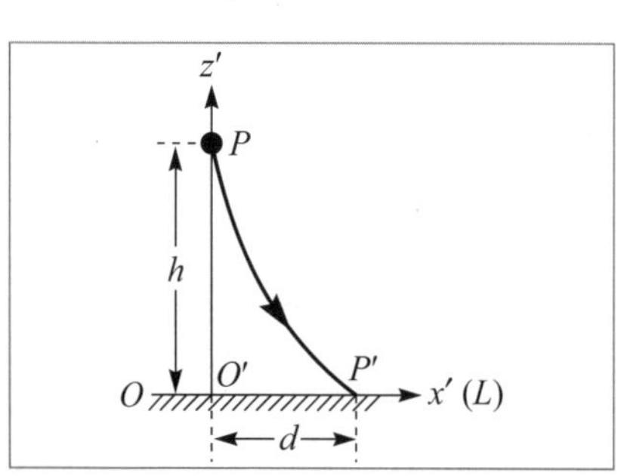

Figura 13.18 Desvio para leste na queda livre.

Tomemos um sistema de coordenadas com eixo $O'x'$ na direção da deflexão (O → L) e eixo $O'z'$ vertical (Fig. 13.18); temos então

$$m\frac{d^2x'}{dt^2} = F_{\text{Coriolis}} = 2m\omega \underbrace{gt}_{v'} \cos\lambda$$

ou seja

$$\frac{d^2x'}{dt^2} = 2\omega g \cos\lambda\, t \quad \textbf{(13.6.14)}$$

como equação de movimento na direção x' (na direção z', temos a queda livre). Como dx'/dt é = 0 para t = 0, obtemos, integrando a (13.6.14),

$$\frac{dx'}{dt} = \omega g \cos\lambda\, t^2$$

e integrando novamente, com x' = 0 para t = 0,

$$x' = \omega g \cos\lambda \frac{t^3}{3} \quad \textbf{(13.6.15)}$$

O tempo de queda da altura h é dado por

$$h = \frac{1}{2} g t^2 \quad \left\{ \quad t = \left(\frac{2h}{g}\right)^{1/2} \right.$$

de modo que, finalmente, o desvio total d para leste (Fig. 13.18) é

$$d = \frac{1}{3} \omega g \cos\lambda \left(\frac{2h}{g}\right)^{3/2} \quad \textbf{(13.6.16)}$$

Para h = 20 m e λ = 45°, isto dá $d \approx$ 1,4 mm, de modo que o desvio é pequeno.

(c) Outros efeitos das forças de Coriolis

Consideremos agora o efeito das forças de Coriolis sobre um corpo que se move no plano horizontal. A Fig. 13.19 mostra a direção e sentido do vetor $-\boldsymbol{\omega} \times \mathbf{v}'$ da (13.6.11) para várias direções horizontais da velocidade $\mathbf{v}'$, no hemisfério norte e no hemisfério sul. Vemos que, em todos os casos, o desvio produzido pelas forças de Coriolis em relação ao sentido do movimento é *para a direita no hemisfério norte e para a esquerda no hemisfério sul.* Algumas consequências deste efeito são as seguintes:

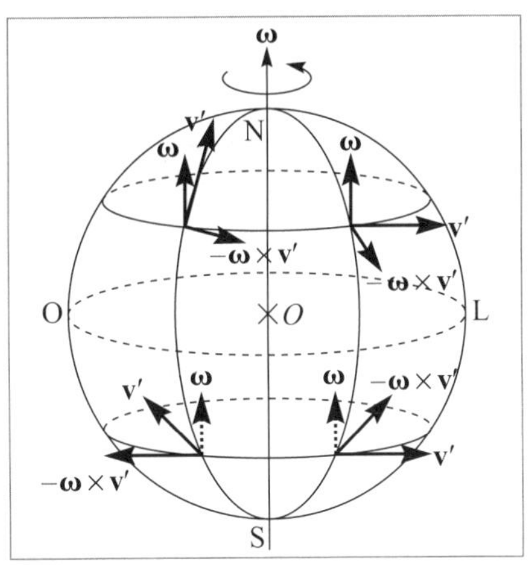

Figura 13.19 Forças de Coriolis para movimento horizontal.

(i) *A lei de Baer* diz que um rio tende a erodir mais a sua margem direita no hemisfério norte, e a margem esquerda no hemisfério sul (note que a margem direita é definida em relação ao sentido de percurso do rio). Desvios mais importantes são produzidos sobre o Gulf Stream e outras correntes oceânicas. Nas estradas de ferro do hemisfério norte (sul), o trilho direito (esquerdo) se desgasta mais rapidamente do que o outro.

(ii) O ar tende a deslocar-se de regiões de alta pressão para regiões de baixa pressão. Quando se forma uma zona de baixa pressão no hemisfério norte, o ar circunjacente tende a deslocar-se radialmente para ela, mas as forças de Coriolis produzem

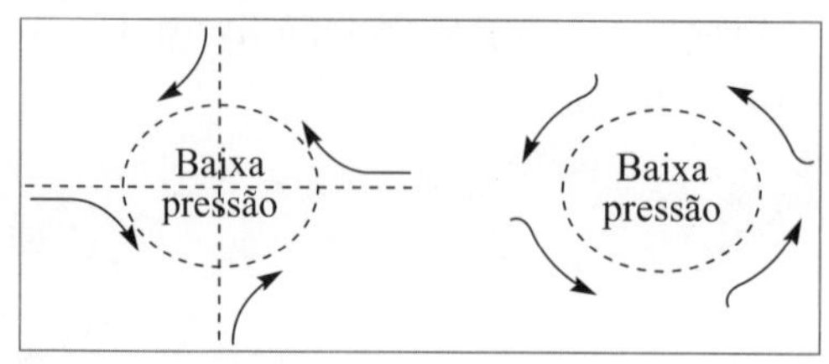

Figura 13.20 Origem de ciclones.

desvios para a direita (Fig. 13.19(a)), forçando o ar a entrar em rotação, que é no sentido anti-horário (Fig. 13.20(b)). De fato, os ciclones tendem a girar no sentido anti- horário no hemisfério norte e no sentido horário no hemisfério sul.

(iii) Um projétil também se desvia de sua trajetória devido às forças de Coriolis, o que é especialmente importante para trajetórias de longo alcance, como as de mísseis balísticos intercontinentais. Durante a I Guerra Mundial, numa batalha naval perto das ilhas Falkland (50° de latitude sul), os tiros dos artilheiros britânicos passavam sempre cerca de cem metros à esquerda dos navios alemães, embora a pontaria fosse feita cuidadosamente. A razão era que os dispositivos de mira haviam sido ajustados pelos fabricantes para corrigir o desvio de Coriolis na latitude aproximada da Inglaterra (cerca de 50° de latitude *norte*), e a troca de sinal em razão da mudança de hemisfério duplicava o desvio, em lugar de corrigi-lo (mesmo perdendo muita munição, os britânicos saíram-se vitoriosos).

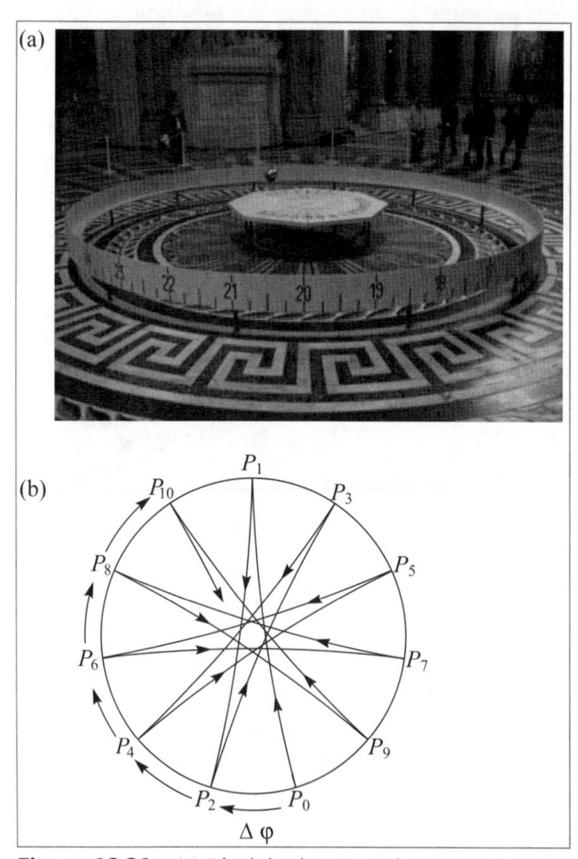

Figura 13.21 (a) Pêndulo de Foucault no Pantheon; (b) Trajetória da extremidade do pêndulo de Foucault.

(d) O pêndulo de Foucault

Em 1851, o físico francês Jean Léon Foucault suspendeu uma esfera de 30 kg do alto da cúpula do Panthéon em Paris por um fio de 67 m de comprimento, colocando-a em oscilação como um pêndulo [Fig. 13.21(a)]. Durante o movimento, ia-se escoando areia da esfera a fim de marcar no chão a sua trajetória. O resultado foi semelhante ao ilustrado na Fig. 13.21(b): a cada oscilação, o plano de oscilação do pêndulo se desviava de um ângulo $\Delta\varphi$, definindo uma velocidade angular $\Delta\varphi/\Delta t$ (Δt = período de oscilação) cujo valor era de $\approx 11°15'$ por hora, até completar uma volta ($\Delta\varphi$ está muito exagerado na figura). O tempo para uma rotação completa do plano de oscilação numa latitude λ é, considerando que ω senλ é a componente de $\boldsymbol{\omega}$ na direção da vertical local,

$$T(\lambda) = \frac{2\pi}{\omega \text{ sen } \lambda} = \frac{24 \text{ h}}{\text{sen } \lambda} \quad \textbf{(13.6.17)}$$

onde ω é a velocidade angular de rotação da Terra. Em São Paulo, onde $\lambda \approx 23°33'$, sen $\lambda \approx 0.4$ e o período T para uma rotação completa seria de ≈ 60 horas. O sentido de rotação no hemisfério sul é oposto ao do hemisfério norte.

As forças verdadeiras que agem sobre o pêndulo, que são a força gravitacional e a tensão do fio, estão ambas contidas no plano vertical em que ele é colocado em oscilação inicialmente. Num referencial, inercial, esse plano permaneceria invariável. Assim, a rotação do plano do pêndulo no laboratório refletiria simplesmente a rotação da Terra debaixo dele.

No polo norte (Fig. 13.22), a (13.6.17) dá um período de rotação de 24 hs, igual ao da Terra, e ω senλ na (13.6.17) é a componente de $\boldsymbol{\omega}$ na direção da vertical local, à latitude λ (Fig. 13.16).

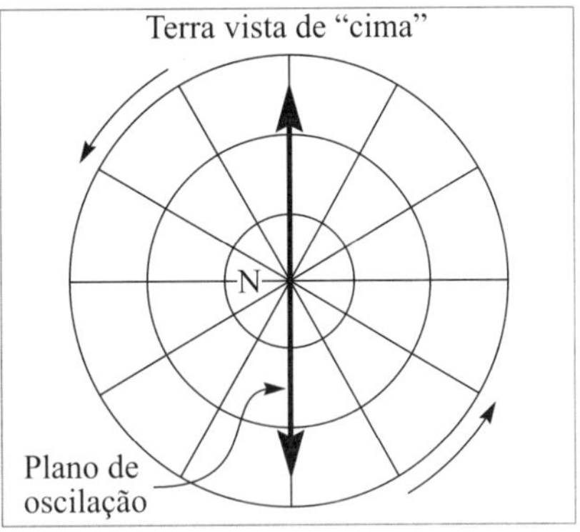

Figura 13.22 Pêndulo de Foucault no polo norte.

Entretanto, o pêndulo não está preso a um ponto fixo num referencial inercial, e sim a um ponto fixo na Terra, que gira junto com ela. A explicação correta do que ocorre com o pêndulo de Foucault é que o desvio a cada oscilação e durante a própria oscilação (Fig. 13.22) se deve às forças de Coriolis. Como é característico de seu efeito no movimento horizontal, elas produzem uma deflexão da trajetória para a direita no hemisfério norte e para a esquerda no hemisfério sul, levando a sentidos de rotação do plano de oscilação do pêndulo opostos nos dois hemisférios. O objetivo da experiência de Foucault foi demonstrar a rotação da Terra num recinto fechado (sem necessidade de qualquer observação visual do céu) através de uma experiência de mecânica, o que fez também com o auxilio de um giroscópio [cf. Fig. (12.37)].

13.7 O QUE É A GRAVIDADE?

Newton teve o cuidado de afirmar, em diversas ocasiões, que suas leis apenas descreviam os efeitos da gravidade, mas não explicavam o que ela é nem qual a sua causa.

Assim, no final dos "Principia", ele diz: " ...Até aqui não fui capaz de descobrir a causa destas propriedades da gravidade a partir dos fenômenos, e não formulo hipóteses; pois tudo que não for deduzido dos fenômenos deve ser chamado de hipótese... E para nós é suficiente que a gravidade realmente existe e atua de acordo com as leis que explicamos, e serve abundantemente para dar conta de todos os movimentos dos corpos celestes, e dos nossos oceanos".

Numa carta a Bentley, Newton escreveu: "Que a gravidade seja inata, inerente e essencial à matéria, de modo que um corpo possa atuar sobre outro à distância através do vácuo, sem mediação de algum agente, por intermédio do qual sua ação e força possam ser transmitidos de um ao outro parece-me um absurdo tão grande, que acredito que nenhum homem que tenha uma faculdade competente de pensamento em assuntos filosóficos jamais possa cair nele".

O avanço mais notável na compreensão da natureza da gravidade depois de Newton deu-se com a formulação por Einstein da teoria da relatividade geral. Uma das principais pistas em que Einstein se baseou foi um fato que já havia chamado a atenção de Newton, mas jamais fora explicado anteriormente: a igualdade da massa inercial e da massa gravitacional.

(a) Massa inercial e massa gravitacional

A *massa inercial* m_i de um corpo foi introduzida (Seç.4.3) pela 2ª lei de Newton, em termos da aceleração **a** com que responde a qualquer força **F** a ele aplicada:

$$\mathbf{F} = m_i \mathbf{a} \tag{13.7.1}$$

É uma medida do "coeficiente de inércia" do corpo, ou seja, de sua resistência a ser acelerado.

A força **F** que atua sobre o corpo pode ser de qualquer natureza. Por exemplo, corpos carregados em repouso interagem mediante forças eletrostáticas descritas pela lei de Coulomb (5.1.3): a força eletrostática de interação é proporcional à *carga elétrica* q de cada corpo e inversamente proporcional ao quadrado da distância entre os dois corpos.

A interação gravitacional é outro tipo especial de força entre dois corpos, análoga à força eletrostática, mas com a peculiaridade de que a "carga gravitacional" corresponde à massa. Como se trata de um conceito logicamente de natureza independente, vamos chama-lo de "massa gravitacional".

Numa análise mais cuidadosa, devemos distinguir entre a massa gravitacional *ativa* $m_{g1}^{(a)}$ de um corpo 1 que *produz* a força gravitacional e a massa gravitacional *passiva* $m_{g2}^{(p)}$ de um corpo 2 sobre o qual *atua* essa força $\mathbf{F}_{2(1)}$, reescrevendo a (5.1.1) como

$$\mathbf{F}_{2(1)} = -G \frac{m_{g1}^{(a)} m_{g2}^{(p)}}{r_{12}^2} \mathbf{r}_{12} \tag{13.7.2}$$

Analogamente a força gravitacional sobre 1 devida a 2 deve ser escrita

$$\mathbf{F}_{1(2)} = -G \frac{m_{g1}^{(p)} m_{g2}^{(a)}}{r_{21}^2} \mathbf{r}_{21} \tag{13.7.3}$$

onde $\hat{\mathbf{r}}_{21} = -\hat{\mathbf{r}}_{12}$. Mas sabemos que, pela 3ª lei de Newton, é $\mathbf{F}_{1(2)} = -\mathbf{F}_{2(1)}$. Logo

$$m_{g1}^{(a)} m_{g2}^{(p)} = m_{g1}^{(p)} m_{g2}^{(a)} \quad \left\{ \quad \frac{m_{g1}^{(a)}}{m_{g1}^{(p)}} = \frac{m_{g2}^{(a)}}{m_{g2}^{(p)}} \right. \tag{13.7.4}$$

mostrando que *a razão da massa gravitacional ativa à massa gravitacional passiva é a mesma para quaisquer corpos.* Logo, é uma constante universal, que podemos tomar = 1 sem restrição de generalidade. Obtemos assim uma única quantidade m_g, que é a *massa gravitacional*.

Apliquemos agora as (13.7.1) e (13.7.3) ao movimento de um corpo em queda livre na vizinhança da superfície da Terra. Obtemos

$$\mathbf{F}_{1(2)} = -\frac{GM_{gT}}{R_T^2} m_{g1}\hat{\mathbf{z}} = m_{i1}\mathbf{a} \tag{13.7.5}$$

onde M_{gT} e R_T são a massa gravitacional e o raio da Terra, $\hat{\mathbf{z}}$ a direção da vertical ($\equiv \hat{\mathbf{r}}_{21}$) e m_{g1} e m_{i1} a massa gravitacional e a massa inercial, respectivamente, do corpo 1 em queda livre. A aceleração de queda é portanto

$$\mathbf{a} = -\frac{GM_{gT}}{R_T^2}\left(\frac{m_{g1}}{m_{i1}}\right)\hat{\mathbf{z}} \tag{13.7.6}$$

Mas é um fato experimental, que já era conhecido de Galileu (Seç. 2.6), que a aceleração **g** da gravidade, ou seja, a aceleração na queda livre, é a mesma para todos os corpos. Concluímos portanto da (13.7.6) que a *razão da massa gravitacional à massa inercial de um corpo é uma constante universal*, que podemos tomar = 1 sem restrição de generalidade. A (13.7.6) fica então, tomando $m_{g1}/m_{i1} = 1$,

$$\mathbf{a} = -\underbrace{\frac{GM_{gT}}{R_T^2}}_{\substack{=g \\ \text{pela (10.6.6)}}}\hat{\mathbf{z}} = -g\hat{\mathbf{z}} = \mathbf{g} \tag{13.7.7}$$

Por conseguinte,

$$m_g = m_i \tag{13.7.8}$$

ou seja, *a massa gravitacional é igual à massa inercial*. Este resultado parece ser uma coincidência miraculosa, pois a definição de uma nada tem a ver com a definição da outra. É como se descobríssemos que a carga elétrica de uma partícula é sempre proporcional a sua massa inercial!

Newton reconheceu o caráter extraordinário dessa igualdade e procurou verificá-la experimentalmente com muito cuidado. Para isso, em lugar da queda livre, comparou as acelerações de queda de pêndulos de mesma massa gravitacional (mesmo peso) constituídos de materiais muito diferentes (madeira, ouro, prata, chumbo etc.), medindo seus períodos de oscilação, que também dependem de m_g/m_i. O resultado mostrou que $m_g/m_i = 1$ com precisão de $\sim 10^{-3}$, levando-o a enunciar como um Teorema nos "Principia" que "... os pesos dos corpos,... a igual distância do centro de um planeta, são proporcionais à quantidade de matéria que eles contém", o que corresponde à (13.7.8)

Numa série de experiências realizadas entre 1889 e 1922, Eötvös mostrou que $m_i/m_g = 1$ com margem de erro $< 10^{-8}$. Ele utilizou o fato de que a força gravitacional é proporcional a m_g, ao passo que a força centrífuga (13.6.1) devida à rotação da Terra é proporcional a m_i. Suspendeu numa balança de torção (Fig. 10.24) um haltere formado por duas esferas de mesma massa gravitacional m_g, mas de materiais muito diferentes, como madeira e platina. A extrema sensibilidade da balança teria levado a uma torção mensurável devido ao efeito desigual da força centrífuga, caso as massas inerciais diferissem entre si por mais de uma parte em 10^8. A margem de erro foi reduzida para $< 10^{-11}$ nas experiências de Roll, Krotkov e Dicke em 1964, e para $< 10^{-12}$ por Braginsky e Panov em 1971, de modo que a igualdade da massa inercial e da massa gravitacional é um dos resultados melhor estabelecidos da física.

(b) O Princípio de Equivalência

Em 1908, quando procurava aplicar os princípios de sua recém-formulada teoria da relatividade à gravitação, Einstein percebeu que a mecânica newtoniana não oferecia nenhuma explicação da igualdade entre massa inercial e massa gravitacional. Conforme ele relata, "Esta lei...da igualdade da massa inercial e da massa gravitacional foi então percebida por mim com todo o seu significado. Fiquei abismado com sua existência e conjeturei que ela deveria conter a chave para uma compreensão mais profunda da inércia e da gravitação."

A propriedade peculiar não explicada das forças gravitacionais que resulta da (13.7.8) é o fato de elas serem *proporcionais à massa inercial* dos corpos sobre as quais atuam. Que outro tipo de forças conhecemos que tenham essa propriedade? Conforme vimos na Seç. 13.2, essa é uma propriedade característica das *forças de inércia*. Seria então possível explicar a força gravitacional como sendo uma força de inércia? Nesta ideia está o germe da teoria da relatividade geral.

Figura 13.23 O elevador de Einstein.

Vimos também que as forças de inércia podem ser explicadas pela aceleração do referencial em que aparecem, com respeito a um referencial inercial. Em particular, um campo gravitacional uniforme **g** num referencial inercial desaparece num referencial uniformemente acelerado, em queda livre nesse campo gravitacional, ou seja, com aceleração **g** relativa ao referencial inercial, como vimos no exemplo do elevador em queda livre (cf. (13.2.12)). Esse exemplo foi utilizado por Einstein (é conhecido como o exemplo do "elevador de Einstein" (Fig. 13.23)). A discussão da Seç. 13.2 mostrou que *num referencial em queda livre num campo gravitacional uniforme, as leis da mecânica são as mesmas que num referencial inercial na ausência do campo gravitacional.*

Numa região suficientemente pequena do espaço, qualquer campo gravitacional pode ser aproximado por um campo uniforme. Note que isso deixa de valer em regiões maiores: por exemplo, o campo gravitacional pode ser tratado como uniforme na vizinhança da superfície da Terra, mas varia tanto em direção como em intensidade quando as dimensões da região considerada se tornam comparáveis ao raio da Terra.

Einstein generalizou o resultado acima das leis da mecânica para todas as leis físicas, formulando o **Princípio de Equivalência**: *Num pequeno laboratório em queda* *livre num campo gravitacional, as leis físicas são as mesmas que num referencial inercial na ausência do campo gravitacional* ("pequeno" significa que o campo gravitacional pode ser tomado como uniforme na região considerada). Logo, o efeito do campo gravitacional é inteiramente *equivalente* ao de uma aceleração local: a gravidade aparece então realmente como uma força de inércia.

Para ilustrar as implicações do Princípio de Equivalência, consideremos um laboratório em queda livre num campo gravitacional uniforme **g**, e suponhamos que uma fonte de luz F emite um raio luminoso numa direção perpendicular à do campo. Para um observador dentro do laboratório (referencial (S')), pelo Princípio de Equivalência, a luz caminha em linha reta, atingindo um ponto P da parede oposta [Fig. 13.24(a)]. Entretanto, para um observador no referencial S externo (onde os efeitos do campo gravitacional são observados), tanto o laboratório como o raio luminoso se deslocam com a aceleração **g**, ou seja, o raio luminoso descreve uma parábola [Fig. 13.24(b)]. Logo, *deve haver uma deflexão dos raios luminosos num campo gravitacional.*

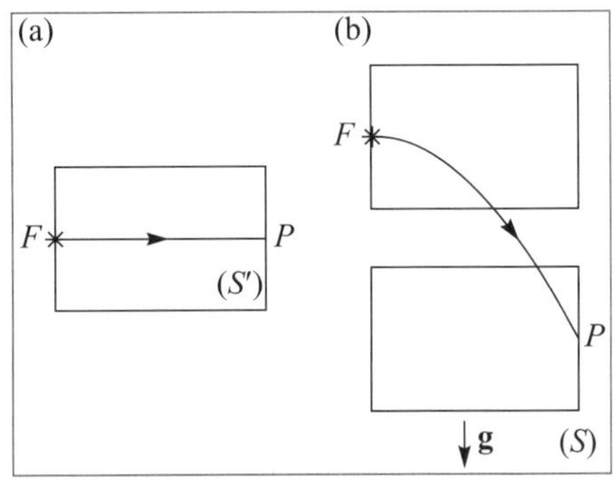

Figura 13.24 Deflexão gravitacional da luz.

No campo gravitacional da Terra, esse efeito é demasiado pequeno para ser detectado: para um trajeto horizontal de 1 km, o desvio é da ordem de 1Å. Num campo gravitacional bem mais intenso, como o do Sol, e para trajetos extensos dos raios luminosos, o efeito se torna observável, causando um desvio da posição aparente de uma estrela (em relação às outras estrelas) quando a luz dela proveniente passa perto do Sol. A observação só pode ser feita durante um eclipse total do Sol.

As primeiras observações foram feitas durante o eclipse total de 29 de maio de 1919, por duas expedições organizadas por Eddington (uma das quais a Sobral, no Ceará). Os resultados estavam em bom acordo com a predição de Einstein de um desvio de 1,75°. Eles foram anunciados em Londres numa sessão conjunta da Royal Society e da Royal Astronomical Society, onde J. J. Thomson referiu-se à relatividade geral como "a maior descoberta sobre a gravitação desde que Newton enunciou os seus princípios".

(c) O Princípio de Mach

A distinção entre forças de inércia e forças verdadeiras atribui um papel privilegiado aos referenciais inerciais. Qual é a razão disto?

Um referencial inercial, onde só atuam forças verdadeiras, distingue-se de um referencial não inercial pelo fato de não ser acelerado. Podemos perguntar, porém: com respeito a que?

Para Newton, a resposta seria: com respeito ao "espaço absoluto". Logo no início dos "Principia", ele introduziu esta ideia, dizendo: "O espaço absoluto, por sua própria natureza, sem relação com qualquer objeto externo, permanece sempre idêntico e imóvel".

Os movimentos "absolutos" se distinguiriam dos relativos pelos efeitos das forças de inércia. Para ilustrar esta ideia, Newton deu o seguinte exemplo de uma experiência que ele próprio havia feito.

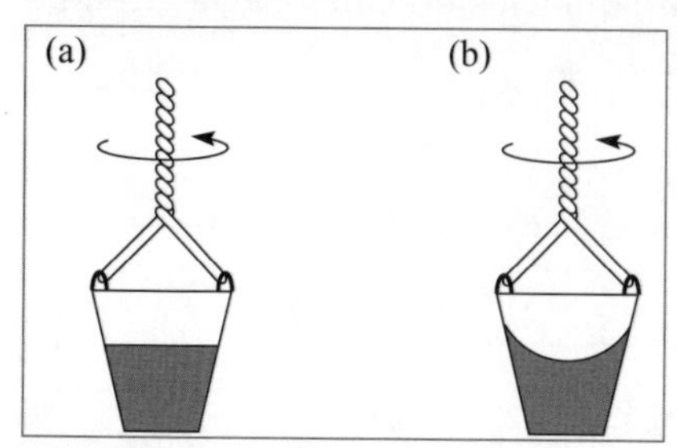

Figura 13.25 Balde girante.

Um balde com água é suspenso de uma corda bem torcida e solto, de forma a permanecer em rotação durante muito tempo. Inicialmente, a superfície da água permanece plana e horizontal (Fig. 13.25(a)), com a massa líquida praticamente imóvel, mas depois de algum tempo, quando a água entra em rotação junto com ele, a sua superfície torna-se côncava, assumindo uma forma parabólica (Fig. 13.25(b)). A transição ocorre devido a forças de atrito (viscosidade): leva algum tempo para que o movimento de rotação do balde seja comunicado à água.

Segundo Newton, as forças de inércia centrífugas, responsáveis pela forma côncava assumida pela superfície da água no caso da Fig. 13.25 (b), demonstram que nesse caso seu movimento de rotação é "absoluto". No caso da Fig. 13.25(a), a água tem um movimento de rotação *relativo* ao balde, mas sua superfície permanece horizontal. Teríamos assim um critério objetivo para determinar a rotação "absoluta". A forma da Terra, com sua protuberância equatorial e achatamento nos polos sob o efeito da força centrífuga, constituiria evidência de sua rotação "absoluta"; o mesmo se poderia dizer da experiência do pêndulo de Foucault.

A ideia de Newton do espaço absoluto foi criticada por Leibniz e Berkeley, e, dois séculos mais tarde, pelo físico austríaco Ernst Mach, que escreveu: "Para mim, só existem movimentos relativos... não vejo, neste ponto, nenhuma diferença entre rotação e translação. Obviamente não importa se pensamos na Terra como em rotação em torno do seu eixo, ou se em repouso enquanto as estrelas fixas giram em torno dela... A lei da inércia deve ser concebida de tal forma que a segunda suposição leve exatamente aos mesmos resultados que a primeira. Torna-se então evidente que, na sua formulação, é preciso levar em conta as massas existentes no universo".

Segundo Mach, portanto, a lei da inércia não diz respeito à ausência de aceleração com respeito ao "espaço absoluto", mas sim com respeito *ao CM de todas as massas do universo*. Deste ponto de vista, não é por coincidência que se verifica ser uma boa aproximação de referencial inercial um referencial ligado às estrelas fixas. A melhor aproximação de um referencial inercial seria um referencial em repouso em relação ao movimento médio da matéria do universo. Em resposta ao exemplo de Newton do balde em rotação, Mach argumentou que o movimento de rotação inicial relativo ao balde não gera forças centrífugas simplesmente porque a massa do balde é muito pequena. Para que o efeito centrífugo sobre a água fosse comparável ao de todas as demais massas (embora muito distantes) do universo, seria preciso que as paredes do balde tivessem uma espessura gigantesca.

O Princípio de Mach corresponde a essa ideia de que a inércia mede uma resistência à aceleração com respeito às massas de todos os corpos do universo, sendo portanto afetada por essas massas.

Einstein mostrou que essa ideia encontra confirmação pelo menos qualitativa na teoria da relatividade geral. Assim, resulta da teoria que a inércia de um corpo aumenta quando outras massas são colocadas na sua vizinhança: se essas massas são aceleradas, induzem no corpo uma força na direção da aceleração. Um corpo oco em rotação gera em seu interior um campo de forças centrífugas e de Coriolis que atuam sobre massas colocadas dentro dele (como o "balde girante" sugerido por Mach). Todos esses efeitos são demasiado pequenos para serem detectáveis na escala de laboratório.

(d) Origem da massa das partículas; energia escura

A discussão acima foi conduzida no nível macroscópico. Do ponto de vista das interações fundamentais (Seç. 5.1), o problema da origem da massa voltou ao centro das atenções. Conforme foi mencionado na Seç. 11.6, nas teorias atuais, princípios de simetria desempenham um papel central. No chamado modelo-padrão, a simetria adotada como ponto de partida para unificação das interações pressupõe que todas as partículas fundamentais tenham massa nula, como o fóton.

Para explicar as massas não nulas observadas, foi postulada na década de 60 a existência de partículas conhecidas como "bósons de Higgs", presentes em todo o universo, cuja energia de interação com as partículas do modelo padrão seria responsável pela sua massa observada. Num experimento internacional de escala gigantesca, realizado em 2012 no laboratório do Grande Colisor de Hádrons em Genebra, foram encontrados fortes indícios da existência do bóson de Higgs.

Embora a gravidade seja a mais antiga das interações estudadas, a perplexidade de Newton sobre qual é a sua natureza ainda não foi superada. No modelo cosmológico padrão, o universo se teria originado de uma grande explosão ("Big Bang"), levando-o a expandir-se, conforme foi observado por Edwin Hubble em 1929. A força atrativa da gravidade deveria ir freando a velocidade da expansão. No entanto, em 1998, foi observado que, ao contrário dessa expectativa, a velocidade de expansão parece estar aumentando, como se houvesse uma força de gravidade repulsiva.

Esse efeito é atribuído à possível existência do que foi chamado de "energia escura", que constituiria mais de 70% de toda a energia do universo. Compreender a natureza dessa energia constitui um dos maiores – se não o maior – desafio da física contemporânea.

■ PROBLEMAS

13.1 Resolva o problema do caçador e do macaco (Capítulo 3, Problema 3.1) no referencial do macaco. A trajetória da bala é parabólica no referencial do caçador. Que forma assume no referencial do macaco? Que tipo de movimento a bala descreve neste referencial? Quanto tempo leva para atingir o macaco?

13.2 Um bloco de massa m = 1 kg, capaz de deslizar com atrito desprezível sobre um carrinho, está preso a uma mola de constante k = 25 N/m inicialmente relaxada (Figura). O carrinho é acelerado, a partir do repouso, com aceleração constante

A, sendo |**A**| = 2,5 m/s^2. Mostre que o bloco adquire um movimento harmônico simples e calcule: (a) a amplitude do movimento; (b) o período; (c) a compressão máxima da mola.

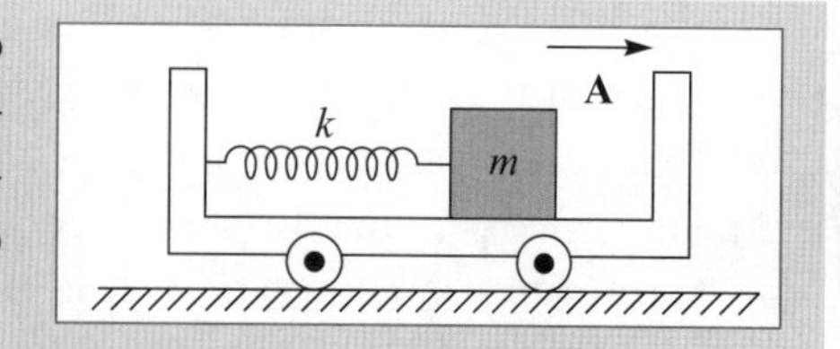

13.3 Viajando na traseira de um caminhão aberto, que está acelerando uniformemente com aceleração de 3 m/s^2, numa estrada horizontal, um estudante preguiçoso resolve aplicar seus conhecimentos de física, lançando uma bola para o ar de tal forma que possa voltar a apanhá-la sem sair de seu lugar sobre o caminhão. Em que ângulo com vertical a bola deve ser lançada?

13.4 Um homem de 100 kg, preocupado com seu peso, resolve pesar-se sobre uma balança de molas confiável, recém-adquirida, enquanto está subindo de elevador para o seu apartamento do 14° andar. O homem constata com satisfação que a balança registra 85 kg. Qual é a aceleração do elevador?

13.5 Um caminhão transporta um caixote de 200 kg a 90 km/h numa estrada horizontal. Avistando um obstáculo, o motorista freia com desaceleração uniforme de 2,5 m/s^2 até parar. O caixote, em consequência da freada, desliza pela traseira do caminhão com coeficiente de atrito 0,25. (a) Qual é a velocidade do caixote no instante em que o caminhão para? (b) A que distância de sua posição inicial na traseira do caminhão o caixote se encontra, quando para de deslizar?

13.6 Um bloco de massa m encontra-se em repouso sobre uma cunha de ângulo de inclinação θ. A cunha, inicialmente em repouso sobre uma mesa horizontal, é colocada em movimento com aceleração de magnitude A, que se faz crescer gradualmente (Figura). Se μ_e é o coeficiente de atrito estático entre o bloco e a cunha, para que valor de A o bloco começará a deslizar para cima sobre a cunha?

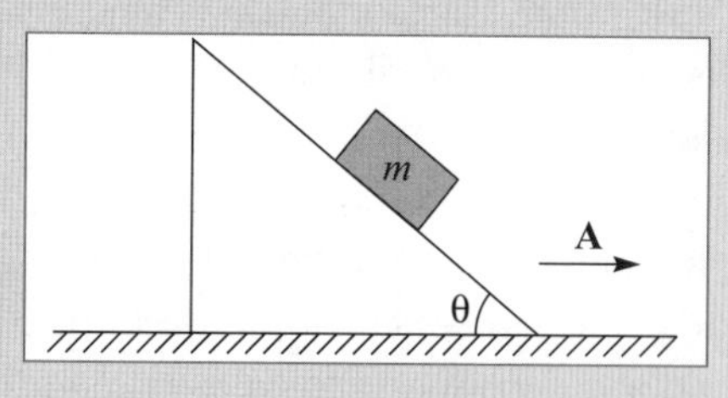

13.7 Considere um balde cilíndrico com água, em rotação com velocidade angular ω em torno de um eixo vertical, após atingida a situação de equilíbrio, em que a água está girando juntamente com o balde [Seç.13.7 (c)]. Para obter a forma da superfície de equilíbrio da água, utilize o fato de que um fluido em equilíbrio não pode suportar forças tangenciais a sua superfície, de modo que, no referencial do balde, as forças atuantes na superfície tem de ser normais a ela. Prove que a superfície é um paraboloide de revolução, achando sua equação num sistema de coordenadas com origem no ponto em que a superfície corta o eixo de rotação Oz.

13.8 Em que latitude λ o ângulo de desvio entre a direção de um fio de prumo e a direção radial verdadeira (que aponta para o centro da Terra) é máximo? Quanto vale o ângulo de desvio máximo?

13.9 Para uma massa de ar em rotação em torno de um centro à latitude λ, com velocidade horizontal v', mostre que a componente horizontal da força de Coriolis atua como força centrípeta [Seç 13. 6 (c)]. Tomando $\lambda = 45°$, (a) Calcule a magnitude da força de Coriolis que atua sobre 1 m^3 de ar com $v' = 45$ km/h, na direção horizontal. A densidade do ar é de 1,29 kg/m^3. (b) Estime o raio de curvatura do movimento circular associado.

13.10 Aplicando o raciocínio da Seç 13.7 (b), estime o ângulo de deflexão gravitacional θ de um raio luminoso que, propagando-se no vácuo, tangencia um corpo esfericamente simétrico de raio R e massa M, percorrendo depois um trajeto de comprimento $l << R$ (de tal forma que se possa desprezar a variação da aceleração da gravidade ao longo do percurso l para o qual a deflexão é calculada). Estime o valor de θ para o Sol ($R = 6{,}95 \times 10^8$ m, $M \approx 1{,}99 \times 10^{30}$ kg) e para $l = 10^4$ km.

13.11 Demonstra-se em eletromagnetismo que uma carga q_1 acelerada com aceleração **a** produz sobre uma carga q_2 em repouso, situada à distancia r de q_1, uma força elétrica de magnitude

$$k\frac{q_1 q_2 a}{c^2 r}$$

onde $a = |\mathbf{a}|$, c é a velocidade da luz e k é a constante da lei de Coulomb.

Admita, por analogia, que uma massa M acelerada com aceleração **a** produz sobre uma massa m em repouso, situada à distancia r de M, uma força gravitacional de magnitude

$$G\frac{Mma}{c^2 r}$$

Se todas as demais massas do Universo têm aceleração **a** em relação a m, e se, para simplificar a estimativa, somarmos as magnitudes das forças (em lugar da soma vetorial), a magnitude da força resultante sobre m será $\gamma m a$, onde

$$\gamma = \sum_i \frac{GM_i}{c^2 r_i}$$

a soma sendo estendida a todas as demais massas no Universo. Segundo o Princípio de Mach [Seç. 13.7 (c)], deveríamos ter $\gamma \sim 1$.

Para estimar γ, suponha a massa M_U do Universo distribuída uniformemente dentro de uma esfera de raio igual ao raio R_U do Universo, com m no centro. Mostre que

$$\gamma = \frac{3}{2}\frac{GM_U}{c^2 R_U}$$

e estime o valor numérico de γ, tomando para M_U o valor estimado no Capítulo 1, Problema 1.8, com $R_U \sim 2 \times 10^{10}$ anos-luz.

Bibliografia

Foi relacionada, abaixo, a bibliografia utilizada na preparação deste livro, incluindo também obras cuja consulta possa ser útil aos alunos, seja para complementar tópicos aqui tratados, seja para a resolução de exercícios. Foram listados, de preferência, livros disponíveis em língua portuguesa. Obras das quais a leitura é especialmente recomendada foram assinaladas com um asterisco.

Livros-texto e livros auxiliares em português

Alonso, M. S. e Finn, E. S., *Física*, vol. I, Editora Blucher, São Paulo (1972)

Bruhat, G., *Mecânica,* Difusão Europeia do Livro, São Paulo (1963).

Chaves, A., *Física*, 4 vols., Reichmann e Autores Ed., São Caetano do Sul (2001).

Eisberg, R. M. e Lerner, L. S., *Física*, vols. I e II, Mc Graw-Hill, São Paulo (1982).

*Feynman, R. P., *Física em 12 Lições*, Sinergia-Ediouro, Rio de Janeiro (2005).

*Feynman, R. P., *Sobre as Leis da Física*, Ed. Contraponto, Rio de Janeiro (2012).

Goldemberg, J., *Física Geral e Experimental,* vol. I, 3. ed., Cia. Editora Nacional, São Paulo (1977).

*Hewitt, P. G., *Física Conceitual*, Bookman Companhia Ed., Porto Alegre (2011).

Holton, G., Rutherford, F. J. e Watson, F. G., *Projeto Física,* Unidades 1, 2, 3, Fundação Calouste Gulbenkian, Lisboa (1978-1980).

Kitell, C., Knight, W. D. e Ruderman, M. A., *Mecânica* (Curso de Física de Berkeley, vol. I), Ed. Blucher, São Paulo (1970).

Lucie, P., *Física Básica,* vol. I, Ed. Campus, Rio de Janeiro (1977).

PSSC, *Física,* 6. ed., 4 vols., Edart, São Paulo (1970).

Resnick, R., Halliday, D. E Krane, W. S., *Física Geral,* 4 vols., Livros Técnicos e Científicos, Rio de Janeiro (2012).

Freedman, R. A., Zemansky, M. W.; Sears, F. W.; e Young, H. D., *Física*, 4 vols., Livros Técnicos e Científicos, Rio de Janeiro (2008).

Serway, R. A. e Jewett Jr., J. W., *Física para Cientistas e Engenheiros*, 4 vols., Ed. CENGAGE, São Paulo (2012).

Tipler, P. A., *Física*, vol. I, Guanabara Dois, Rio de Janeiro (1978).

Livros-texto e livros auxiliares em outras línguas

Bonner, F. T. e Phillips, M., *Principles of Physical Science,* Addison – Wesley, Reading, Mass. (1957).

*Cooper, L. N., *An Introduction to the Meaning and Structure of Physics,* Harper & Row, N. York (1968).

*Feynman, R. P., *The Character of Physical Law,* M. I. T. Press (1967).

*Feynman, R. P., Leighton, R. B. e Sands, M., *The Feynman Lectures on Physics,* vol. I, Addison-Wesley, Reading, Mass. (1963).

Ford, K. W., *Classical and Modern Physics,* vol I, Xerox College Publishing Co., Lexington, Mass. (1972).

Frank, N. H., *Introduction to Mechanics and Heat,* Mc Graw -Hill, N. York (1939).

Frauenfelder, P. e Huber, P., *Introduction to Physics*, vol. I, Pergamon Press, Oxford (1966).

*French, A. P., *Newtonian Mechanics,* W. W. Norton, N. York (1971).

*Furry, W. H., Purcell, E. M. e Street, J. C., *Physics,* Blakiston, N. York (1952).

Holcomb, D. F. e Morrison, P., *My Father's Watch,* Prentice-Hall, Englewood Cliffs, N. J. (1974).

Holton, G. e Roller, D. H. D., *Foundations of Modern Physical Science,* Addison-Wesley, Reading, Mass. (1958).

Ingard, U. e Kraushaar, W. L., *Introduction to Mechanics, Matter and Waves,* Addison--Wesley, Reading, Mass. (1960).

*Kleppner, D. e Kolenkow, R. J., *An Introduction to Mechanics*, Cambridge University Press (2010).

Landau, L. e Kitagoroidsky, A., *Física para Todos*, Ed. Mir, Moscou (1963).

Marion, J. *B., Physics and the Physical Universe,* Wiley, N. York, 2. ed. (1975).

Melissinos, A. C. e Lobkowitz, F., *Physics for Scientists and Engineers,* vol. I., W. B. Saunders, Philadelphia (1975).

*Rogers, S. M., *Physics for the Inquiring Mind,* Princeton University Press (1960).

Taylor, E. F., *Introductory Mechanics,* Wiley, N. York (1963).

Walker, J., *The Flying Circus of Physics,* Wiley, N. York (1975).

Livros mais avançados

Goldstein, H., *Classical Mechanics,* Addison-Wesley, Reading, Mass. (1951).

Marion, J. B., *Classical Dynamics of Particles and Systems,* 2nd ed., Academic Press, N. Lord (1970).

Skinner, R., *Mechanics,* Blaisdell, Waltham, Mass. (1969).

Sommerfeld, A., *Mechanics,* Academic Press, N. York (1964).

Symon, K. R., *Mechanics,* 3rd ed., Addison-Wesley, N. York (1971).

Clássicos e livros sobre História da Física

Bernal, J., *Science in History,* 4 vols., Penguin Books, Middlesex (1969).

Dugas, R., *Histoire de la Mécanique,* Le Griffon, Neuchâtel (1950).

Copérnico, N., On *the Revolutions of* the *Celestial Spheres,* Encyclopaedia Britannica, Great Books, vol. 16, Chicago (1952).

* Einstein, A. e Infeld, L., *A Evolução da Física,* Editora Zahar, Rio de Janeiro (2008).

Einstein, A., *Ideas and Opinions, Crown* Publishers, Inc., N. York (1954).

Galilei, Galileu, *Diálogo sobre os Dois Máximos Sistemas do Mundo*, Editora 34, São Paulo (2011).

Galilei, Galileu, *Discoveries and Opinions of Galileo,* Doubleday Anchor, N. York (1957).

Galilei, Galileu, *Duas Novas Ciências*, Ed. Nova Stella, São Paulo (1984).

Galilei, Galileu, *A Mensagem das Estrelas,* Museu de Astronomia, Rio de Janeiro (1987).

Harvard Project Physics Reader, Units 1 to 3, Holt, Rinehart and Winston, N. York (1968).

Hawking, S., *On the Shoulders of Giants*, Penguin Books, London (2003).

Hoyle, F., *Astronomy*, Rathbone Books Ltd., London (1962).

Jeans, J., *The Growth of Physical Science,* 2nd ed., Cambridge University Press (1951).

Kepler, J., *The Harmonies of the World,* Encyclopaedia Britannica, Great Books, Vol. XVI, Chicago (1952).

Kepler, J., *Sobre as Revoluções dos Orbes Celestes*, Fund. Calouste Gulbenkian, Lisboa (1996).

Koestler, A., *The Watershed,* Doubleday Anchor, N. York (1960).

Kuhn, T. S., *The Copernican Revolution,* Harvard University Press (1966).

Mach, E., *The Science of Mechanics*, Open Court Publishing Co., La Salle, Illinois (1960).

Magie, W. F., *A Source Book in Physics,* Mc Graw - Hill, N. York (1935).

Newman, J. R., *The World of Mathematics*, vols. 1 e 2, Simon & Schuster, N. York (1956).

Newton, I., *Principia*, University of California Press, Berkeley, Calif. (1960).

Newton, I., *Principia*, Livros I, II e III, EDUSP, São Paulo (2008).

Newton, I., *Textos, Antecedentes, Comentários*, Ed. UERJ-Contraponto, Rio de Janeiro (2002).

Nussenzveig, M., Lobo Carneiro, L. e Pinguelli Rosa, L., *300 Anos dos "Principia de Newton", COPPE, Rio* de Janeiro (1988).

Ptolomeu, C., *The Almagest,* Encyclopaedia Britannica, Great Books, Vol. 16, Chicago (1952).

Sobel, D., *A Filha de Galileu*, Companhia das Letras, São Paulo (2000).

Sobel, D., *Longitude*, Companhia de Bolso, São Paulo (2008).

Westfall, R. S., *A Vida de Isaac Newton*, Ed. Nova Fronteira, Rio de Janeiro (1995).

Coleções de Problemas

Bukhovtsev, B. B., Krivtchenkov, V. D., Miakishev, G. Ya. e Saraeva, I. M., *Problemas Selecionados de Física Elementar,* Ed. Mir, Moscou (1985).

Fogiel, M., ed., *The Physics Problems Solver,* Research and Education Assoc., New York (1985).

Írodov, I. E., *Problemas de Física General*, Ed. Mir, Moscou (1985).

Leighton, R. B. e Vogt, R. E., *Exercises in Introductory Physics*, Addison-Wesley, Reading, Mass. (1969).

Mac Donald, Simon G., *Problemas de Física Geral*, Ao Livro Técnico S. A., Rio de Janeiro (1971).

Respostas dos problemas propostos

CAPÍTULO 1

1.1 Da ordem de 10^5.

1.2 A variação é muito grande. Valores típicos são da ordem de 10^4 a 10^5.

1.3 Volume ~ 10^8 m^3; altura da pilha ~ 10^7 km (~ 0,1 U.A.!).

1.4 Da ordem de 10^{14}.

1.5 (a) e (b) ambos da ordem de 10^{17}.

1.6 Da ordem de 30 min.

1.7 Até a Terra: 8 min 18 s; até Plutão: 328 min.

1.8 (a) Da ordem de 10^{52} kg; (b) Da ordem de 10^{79} núcleons (c) Densidade do núcleo ~10^{45} × densidade média do universo.

1.9 População ~ 10^{15} pessoas; área por habitante ~ 2×10^{-2} m^2 (quadrado de ~15 cm de lado). Mas os recursos da Terra já não permitem atender nem a população atual!

1.10 Probabilidade por molécula ~ (volume de ar por inspiração)/(Volume equivalente à atmosfera em condições NTP) ~ 10^{-22}. Número total de moléculas por inspiração ~10^{22}.

1.11 Diâmetro angular ≈ $0,5^\circ \approx 8,7 \times 10^{-3}$ rad.

1.12 1 parsec ≈ 3,26 A.L. ≈ $3,08 \times 10^{16}$ m.

1.13 Da ordem de 80%.

1.14 $1,45 \times 10^9$ anos.

1.15 (a) d_s / d_L ~ 19 × (Aristarco); (b) $\theta \approx 89^\circ\, 51'$.

CAPÍTULO 2

2.1 6h 38 min 18 s.

2.2 Aceleração média ≈ 0,71 g; distância = 55,6 m.

2.3 Velocidade média = 42,4 km/h; média das velocidades = 50 km/h.

2.4 Tempo = 34,7 s; distância = 2,41 km.

2.5 Entre t = 0 e 1 min, 0,21 m/s^2; entre t = 2 min e 3 min, – 0,21 m/s^2.

2.6 $v = \frac{1}{2} bt^2$.

2.7 A 30 km/h, 11,6 m; a 60 km/h, 34,8 m; a 90 km/h, 69,6 m.

2.8 Sem levar em conta o tempo de reação do motorista, v_{min} = 38 km/h, $v_{\text{máx}}$ = 62 km/h; levando-se em conta um tempo de reação de 0,7 s, v_{min} = 45 km/h , $v_{\text{máx}}$ = 51 km/h.

2.9 229 m.

2.10 $t = \sqrt{2\frac{d}{a}\left(1+\frac{a}{f}\right)}$.

2.11 Intervalo = 0,64 s; velocidade = 6,3 m/s.

2.13 (a) 9,8 m/s; (b) 4,9 m; (c) 2,5 m.

2.14 18,5 m.

2.15 (a) 92 m; (b) 42 m/s = 150 km/h.

2.16 (a) 16,5 km (b) 570 m/s ≈ 2.050 km/h.

CAPÍTULO 3

3.1 Instante $t = \sqrt{\left(h^2 + d^2\right)} / v_0$ após o disparo.

3.2 (a) 2.080 km direção e sentido: 38°,4 a O da direção N; (b) 730 km/h, direção e sentido N; (c) 508 km/h, mesma direção e sentido de (a).

3.4 90°.

3.5 (a) S. Paulo-Rio: 381 km; Rio-Belo Horizonte: 337 km; S. Paulo-Belo Horizonte: 504 km. (b) 504 km, direção e sentido 42° acima da direção S. Paulo → Rio.

3.6 (a) 173 m; (b) 35,3° (c) 45° SE.

3.7 10,5 m; 124 km/h.

3.8 (a) 12 m/s; (b) 3,35 m.

3.9 (a) 77,7°; (b) 73 km/h; (c) 4 s.

3.10 67,8°.

3.11 $\delta = \frac{1}{2} \cos^{-1} \left(gA / v_0^2\right)$.

3.13 (a) 9,56 m; (b) 18,7 m.

3.14 (a) 28,5°; (b) 3,85 m/s.

3.15 (a) 45°; (b) 13,9 m/s; (c) 19,6 m.

3.16 $R\left[1 + \sqrt{1 + (d / h)}\right]$.

3.17 (a) 17 m/s; (b) 44 m; (c) 51 m; (d) 34 m.

3.18 Segundos: 1,05 × 10^{-1} rad/s; Minutos: 1,75 × 10^{-3} rad/s; Horas: 1,45 × 10^{-4} rad/s.

3.19 Rotação: 427 m/s; 3,1 × 10^{-2} m/s^2 = 0,32% g (no Rio de Janeiro). Translação: 29,7 km/s; 5,9 × 10^{-3} m/ s^2 = 0,06% g.

3.20 $5{,}6 \times 10^5$ g.

3.21 9 h 49 min $5\frac{5}{11}$ s; Meia-noite.

3.22 1620 rpm; 33,9 m/s.

3.23 9,5 min.

3.24 (a) 417 m; (b) Magnitude: 5,68 m/s^2; direção e sentido: 60,3° ao N da direção E.

3.25 29,9 km/h.

3.26 104 m.

3.27 (a) 24 min; 600 m adiante; (b) tanto faz; 30 min.

3.28 9 h 12 min; 32 milhas marítimas.

3.29 (a) $|\mathbf{v}_{rel}| \approx 85$ km/h; direção e sentido 45° NO; (b) Reta na direção 45° NO; (c) 1,41 km, para $t = 1$ min.

3.30 (a) $t = \frac{2l}{V}\sqrt{1 - \frac{v^2}{V^2}\,\text{sen}^2\theta} \,/\left(1 - \frac{v^2}{V^2}\right)$.

(b) $t_{//} / t_{\perp} = \left(1 + \frac{v^2}{V^2}\right)^{-1/2}$.

CAPÍTULO 4

4.2 1.000 kgf.

4.3 Em A: 100 kgf; em B: 273 kgf; em C: 335 kgf.

4.4 $\theta_1 = 36{,}9°$; $\theta_2 = 53{,}1°$.

4.5 $T_1 = 1.960$ N; $T_2 = 1.697$ N; $T_3 = 3.394$ N; $m = 300$ kg.

4.6 $2{,}5 \times 10^4$ N = 2.550 kgf.

4.7 1 grama-força = 500 vezes o peso.

4.8 Da ordem de 10^2.

4.9 80 km/h.

4.10 2,6 m.

4.11 $\mathbf{a} = \mathbf{F}/(M + m)$; $\mathbf{T} = M\mathbf{F}/(M + m) \to \mathbf{F}$.

4.12 (a) $a = m'g/(m' + m) \approx m'g/m$; (b) $T = m\,m'g\,/\,(m' + m) \approx m'g$.

4.13 (a) $\omega = \sqrt{g\ \text{tg}\ \theta \,/\, (d + l\ \text{sen}\ \theta)}$; (b) $T = mg/\cos\theta$.

CAPÍTULO 5

5.1 3,6 m.

5.2 90%.

5.3 Razão = $2{,}27 \times 10^{39}$; Distância = $2{,}38 \times 10^9$ m = $6{,}2 \times$ (distância Terra-Lua).

5.4 $1{,}68 \times 10^{-7}$ C.

5.5 Mais tempo para descer.

5.6 $k = 775$ N/m.

5.7 (a) 1,39 m; (b) 0,56s; (c) 0,76 s; (d) 3,67 m/s.

5.8 $\frac{1}{k}=\frac{1}{k_1}+\frac{1}{k_2}$, comprimento relaxado 2 l_0; (b) $k = k_1 + k_2$.

5.10 $a_1=-\frac{7}{17}g;\quad a_2=\frac{1}{17}g;\quad a_3=\frac{5}{17}g;\quad T=\frac{24}{17}g.$

5.11 Em 1: 1470 N; em 2 e 3: 735 N; Força = 245 N.

5.12 a = 1,79 m/s²; Em 1: 134 N; em 2 e 3: 402 N.

5.13 Estático: 0,6; cinético: 0,5.

5.14 2,35 N; 1,46 s.

5.15 3,54 kg < m < 10,6 kg.

5.16 29,9 rpm.

5.17 47,8 km/h.

5.18 7,1 cm.

5.19 Superior $\frac{m}{2}\left(g+\frac{3}{4}\omega^2 l\right)$; inferior $\frac{m}{2}\sqrt{3}\left(\frac{\omega^2}{4}l-g\right)$; $\omega_{\text{crítico}}=2\sqrt{g/l}$.

5.20 44,4°; 4,2 × 10⁶ m/s.

5.21 8,8 × 10⁶ rad/s; 1,07 m.

5.22 y = – 0,13 m.

CAPÍTULO 6

6.2 4,43 m/s.

6.3 (a) x = – 9 m, x = 1 m; (c) Lei de Hooke; posição de equilíbrio x_0 = – 4 m.

6.4 $a_1 = -g/3$; $a_2 = 2g/3$.

6.5 21,5 cm.

6.6 15,2 cm.

6.7 $\sqrt{5}$ m / s; 2 m / s; $\sqrt{5}$ m / s; 3 m / s; $\sqrt{10}$ m / s.

6.8 $U(x)=\frac{1}{2}kx^2-\frac{1}{3}Kx^3$; (b) Estável: x = 0; instável: x = 2/3 m.

(c) Para $-\frac{1}{3}m<x<\frac{2}{3}m$ e $E<\frac{400}{27}$ J.

(d) Ilimitado à direita e limitado à esquerda para $x>\frac{2}{3}$ m ou $x<\frac{2}{3}$ m e $E>\frac{400}{27}$ J.

6.9 (a) $\frac{mg}{k}$; (b) x; (c) $2\frac{mg}{k}$.

6.11 $T=2l/\sqrt{2m(E-V_0)}$.

6.12 0,81.

6.13 (a) 7,4 cm; (b) o bloco para; (c) 72,5%.

6.14 cos⁻¹ (5/8) = 51,3°.

CAPÍTULO 7

7.1 $W = \mu_c Pl \cos\theta / (\cos\theta + \mu_c \operatorname{sen}\theta)$. É dissipado pelo atrito, convertendo-se em calor.

7.2 Zero.

7.3 90°.

7.4 $\cos^{-1}(1/3) = 70{,}5°$.

7.5 (a) Nulo; (b) $v = \sqrt{2gR(1-\cos\theta)}$.

7.6 7,59 m/s.

7.7 (a) $W_1 = -20$ J; (b) $W_2 = 0$; (c) $\mathbf{F}_1$ não é conservativo, $\mathbf{F}_2$ pode ser; (d) $U_2 = -10\,xy$ (em J).

7.8 (a) $F_x = -kx$, $F_y = -k\,y$, $F_z = -F_0$; (b) Constante para baixo; (c) Lei de Hooke, apontando para a origem; (d) Paraboloides de revolução com eixo vertical.

7.9 $\mathbf{F} = -kr\,\hat{\mathbf{r}}$; Lei de Hooke, dirigida à origem.

7.10 (b) $l_{eq} = l_0 + \sqrt{3}\,mg/k$; (c) $l_{\min} = l_0$; $l_{\max} = l_0 + 2\sqrt{3}\,mg/k$; (d) M H S de amplitude $\sqrt{3}\,mg/k$.

7.12 2,4 Km/s.

7.13 (a) $4{,}22 \times 10^4$ km $\approx 6{,}6\,R_T$; (b) 10,3 km/s.

7.14 Alavanca: $m_1 l_1 = m_2 l_2$; plano inclinado: $m_1 \operatorname{sen}\theta_1 = m_2 \operatorname{sen}\theta_2$.

7.15 (a) $|s_2| = 2|s_1|; |v_2| = 2|v_1|$; (b) 1,15 m.

7.16 $v = \sqrt{v_0^2 + (2P_M T)/m}$.

7.17 (a) 0,46 m; (b) 85J; 0,5; (c) volta a subir ao longo do plano.

7.18 (a) 7 m/s; (b) 150 g.

7.19 (a) 2 m; (b) 0,37 m.

7.20 (a) $h_1 = \frac{5}{2}R$; (b) $\cos\theta = \frac{2}{3}\left(\frac{h}{R} - 1\right)$; (c) sobe de um ângulo $\alpha = \text{arc}\cos\left(1 - \frac{h}{r}\right)$. depois de ultrapassar o ponto mais baixo, volta a descer e continua oscilando.

7.21 (a) 8,575 kW; (b) 2.573 J; (c) Sim. 257 W.

CAPÍTULO 8

8.1 3 m/s.

8.2 (a) 6 m/s; (b) 12 N.s; (c) 240 N $\approx$ 24,5 kgf.

8.3 (a) 2,6 m/s; (b) 0,49 m.

8.4 (a) 10° a E da direção N; (b) 0,49 m/s; (c) 8,86 kg · m/s na direção E; (d) 8,86 m/s, de O para E.

8.5 Não. 20 cm.

8.6 O de trás: 9,4 m/s; o da frente: 10,4 m/s.

8.7 $0° < \theta < 4{,}23°$ ou $85{,}77° < \theta < 90°$.

8.8 (a) 120 m; (b) 8,86 m/s e – 4,43 m/s respectivamente ao mais leve e ao mais pesado, na direção horizontal; (c) 2,94 J.

8.9 200 m/s, 100 m/s e 173 m/s, na ordem do enunciado.

8.10 $\left(\frac{5}{6}, \frac{1}{2}, \frac{1}{6}\right)$, em m.

8.11 $\left(\frac{1}{2}, \frac{7}{18}\right)$, em m.

8.12 $\left(0, -\frac{1}{12}\right)$, em m.

8.13 (a) 2,43 km/s; (b) 2,33 m/s^2.

8.14 (a) 4 km/s; (b) 20.600 km/h.

8.15 (a) $6{,}83 \times 10^4$ N = $6{,}96 \times 10^3$ kgf; (b) $1{,}71 \times 10^7$ W = 2.290 hp.

8.16 (a) 59,9; (b) 5,71 J.

8.17 $\frac{mg}{l}\frac{h^2}{2}$.

8.18 (a) $r = \lambda t$; (c) $a = -g/4$; movimento uniformemente acelerado de aceleração a.

8.19 $v(t) = v_0 - \mu_c g t + v_e \ln\left(\frac{m}{M - \mu t}\right)$.

8.20 (a) $V = -mv/M$; (b) $\Delta X = -p\,L/(Mv)$; (c) $\Delta X = m\,L/M$; (d) O CM do sistema não pode deslocar-se sob a ação apenas de forças internas; (e) $\Delta X = -EL/(Mc^2)$; (f) Basta comparar (c), (d) e (e); a energia E do pulso de laser, ao ser absorvida na parede direita, pode ser convertida em qualquer outra forma de energia.

CAPÍTULO 9

9.1 (a) 49 kgf; (b) 92 kgf; (c) 5.700 kgf; (d) 25.500 kgf.

9.2 $n_{12} = v_2/v_1$; na água.

9.3 (b) $v'_{1i} = -(m_2/M)\,v_{ri}$; $v'_{2i} = (m_1/M)\,v_{ri}$; $v'_{ri} = v_{ri}$;
(c) $v'_{1f} = -v'_{1i}$; $v'_{2f} = -v'_{2i}$; $v'_{rf} = v_{rf} = -v_{ri}$;
(d) As partículas se aproximam umas da outras, com momentos iguais e opostos; depois da colisão, afastam-se umas da outras, com momentos (e velocidades) opostos aos iniciais.

9.5 (a) $v_1 = (m - m')\,v/(m + m') \leq 0$; $v_2 = 0$; $v_3 = 2mv/(m + m')$;
(b) $v_1 = (m - m')^2\,v/(m + m')^2 < v_2 = 2m\,(m - m')\,v/(m + m')^2 < v_3 = 2mv/(m + m')$.

9.6 (a) $f = 4\lambda(1 + \lambda)^2$; $f_{\text{máx}} = 1$ (para $\lambda = 1$).

9.8 2,9 cm.

9.9 60 km/h.

9.10 167 kg.

9.11 56,3° ao N da direção E; 13 m.

9.12 $(+30°, v_0\sqrt{3}/2)$ e $(-60°, v_0/2)$.

9.13 (a) 0,859 v; (b) (– 57,1°, 0,362 v).

9.14 (a) $\theta = 30°$; (b) $\lambda = 2$; $v = u/\sqrt{3}$; (c) $\theta'_m = 120°$, $\theta'_M = 300°$.

9.15 (a) 1,2 ± 0,3; (b) (3,1 ± 0,4) × 10^7 m/s.

9.16 14,5°; 0,4; –37,8°.

9.17 (a) 4,85 MeV; (b) 2,15 MeV; – 37,8°.

9.18 Be^9.

9.19 (a) θ'_1 e $\theta'_2 = \pi - \theta'_1$, onde sen $\dfrac{\theta'_1}{2} = \dfrac{b}{2a}$;

(b) $\left(\theta_1 = \theta'_1 / 2,\, v \cos\theta_1\right)$ e $\left(\theta_2 = \dfrac{\pi}{2} = \theta_1, v \text{ sen } \theta_1\right)$.

9.20 **F** tem a direção de **v** e sentido oposto, e $|\mathbf{F}| = 2\rho \mathbf{v}^2 A$.

CAPÍTULO 10

10.1 7,35 × 10^{22} kg.

10.2 (a) $T^2 = 3\pi/(G\rho)$; (b) 84,3 min; (c) 7,9 km/s.

10.4 (a) $v = v = \sqrt{g_P R_P}\left(\sqrt{2} - 1\right)$; (b) v = 3,3 km/s.

10.5 $\mu \approx 1{,}3 \times 10^3$ kg/m³.

10.6 (a) $v_g \approx 155$ km/s; (b) $M_g/M_S \sim 10^{11}$.

10.7 $v_e = c$.

10.8 (a) As forças apontam para o CM (≡ centro do triângulo) e têm magnitude $\sqrt{3}\, Gm^2 / d^2$;
(b) $\omega = \sqrt{3Gm / d^3}$.

10.9 (b) 50,4 anos; (c) $r_A \approx 5{,}8$ U.A.; $r_B \approx 14{,}1$ U.A.

10.10 $v_1 = m_2\sqrt{\dfrac{2G}{m}\left(\dfrac{1}{r} - \dfrac{1}{r_0}\right)}$; $v_2 = m_1\sqrt{\dfrac{2G}{m}\left(\dfrac{1}{r} - \dfrac{1}{r_0}\right)}$ onde $M = m_1 + m_2$.

10.11 2,39 × 10^{-4} kgf.

10.12 84,3 min; 7,9 km/s.

10.13 $\dfrac{F(r)}{m} = \dfrac{4}{3}\pi\rho G\left(r - \dfrac{a^3}{r^3}\right) \approx -4\pi\rho G(r - a)$ para $b - a \ll a$.

10.14 (a) $\left[1 - \dfrac{(a/R)^3}{\left(1 - \dfrac{d}{R}\right)^2}\right]$; (b) $-\dfrac{4}{3}\pi\rho G\mathbf{d}$, onde $\mathbf{d} = \mathbf{OO'}$ (campo uniforme).

10.15 $U = -\dfrac{3}{5}GM^2 / R$.

10.17 Magnitude $\dfrac{GmMD}{\left(a^2 + D^2\right)^{3/2}}$, dirigida para o centro O do anel.

CAPÍTULO 11

11.2 (b): Estável: **p** paralelo a **E**; instável: **p** antiparalelo a **E**.

11.3 $\mathbf{l} = \mu \mathbf{r} \times \mathbf{v}$.

11.4 (a) $|\mathbf{l}| = 420$ kg m²/s; **l** é perpendicular ao plano da pista; (b) $\omega = 7{,}1$ rad/s.

11.5 (a) $r_1 = 0{,}53 \times 10^{-10}$ m; $r_n = n^2 r_1$; (b) $E_1 = 13{,}6$ eV; $E_n = E_1/n^2$; (c) $v_1/c = 7{,}3 \times 10^{-3} \approx$ 1/137.

11.7 (a) $r_0 = l^2 / (G\,M\,m^2)$; $mv^2/r_0 = GMm/r_0^2$; $E_0 = -G\,M\,m/(2r_0)$;

(b) $E = -\,GMm/(2a)$; (c) $v^2 = GM\left(\dfrac{2}{r} - \dfrac{1}{a}\right)$; (d) $e = \sqrt{1 + \dfrac{l^2}{2ma^2E}}$.

11.8 (a) $l = 2mA/T$; (c) 88 dias.

11.9 (a) $V_{ef}(r) = \dfrac{ZZ'\,e^2}{r} + \dfrac{mv_0^2b^2}{2r^2}$;

(b) $r_0 = \dfrac{ZZ'\,e^2}{mv_0^2} \times \left\{1 + \left[1 + \left(\dfrac{mv_0^2 b}{ZZ'\,e^2}\right)^2\right]^{1/2}\right\}$.

11.10 (a) $V_{ef}(r) = \dfrac{mv_0^2}{2r^2}\left(b^2 + \dfrac{A^2}{v_0^2}\right)$; (b) $r_0 = \sqrt{b^2 + \dfrac{A^2}{v_0^2}}$.

11.11 Interno: $|\mathbf{L}| = Iv/a$, dirigido para o centro da pista; orbital: módulo MvR, dirigido verticalmente para cima; total: $|\mathbf{L}| = v\sqrt{M^2R^2 + (I/a)^2}$, descreve um cone de eixo vertical e ângulo de abertura θ, com $\mathrm{tg}\theta = I/(MRa)$.

11.12 (a) 0,6 m; (b) aumentou por um fator 1,4.

11.13 $v_r = 0$, $v_\theta = 2\,v_0$.

11.14 (a) 2,16 rad/s; (b) 0,104 J.

11.15 O centro do quadrado (CM) desloca-se com velocidade constante $\mathbf{P}/(4m)$, e o conjunto gira em torno do centro com velocidade angular $\omega = |\mathbf{P}| / \left(2\sqrt{2}ml\right)$.

11.16 O CM após a colisão, situado sobre o haltere, a 10 cm do disco 2, move-se com velocidade de 1 m/s na direção de $\mathbf{v}_0$, e o haltere gira em torno dele com velocidade angular $\omega = 5$ rad/s.

CAPÍTULO 12

12.2 (a) $\dfrac{1}{2}M\left(a^2 + b^2\right)$; (b) $\dfrac{1}{4}MR^2$.

12.3 (a) $\dfrac{1}{2}M\left(r_1^2 + r_2^2\right)$; (b) $\dfrac{1}{4}M\left(r_1^2 + r_2^2\right)$.

12.4 $\dfrac{1}{6}Ma^2$.

12.5 $\dfrac{3}{10}MR^2$.

12.6 2,2 s.

12.7 (a) $\omega \approx 2\, mv/(MR)$; (b) $1 - (2m/M)$.

12.8 $\omega = \sqrt{3g/b}$.

12.9 (a) $a = m'g \Big/ \left(m + m' + \dfrac{M}{2}\right)$;

(b) $T = \dfrac{mm'g}{m' + m + \dfrac{M}{2}}$; $\quad T = \left(m + \dfrac{M}{2}\right) m'g \Big/ \left(m + m' + \dfrac{M}{2}\right)$.

12.10 $v^2 = 2gh\left(m' - m \text{ sen } \theta\right) \Big/ \left(m + m' + \dfrac{M}{2}\right)$.

12.11 (a) $= \dfrac{2}{3} g$; (b) $T = \dfrac{1}{3} mg$; (c) $v^2 = 2as$.

12.12 (a) $a = g\left(m' - \dfrac{m}{2} \text{ sen } \theta\right) \Big/ \left(m' + \dfrac{3}{8} m\right)$;

(b) $T = mm'g\left(\dfrac{3}{4} + \text{sen } \theta\right) \Big/ \left(2m' + \dfrac{3}{4} m\right)$.

12.13 (a) $I = \dfrac{7}{48} md^2$; (b) $\omega = \sqrt{\dfrac{24}{7}\dfrac{g}{d} \text{ sen } \theta}$; $\quad \alpha = \dfrac{12}{7}\dfrac{g}{d} \cos\theta$.

12.14 $h = R + \dfrac{3}{4}\dfrac{v^2}{g}$.

12.15 (a) $\theta = \cos^{-1}\left(\dfrac{10}{17}\right) \approx 54°$; (b) $v^2 = \dfrac{10}{17} g(R + r)$.

12.16 (a) $F < \dfrac{mg}{\text{sen } \varphi}$; (b) $\alpha = \dfrac{F(r - R\cos\varphi)}{I_{CM} + MR^2}$; (c) $\cos \varphi = r/R$.

Para $\varphi < \varphi_0$, o fio se desenrola (o ioiô avança); para $\varphi > \varphi_0$, o fio se enrola (o ioiô recua); para $\varphi = \varphi_0$, o ioiô permanece em equilíbrio.

12.17 (a) $d = \dfrac{12}{49}\dfrac{v_0^2}{\mu_c g}$; (b) $t = \dfrac{2}{7}\dfrac{v_0}{\mu_c g}$; (c) $v = \dfrac{5v_0}{7}$.

12.18 $\Omega = 23{,}8$ rpm.

12.19 (a) Sobre o eixo, a $\dfrac{3}{4} h$ do vértice; (b) $\Omega = \dfrac{5}{2} gh \big/ \left(\omega R^2\right)$;

(c) $|\mathbf{F}| = \dfrac{3}{4} M\Omega^2 h \text{ sen}\theta$, centrípeta com respeito ao círculo descrito pelo CM;

(d) $\Omega = 6{,}1$ rad / s; $|\mathbf{F}| = 0{,}51$ N.

12.20 $F = Mg\sqrt{d(2R - d)} \,/\, (R - d)$.

12.21 $\text{tg } \theta \leq 2\mu_e$.

12.22 $d = \dfrac{M}{m} l \left[\mu_c \text{ cotg } \theta \left(1 + \dfrac{m}{M}\right) - \dfrac{1}{2}\right]$.

12.23 $d = \dfrac{1}{2}\left(1 + \dfrac{1}{2} + \dfrac{1}{3} + \ldots + \dfrac{1}{N - 1}\right)$.

CAPÍTULO 13

13.1 Trajetória retilínea, movimento uniforme; tempo = l/v_0 (l = distância inicial; v_0 = velocidade inicial).

13.2 (a) 0,1 m ; (b) 1,26 s ; (c) 0,2 m.

13.3 17°, para a frente.

13.4 – 1,5 m/s² (está freando).

13.5 (a) 0,5 m/s; (b) 2,55 m.

13.6 $A = g(\text{tg}\ \theta + \mu_e)/t(1 - \mu_e\ \text{tg}\ \theta)$.

13.7 $z = \frac{1}{2}\omega^2\rho^2 / g$ (ρ = distância da superfície ao eixo).

13.8 $\lambda \approx 45°$ N ou 45° S; desvio máximo $\approx 0{,}1°$.

13.9 (a) $1{,}7 \times 10^{-3}$ N; (b) 120 km.

13.10 $\text{tg}\ \theta = \frac{1}{2} mGl / (cR)^2$; $3 \times 10^{-3}{''}$.

13.11 $\gamma \sim 6 \times 10^{-2}$.

Índice alfabético

A

B

C

D

E

F

G

H

I

J

K

L

M

N

O

P

Q

R

S

T

U

V

W

GRÁFICA PAYM
Tel. [11] 4392-3344
paym@graficapaym.com.br